suhrkamp taschenbuch
wissenschaft 59

D1270068

Materialien zu Kants
›Kritik der praktischen Vernunft‹

Herausgegeben von
Rüdiger Bittner und Konrad Cramer

Suhrkamp

Quellennachweis am Schluß des Bandes

suhrkamp taschenbuch wissenschaft 59
Erste Auflage 1975
© Suhrkamp Verlag Frankfurt am Main 1975
Suhrkamp Taschenbuch Verlag
Alle Rechte vorbehalten, insbesondere das des
öffentlichen Vortrags, der Übertragung durch
Rundfunk oder Fernsehen und der Übersetzung,
auch einzelner Teile.
Satz: Georg Wagner, Nördlingen
Druck: Nomos, Baden-Baden.
Printed in Germany.
Umschlag nach Entwürfen von
Willy Fleckhaus und Rolf Staudt.

Inhalt

Vorwort

Kants bedeutendste Schriften zur Moralphilosophie, die 1785 erschienene *Grundlegung zur Metaphysik der Sitten* und die 1788 erschienene *Kritik der praktischen Vernunft*, nehmen mehr noch als sein Hauptwerk zur theoretischen Philosophie, die *Kritik der reinen Vernunft* von 1781, eine in der gegenwärtigen Theoriebildung bevorzugte, aber auch prekäre Stellung ein: sie sind klassische, aber ganz und gar zeitgenössische Texte, wenn unter einem zeitgenössischen Text ein solcher verstanden wird, der von keinem der Heutigen übergangen werden kann und auch nicht übergangen wird, der sich in Fragen der Begründung einer Ethik orientieren will. Die Wirkungsgeschichte dieser beiden Schriften hatte stets diesen eigentümlichen Zug: in bezug auf sie gab es, im Unterschied etwa zu der Ethik des Aristoteles oder auch Hegels Rechtsphilosophie, niemals einen Zeitraum, in dem sie vergessen waren. Aber diese ununterbrochene Wirksamkeit bringt es auch mit sich, daß sich Interpretations- und Beurteilungsschemata, einmal entwickelt und weitergegeben, bei der Flucht der Zeit stereotypisieren und zu Meinungen über Inhalt und Wert einer Theorie gerinnen, deren Verfestigung mit der Abnahme der Bereitwilligkeit zu genauer Analyse der Texte parallel geht. Man versteht von einer philosophischen Theorie genau nur so viel, wie man von der internen Struktur ihres Begründungsganges wahrgenommen hat; was aber diese Struktur ist, wird durch solche Meinungen überdeckt oder vielmehr in eine Ferne gesetzt, in der nicht mehr wahrgenommen werden kann.

Ein Materialienband zur kantischen Ethik kann keine ›Einleitung‹ in diese sein. Noch weniger kann eine Einleitung in diesen Materialienband eine solche ›Einleitung‹ sein. Denn wir sind in Wahrheit weit entfernt davon, gegenwärtig so etwas wie eine ›Einleitung‹ in Kants Ethik mit gutem theoretischen Gewissen anbieten zu können. Von einer ›Einleitung‹ darf erwartet werden, daß sie Kants ethische Theorie auf einfache Grundzüge zusammendrängt, Schwierigkeiten teils auflöst, teils zurückstellt und so eine Orientierung über das

Ganze verschafft, ohne den Argumentationsgang zu vernachlässigen, aufgrund dessen es ein Ganzes ist. Der vorliegende Band geht in die entgegengesetzte Richtung. Statt eingeübte Überzeugungen von Struktur und Wert dieser Theorie zu reproduzieren, soll er die Perspektiven der Beurteilung erweitern. Schon die hier vorgelegten Texte aus Kants handschriftlichem Nachlaß und aus seinen spätesten veröffentlichten Schriften verhelfen nicht zu einem einfach überschaubaren Bild seines moralphilosophischen Systems, sondern machen mit Überlegungen bekannt, die durchaus nicht nur das in den beiden ethischen Hauptschriften Feststehende kommentieren und bestätigen, sondern auch zu dessen erneuter Überprüfung einladen. Im weiteren bietet der Band anstatt erläuternder durchweg kritische und weiterführende Abhandlungen an. Anstelle einer Kurzbibliographie, die nur die anerkannte Standardliteratur ohne sachliche Differenzierung verzeichnet, findet sich schließlich eine umfangreiche, nach Sachgesichtspunkten gegliederte Liste von Diskussionsbeiträgen verschiedener Entstehungszeit, verschiedener Interessenrichtung und verschiedener Qualität.

Wir haben uns über dieses Vorgehen vor allem demjenigen gegenüber zu verantworten, der am Anfang eines Studiums der kantischen Moralphilosophie steht. Wir meinen jedoch, daß unsere Auswahl auch seinem Bedürfnis in höherem Maße gerecht wird als ein Angebot von Texten, das auf eine faßliche Präsentation eines nur schwer zu übersehenden Theoriezusammenhangs ausgeht. Eine solche Präsentation wird immer Gefahr laufen, das argumentative Niveau einer Theorie zu unterbieten, die in ihrem dogmatischen Bestand einfach und einprägsam erscheint, in Wahrheit aber zu den schwierigsten der philosophischen Tradition gehört. Die kantische Moralphilosophie ist in der Form, die sie in der Grundlegungsschrift und in der *Kritik der praktischen Vernunft* erhalten hat, das Resultat einer Integrationsleistung, für die es in der Geschichte der Philosophie wenig Beispiele gibt – einer Integrationsleistung freilich, die sich in diesen Texten unsichtbar zu machen bemüht ist. Die Schwierigkeiten, die sie dem Leser auch dann noch entgegenstellen, wenn er die ersten Verständnisklippen überwunden hat, sind zu einem großen Teil Folge dieser Verdichtung durchaus nicht homogener Absichten und

Fragestellungen in *eine* systematische Theorie. Klarheit über diese wird am ehesten dadurch geschaffen, daß eben diese Vielfalt theoretischer Motive, die Kant geleitet hat und ihm stets vor Augen stand, auseinandergelegt wird. Erst so wird man verstehen können, was Kants Vorschlag einer Neubegründung der Moralphilosophie bedeutet. Das scheint ein weiter Umweg. Aber eben weil dieser Vorschlag eine umfassende Antwort auf eine komplexe Problem- und Diskussionslage zu geben versucht, ist dieser Umweg unvermeidlich.

Man könnte meinen, dies laufe auf eine Historisierung von Texten hinaus, deren Tugend es gerade gewesen ist und noch ist, bei ihren Lesern in der direktesten Weise, ohne jede gelehrte Vermittlung, emphatische Zustimmung oder Ablehnung, immer aber das Bewußtsein auszulösen, daß es hier um seine, des Lesers, eigene Sache geht. Der Vorwurf jedoch, die oben genannte Betrachtungsweise löse das, was als ein Ganzes unmittelbare Wirkung tut, in ein Flickwerk disparater, nur noch historisch zu lokalisierender Gedankenzüge auf, ist unhaltbar. In der Tat ist sie gerade bestrebt, diese Ganzheit als eine solche zu *begreifen*. Dies aber ist nur möglich, wenn man sie als Produkt einer synthetischen Leistung begreift, die es systematisch zu rekonstruieren gilt.[1]

So war trotz der Tatsache, daß die hier abgedruckten Texte zu einem Großteil zu Kants Lebzeiten geschrieben, alle aber vor 1910 entstanden sind, unser Interesse bei ihrer Auswahl und Zusammenstellung kein historisches. Weder ging es uns um eine historische Rekonstruktion der Entwicklung der kantischen Moralphilosophie, noch um eine Dokumentation der Geschichte ihrer Wirkung. Es ging uns vielmehr darum, sachliche Motive, Fragen und Forderungen, die Kants Entwurf einer Moralphilosophie bestimmt haben, freizulegen und von verschiedenen Seiten zu beleuchten. Wir betrachten die von uns vorgelegten Texte nicht als Dokumente, sondern als Beiträge zu einer Sachdebatte, die auch für die gegenwärtige Diskussion der praktischen Philosophie von Interesse ist.

Die uns leitende Absicht kann an einem Beispiel erläutert werden. Nichts hat die Zeitgenossen an Kants Moralphilosophie so sehr irritiert wie die Weigerung, moralische Verbindlichkeit auf das Verlangen des Menschen nach Glück zu gründen. Viele frühe Reaktionen zeugen gerade in diesem Punkt von einem Gemisch aus Verständnislosigkeit und gereizter Empörung. Wenig später ist dann diese Einsicht als eine von ✔ Kants unbestreitbaren Leistungen angesehen worden. Uns lag daran, gegenüber diesen gleichermaßen fertigen Urteilen die Problemlage deutlich zu machen, auf die Kants These über das Verhältnis von Tugend und Glück antworten will. Freilich wußte Kant, daß er mit seiner Entgegensetzung von »Wohlverhalten« und »Wohlfahrt« den Erwartungen des größten Teils seiner Zeitgenossen widersprach. Andernteils muß er aber gemeint haben, auch dem Motiv angemessen zu antworten, das sie bei ihrem Widerspruch leitete. Hieraus folgt, daß Kants Moralphilosophie die Absicht endlicher Wesen auf ✔ Glückseligkeit nicht einfach als moralisch irrelevant abtun konnte. Kants veröffentlichte Schriften zur Ethik verdecken hier Überlegungen, die einzig die Texte aus dem Nachlaß freizulegen imstande sind. Sie zeigen, daß der aristotelische Gedanke, ein guter Wille müsse aus der natürlichen Absicht auf ein gutes Leben verstanden werden, aus dem Rahmen der kantischen Theorie der Sittlichkeit nicht einfach herausfällt. Das Paradoxe der kantischen Lösung liegt darin, daß ein rational begründbarer Entwurf des guten Lebens eines vernünftigen, aber bedürftigen Wesens es gerade ausschließt, daß der gute Wille aus der Absicht auf Glückseligkeit verstanden wird. Die Selbsterhaltung der Vernunft im Felde des Praktischen erfordert einen Willen, dessen Güte allein in der Tauglichkeit seiner Maxime zu einer allgemeinen Gesetzgebung liegt. Diese Bestimmung des guten Willens gewinnt jedoch aus dem Gedanken, daß in ihr die *Regel* formuliert ist, unter der allein das Glück eines vernünftigen, aber bedürftigen Wesens *möglich* ist, eine um so stärkere Überzeugungskraft. Das Glück eines solchen Wesens kann nur als ein nach einer Regel ✔ seiner Freiheit selbstgewirktes zustande kommen.

Erkundungen dieser Art veranlaßten uns, dem Abdruck von Reflexionen zur Moralphilosophie, Metaphysik und Anthropologie aus Kants handschriftlichem Nachlaß verhältnismäßig breiten Raum zu geben. Es handelt sich hierbei um Notizen, die Kant in die philosophischen Lehrbücher, die er seinen Vorlesungen zugrunde legte, eintrug oder auf losen Blättern festhielt. Sie wurden in der Hauptsache von Erich Adickes entziffert, datiert und im Rahmen der Akademie-Ausgabe von Kants Gesammelten Schriften herausgegeben.[2] Die in diesem Bande abgedruckten Reflexionen stammen größtenteils aus Kants Handexemplar der *Initia Philosophiae Practicae Primae* des Wolff-Schülers Alexander Baumgarten.[3] Zum kleineren Teil finden sie sich in Kants durchschossenem Handexemplar von Baumgartens *Metaphysica*.[4] An ihnen kann im einzelnen verfolgt werden, wie Kant verschiedene Theorie-Stücke, verschiedene Argumente, Fragen und Schwierigkeiten immer wieder von neuen Gesichtspunkten und in neuen Verbindungen durchprüft. Sie bilden nicht nur die wichtigste Grundlage für die Rekonstruktion der Entwicklung der kantischen Ethik[5], ihr Studium vermittelt auch die Erfahrung, daß die von Kant veröffentlichten Schriften zur Grundlegung der Ethik jeweils eine Summe aus der fortlaufenden Diskussion ziehen, die Kant mit sich selbst geführt und niemals zu einem endgültigen Abschluß gebracht hat.

Daneben sprachen auch äußere Gründe dafür, Texte aus dem kantischen Nachlaß in unsere Sammlung aufzunehmen. Adikkes' Edition hat diese Texte, eben weil sie den Anspruch größtmöglicher philologischer und chronologischer Genauigkeit und Vollständigkeit zu erfüllen suchte, in einer wenig zugänglichen Form präsentiert. Innerhalb der einzelnen von ihm unterschiedenen Entstehungsphasen kommen Texte ganz verschiedener Thematik und ganz unterschiedlicher Bedeutsamkeit zusammen, und so entsteht ein nur schwer übersehbares Gemenge von vielerlei Notizen und Entwürfen Kants, das denjenigen, der zu Sachfragen Auskunft haben möchte, zunächst hilflos läßt. Unser Abdruck von Texten des Nachlasses versucht, das von Adickes herausgegebene Material einer Betrachtung zugänglich zu machen, die nicht an historisch-philologischen, sondern an sachlichen Gesichtspunkten orientiert ist. Wir bieten daher eine nach Sachpunkten gegliederte Auswahl an. Dabei nahmen wir in Kauf, daß eine solche Gliederung nicht immer ohne gewaltsame Scheidungen abging. Von unserer Anordnung behaupten wir nicht, sie sei die beste oder gar die einzig vernünftige; wir glauben, daß sie eine gute Hilfe zur Orientierung in dem sonst unübersichtlichen Textmaterial gibt. Ebensowenig wollen wir über Aufnahme oder Nicht-Aufnahme bestimmter Reflexionen rechten. Wir haben uns auf die immer noch geringe Auswahl aus Platzgründen beschränkt und sind uns klar darüber, daß wir vieles Bedeutende nicht mitgeteilt haben.[6] (Zu den technischen Einzelheiten der Einrichtung der Texte siehe den abschließenden Teil dieses Vorworts.)

Um den Diskussionszusammenhang sichtbar zu machen, in den Kants Schriften zur Ethik eintraten und der für ihr Verständnis wichtig ist, haben wir in einem zweiten Teil Rezensionen und andere frühe Stellungnahmen zur Grundlegungsschrift und zur *Kritik der praktischen Vernunft* gesammelt. Dieser Zweck wird durch die von uns mitgeteilten Texte freilich nur in bescheidenem Maße verwirklicht. Wir mußten darauf verzichten, Texte derjenigen Philosophen des 18. Jahrhunderts vorzustellen, mit deren Vorschlägen zur Begründung der Ethik sich Kant in der Ausbildung des seinen auseinandergesetzt hat. Kants ethische Theorie, wie sie in der *Kritik der praktischen Vernunft* vorliegt, ist als Antwort auf die bei seinen Vorgängern nicht befriedigend gelöste Frage der Begründung des Prinzips der Sittlichkeit zu verstehen – eine Antwort, die deren sachliche Motive nicht aus den Augen verloren, sondern in einen kohärenten Theorievorschlag zu integrieren versucht hat. Kants vorkritische Schriften und der aus der Zeit ihrer Abfassung stammende Teil des Nachlasses zeugen von dieser Auseinandersetzung.[7] Ihre systematisch entscheidenden Bezugspunkte sind die rationalistische Ethik der *Philosophia Practica Universalis* von Christian Wolff und seiner Schule, die moralphilosophischen Konsequenzen des Angriffs, den Christian August Crusius auf den Kräftemonismus der »vis repraesentativa universi« der Leibniz-Wolffschen Schule geführt hat, die Ethik des »moral sense« der schottischen Moralphilosophen, insbesondere Francis Hutchesons, und schließlich die Freiheitslehre von Jean Jacques Rousseau.[8] Gesprächspartner vom Range der genannten standen Kant zur Zeit des Erscheinens seiner ethischen Hauptwerke nicht mehr gegenüber. Was ihm gegenüberstand, war der moralphilosophische Eklektizismus der Popularphilosophen der deutschen Spätaufklärung, wie Johann August Eberhard, Johann Georg Heinrich Feder, Christian Garve, Christian Friedrich Nicolai, Gottlob August Tittel. Auch die auf weite Kreise wirkenden Schriften des Dichters und Leipziger Professors Christian Fürchtegott Gellert sind hier zu nennen. Auf die »Moralen« dieser Popularphilosophie zielt die Bemerkung Kants in der Grundlegungsschrift: »Man darf nur die Versuche über die Sittlichkeit in jenem beliebten Geschmacke ansehen, so wird man bald die besondere Bestimmung der menschlichen Natur (mitunter aber auch die Idee von einer vernünftigen Natur überhaupt), bald Vollkommenheit, bald Glückseligkeit, hier moralisches Gefühl, dort Gottesfurcht, von diesem etwas, von jenem auch etwas, in wunderbarem Gemische antreffen, ohne daß man sich einfallen läßt zu fragen, ob auch überall in der Kenntnis der menschlichen Natur (die wir doch nur von der Erfahrung herhaben können) die Prinzipien der Sittlichkeit zu suchen seien.«[9] Trotz Kants argumentativ überlegener Kritik an diesem moralphilosophischen Synkretismus, »wo ein gewisses Koalitionssystem widersprechender Grundsätze voll Unredlichkeit und Seichtigkeit erkünstelt wird, weil es sich einem Publikum besser empfiehlt, das zufrieden ist, von allem etwas und im Ganzen nichts zu wissen und dabei in allen Sätteln gerecht zu sein«[10], legen wir zwei Texte aus diesem Umkreis vor; die in den Göttingischen Gelehrten Anzeigen von 1885 anonym erschienene Rezension der *Grundlegung zur Metaphysik der Sitten,* die nach Angabe der Akademie-Ausgabe[11] von dem Göttinger Professor und Kantgegner J. G. H. Feder stammt[12], und den Anhang »Über einige Sätze der kantischen Moral«, den der Karlsruher Kirchenrat G. A. Tittel seinen *Erläuterungen der theoretischen und praktischen Philosophie nach Herrn Feders Ordnung*[13] beigefügt hat. Kant hat gegen Feders und Tittels Angriffe eine eigene Verteidigungsschrift erwogen[14] und ist in der Vorrede zur *Kritik der praktischen Vernunft* mit einiger Ausführlichkeit auf den von Tittel in einer anderen, zum Abdruck jedoch weniger gut geeigneten Schrift: *Über Herrn Kants Moralreform*[15] erhobenen Vorwurf eingegangen, diese beschränke sich nur auf die Aufstellung einer neuen Formel für ein allgemein bekanntes und längst akzeptiertes Prinzip der Moral.[16] Schon diese Tatsachen legen es nahe, Texte dieser Art wieder zugänglich zu machen. Und obwohl sie nicht das Niveau einer angemessenen argumentativen Auseinandersetzung mit Kant erreichen[17], machen sie doch einen bezeichnenden Zug von dessen Theorie sichtbar: der Bruch mit geläufigen Vorstellungen, den das Unverständnis der Zeitgenossen signalisiert, charakterisiert Kants Sache – nämlich das für eine naive Vorstellung von Sittlichkeit Unnatürliche, ja Skandalöse der rigoristischen Moral. Die beherrschende Stellung, die sie in der moralphilosophischen Diskussion alsbald einnahm, hat diesen Sachverhalt aus unserem Blick entschwinden lassen. Vorwürfe wie der von Tittel sind Momente einer bald mißlingenden Immunisierungsstrategie, die den revolutionären Zug der kantischen Ethik zu verdrängen sucht.

Anders verhält es sich mit den hier abgedruckten Rezensionen von Hermann Andreas Pistorius und August Wilhelm Rehberg. Es handelt sich bei ihnen gleichfalls um schwer zugängliche Dokumente aus der frühen Rezeptionsgeschichte der kantischen Ethik, vor allem aber um auch heute noch sachlich bedeutende Beiträge. Pistorius' Rezension der *Grundlegung zur Metaphysik der Sitten,* 1786 in der von Nicolai herausgegebenen »Allgemeinen Deutschen Bibliothek« anonym erschienen, hat Kant selber beeindruckt. Der Pastor auf Rügen und spätere Probst auf Fehmarn ist der »wahrheitsliebende und scharfe, dabei also immer achtungswürdige Rezensent«[18], der gegen Kant eingewandt hat, der Begriff des Guten müsse vor dem moralischen Prinzip festgesetzt werden und nicht, wie Kant in der Grundlegungsschrift vorschlägt, umgekehrt. Auf ihn nimmt Kant in der Vorrede zur *Kritik der praktischen Vernunft* Bezug und versucht, seinem Einwand im zweiten Hauptstück des ersten Teils: »Von dem Begriffe eines Gegenstandes der reinen praktischen Vernunft« Genüge zu tun. Hierauf entgegnet Pistorius in seiner wiederum anonym und verspätet erschienenen Rezension der *Kritik der praktischen Vernunft* in der »Allgemeinen Deutschen Bibliothek« vom Jahre 1794. – Die wichtigste Rezension der *Kritik der praktischen Vernunft* wurde die von Rehberg in der Jenaischen Allgemeinen Literaturzeitung von 1788 ebenfalls anonym veröffentlichte.[19] Christian Gottfried Schütz, der Herausgeber der A.L.Z., sandte sie Kant vor der Drucklegung mit der Bitte zu, »entweder gleich bei der Zurücksendung Ihre Bemerkungen darüber zu lesen, oder doch wenigstens so bald als möglich von Ihnen benachrichtigt zu werden, obs Ihnen nicht gefällig sein möchte, für die Alg. Lit. Zeitung einen Aufsatz zu senden, worin die vornehmsten Mißverständnisse,

die von *scharfsinnigen* Rezensenten begangen werden, aufgeklärt würden.«[20] Die von den Zeitgenossen stark beachtete, in
der Tat scharfsinnige, aber zum Teil schwer verständliche und
auf eigenen systematischen Prämissen fußende Rezension formuliert zum erstenmal diskussionsfähige Bedenken gegen die
kantische Triebfederlehre und gegen den Begriff einer *reinen*
praktischen Vernunft, die in der späteren Debatte verschärft
auftraten. In seiner Kritik an der kantischen Moraltheologie
knüpft Rehberg an seine Schrift: *Über das Verhältnis der
Metaphysik zu der Religion* von 1787 an. Schon dort hatte er
den Einfluß kritisiert, den der Gedanke der Glückseligkeit auf
die Konstruktion der Moraltheologie in der *Kritik der reinen
Vernunft* gewonnen hat.[21]

Aus der nahezu unübersehbaren Menge und Vielfalt zeitge-
nössischer Stellungnahmen[22] bringt der zweite Teil unserer
Textauswahl Beiträge zweier völlig vergessener Autoren, die
paradigmatisch für vieles andere Gehaltvolle und Verschol-
lene aus der Zeit der frühen Rezeption der kantischen Ethik
stehen mögen. Aus Christian Wilhelm Snells Schrift: *Die Sittlichkeit in Verbindung mit der Glückseligkeit,* die zwei Jahre
nach der *Kritik der praktischen Vernunft* erschienen ist, teilen
wir des Autors Unterscheidung zwischen Glückseligkeit als
Bestimmungsgrund des Handelns und Glückseligkeit als Folge
des allgemein gewordenen Handelns nach moralischen Prinzipien mit.[23] Johann Günther Karl Werdermanns Versuch der
Vereinigung des Eudämonismus mit der kantischen Moral-
lehre in seinem Aufsatz: »Feder und Kant: Versuch zur
Aufhebung einiger streitigen Punkte in den Gründen der
Moralphilosophie« von 1794 verdient dadurch besonderes
Interesse, daß er von der popularphilosophischen Moralphilosophie her Überlegungen entwickelt, die denen der Schiller-
schen Kritik an Kants Rigorismus erstaunlich nahekommen,
ohne doch vor ihnen abzuhängen.[24] Der historische Disput
zwischen Schiller und Kant, dessen Bedeutung für die Ausbildung des nachkantischen Idealismus in unserem Band freilich
nicht dokumentiert werden konnte, beschließt diesen Teil der
Materialien.

In einem dritten Teil haben wir wichtige Beiträge zu der
Diskussion gesammelt, an der sich in dem Jahrzehnt nach dem
Erscheinen der *Kritik der praktischen Vernunft* die besten

Köpfe beteiligt haben – nämlich der über die Freiheit des Willens. Sie entzündete sich an den offenbaren Zumutungen und Unzulänglichkeiten von Kants Freiheitstheorie. Die unten abgedruckten Texte aus Kants Einleitung zu seiner *Metaphysik der Sitten* von 1797 und aus den Vorarbeiten dazu zeigen, daß er sich zu einer Modifikation der in der *Kritik der praktischen Vernunft* vertretenen Position gezwungen sah. Sinn und Motiv dieser Modifikation sind bis heute nicht aufgeklärt. Es ist daher auch nicht klar, inwieweit sie als eine Reaktion auf die Diskussion aufgefaßt werden kann, die von Johann Heinrich Abicht[25], Carl Christian Erhard Schmid[26] Carl Leonhard Reinhold, Christoph Andreas Leonhard Creuzer[27], Johann Gottlieb Fichte und anderen, in unserer Sammlung nicht vertretenen Autoren mit Schärfe und Leidenschaft geführt worden ist. Im Mittelpunkt dieser Diskussion stehen zwei Fragen. Einmal die, ob nur derjenige Wille, dessen Bestimmungsgrund das moralische Gesetz ist, oder auch ein solcher Wille frei zu nennen ist, der seiner Affiziertheit durch Bedürfnisse der Sinnlichkeit gegen die Einsicht in das sittlich Gebotene nachgibt. Daß auch der unmoralische Wille ein freier Wille ist, wird von Reinhold in aller Entschiedenheit gegen den Buchstaben der *Kritik der praktischen Vernunft* behauptet. Die zweite Frage ist, zu welchen Konsequenzen die begriffliche Analyse des kantischen Theorems einer »Kausalität aus Freiheit« führt, die zumindest in einem reinen, nicht durch sinnliche Antriebe bestimmten Willen als realisiert zu denken ist. Hier hat Schmids These vom »intelligiblen Fatalismus«, die eine Flut von Stellungnahmen auslöste, ihren systematischen Ort. – Daß Kants eigenes spätes Wort zur Freiheitstheorie auch denen nicht mehr verständlich wurde, die sich ehedem die Verbreitung der kantischen Philosophie zur Aufgabe gemacht und sie auch mit größtem Erfolg durchgeführt hatten, wird an dem zweiten der hier abgedruckten Beiträge Reinholds deutlich. Er muß auch heute noch als der beste kritische Kommentar zu den diesbezüglichen Ausführungen Kants in der *Metaphysik der Sitten* gelten.

Die Folge der hier in signifikanten Teilen und Auszügen vorgelegten Schriften bietet den Musterfall eines Diskussions*zusammenhangs*. Es hat später nicht wieder eine so dichte

Debatte über dieses für die kantische Ethik entscheidende Problem gegeben wie in dieser Phase ihrer Rezeption. Mit ihr ist darüber hinaus eine der Gelenkstellen markiert, an denen sich der deutsche Idealismus in seinem frühen Stadium als Aufnahme und Vollendung von Überlegungen verstehen konnte, die bei Kant unfertig liegengeblieben waren. Fichtes Creuzer-Rezension gibt ein erstes Versprechen in dieser Richtung, das er in der *Grundlage der gesamten Wissenschaftslehre* von 1794 einzulösen meinte. Aber schon Abichts Aufsatz »Über die Freiheit des Willens«, der fünf Jahre früher geschrieben ist und so in diesem Teil unserer Sammlung an die erste Stelle tritt, zeigt ein deutliches Bewußtsein davon, daß die konsistente Ausarbeitung der formalen Struktur eines freien Willens, welcher der ihm von Kant zugedachten Rolle in vernünftigem Handeln soll gerecht werden können, dazu zwingt, die von Kant gezogenen Grenzlinien zwischen theoretischer und praktischer Vernunft in Frage zu stellen oder vollends aufzuheben. Damit wäre Kants Konzept der praktischen Philosophie in ihrem Gegensatz zur theoretischen aufgelöst; und zwar aus Gründen, die in seiner praktischen Philosophie selbst lokalisiert werden können.

Der vierte Teil unserer Sammlung bringt durchweg kritisch gehaltene Abhandlungen zur kantischen Ethik aus dem 19. Jahrhundert. Auch hier erheben wir nicht den Anspruch, die Diskussion über die Grundlegungsschrift und die *Kritik der praktischen Vernunft* historisch angemessen zu dokumentieren. Es war vielmehr unsere Absicht, solche Texte zusammenzustellen, die für systematische Positionen repräsentativ sind, welche auch noch in der gegenwärtigen Diskussion über die kantische Ethik und über den Begriff der praktischen Philosophie im allgemeinen Bedeutung haben. Sachthema aller hier abgedruckten Arbeiten ist der sogenannte Formalismus in Kants Ethik. Die bekannte Stelle aus Hegels Naturrechtsaufsatz von 1802 und die Passagen aus der völlig vergessenen *Physik der Sitten* seines Zeitgenossen Friedrich Eduard Beneke von 1822 diagnostizieren mit ganz verschiedenen begrifflichen Mitteln die Leere des kantischen Pflichtgebots und ziehen daraus entgegengesetzte Konsequenzen. Hegel verwirft Kants Theorie der praktischen Vernunft als einer Gesetzlichkeit des Handelns, die in der bloßen Form der

Allgemeingültigkeit seiner Maxime besteht. Er fordert dem-gegenüber die systematische Entwicklung der Inhalte des sitt-lichen Handelns aus einer material gedachten Vernünftigkeit,√ die das definiert, was bei Hegel Geist heißen wird. Beneke versucht nachzuweisen, daß Kant bei der Ableitung inhaltlich bestimmter Pflichten in Wahrheit kontingente materiale Absichten des Handelnden zugrunde legen muß, deren Über-prüfung nach der Formel des kategorischen Imperativs in einem logischen Zirkel endet. Er wird von hier aus zu der Forderung geführt, Ethik auf eine Theorie der erfahrbaren menschlichen Bedürfnisse und Neigungen und ihres Zusam-menhanges in einem Lebensentwurf zu gründen. So steht er für eine vom Idealismus zunächst zu völliger Wirkungslosig-keit verurteilte empiristische Ethik, die erst in der nachideali-stischen Epoche in Deutschland wieder diskussionsfähig wurde und im Hinblick auf die gegenwärtige Rezeption der angelsächsischen Philosophie neue Beachtung verdient.

Unvergleichlich wirksamer als Benekes Kritik ist insbeson-dere in den letzten 40 Jahren des vorigen Jahrhunderts Arthur Schopenhauers »Kritik des von Kant der Ethik gegebenen Fundaments« in seiner *Preisschrift über die Grundlage der Moral* geworden, die erstmals 1840, sodann beträchtlich erweitert 1860 erschienen ist. Daß Schopenhauer heute schon fast ein Vergessener ist, rechtfertigt, wie wir meinen, den Abdruck von Partien dieses ehemals klassischen, durch eine einzigartige Mischung von Scharfsinn, Schalheit und Eleganz ausgezeichneten Angriffs. Die Arbeit von Christfried Albert Thilo[28], die wir dem ersten Band der zur Verbreitung und Diskussion der Herbartschen Philosophie 1861 gegründe-ten »Zeitschrift für exacte Philosophie« entnommen haben, vergegenwärtigt einen weiteren nichtidealistischen Systeman-satz aus dem ersten Drittel des 19. Jahrhunderts: eben den von Johann Friedrich Herbart. Thilo gibt eine klare Orientierung über die Vorzüge und Mängel der kantischen Ethik und entwickelt an ihr die sachlichen Motive für Herbarts Forde-rung einer integrierten Betrachtung ethischer und ästhetischer Phänomene, in der das, was traditionell Ästhetik genannt wurde, bei der Angabe der »löblichen Willensverhältnisse«, statt der leeren Form eines guten Willens überhaupt, die Führung übernimmt.

Alle diese Arbeiten, selbst eine so spät entstandene wie die Thilos, stehen zur kantischen Ethik noch in einem *direkten* Verhältnis von Anerkennung und Kritik. Das gilt nicht mehr für die beiden letzten Texte dieses Bandes. Friedrich Adolf Trendelenburgs Aufsatz über den »Widerstreit zwischen Kant und Aristoteles in der Ethik« von 1867 behandelt die kantische Moralphilosophie mit der Distanz des Historikers, die es erlaubt, zwischen ihr und einer zwar klassischen, aber ganz heterogenen (und von Kant selbst sicher nicht angemessen wahrgenommenen) Theoriegestalt, nämlich der aristotelischen Ethik, eine Debatte zu eröffnen, die ihre jeweiligen Vorzüge und Nachteile gegeneinander abwägt. Man hat in Trendelenburgs Entscheidung für die Aufnahme »spezifisch-allgemeiner« im Unterschied zu bloß »formal-allgemeinen« Prinzipien des Handelns in die Bestimmung des vernünftigen Willens als eines konkret-sittlichen eine der historischen Quellen für die materiale Wertethik des ersten Drittels des 20. Jahrhunderts zu sehen. Auch die materiale Wertethik, deren wichtigste Vertreter Max Scheler und Nicolai Hartmann gewesen sind, hat ihre charakteristische Theoriegestalt in der Auseinandersetzung mit Kant gewonnen. Sie wendet sich mit Kant gegen jede empiristische oder psychologistische Reduktion des Phänomens der Sittlichkeit und des in ihm gelegenen Anspruchs auf Anerkennung, versucht aber zugleich, dem kantischen Formalismus zu entgehen. Beides soll durch die Ausarbeitung eines »materialen Apriori« geleistet werden, in dem sittliche Erfahrung und sittliches Handeln zu fundieren sind. Die hier in Frage kommenden Texte sind jedoch äußerst weitläufig und in ihrer argumentativen Verfassung unübersichtlich, ihre Bezugnahmen auf die kantische Ethik setzen zudem ein bestimmtes Verständnis von ihr mehr voraus als daß sie es eigens aufbauen. Aus diesen Gründen schien es ratsam, auf einen Abdruck von Texten dieser wichtigen Position zu verzichten.

Unsere Sammlung wird beschlossen durch einen stark gekürzten Abschnitt aus der zweiten Auflage von Hermann Cohens *Kants Begründung der Ethik* aus dem Jahre 1910. Der ersten Auflage dieses Werks, die 1877 erschien, kam für die Ausbildung des sogenannten Marburger Neukantianismus eine Schlüsselstellung zu. Dieser versteht sich als Erneuerung des systematischen Anspruchs der kantischen Philosophie gegenüber ihren idealistischen und empiristischen Erben und rekonstruiert den Gedanken der kantischen Kritik im Begriff der »transzendentalen Methode«, die im Rekurs auf das Faktum der neuzeitlichen Wissenschaften die Bedingungen ihrer Möglichkeit als deren »transzendentales Apriori« freizulegen hat. In der Durchführung dieser Rekonstruktion hat die Rezeption der kantischen Ethik ihre systematische Stelle: Ebenso wie die Erkenntnistheorie bedarf auch die von ihr dependente Ethik eines gesicherten Bezugspunktes von in Geltung stehender Objektivität, deren transzendentales Apriori sie analysiert. Cohen hat die Rechtswissenschaft als einen solchen transzendentalen Leitfaden für die Begründung der Ethik als Wissenschaft ausgezeichnet. So ist auch *Kants Begründung der Ethik* alles andere als ein Kommentar zu Kants ethischen Schriften. Das Werk entwickelt deren Hauptgedanken fort in Richtung auf eine Theorie eines Systems vernünftiger Zwecke, das dem moralischen Handeln einen bestimmten Inhalt gibt, indem es dieses nicht auf ein noumenales Jenseits, sondern auf einen zukünftigen vernünftigen, rechtlich geordneten Weltzustand hin orientiert, dessen Verwirklichung unendliche Aufgabe ist.

Es sind nun auch die Gründe dafür zu nennen, daß die vorliegende Auswahl sich so gut wie vollständig auf Texte des 18. und 19. Jahrhunderts beschränkt. Der eine Grund ist äußerer Art. Neuere Arbeiten zur kantischen Ethik sind in der Regel viel leichter greifbar; sie werden auch durch Bibliographien, Rezensionen und dergleichen erheblich besser zugänglich gemacht. Es kommt hinzu, daß die Herstellung von Aufsatzsammlungen blüht und daher von guten Forschungsbeiträgen Nachdrucke entweder schon vorliegen oder doch erwartet werden können.[29] Wir wollten die Möglichkeit eines Materialienbandes nicht für den Nachdruck schon nachgedruckter oder doch leicht greifbarer Arbeiten verschenken – auch wenn ihr Gewicht für die Kantforschung außer Frage steht.

Der andere Grund steht in Verbindung mit den eingangs skizzierten Überlegungen. Es war unsere Absicht, die Perspektiven, unter denen Kants ethische Schriften fruchtbar zu interpretieren sind, mit Hilfe der vorgelegten Texte zu erweitern und systematische Alternativen kenntlich zu machen, die in der Auseinandersetzung mit ihnen eingebracht oder allererst entwickelt worden sind. Zu einer solchen Absicht trägt die neuere Kant-Literatur, von verhältnismäßig wenigen Ausnahmen abgesehen, merkwürdig wenig bei. Neuere Arbeiten, zumal solche, die im Traditionszusammenhang der angelsächsischen analytischen Philosophie entstanden sind, sind Arbeiten des vorigen Jahrhunderts und der kontinentalen Kant-Forschung bis zur Mitte dieses Jahrhunderts an argumentativer Schärfe und Geanuigkeit im Detail gewöhnlich weit überlegen. In der Regel aber bleiben sie an eigener systematischer Bedeutsamkeit ebensoweit hinter ihnen zurück. So geradezu und so wenig abgesichert etwa Benekes Einwände gegen Kants Grundlegung des Prinzips sittlichen Handelns auftreten, so platt vollends die Kritik des Kirchenrats Tittel wirken muß — bei ihnen und den anderen von uns vorgestellten Autoren bleibt doch die systematische Alternative, die sie mit guten oder schlechten Gründen vertreten, stets sichtbar. Obwohl nur wenige von ihnen im Rang mit Kant vergleichbar sind, stehen sie doch allesamt im Verhältnis theoretischer Konkurrenz zu ihm. Das ist in der neueren Kant-Literatur, auch da, wo sie ihren Gegenstand kritisiert, nur selten der Fall. Unsere Beschränkung auf ältere Texte sollte auch diesen Sachverhalt deutlich machen.

Die Entwicklung zu vermehrter technischer Präzision und verringerter systematischer Bedeutsamkeit in der neueren Forschung hat freilich ihre Gründe. Sie zu verfolgen ist hier um so weniger der Ort, als diese Entwicklung ja nicht nur an der Kant-Literatur zu beobachten ist. Forschungslagen und -strategien initiieren und reflektieren stets den Begriff von Philosophie selbst, den eine Zeit sich machen kann. — Damit soll natürlich nicht der Nutzen bestritten werden, den diese argumentativ besser gearbeiteten Beiträge für die Durchleuchtung der kantischen Theorie im einzelnen erbringen. Wir haben in der Bibliographie ausführliche Hinweise auf diese Hilfen gegeben. Dabei ist die neuere angelsächsische Forschung besonders berücksichtigt worden. Die Gliederung der Bibliographie nach Sachgesichtspunkten, für die das oben über unsere Anordnung der Reflexionen Gesagte entsprechend gilt, soll dem Leser die Übersicht über die Literatur erleichtern.

Zur Herstellung des Textes ist folgendes zu bemerken:

Alle Texte wurden, soweit nötig, in der Orthographie und Interpunktion vorsichtig modernisiert.

In der zu einem Text gehörigen Quellenangabe ist angezeigt, ob und in welchem Maße von uns Kürzungen vorgenommen wurden. Stellen, an denen gekürzt wurde, sind im Text selbst durch drei Punkte in eckigen Klammern vermerkt.

Grundsätzlich erscheinen alle Zusätze und Anmerkungen der Herausgeber in eckigen Klammern.

Wenn in den Texten Stellen der *Grundlegung zur Metaphysik der Sitten* und der *Kritik der praktischen Vernunft* nicht mit den Seitenangaben der Originalausgaben zitiert werden, sind sie von uns in den Anmerkungen in der Originalpaginierung ausgewiesen worden. Von den derzeit gebräuchlichsten Ausgaben verzeichnen jeweils die Originalpaginierung die von Wilhelm Weischedel besorgte Insel-Ausgabe, die bei der Wissenschaftlichen Buchgesellschaft und bei Suhrkamp in der Theorie-Werkausgabe sowie in den suhrkamp taschenbüchern wissenschaft nachgedruckt ist, und die Ausgaben der *Kritik der praktischen Vernunft* in der Akademie-Textausgabe und in der Philosophischen Bibliothek Felix Meiner. Das ist nicht der Fall bei den Ausgaben der *Grundlegung zur Metaphysik der Sitten* in der Akademie-Textausgabe und in der Philosophischen Bibliothek; in letzterer wird nur die Seitenzählung der Akademieausgabe verzeichnet. Wir fügen deshalb im Anhang eine Konkordanz der Original- und der Akademieausgabe-Paginierung für die Grundlegungsschrift bei.

Für den Text der Reflexionen aus Kants handschriftlichem Nachlaß gilt insbesondere folgendes:

Die Orthographie wurde vorsichtig modernisiert, die Interpunktion in der von Adickes modernisierten Form übernommen, ohne daß wir aber noch wie Adickes einen Unterschied zwischen den von Kant selbst sehr spärlich gesetzten Zeichen und denen des Herausgebers sichtbar machen.

Textgrundlage waren die Bände 19, 17/18 und 15, 1, 2 der Akademieausgabe.[30] Wir haben von dort jedoch nur die Texte, nicht den kritischen Apparat übernommen. Den daran Interessierten müssen wir auf die Bände der Akademie-Ausgabe verweisen.

Am Schluß jeder Reflexion erscheint eine eckige Klammer, die an erster Stelle ihre Nummer nach der fortlaufenden Zählung der Akademie-Ausgabe angibt. An zweiter Stelle erscheint die vermutete oder gesicherte Zeit ihrer Niederschrift. Auch hierbei haben wir uns ganz auf Adickes gestützt, ohne aber alle von ihm erwogenen Datierungsmöglichkeiten mitzuteilen. Wo Adickes eine Reflexion auf einen bestimmten Zeitraum datiert, ohne durch Fragezeichen und alternative Vorschläge eine Unsicherheit in der Zeitangabe anzudeuten, haben wir diesen Zeitraum angegeben. In allen anderen Fällen, also bei jeder von Adickes markierten Unsicherheit der Datierung, haben wir nur die von ihm an erster Stelle genannte Datierungsmöglichkeit, also die für ihn wahrscheinlichste, angegeben, aber mit einem Fragezeichen versehen. In diesen Fällen muß sich der Leser, der genauere Auskünfte wünscht, an die Akademie-Ausgabe wenden. Alle Zeitangaben, für die Adickes kleine griechische Buchstaben zur Bezeichnung kantischer Schriftphasen verwendet, die teilweise durch Zahlen weiter unterteilt sind, haben wir in Klartext übersetzt, und zwar gemäß der von Adickes in der Einleitung zu Band 14 der Akademie-Ausgabe aufgestellten Tabelle. Bei dieser Übersetzung haben wir auf die von Adickes gewöhnlich gebrauchte Formulierung »etwa...« oder »um...« durchweg verzichtet. Wir möchten den Hinweis nicht versäumen, daß Adickes' Datierung der Reflexionen neuerdings zunehmend umstritten ist.[31]

Gleichzeitige und spätere Zusätze Kants zu seinen Reflexionen sind in unserem Nachdruck nicht mehr als solche erkennbar. Sie sind allenfalls dann, wenn sie den Zusammenhang des Gedankens unterbrechen, mit runden Klammern versehen. Wo solche Zusätze von uns nicht aufgenommen wurden, erscheint ein Kürzungsvermerk. Ohne Kürzungsvermerk gestrichen wurden alle Passagen, die Kant selbst in seinen Notizen schon gestrichen hat.

Die Reflexionen sind nach Sachpunkten geordnet. Die unter einen Sachpunkt fallenden Reflexionen sind ihrerseits nach ihrer Entstehungszeit angeordnet. Eine Ausnahme machen hier die unter dem Sachpunkt »Kritik der Moralsysteme« mitgeteilten Reflexionen, die noch einmal nach sachlichen Gesichtspunkten untergliedert sind. Unter dem Stichwort

»Register« werden am Ende eines Sachabschnitts Nummern von Reflexionen in der Zählung der Akademie-Ausgabe angeführt, die für das betreffende Thema ebenfalls von Bedeutung sind. Dabei können auch Reflexionen genannt sein, die an anderer Stelle von uns abgedruckt werden. Ebenso kann eine Reflexion in verschiedenen Registern zitiert werden. Wer die Ausdehnung des Materials und die Verschränktheit der kantischen Gedankengänge kennt, wird es für selbstverständlich halten, daß unsere Register keinen Anspruch auf Vollständigkeit erheben.

Schließlich möchten wir Irene Waller für die wirksame Hilfe bei der Herstellung des Manuskripts danken.

Heidelberg, im März 1975
Rüdiger Bittner, Konrad Cramer

1 Diese Forschungsperspektive hat Dieter Henrich in seinen Arbeiten zur kantischen Philosophie entwickelt. Vgl. insbesondere den Anfang seines Aufsatzes: Kants Denken 1762/3. Über den Ursprung der Unterscheidung analytischer und synthetischer Urteile, in: Studien zu Kants philosophischer Entwicklung, hrsg. von H. Heimsoeth, D. Henrich u. G. Tonelli, Hildesheim 1967; und neuerdings: Die Deduktion des Sittengesetzes. Über die Gründe der Dunkelheit des letzten Abschnittes von Kants ›Grundlegung der Metaphysik der Sitten‹, in: Denken im Schatten des Nihilismus, Darmstadt 1975.

2 Kants gesammelte Schriften, herausgegeben von der (Königlich) Preußischen Akademie der Wissenschaften, Dritte Abteilung: Handschriftlicher Nachlaß, Band I: Mathematik, Physik und Chemie, Physische Geographie (Band XIV der Gesamtausgabe), Band II: Anthropologie (Band XV, 1, 2 der Gesamtausgabe), Band III: Logik (Band XVI der Gesamtausgabe), Band IV und V: Metaphysik (Band XVII und XVIII der Gesamtausgabe), Band VI: Moralphilosophie, Rechtsphilosophie und Religionsphilosophie (Band XIX der Gesamtausgabe).

3 Initia Philosophia Practicae Primae acroamatice scripsit Alexander Gottlieb Baumgarten Professor Philosophie. Halae Magdeburgicae, 1760. Abgedruckt in Band XIX der Akademie-Ausgabe. Baumgarten gibt in seinen ›Initia‹ einen in Teilen durchaus selbständigen deduktiven Abriß von Christian Wolffs ›Philosophia Practica Universalis‹.

4 Metaphysica Alexandri Gottlieb Baumgarten Professoris Philosophiae. Editio IIII, Halae Magdeburgicae, 1757. Abgedruckt in Band XVII der Akademie-Ausgabe, mit Ausnahme der ›Psychologia Empirica‹ (Pars III, Caput I), die in Band XV, 1 der Akademie-Ausgabe abgedruckt ist. Kant hat die ›anthropologischen‹ Grundbegriffe seiner Moralphilosophie (Lust-Unlust, unteres und oberes Begehrungsvermögen, Bestimmungsgrund des Willens, Triebfeder etc.) aus der empirischen Psychologie seiner rationalistischen Vorgänger bezogen, aber kritisch uminterpretiert. Viele seiner polemischen Argumentationen lassen sich nur verstehen, wenn man diese Tatsache berücksichtigt (so z. B. KpV § 3).

5 Siehe hierzu die in der Bibliographie unter dem Stichwort Entwicklungsgeschichte b) Literatur angeführten neueren Arbeiten.

6 So ist von Kants ›Bemerkungen‹ zu den ›Beobachtungen über das Gefühl des Schönen und Erhabenen‹ (Band XX der Akademie-Ausgabe) und von den moralphilosophischen Partien seines nachgelassenen Spätwerks, des sog. ›Opus Postumum‹ (Band XXI und XXII der Akademie-Ausgabe) nichts abgedruckt worden. Die systematisch und entwicklungsgeschichtlich bedeutsamsten Teile der ›Bemerkungen‹ sind in lateinischer Sprache abgefaßt. Sie zeigen auf überraschende Weise, daß die Formulierung des Prinzips der Sittlichkeit im kategorischen Imperativ für Kant bereits 1764/65 feststand.

7 Abschnitt B der Bibliographie gibt eine Übersicht über die moralphilosophisch relevanten Teile von Kants veröffentlichten vorkritischen Schriften.

8 Siehe hierzu die in der Bibliographie unter dem Stichwort Entwicklungsgeschichte a) Theorien angegebenen Titel.

9 Grundlegung zur Metaphysik der Sitten, AB 31 f.

10 Kritik der praktischen Vernunft, A 44.

11 Band XIII, S. 180.

12 Feder (1740-1821) war Leiter der »Göttingischen Gelehrten Anzeigen« und ist der berühmt-berüchtigte Redaktor der Garveschen Rezension der Kritik der reinen Vernunft in den »Zugaben zu den Göttinger Gelehrten Anzeigen« vom 19. Januar 1782, gegen die Kant im Anhang seiner »Prolegomena« einen scharfen Angriff führt. Vgl. den Brief von Garve an Kant vom 13. Juli 1783 (Nr. 201), Akademie-Ausgabe Band X, S. 328 ff.

13 Tittels (1739-1816) ›Erläuterungen‹ erschienen in 1. Auflage Frankfurt/M. 1783-86, in 2. Auflage Frankfurt/M. 1791.

14 Vgl. Biesters Brief an Kant vom 11. Juni 1786 (Nr. 275), Akademie-Ausgabe Band X, S. 457.

15 Frankfurt und Leipzig 1786.

16 Vgl. Kritik der praktischen Vernunft, A 14.

17 Biester schreibt in dem Anm. 14 erwähnten Brief: »Jeder vernünftige Mensch zuckt die Achseln, wenn er sieht, daß ein Feder (und Tittel ist vollends nur der schwache Schatten des schwachen F.) einen Kant belehren will.«

18 Kritik der praktischen Vernunft, A 15. Pistorius (1730-1798) hat David Hartley's Schrift: Observations on man, his frame, his duty and his expectations, 2. vol. London 1749, ins Deutsche übersetzt und war ein überaus eifriger Zulieferer von Rezensionen für Nicolais ›Allgemeine Deutsche Bibliothek‹.

19 Wieder abgedruckt in: A. W. Rehberg, Sämmtliche Schriften, Erster Band, Hannover 1828, S. 62-84. Über das Verhältnis Rehbergs (1757-1836) zu Kant siehe ebendort S. 13 ff. sowie D. Henrichs Einleitung in: Kant/Gentz/Rehberg, Theorie und Praxis, Theorie 1. Frankfurt 1967.

20 Brief von Schütz an Kant vom 23. Juni 1788 (Nr. 330), Akademie-Ausgabe Band X, S. 541.

21 Siehe hierzu Kritik der reinen Vernunft, Methodenlehre, Von dem Ideal des höchsten Guts, als einem Bestimmungsgrunde des letzten Zwecks der reinen Vernunft, A 804-820, B 832-848.

22 E. Adickes: German Kantian Bibliography, New York 1895 bis 1896, verzeichnet annähernd 2800 Veröffentlichungen zur kantischen Philosophie bis zu dessen Todesjahr!

23 C. W. Snell (1755-1834) war Lehrer und Prorektor in Idstein, später Gymnasialdirektor in Weilburg. An weiteren Schriften sind zu nennen: Über Determinismus und moralische Freiheit 1789; Über einige Hauptpunkte der philosophisch-moralischen Religionslehre, 1789. Wie sein Bruder Friedrich Wilhelm Daniel Snell, Professor der Philosophie in Gießen, der auch einen erläuternden Kommentar zu Kants Kritik der Urteilskraft verfaßt hat, ist er durch zahlreiche weitere Schriften und Aufsätze zur kantischen Philosophie hervorgetreten.

24 J. G. K. Werdermann (17??-18??), seit 1788 Professor der Philosophie an der Ritterakademie in Liegnitz, später Rektor der Stadtschulen daselbst. Von ihm ist weiter zu nennen: Versuch einer Geschichte der Meynungen über Schicksal und menschliche Freiheit, Leipzig 1793.

25 J. H. Abicht (1762-1816) war Professor der Philosophie in Erlangen, später in Wilna. Er gab zusammen mit F. G. Born, dem Übersetzer der Hauptschriften Kants ins Lateinische, das »Neue Philosophische Magazin zur Erläuterung des Kant'schen Systems«, 2 Bde., Leipzig 1790-1791 heraus. Von seinen weiteren Schriften sind zu nennen: Versuch einer kritischen Untersuchung über das Willensgeschäft, 1788; Versuch einer Metaphysik des Vergnügens

nach Kantischen Grundsätzen, 1789; Neues System einer philosophischen Tugendlehre, 1790.

26 C. Ch. E. Schmid (1761-1812), Mediziner, Theologe und Philosoph, war Professor der Philosophie in Gießen, ab 1793 in Jena. Sein »Versuch einer Moralphilosophie« von 1790, der bis 1802 vier Auflagen erlebte, bietet im 2. Band die erste systematisch durchgeführte »Metaphysik der Sitten« auf kantischer Grundlage. Seine weiteren Schriften zu Kant: Kritik der reinen Vernunft im Grundrisse, 1786; Wörterbuch zum leichteren Gebrauch der kantischen Philosophie, 1788, [4]1798 sind unbedeutend. Weiteres in der Anm. zum Text.

27 Ch. A. L. Creuzer (1768-1844), Prediger, seit 1802 Professor der praktischen Philosophie in Marburg, später Oberkonsistorialrat. Seiner genialischen Jugendschrift, den »Skeptischen Betrachtungen über die Freiheit des Willens mit Hinsicht auf die neuesten Theorien über dieselbe« aus dem Jahre 1793 hat Creuzer nichts Bedeutendes mehr folgen lassen.

28 Ch. A. Thilo (1813-1894), Oberkonsistorialrat in Hannover, ist auch durch seine polemischen Schriften gegen die Stahlsche Rechts- und Staatslehre bekannt geworden. Weitere Werke: Die Wissenschaftlichkeit der modernen spekulativen Theologie in ihren Prinzipien beleuchtet, 1851; Über Schopenhauers ethischen Atheismus, 1868.

29 Von Sammelbänden zur kantischen Philosophie sind in unserem Zusammenhang besonders nützlich: Robert Paul Wolff (ed.), Kant. A Collection of Critical Essays, London 1968 u. ö.; Gerold Prauss (Hrsg.), Kant. Zur Deutung seiner Theorie von Erkennen und Handeln, Köln 1973 (Neue Wissenschaftliche Bibliothek 63). Der erste enthält eine Reihe von wichtigen angelsächsischen Arbeiten, der zweite einige der besten deutschsprachigen Aufsätze zur kantischen Ethik aus jüngerer Zeit. Vgl. weiter die Bibliographie unter dem Stichwort »Sammelbände«.

30 Vgl. Anm. 2. Diese Bände enthalten folgende Reflexionen: Band 15, 1 (Reflexionen zur Anthropologie . . .) Reflexionen Nr. 111-1110; Band 15, 2 (Reflexionen zur Anthropologie . . .) Reflexionen Nr. 1111-1561; Band 17 (Reflexionen zur Metaphysik) Reflexionen Nr. 3489-4846; Band 18 (Reflexionen zur Metaphysik) Reflexionen Nr. 4847-6455; Band 19 (Reflexionen zur Moralphilosophie . . .) Nr. 6456-8112. Es sei hier bemerkt, daß sich aus den Nummern der Reflexionen nicht auf ihre Entstehungszeit schließen läßt.

31 Vgl. hierzu die von Norbert Hinske: Kants Weg zur Transzendentalphilosophie. Der dreißigjährige Kant, Stuttgart 1970, passim gegebenen kritischen Hinweise.

Texte zur Moralphilosophie
aus Kants handschriftlichem Nachlaß

Wille

[...] Die sinnliche Begierde, die vor der klaren sinnlichen Erkenntnis des Gegenstandes vorhergeht, heißt *Trieb,* die solche begleitet: *Neigung.* Die größere hypothetische Möglichkeit einer Neigung ist der *Hang.* Das Vermögen, mit Bewußtsein zu begehren: der Wille; dasjenige, unabhängig von Neigungen und Trieben zu begehren, also unabhängig von subjektiv nötigenden Ursachen, heißt der freie Wille. Die Ursachen der sinnlichen Begierden sind stimuli, der oberen: Motiven. Beide: Bewegursachen, jene als einem passiven, diese als einem aktiven Subjekte. [...]   [1008; 1766-68?]

Die Kausalität der Vorstellung in Ansehung [...] der Aktualität des Objekts (Objekte überhaupt) ist die Begierde (das Leben; der consensus mit dem Leben: die Lust). Die Vorstellung aber muß hierbei eine Beziehung aufs Subjekt haben, es zur Handlung zu bestimmen. Diese Beziehung ist Lust, und zwar an der Wirklichkeit des Gegenstandes, d. i. ein Interesse (zur Beurteilung gehört nicht das Interesse). Das Interesse beruht auf dem Wohlgefallen an unserem Zustande, welcher von der Wirklichkeit des Gegenstandes, d. i. ein Interesse (zur Beurteilung gehört nicht das Interesse). Das Interesse beruht auf dem Wohlgefallen an unserem Zustande, welcher von der Wirklichkeit des Gegenstandes abhängt. Causa impulsiva heißt das, was Interesse bei sich führt. Elater ist die subjektive Rezeptivität, zum Begehren bewegt zu werden.

(Lust am Gegenstande ist Wohlgefallen, an der Existenz ist Vergnügen.)

Alle Begierde ist entweder *praktisch,* die den Grund der Existenz des Objekts enthalten kann, oder *müßig,* die erstere ist *Willkür:* das Vermögen zu begehren, was in unserer Gewalt ist. Die Willkür ist entweder sinnlich oder intellektual. Die erste wird affiziert durch stimulos; die zweite ist ein Vermögen, zu handeln unabhängig von stimulis nach Motiven. Das arbitrium intellectuale ist jederzeit liberum; aber das sensitivum kann liberum, auch brutum sein, das letztere, wenn es nezessitiert würde durch stimulos. Das arbitrium intellectuale wird entweder subiective auch nezessitiert durch motiva, und dann ist das Subjekt reine Intelligenz: die Idee eines arbitrii puri (wird nicht affiziert durch stimulos), oder es wird moviert, aber nicht nezessitiert (durch motiva), und durch stimulos eben so wohl affiziert, aber nicht nezessitiert. Das ist das arbitrium humanum als liberum. Würde unsere Willkür die objektive Nezessitation subjektiv auch als solche empfinden, so würde das der Freiheit nicht entgegen sein, und das Vermögen, der objektiven Nezessitation entgegen zu handeln, beweiset nicht die Freiheit. Diese ist Spontaneität, und zwar reine der Willkür.

Das Vermögen der Zwecke (der Einheit der Absichten), d. i. der Willkür, die auf die Summe aller Triebfedern gerichtet ist, ist der Wille.

(Absicht – Zweck – Intention – Maxime – Gesinnung – Gesetz.)

Elater ist das Vermögen einer causa impulsiva, die Begierde zur Tat zu bestimmen, so fern sie auf der Beschaffenheit des Subjekts beruht. Daher sind viele motiva nicht genügsame elateres für den Menschen. Wir nehmen entweder an nichts sonderlich Interesse oder nicht am Intellektuellen oder nur so viel, als zum Wünschen zureicht.

Wir können nicht beweisen, daß wir frei sind (physice); aber wir können doch nur unter der Idee der Freiheit handeln (practice).

Das arbitrium humanum ist nicht nezessitiert per stimulos, also nicht brutum, sondern liberum, aber als liberum subjektiv auch nicht nezessitiert durch motiva, also nicht purum, sondern sensitiv, affectum stimulis. Der Freiheit in aller Absicht ist nichts *mehr* entgegen, als daß der Mensch einen fremden Urheber hat.   [1021; 1775-79]

Empfindungen als Ursachen der Begierden sind stimuli: appetitio sensitiva.

Begriffe als Ursachen der Begierden sind motiva: appetitio intellectualis.

Welche, wenn es sinnliche Begriffe sind, die sinnliche Willkür, wenn es reine Begriffe sind, die reine Willkür heißen.   [1024; 1776-78?]

Necessitatio per stimulos est arbitrium *inferius*. Independentia a coactione per stimulos *libertas*. Vis omnes actus arbitrio libero submittendi est arbitrium *superius*.   [1027; 1776-78]

Die Neigung geht auf ein Objekt, die Willkür auf ein Objekt in Beziehung auf andere Objekte der Neigungen, der Wille auf alle Gegenstände der Willkür oder der Begierden oder alle Begierden zusammen genommen. Es sind daher viel Neigungen, zweierlei Willkür und nur ein Wille.   [1046; 1780-88?]

Die Willkür mit Bewußtsein ist der Wille. Das Vermögen der Willkür, mit völliger Gewalt sich zum Gegenteile zu bestimmen, ist Freiheit.   [1057; 1785-89]

Register:

Freiheit

Bestimmt zu sein bei der Freiheit geht schon an, aber nicht leidend, weder durch die Art wie Objekte affizieren, noch durch eine oberste hervorbringende Ursache. Ich kann sagen: in diesem Augenblicke bin ich frei (liber aut devinctus) und *ungebunden* zu tun, was mir beliebt; aber es ist doch unumgänglich notwendig, daß ich so handle. Es ist ein Gesetz der Selbsttätigkeit, welches das Gegenteil unmöglich macht. Kann man auch in Ansehung des (moralisch) Bösen ebenso aus freiem Vorsatz ‹bestimmt sein. Nein! man kann dazu nur leidend oder gar nicht determiniert sein, weil der reine Wille doch immer bleibt und also gar nicht gebunden werden kann, aber seine Tätigkeit nicht immer exseriert.   [3856; 1764-68?]

Die Freiheit ist eigentlich ein Vermögen, alle willkürliche Handlungen den Bewegungsgründen der Vernunft zu unterordnen.   [3865; 1764-69]

Niemand rechnet zur Freiheit das Vermögen, das, was verabscheuungswürdig ist (böse), begehren zu können.
  Wir haben also sinnliche Erkenntnisse, sinnliche Lust und Unlust und sinnliche Begierden. Das Vermögen nach Bewegungsgründen der Vernunft ist die Freiheit. Die Möglichkeit, das, was durch Vernunft gemißbilligt wird, mit Bewußtsein zu wollen, ist der schwache Wille; die Fertigkeit, das Böse zu wollen, ist der Böse Wille. [3867; 1764-68?]

Das Vermögen, das erkannte Gute, was in unserer Gewalt ist, tätig zu wollen, ist die Freiheit; aber es gehört nicht ebenso notwendig dazu das Vermögen, das erkannte Böse, dessen Verhinderung in unserer Gewalt ist, zu wollen. Dieses ist auch nicht eigentlich ein Vermögen, sondern eine Möglichkeit zu leiden. Böse Handlungen stehen zwar unter der Freiheit, aber geschehen nicht durch sie.   [3868; 1764-68?]

[...] Wir bemerken zuerst an dem Menschen Willkür, dann aber auch an seinen gemeinsten Handlungen freie Willkür, vornehmlich an dem, daß er der Vorstellung fähig ist von etwas, was er tun soll, ob er es gleich nicht tut. [6578; 1769 bis 78]

Freiheit ist eigentlich nur die Selbsttätigkeit, deren man sich bewußt ist. Wenn man sich etwas beifallen läßt, so ist dieses ein actus der Selbsttätigkeit; aber man ist sich hierbei nicht seiner Tätigkeit, sondern der Wirkung bewußt. Der Ausdruck: ich denke (dieses Objekt), zeigt schon an, daß ich in Ansehung der Vorstellung nicht leidend bin, daß sie mir zuzuschreiben sei, daß von mir selbst das Gegenteil abhange. [4220; 1769-70?]

Da die Freiheit eine vollständige Selbsttätigkeit des Willens ist, ohne durch stimulos oder durch irgend etwas anderes, was das Subjekt affiziert, bestimmt zu sein, so kommt es bei ihr nur auf die Gewißheit der Persönlichkeit an: daß sie nämlich sich bewußt sei, sie handle aus eigner Willkür, der Wille sei tätig und nicht leidend, weder durch stimulos noch durch fremde Eindrücke. Sonst müßte ich sagen: ich bin getrieben oder bewegt, so oder so zu handeln, welches so viel heißt als: ich bin nicht handelnd, sondern leidend. Wenn Gott die Bestimmungen der Willkür regiert, so handelt er; wenn die Reize der Dinge sie notwendig bestimmen, so nötigen sie; in beiden Fällen *entspringt* die Handlung nicht aus mir, sondern ich bin nur das Mittel einer andern Ursache.

In der Sinnenwelt ist nichts begreiflich, als was durch vorhergehende Gründe nezessitiert ist. Die Handlungen der freien Willkür sind phaenomena; aber ihre Verknüpfung mit einem selbsttätigen Subjekt und mit dem Vermögen der Vernunft sind intellektual; demnach kann die Bestimmung der freien Willkür den legibus sensitivis nicht submittiert werden.

Die Frage, ob die Freiheit möglich sei, ist vielleicht mit der einerlei, ob der Mensch eine wahre Person sei und ob das Ich in einem Wesen von äußeren Bestimmungen möglich sei.

Das Ich ist eine unerklärliche Vorstellung. Sie ist eine Anschauung, die unwandelbar ist. [4225; 1769-70?]

Die Wirklichkeit der Freiheit können wir nicht aus der Erfahrung schließen. Aber wir haben doch nur einen Begriff von ihr durch unser intellektuelles inneres Anschauen (nicht den inneren Sinn) unserer Tätigkeit, welche durch motiva intellectualia bewegt werden kann, und wodurch praktische Gesetze und Regeln des guten Willens selbst in Ansehung unserer möglich sind. Also ist die Freiheit eine notwendige praktische Voraussetzung. Sie widerspricht auch nicht der theoretischen Vernunft. Denn als Erscheinungen sind die Handlungen jederzeit im Felde der Erfahrung, als objektive data sind sie im Felde der Vernunft und werden gebilligt und gemißbilligt. [...] [4336; 1770-71?]

Die Freiheit von aller äußeren Nötigung unserer Willkür ist durch Erfahrung klar, imgleichen die bewegende Kraft der intellektualen Gründe vom Guten; wir können desfalls auf keine anderen Wesen die Schuld schieben. Wir können es uns selbst beimessen, selbst das Gute, was Gott in uns wirkt. Also ist Moral und Religion in salvo.

Aber wie steht es mit der spekulativen Philosophie über die Möglichkeit dieser Freiheit? Der Satz: alles, was geschieht, hat einen bestimmenden Grund, d. i. etwas anderes, wodurch es nezessitiert wird, ist der Grundsatz der Veränderungen aller leidenden Substanzen (aller Erscheinungen oder dessen, was a posteriori gegeben ist; aber die Handlungen, etwas a priori zu geben, sind darunter nicht begriffen), als der Körper, auch der Seele, sofern sie modifiziert wird, d. i. in allem, was von den Handlungen der Freiheit unterschieden ist. Insofern ist dieser Grundsatz objektiv. Aber als ein principium der Tätigkeiten kann er nicht objektiv sein, denn da muß ein erster Anfang möglich sein; aber in den Zuständen eines Wesens als eines leidenden ist kein erstes (dieses liegt in dem Tätigen). Die Freiheit soll ein Vermögen sein, einen Zustand zuerst anzufangen. Leidende Zustände sind lauter Folgen und gehören notwendig zum vorhergehenden. Ich kann in dem gegenwärtigen Augenblicke sagen: für mich ist die ganze bisherige Reihe wie nichts. Ich fange jetzt meinen Zustand an, wie ich will. Es ist also die Schwierigkeit (nicht) secundum possibilitatem fiendi, sondern cognoscendi. Man kann die Möglichkeit der Freiheit nicht einsehen, weil man keinen ersten Anfang einsehen kann, weder die Notwendigkeit im Dasein überhaupt, noch im Entstehen die Freiheit.

Denn unser Verstand erkennt das Dasein durch Erfahrung, aber die Vernunft sieht es ein, wenn sie solches a priori erkennt, d. i. durch Gründe (dasjenige nämlich, was nicht nach der Identität notwendig ist, sondern was realiter gesetzt wird); nun sind vom ersten keine Gründe, also ist auch keine Einsicht durch Vernunft möglich. Daß eine erste (natura) Handlung sein müsse, die allem Zufälligen zugrunde liegt, liegt wohl in der Vernunft; aber eine erste tempore ist gar nicht zu begreifen, weil die Zeit selbst und was darin ist nicht von der Vernunft abhängt. Ferner: daß, was durch ein ander Wesen in seinem ganzen Dasein determiniert ist, in sich selbst den bestimmenden Grund seiner Handlungen endigen müsse, ist nicht zu begreifen; aber nur darum nicht, weil es nicht zu begreifen ist, wie es eine Substanz sei. Nun ist dieses kein Einwurf, sondern eine subjektive Schwierigkeit; denn das Ich beweist den Endpunkt der Gründe von den Handlungen. Ich tue dieses, heißt nicht: ein anderer wirkt dieses; und selbst, wenn ich sage: ich leide dieses, so bedeutet es doch die Anschauung eines Subjekts, was vor sich selbst ist und leidet. [4338; 1770-71?]

Erscheinungen sind Vorstellungen, sofern wir affiziert werden. Die Vorstellung von unserer freien Selbsttätigkeit ist eine solche, da wir nicht affiziert werden, folglich ist nicht Erscheinung, sondern Apperzeption. Nun gilt der Satz des zureichenden Grundes nur als principium der Exposition der Erscheinungen, folglich nicht als Exposition der ursprünglichen Anschauungen. [4723; 1773-75]

Wir können die Freiheit nicht a posteriori beweisen, weil der Mangel der Wahrnehmung bestimmender Gründe keinen Beweis abgibt, daß auch keine dergleichen dasein. Wir können ihre Möglichkeit auch nicht a priori erkennen, indem die Möglichkeit des ursprünglichen Grundes, der nicht durch einen andern determiniert wird, gar nicht kann begriffen werden. Wir können sie also gar nicht theoretisch, sondern als eine notwendige praktische hypothesis beweisen. [4724; 1773-75?]

Der praktische Begriff der Freiheit ist, der zureicht, um Handlungen nach Regeln der Vernunft zu tun, der also dieser ihren Imperativen die Gewalt gibt; der spekulative oder vernünftelnde Begriff der Freiheit ist, der zureicht, um freie Handlungen nach der Vernunft zu erklären. Letzterer ist unmöglich, weil es das Ursprüngliche im derivativo ist. [4-725; 1773-75?]

Wir können uns keinen Begriff davon machen, wie eine bloße Form der Handlungen könne die Kraft einer Triebfeder haben. Indessen muß dieses doch sein, wenn Moralität stattfinden soll, und Erfahrung bestätigt es. Diese formale Kausalität als wirkend ist nicht unter Erscheinungen bestimmt. Sie ist also jederzeit neu, ungeachtet alles dessen, was geschehen sein mag. Es ist bloß unser Selbst und keine fremde Anlage, keine Kette der Erscheinungen, die empirisch bestimmt ist, welche die Handlung bestimmt. Die Apperzeption seiner selbst als eines intellektuellen Wesens, was tätig ist, ist Freiheit. [6860; 1776-78?]

Ob wir eine Erfahrung haben, daß wir frei sind?
Nein! Denn wir müßten sonst von allen Menschen erfahren können, daß sie dem größten stimulo widerstehen können. Dagegen sagt das moralische Gesetz: sie sollen widerstehen, folglich müssen sie es können. [5434; 1776-1789]

Der Wille ist ein Vermögen, nach der Vorstellung einer Regel als Gesetzes zu handeln. Vermögen der Zwecke. stimuli sind Lust, die vor dem Gesetz vorhergeht. independentia a stimulis ist, wo das Gesetz vor der Lust vorhergeht. arbitrium purum. (Freiheit ist Kausalität der reinen Vernunft in Bestimmung der Willkür.) [5435; 1776-1789]

Die Freiheit, sofern sie ein Vernunftbegriff ist, ist unerklärlich (auch nicht objektiv); sofern sie ein Begriff von der Tätigkeit und Kausalität der Vernunft selbst ist, kann sie zwar auch nicht als ein erstes Prinzip erklärt werden, ist aber ein Selbstbewußtsein a priori. [5440; 1776-78]

Alle unsere und anderer Wesen Handlungen sind nezessitiert, nur allein der Verstand und der Wille, sofern er durch Verstand bestimmt werden kann, ist frey und eine reine

Selbsttätigkeit, die durch nichts anderes als sich selbst bestimmt ist. Ohne diese ursprüngliche und unwandelbare Spontaneität würden wir nichts a priori erkennen; denn wir wären zu allem bestimmt, und unsere Gedanken selbst ständen unter empirischen Gesetzen. Das Vermögen, a priori zu denken und zu handeln, ist die einzige Bedingung der Möglichkeit des Ursprungs aller andern Erscheinungen. Das Sollen würde auch gar keine Bedeutung haben.

Freiheit und absolute Notwendigkeit sind die einzigen reinen Vernunftbegriffe, welche objektiv, obzwar unerklärlich sind. Denn durch Vernunft versteht man die Selbsttätigkeit, vom Allgemeinen zum Besonderen zu gehen, und dieses a priori zu tun, mithin mit einer Notwendigkeit schlechthin. Die absolute Notwendigkeit: in Ansehung des Bestimmbaren, und Freiheit: des Bestimmenden. [5441; 1776-78]

Wir erklären begangene freie Handlungen nach Gesetzen der Natur des Menschen, aber wir erkennen sie nicht dadurch als bestimmt; sonst würden wir sie nicht als zufällig ansehen und verlangen, daß sie hätten anders geschehen sollen und müssen. In den freien Handlungen fließt die Vernunft nicht bloß als ein begreifendes, sondern wirkendes und treibendes principium ein. Wie sie nicht bloß vernünftele und urteile, sondern die Stelle einer Naturursache vertrete, sehen wir nicht ein, viel weniger, wie sie durch Antriebe selbst zum Handeln oder Unterlassen bestimmt werde. (Wie die Vorstellung des Guten überhaupt, welche von meinem Zustand abstrahiert, doch auf meinen Zustand wirksam sei und wie diese Überlegung, welche selbst keine Affektion enthält, in der Reihe der Naturerscheinung enthalten sein könne. Denn das Gute ist eine Beziehung der reinen Vernunft auf Objekt. Wir müssen also künftige Handlungen ansehen als unbestimmt durch alles, was zu phaenomenis gehört. Die Vernunft bedient sich der Naturbeschaffenheit nach ihren Gesetzen als Triebfedern (Ehre, Ruhe des Gemüts), wird aber dadurch nicht bestimmt.

Die Auflösung hiervon ist: der Zusammenhang der Vernunft mit den phaenomenis, womit sie in commercio stehen soll, kann gar nicht verstanden werden; es sind heterogenea. Die wahre Tätigkeit der Vernunft und ihr Effekt gehört zum mundo intelligibili. Daher wissen wir auch nicht, in welchem

Maße wir imputieren sollen. Gleichwohl wissen wir so viel von der einfließenden Gewalt der Vernunft, daß sie durch keine phaenomena bestimmt und nezessitiert, sondern frei sei, und beurteilen die Handlung bloß nach rationalen Gesetzen (bei der Imputation). Die Handlungen hier in der Welt sind bloße Schemata von der intelligiblen; indessen hängen diese Erscheinungen (dies Wort bedeutet schon Schema) doch nach empirischen Gesetzen zusammen, wenn man die Vernunft selbst nach ihren Äußerungen als ein phaenomenon (des Charakters) ansieht. Was aber die Ursache davon sei, finden wir nicht in phaenomenis. Sofern man seinen eigenen Charakter nur aus den phaenomenis erkennt, imputiert man sich diese, ob sie zwar durch äußere Ursachen an sich selbst bestimmt seien. Kennete man ihn an sich selbst, so würde alles Gute und Böse keinen äußeren Ursachen, sondern nur dem Subjekt allein beizumessen sein zusamt den guten und nachteiligen Folgen. In der intelligiblen Welt geschieht und verändert sich nichts, und da fällt die Regel der Kausalverbindung weg.   [5612; 1778-79?]

Alles, was geschieht, ist zureichend bestimmt, aber nicht aus Erscheinungen, sondern nach Gesetzen der Erscheinung. Denn es ist bei frei handelnden Wesen ein beständiger Einfluß intellektueller Gründe, da das Gegenteil als Erscheinung möglich ist. Aber die Handlung oder ihr Gegenteil wird so unter den Erscheinungen gegründet sein, daß nur das Moment der Bestimmung intellektuell ist. Dieses aber kann in der empirischen Erklärung nicht gebraucht werden, weil es nicht wahrgenommen wird. Denn von dem Intellektuellen bis zur bestimmten Handlung ist eine unendliche Zwischenreihe von Triebfedern, deren Zusammenhang mit dem gegebenen Zustand nur nach allgemeinen Gesetzen der Möglichkeit erkannt werden kann. Zum Exempel: Es reizt mich jemand zum Trunk, dieser Reiz verleitet mich und kann also nach Gesetzen der Sinne erklärt werden. Die Verleitung würde auch notwendig sein, wenn ich bloß tierisch wäre. Indessen ist es möglich, daß die intellektuelle Willkür sich einmische, die von dem Gesetze der Abhängigkeit von Sinnen ausgenommen ist; diese bestimmt nur einen anderen Lauf der Sinnlichkeit. Dieser kann auch mit dem ersten gegebenen Zustand nach Naturgesetzen verknüpft werden, aber nur durch eine unendliche Zwischenreihe von Erscheinungen. Also geschieht sowohl das Laster als die Tugend nach Naturgesetzen und muß danach erklärt werden. (Ehre, Gesundheit, Belohnung.) Selbst die moralisch guten Handlungen aus obigen Triebfedern, Erziehung und Temperament. Die Erklärung hat auch ihren Grund; nur die erste Direktion dieser Ursachen, das Moment sie zu bestimmen, wird nicht unter den Erscheinungen angetroffen, kann aber auch darunter nicht vermißt werden, weil wir die Erscheinungen nicht bis zu dem Moment ihres Anfangs beobachten können.

Das Gesetz der Ursache und Wirkung (causalitatis) beruht auf der Bedingung der Möglichkeit einer Einheit der Erfahrung. Diese Einheit kann bei freien Wesen nicht völlig statthaben, außer wenn sie völlig intellektual sind.

Die obere Willkür ist das Vermögen, sich der Triebfedern oder sinnlichen Anreizungen nach ihren Gesetzen, aber doch immer der Verstandesvorstellung gemäß (in Beziehung auf die letzten und allgemeinen Zwecke der Sinnlichkeit) zu bedienen. A posteriori also werden wir Ursache haben, den Grund der Handlung, *nämlich den Erklärungs-*, aber *nicht Bestimmungsgrund* derselben, in der Sinnlichkeit zu finden; a priori aber, wenn die Handlung als künftig vorgestellt wird (antecedenter), werden wir uns zu derselben unbestimmt und uns vermögend fühlen, einen ersten Anfang der Reihe der Erscheinungen zu machen. Gibt es freie Willkür, so machen die Erscheinungen vernünftiger Wesen kein continuum, außer bei festen Grundsätzen des Verstandes. Es können also bloß die zum Teil durch Verstand, zum Teil durch Sinne regierte Handlungen nach keiner Regel des einen oder der andern erklärt werden. Vor der Handlung setzen wir uns bloß in den Standpunkt des Verstandes. Weil der Verstand nun eigentlich nicht affiziert wird, aber die Sinnlichkeit affizieren kann: so ist seine Handlung nicht vorherbestimmt, sondern spontaneo bestimmend; und das *Gegenteil von dem, was ohne Verstand geschieht, hätte immer geschehen können*. Also ist die Handlung nur bedingterweise zufällig (unter Bedingungen des Verstandes), sofern sie unvernünftig ist. [5616; 1778-79?]

Die Schwierigkeit wegen der Freiheit ist: wie eine schlechthin erste Handlung möglich sei, die nicht durch eine vorhergehende determiniert ist. Denn das letztere wird zur Einheit der Erscheinungen erfordert, sofern sie eine Erfahrungsregel geben soll. Wenn wir aber die Vernunfthandlungen nicht unter die Erscheinungen zählen (Vernunftprinzip) und die Bestimmung durch dieselbe zur Handlung vermittelst der Triebfedern nach Gesetzen der Sinnlichkeit (Assoziation, Gewohnheit): so ist alles qvoad sensum notwendig und kann nach Gesetzen der Erscheinung erklärt werden. Es kann aber nicht vorherbestimmt werden, weil die Vernunft ein principium ist, welches nicht erscheint, also nicht unter den Erscheinungen gegeben ist. Daher können die Ursachen und deren Beziehung auf Handlung nach Gesetzen der Sinnlichkeit a posteriori wohl erkannt werden, die Bestimmung derselben zum actu aber nicht. Dieser Zusammenhang der Handlungen nach Gesetzen der Erscheinung ohne Bestimmtheit durch dieselbe ist eine notwendige Voraussetzung praktischer Regeln der Vernunft, welche an sich selbst die Ursache einer Regelmäßigkeit der Erscheinungen sind, weil sie nur vermittelst der Sinnlichkeit zu Handlungen übergehen. In den Erscheinungen ist kein hiatus vor den Verstand, aber diese lassen sich a priori, d. i. vom absolut Ersten an, auch nicht bestimmen.

Überhaupt betrifft hier die Schwierigkeit nicht den Mangel des zureichenden Grundes, sondern nur dessen unter den Erscheinungen. Wenn in den oberen Kräften, ihren Unterlassungen oder Vollkommenheiten, die Handlung bestimmt ist: so ist alsdenn nicht die Frage von dem Grund dessen, was geschieht, sondern was jederzeit da ist, nämlich der vernünftige Wille, woraus das Gegenteil des Bösen immer möglich war.

Die Vernunft bestimmt sich selbst in Ansehung ihrer Begriffe, die Sinnlichkeit wird vom Gegenstand bestimmt. Daher gründet sich jene auch nicht auf Bedingungen der Apprehension und Apperzeption, sondern bestimmt die synthesis a priori.

Man kann nicht sagen, daß das Gegenteil aller unserer Handlungen subjektiv möglich sein müsse, damit man frei sei (gute Handlungen), sondern nur der aus Sinnlichkeit entspringenden. Aber auch in diesem Falle sind sie unter der Sinnlichkeit bestimmt, obzwar überhaupt genommen noch unbestimmt. Sinnlichkeit und Vernunft bestimmen einander nicht, sondern jedes wirkt nach seinen Gesetzen; aber sie dirigieren einander (Harmonie).

Die Kausalität der Vernunft ist Freiheit. Die bestimmende Kausalität der Sinnlichkeit: Tierheit.   [5619; 1778-79?]

Register:

Freiheit unter Gesetzen

Es gibt eine freie Willkür, welche keine eigene Glückseligkeit zur Absicht hat, sondern sie voraussetzt. Die wesentliche Vollkommenheit eines frei handelnden Wesens beruht darauf, daß diese Freiheit der Neigung nicht unterworfen werde oder überhaupt gar keiner fremden Ursache unterworfen sei. Die Hauptregel äußerlich guter Handlungen ist nicht die, so mit anderer Glückseligkeit, sondern mit ihrer Willkür zusammenstimmt, und gleichwie die *Vollkommenheit* eines Subjekts nicht darauf beruht, daß es glückselig sei, sondern daß sein *Zustand der Freiheit subordiniert* sei: so auch die allgemein gültige Vollkommenheit, daß die Handlungen unter allgemeinen Gesetzen der Freiheit stehen.   [6605; 1769-1770?]

[...] Verstand ist nur mittelbar gut, als ein Mittel zu anderem Guten oder zur Glückseligkeit. Das unmittelbare Gute kann nur bei der Freiheit angetroffen werden. Denn weil die Freiheit ein Vermögen ist zu handeln, ob es gleich uns nicht vergnügt: so ist sie nicht an die Bedingung eines Privatgefühls gebunden; da sie aber gleichwohl immer nur auf das geht, was da beliebt, so hat es ein Verhältnis aufs Gefühl und kann ein allgemein gültiges Verhältnis haben auf das Gefühl überhaupt. Daher hat nichts einen absoluten Wert als Personen, und dieser besteht in der Bonität ihrer freien Willkür. Gleich wie die Freiheit den ersten Grund von allem enthält, was anfängt, so ist sie auch, was die selbständige Bonität allein enthält. [...]   [6598; 1769-1770?]

Die Regeln gehören so notwendig zur Natur unseres Verstandes, sie hängen der Freiheit unter dem Namen des Sollens so unabtrennlich an, vornehmlich, wenn Freiheit gegen freie Wesen gebraucht wird, daß wir den Grund aller unserer Urteile und das Bewußtsein unserer Natur umkehren, wenn wir die Freiheit einer restringierenden Regel in der Ausübung gegen sich selbst entziehen. Auch die Vorstellung des höchsten Wesens ist notwendig, weil sie ein principium der Regeln ist.
Die notwendigen Bedingungen der allgemeinen Einstim-

mung gehören ebensowohl zur gültigen Regel der praktischen als der spekulativen Vernunft. [6847; 1776-78]

Metaphysischer Begriff der Moralität. A. Innere Willkür. Form des inneren moralischen Sinnes.

1. Wir abstrahieren den Begriff der Freiheit nicht von Erfahrung. Wenn wir handeln wollen, so sehen wir die künftige Handlung als völlig problematisch an in Ansehung des gegenwärtigen Augenblicks, und das Sollen ist eine Bedingung der Einstimmung der künftigen Handlung mit der Vernunft, welche also mit Erscheinungen, d. i. der Natur, gar nicht in vorbestimmtem Zusammenhang ist.

2. Die freie Willkür ist einzeln. Es ist immer die Frage, was ich unter gewissen Bedingungen überhaupt wolle; das Allgemeine aber wird durch Erfahrung nicht gegeben.

3. Sie ist einzeln. Ich habe nur eine Willkür in Beziehung auf alle meine Zwecke.

4. Es lassen sich unangesehen der Materie des Wollens a priori Regeln der Einheit der innern Willkür geben, welche eine kategorische Notwendigkeit enthalten. (Analogon der Natur.)

B. Willkür in Gemeinschaft.

1. Die Freiheit in Gemeinschaft hat Bedingungen, die auch nicht von Erfahrung abgezogen werden.

2. Es ist Einheit der äußeren Willkür vor der Vernunft. Ein anderer Begriff der Freiheit ist an sich vernunftwidrig.

3. Es lassen sich kategorische Regeln a priori davon geben.

Summa: die Freiheit nach Gesetzen, sofern sie sich selbst ein Gesetz ist, macht die Form des moralischen Sinnes aus. Die Materie ist das moralische Gefühl, welches nichts zum Gegenstand hat als Einstimmung mit dem Zweck der Menschheit und der Menschen überhaupt.

1. Kategorien der Moralität. (Funktionen der Freiheit sind in allem Praktischen.)

2. Prinzipien: teils constitutiva, moralisch, teils regulativa, juridisch. [6854; 1776-78?]

Die Würde der menschlichen Natur liegt bloß in der Freiheit; durch die können wir allein irgendeines Guten würdig werden. Aber die Würde eines Menschen (Würdigkeit) beruht auf dem Gebrauch der Freiheit, da er sich alles Guten würdig macht. Er macht sich aber dessen würdig, wenn er sich, soviel in seinem Naturtalent liegt und als äußere Einstimmung anderer Freiheit erlaubt, auch teilhaftig macht. [6856; 1776-78?]

In der Moral bedürfen wir keinen andern Begriff von Freiheit, als daß unsere Handlungen der Erfahrung gemäß nicht am Faden des Instinkts fortlaufen, sondern Reflexionen des Verstandes sich unter die Triebfedern einmischen. Dadurch wird ein Mangel des Zusammenhanges, weil der Instinkt, wo er allein herrscht, Regeln (ebenso auch der Verstand, wenn er allein herrscht) hat, der Verstand aber, der sich selbst nicht Regeln vorschreibt, wenn er den Mangel des Instinkts ausfüllt, alles unregelmäßig macht. Freiheit also vom Instinkt erfordert Regelmäßigkeit im praktischen Gebrauch des Verstandes. Wir stellen uns also die Regelmäßigkeit und Einheit im Gebrauch unserer Willkür bloß dadurch als möglich vor, daß unser Verstand solche an Bedingungen knüpfe, welche sie mit sich selbst einstimmig machen. Woher aber dieser Gebrauch des Verstandes wirklich werde, ob er selbst seine in der Reihe der Erscheinungen vorbestimmte Ursache habe oder nicht: ist keine praktische Frage.* Genug: Gesetze der Einstimmung der Willkür mit sich selbst, welche nicht von Antrieben zu erwarten ist, sondern nur aus der Vernunft kommen können, haben allein diese Wirkung und sind also unserem oberen Willen (in Ansehung der Summe der Zwecke) gemäß und gut.

* Es kann kein Streit sein, ob wir diesen Gesetzen der Einstimmung folgen sollen oder nicht, und ob Handlungen ihnen gemäß oder zuwider, gut oder böse sind. Darüber aber mag sich allerdings ein wichtiger Streit erheben, ob auch diese Gesetze oder ihr Gegenteil jemals mit Gewißheit bestimmende Ursachen des menschlichen Verhaltens werden oder ob nicht vielmehr alles beim Menschen seinen Lauf habe nach diesen Gesetzen oder wider sie, der, so wie die Bewegung der Maschinen, keine Möglichkeit des Gegenteils zuläßt. Daß der Verstand durch objektive Gesetze den Einfluß einer wirkenden Ursache auf Erscheinungen habe, ist das paradoxon, welches Natur (Summe der Erscheinungen) und Freiheit unterschieden macht, indem unsere Handlungen nicht durch Naturursa-

chen (als bloße Erscheinungen) bestimmt sind. Die Selbsttätigkeit des Verstandes ist eine andere Gattung von Ursachen. Sonst bringt der Verstand nichts hervor als Ideen. Wie er Ursache der Erscheinungen werde, ist paradox. Instinkte können es wohl sein.

Die Notwendigkeit der Handlungen aus Verstand, sofern man sich dessen bedient, ist gewiß, und auch, daß man sich seiner bedienen müsse.   [6859; 1776-78?]

Es kommt doch alles zuletzt aufs Leben an; was belebt (oder das Gefühl von der Beförderung des Lebens), ist angenehm. Das Leben ist Einheit; daher aller Geschmack zum principio hat die Einheit der belebenden Empfindungen.

Freiheit ist das ursprüngliche Leben und in ihrem Zusammenhang die Bedingung der Übereinstimmung alles Lebens; daher das, was das Gefühl allgemeinen Lebens befördert, oder das Gefühl von der Beförderung des allgemeinen Lebens eine Lust verursacht. Fühlen wir uns aber wohl im allgemeinen Leben? Die Allgemeinheit macht, daß alle unsere Gefühle zusammenstimmen, obzwar vor diese Allgemeinheit keine besondere Art von Empfindung ist. Es ist die Form des consensus.   [6862; 1776-78?]

Gefühl ist die Empfindung des Lebens. Der vollständige Gebrauch des Lebens ist Freiheit. Die formale Bedingung der Freiheit als eines mit dem Leben durchgängig einstimmigen Gebrauchs ist Regelmäßigkeit.   [6870; 1776-78]

Die reine Willkür liegt jeder andern zur Bedingung (conditio sine qva non); denn sie ist die Bedingung der Möglichkeit der Handlungen aus allgemeingültigen Prinzipien. Folglich des Gebrauchs der Vernunft in Ansehung der Freiheit und der Bestimmung dieses an sich gesetzlosen Vermögens nach Regeln.

In Ansehung der Zwecke kann nichts allgemeine Regeln des Gebrauchs der Freiheit geben als die reine Vernunft.

Kategorien der reinen Willkür.   [6948; 1776-78]

Darin, daß Freiheit ohne Moralität eine Isolierung des Menschen und Abtrennung von der göttlichen Leitung und Bestimmung durch Naturursachen ist, liegt der Grund des hohen Werts der Prinzipien, wodurch diese Freiheit an Bedingungen restringiert wird, mit sich selbst und der Natur zu passen. Wer diese nicht hat, ist nicht wert irgendeines Guten und das gefährlichste und nichtswürdigste Geschöpf. [6949; 1776-78]

Die Freiheit ist eine subjektive Gesetzlosigkeit. Man weiß nicht, nach welcher Regel man seine eigenen oder anderer Menschen Handlungen beurteilen soll. Einfälle, seltsamer Geschmack, böse oder leere Grillen können Wirkungen hervorbringen, auf die man nicht vorbereitet war. Sie verwirret also. Die ganze Natur, wenn sie sich nicht selbst objektiven Regeln unterwirft, die aber nichts anderes sein können als die allgemeinen Bedingungen der Einstimmung mit der Natur überhaupt, wird dadurch in Verwirrung gebracht. Daher ohne moralische Gesetze der Mensch selbst unter das Tier verächtlich und mehr als dasselbe hassenswürdig wird. Wer nach objektiven Gesetzen nicht verfährt, muß nach physischen gezwungen werden. [6960; 1776-78?]

Außer der Zusammenstimmung mit der Natur muß der freie Wille mit sich selbst in Ansehung der inneren und äußeren Unabhängigkeit von Antrieben zusammenstimmen. Ohne Moralität herrschen Torheit und Zufall über das Glück der Menschen. [6961; 1776-78?]

In pragmatischen Lehren ist die Freiheit zwar unter Regeln, aber nicht Gesetzen. Denn die Regel schreibt die Bedingungen vor, unter denen ein beliebiger Zweck erreicht werden kann. Das Gesetz aber bestimmt unbedingt die Freiheit.

   Gesetze der *Freiheit überhaupt* sind die, welche die Bedingungen enthalten, unter denen es allein möglich ist, daß sie mit sich selbst zusammenstimme: Bedingungen der Einheit im Gebrauche der Freiheit überhaupt. Sie sind also Vernunftgesetze und nicht empirisch oder willkürlich, sondern enthalten absolute praktische Notwendigkeit. Regeln der Freiheit überhaupt sind Gesetze der zufälligen Gebote. Der freie Wille, der mit sich selbst nach allgemeinen Gesetzen der Freiheit zusammenstimmt, ist ein schlechthin guter Wille. [7063; 1776-78]

Weil alles, was das Gefühl des Lebens befördert oder vergrößert, gefällt, so betrifft es entweder das tierische oder menschliche oder geistige Leben. Das erste gefällt in der Empfindung, das zweite in der Anschauung oder Erscheinung, das dritte im Begriff. Alles vergrößert oder befördert das Gefühl des Lebens, was die Tätigkeit und Gebrauch seiner Kräfte, sowohl der erkennenden als der ausführenden, begünstigt. Die Genugsamkeit der freien Willkür ist das vollständige Leben. Je einstimmiger mit sich selbst, je einstimmiger mit fremdem Willen seiner Natur nach die Willkür ist, je mehr sie ein Grund ist, anderer Willkür mit unserer zu vereinigen: desto mehr stimmt es mit den allgemeinen Prinzipien des Lebens, desto weniger Hindernis auch, desto größerer Einfluß auf die Verhältnisse und freie Willkür anderer. Der freie Wille, der zugleich den anderer mit dem seinigen vereinigt, hat das größte Leben. [567; 1776-78]

Die Moralität ist die innere Gesetzmäßigkeit der Freiheit, sofern sie nämlich sich selbst ein Gesetz ist. Wenn wir von aller Neigung abstrahieren, so sind doch Bedingungen übrig, unter denen allein die Freiheit mit sich selbst stimmen kann. 1. Daß der Gebrauch derselben mit der Bestimmung seiner eigenen Natur, 2. mit andern Zwecken, sofern sie im ganzen harmonieren, 3. mit anderer Freiheit überhaupt unter einer allgemein gültigen Bedingung zusammenstimme. Diese Vollkommenheit der Freiheit ist die Bedingung, unter der alle andere Vollkommenheit und Glückseligkeit eines vernünftigen Wesens allgemein wohlgefallen muß (Würdigkeit) und bleibt allein übrig, wenn die Gegenstände unserer jetzigen Neigung uns alle gleichgültig geworden sein werden. [...] [7197; 1780-89?]

Prinzipien der Verbindlichkeit

Außer den subjektiven Gesetzen, wodurch Handlungen geschehen, gibt es objektive Gesetze der Freiheit und Vernunft, welche Bedingungen möglicher guter Handlungen enthalten und also sagen, was geschehen soll. Diese sind Imperativen. Die Imperativen nötigen die Freiheit durch Gründe des vernünftigen Beliebens, also durch sich selbst. Es ist aber eine Handlung auf zwiefache Weise notwendig: entweder weil ich etwas anderes will als ein Mittel meines eigenen Willens oder aus der Natur der Willkür selbst. Das erstere entweder als ein Mittel zu einem bloß möglichen und zufälligen, das zweite als ein Mittel zu einem subjektiv notwendigen Zweck. Die ersteren Imperativen sind problematisch, die zweiten pragmatisch (jene: der Geschicklichkeit aus der Beziehung auf Aufgaben, die zweiten: der Klugheit, welche sich auf jedes eigene Glückseligkeit beziehen). Es gibt aber noch objektive Gesetze, welche die Freiheit aus sich selbst, folglich unmittelbar bestimmen oder restringieren. Diese Nezessitationen heißen Verbindlichkeiten. Sie können auf nichts anderem beruhen als auf der Freiheit, sofern sie mit sich selbst in Ansehung aller Zwecke überhaupt zusammenstimmt. 1. Der Freiheit als einem principio in Ansehung seiner eigenen Person, welche durch die Bedingungen der Persönlichkeit restringiert wird, damit sie nicht der Menschheit in seiner eigenen Person widerstreite. (Pflichten gegen sich.) 2. Der Freiheit als einem principio der allgemeinen Glückseligkeit, d. i. der Zusammenstimmung mit allen Privatneigungen nach einer Regel. (Gültigkeit gegen andere.)   [7209; 1780-89?]

Die größte Vollkommenheit ist die freie Willkür, und daraus kann auch das größte Gut entspringen und aus der Regellosigkeit das größte Böse. Daher ist die wesentliche Bedingung die Unterwerfung der freien Willkür unter Regeln ihres *wechselseitigen* Gebrauchs, nämlich so, wie sie sich wieder auf Freiheit bezieht. Zweitens die Restriktion der Freiheit durch die Natur, drittens die Erwirkung derselben zu den Zwecken beider.

Ich lasse den Zweck anderer unbestimmt. Nur ich hindere keinen, sich nach seinem Willen so glücklich zu machen, als er kann, sofern er nur nicht meiner Willkür widerstreitet. Negatives (restringierend) Gesetz der Freiheit ist die wesentliche conditio sine qva non in Ansehung anderer. Negative Bedingungen sind wesentliche.   [7210; 1780-89?]

5446, 6650, 6767, 6795, 6846, 6849, 6850, 6867, 6869, 6871,
6886, 6895, 6909, 6913, 6939, 6962, 7021, 7022, 7040, 7062,
7065, 7196, 7199, 7202, 7204, 7205, 7212, 7217, 7220, 7240,
7248, 7249, 7250, 7251, 7262, 7305, 583.

Glück

Gut ist etwas, sofern es mit dem Willen zusammenstimmt; angenehm: sofern es mit der Empfindung zusammenstimmt; nun kann ich einen Willen denken, indem ich von der Anmut des Wollenden oder auch von dem Subjekt, dem diese Anmut widerfährt, abstrahiere, also etwas Gutes, ohne auf die Anmut zu sehen. Doch ist ohne alle Anmut nichts gut; aber die Bonität besteht in der Beziehung auf den Willen, bis endlich die absolute Bonität in der Übereinstimmung der Glückseligkeit mit dem Willen besteht.   [6589; 1764-68?]

Was nur unter der Bedingung einer bestimmten Neigung oder Gefühls gefällt, ist angenehm; was unter der Bedingung einer bestimmten Natur der Erkenntniskraft, wodurch alle Gegenstände des Gefühls erkannt werden müssen, gefällt, ist schön; was ohne Beziehung auf ein besonderes Gefühl oder eine besondere Erkenntnisfähigkeit eine allgemeine und notwendige Beziehung auf Glückseligkeit überhaupt hat, ist gut. Z. E. Nichtsein mißfällt notwendig, wenngleich dieses Mißfallen durch besonderen Abscheu überwogen wird; Krankheit, Verstümmelung der Person bedürfen keines besonderen Gefühls zum Mißfallen. [...] [6603; 1769-1770?]

Die Lehre der Tugend schränkt nicht so sehr die Vergnügen der Sinnlichkeit ein, als daß sie vielmehr lehrt, unter den verschiedenen Arten derselben diejenigen wählen, welche am meisten Zusammenstimmung mit den Regeln des allgemeinen Beifalls haben, welches doch immer die beste allgemeine Regel der Klugheit ist. Denn sich darauf zu verlassen, daß man ohne Regel sich in jedem Falle nach dem größten Gewinn richte, ist zu ängstlich und läßt das Gemüt jederzeit in Unruhe. (Überdem muß das Betragen, was man allgemein vorschreibt, auch so angenommen werden, als wenn die Absicht desselben allgemein bekannt und gebilligt werde.) Es gibt aber verschiedene Quellen der Zufriedenheit, worunter wir wählen können. Kann ich nicht durch allgemein gebilligte Mittel Reichtum erwerben, so werde ich das Zutrauen meiner

Freunde haben; ich werde eingeschränkt, aber ohne Bangigkeit der Verantwortung oder frei leben können. [...]

Überhaupt scheint uns die Natur wegen aller unserer Handlungen den sinnlichen Bedürfnissen zuletzt unterworfen zu haben. Allein es war nötig, daß unser Verstand zugleich allgemeine Regeln entwarf, nach denen wir die Bestrebungen zu unserer Glückseligkeit zu ordnen, einzuschränken und übereinstimmig zu machen hätten, damit unsere blinden Triebe uns nicht auf bloßes Glück bald hier-, bald dahin trieben. Da diese sich gewöhnlichermaßen widerstreiten, so war ein Urteil nötig, welches in Ansehung ihrer aller unparteiisch und also abgesondert von aller Neigung bloß durch den reinen Willen die Regeln entwarf, die, für alle Handlungen und für alle Menschen gültig, die größte Harmonie eines Menschen mit sich selbst und mit anderen hervorbrächten. Man mußte in diese Regeln die wesentlichen Bedingungen setzen, unter welchen man seinen Trieben Gehör geben konnte, und als wenn die Beobachtung derselben an sich selbst ein Gegenstand unseres Willens sein könnte, welchen wir selbst mit Aufopferung unserer Glückseligkeit verfolgen mußten, ob sie zwar nur die beständige und zuverlässige Form war. [...] [6621; 1769-1770?]

Die Moralität hat das an sich, daß sie die Glückseligkeit vom Schicksal und Zufall auf eine Regel unserer eigenen Vernunft bringt und uns selbst zu Urhebern davon macht. Was man sich selbst nach einer vor alle gültigen Regel verdient, dessen ist man würdig; folglich ist mit der Moralität die Würdigkeit glücklich zu sein verbunden. Die Moralität ist die oberste Bedingung alles Gebrauchs der Freiheit und auch alles unseres Begehrens, weil sie von dem Ganzen der Glückseligkeit jede besondere Handlung bestimmt. [...] [1187; 1773-78?]

Da alles Glück und alle Güter der Welt sich auf das Wohlverhalten und den guten Willen der vernünftigen Wesen bezieht, so ist daraus zu sehen, daß dieses die Idee sei, unter der die Welt allein und ihre Glückseligkeit möglich ist. Also muß die Selbstliebe durch die Kondition der Einstimmung mit den allgemeinen Zwecken der Welt eingeschränkt sein. [6835; 1776-78]

Das principium der Moral ist Autokratie der Freiheit in Ansehung aller Glückseligkeit oder die Epigenesis der Glückseligkeit nach allgemeinen Gesetzen der Freiheit. Die Glückseligkeit hat keinen selbständigen Wert, sofern sie Natur- oder Glücksgabe ist. Der Ursprung derselben aus der Freiheit ist, was ihre Selbständigkeit und Zusammenstimmung ausmacht. Das Wohlverhalten also, d. i. der Gebrauch der Freiheit nach solchen Gesetzen, nach denen die Glückseligkeit das Selbstgeschöpf der guten oder regelmäßigen Willkür ist, hat einen absoluten Bestand, und die Würdigkeit glücklich zu sein ist die Übereinstimmung zum höchsten Gute durch nichts anderes als die Ergänzung des Vermögens der freien Willkür, sofern sie nach allgemeinen Regeln zur Glückseligkeit im ganzen zusammenstimmt. Das moralische Gefühl geht hier auf die Einheit des Grundes und den Selbstbesitz der Quellen der Glückseligkeit in vernünftigen Geschöpfen, als auf die alles Urteil des Werts sich beziehen muß. Der gute Gebrauch der Freiheit ist mehr wert als die zufällige Glückseligkeit. Sie hat einen notwendigen inneren Wert. Daher besitzt der Tugendhafte in sich selbst die Glückseligkeit (in receptivitate), so schlimm auch die Umstände sein mögen. Er hat in sich, soviel an ihm ist, das principium der epigenesis der Glückseligkeit. Hierbei muß vorausgesetzt werden, daß ursprünglich ein freier Wille, der allgemeingültig ist, die Ursache der Ordnung der Natur und aller Schicksale sei. Alsdann ist die Anordnung der Handlungen nach allgemeinen Gesetzen der Einstimmung der Freiheit zugleich ein principium der Form aller Glückseligkeit. [6867; 1776-78]

Von der bloß moralischen Glückseligkeit oder der Seligkeit verstehen wir nichts. Wenn alle Materialien, die die Sinne unserem Willen liefern, aufgehoben werden: wo bleiben da Rechtschaffenheit, Gütigkeit, Selbstbeherrschung, welche nur Formen sind, um alle diese Materialien in sich zu ordnen? Da wir also alle Glückseligkeit und das wahre Gut nur in dieser Welt einsehen können, so müssen wir glauben, wir übertreten die Grenzen unserer Vernunft, wenn er uns neue und auch höhere Art Vollkommenheit vormalen will. [...] [6883; 1776-78?]

Die Glückseligkeit ist zwiefach: entweder die, so eine Wirkung der freien Willkür vernünftiger Wesen an sich selbst ist, oder die nur eine zufällige und äußerlich von der Natur abhängende Wirkung davon ist. Vernünftige Wesen können sich durch Handlungen, welche auf sich und auf einander wechselseitig gerichtet sind, die wahre Glückseligkeit machen, die von allem in der Natur unabhängig ist, und die Natur kann ohne diese auch nicht die eigentliche Glückseligkeit liefern. Dieses ist die Glückseligkeit der Verstandeswelt. Daher macht die Vorstellung der moralischen Vollkommenheit auch weichmütig. Man sieht nämlich in so große Glückseligkeit hinaus, die bloß auf dem Willen beruht. Ich kann nicht sagen, ich wollte so gut sein, wenn andere es auch sein wollten; denn alsdenn ist den Zweck zu erreichen nicht möglich. Ich muß das Muster der Vollkommenheit in einer möglichen guten Welt an meinem Teil zu erreichen suchen.

Das ist an sich selbst gut, was nicht von bloß zufälligen Bedingungen abhängt, sondern von meiner Willkür.   [6907; 1776-78]

Die notwendigen Gesetze (die a priori feststehen) der allgemeinen Glückseligkeit sind moralische Gesetze. Sie sind Gesetze der freien Willkür überhaupt, und die Regeln derselben nezessitieren intellectualiter; mithin, weil sie einzig und allein die Glückseligkeit auf die Ursache der Freiheit bringen und also die Würdigkeit glücklich zu sein bei sich führen, so sind alle sinnliche stimuli und motiva felicitatis a posteriori unter ihnen. [...]   [6910; 1776-78]

Die Glückseligkeit a priori kann in keinem andern Grund gesetzt werden als in der Regel der Einstimmung der freien Willkür. Dieses ist ein Grund der Glückseligkeit vor allen Kenntnissen der Mittel durch Erfahrung und eine Bedingung ihrer Möglichkeit in allen Fällen. Dadurch gefällt die Welt dem Verstande; sie sind Schöpfer der Glückseligkeit und nicht usurpateurs derselben.   [6911; 1776-78]

Unsere Handlungen müssen darum nicht den Triebfedern und Anlockungen oder Abschreckungen der Sinnlichkeit unterworfen sein, weil diese immer ein Privatverhältnis auf das

Nützliche haben. Die Regel der Handlungen, wodurch, wenn jeder danach handelt, Natur und Willkür unter den Menschen allgemein einstimmig ist zur Glückseligkeit, ist ein Gesetz der Vernunft und bedeutet alsdann Moralität.

Wir sind durch die Vernunft, wenn sie bloß den Dienst der Sinne versieht, nämlich ihre Forderungen auszuführen, in einen größeren Widerspruch mit uns selbst und mit andern gesetzt als selbst die Tiere, die durch Instinkt regiert werden, der mit den Bedürfnissen derselben einstimmig ist, anstatt daß Vernunft sich gewisse Objekte wählt und nicht nach der Summe der Empfindungen, sondern nach dem durch willkürliche Phantasie erhöhten Wahn. Da nun die Sittlichkeit sich auf die Idee der allgemeinen Glückseligkeit aus freiem Verhalten gründet, so werden wir genötigt, selbst die Ursache und Regierung der Welt nach einer Idee, nämlich demjenigen, was alles einstimmig macht oder durch einstimmige Bestrebung zur Glückseligkeit auch diese selbst besorgt, zu gedenken; denn sonst hätte die moralische Idee keine Realität in der Erwartung und wäre ein bloß vernünftelnder Begriff.

Die Natur muß wie eine Idee angesehen werden, welche im Schöpfer das Urbild, bei uns aber die Norm ist. Es kann nichts beständiger und gegründeter zur Vorschrift unserer Handlungen sein, als die Idee zum Grunde zu legen, nach welcher wir selbst da sind, so uns nicht anders durch die Natur bestimmt sind, und unsere Willkür frei machen, damit sie bloß nach dieser Idee handle, da wir gleichsam aus eigenem Belieben so beschaffen sind.   [6958; 1776-78?]

Das Wohlgefallen an der Glückseligkeit des Ganzen ist eigentlich ein Verlangen nach den Bedingungen der Vernunft nach eigener Glückseligkeit. Denn ich kann nicht hoffen glücklich zu sein, wenn ich etwas Besonderes haben soll und das Schicksal eine besondere Beziehung auf mich haben soll.   [6965; 1776-78?]

Die Glückseligkeit, die aus der Beziehung von allem in der Welt auf den Privatwillen der Person nur möglich ist, ist auch nur möglich (in einem Ganzen) nach einer Idee. Darin aber muß doch auch jedermanns Privatwille enthalten sein, folglich wird ein allgemeingültiger Wille nur den Grund der Versicherung der Glückseligkeit abgeben können; also können wir entweder gar nicht hoffen glücklich zu sein, oder wir müssen unsere Handlungen zur Einstimmung mit dem allgemeingültigen Willen bringen. Denn alsdann sind wir nach der Idee, d. i. der Vorstellung des Ganzen, allein der Glückseligkeit fähig, und weil diese Fähigkeit eine Folge unseres freien Willens ist, derselben würdig. Der Umfang unserer Glückseligkeit beruht auf dem Ganzen, und unser Wille [...] wird dem originario substituiert werden müssen. [6971; 1776-78?]

Warum ist die natürliche allgemeine Begierde (zur Glückseligkeit) der Idee nach unter dem obersten ursprünglichen Willen sowohl der Natur als der Freiheit und an ihn als dessen Kondition gebunden? Wir stellen uns nämlich vor, daß dasjenige geschehen müsse, was wir nach unserer unparteiischen Willkür verlangen würden, wenn andere unserem Willen unterworfen wären. Ihr Wille müßte untereinander und mit unserem obersten Willen zusammenstimmen. Wir würden verlangen, daß sie der Idee von ihrem Dasein sich gemäß verhielten, aller Wille Einheit hätte.

Die Glückseligkeit kann nur in verständigen Wesen angetroffen werden. Freiheit ist das erste principium des Zufälligen. Die Art glücklich zu sein dependiert von der freien Wahl. [6973; 1776-78?]

Der Mensch als ein Wesen, das Verstand hat, muß in seinen eigenen Augen sehr mißfällig sein, wenn sein Verstand den Neigungen unterworfen ist und nicht in Ansehung seines Zwecks unter einer Regel steht. Diese Regel muß eine Regel der Vernunft, d. i. a priori, sein und ihn dem allgemeingültigen Zweck unterwerfen, weil nur unter dieser Bedingung seine Glückseligkeit eine Regel haben kann. [6975; 1776-78?]

Zur praktischen Philosophie

Die erste und wichtigste Bemerkung, die der Mensch an sich selbst macht, ist, daß er durch die Natur bestimmt sei, selbst der Urheber seiner Glückseligkeit und sogar seiner eigenen

Neigungen und Fertigkeiten zu sein, welche diese Glückseligkeit möglich machen. Hieraus folgert er, daß er seine Handlungen nicht nach Instinkten sondern nach Begriffen, die er sich von seiner Glückseligkeit macht, anzuordnen habe, daß die größte Besorgnis diejenige sei, welche er vor sich selbst hat: entweder seinen Begriff falsch zu machen oder sich von demselben durch tierische Sinnlichkeit ableiten zu lassen, vornehmlich vor einem Hang dazu, diesem seinem Begriff zuwider habitualiter zu handeln. Er wird sich also als ein frei handelndes Wesen und zwar dieser Independenz und Selbstherrschaft nach zum vornehmsten Gegenstand haben, damit die Begierden untereinander mit seinem Begriff von Glückseligkeit und nicht mit Instinkten zusammenstimmen, und in dieser Form besteht das der Freiheit eines vernünftigen Wesens geziemende Verhalten. Zuerst wird seine Handlung dem allgemeinen Zweck der Menschheit in seiner eigenen Person gemäß eingerichtet werden müssen und also nach Begriffen und nicht Instinkten, damit diese untereinander zusammenstimmen, weil sie mit dem Allgemeinen, nämlich der Natur, zusammenstimmen. Es ist also nicht die empirische Selbstliebe, welche der Bewegungsgrund eines vernünftigen Wesens sein soll, denn diese geht von einzelnen zu allen, sondern die rationelle, welche vom Allgemeinen und durch dasselbe die Regel vor das einzelne hernimmt. Ebenso wird er gewahr, daß seine Glückseligkeit von anderer vernünftiger Wesen Freiheit abhängt, und wenn ein jeder sich selbst bloß zum Gegenstand hat, dieses mit der Selbstliebe nicht stimmen will, daß er seine eigene Glückseligkeit aus Begriffen und auch restringiert durch die Bedingungen, sofern er Urheber der allgemeinen Glückseligkeit ist oder wenigstens andern als Urheber der ihrigen nicht widerstreitet, sehen müsse.

Die Moralität besteht in den Gesetzen der Erzeugung der wahren Glückseligkeit aus Freiheit überhaupt. Im Anfang also, da nur bloß auf Befriedigung der Instinkte und Wohlbefinden der Wille gerichtet wird, entsteht alles Böse eben aus der Freiheit, da der Mensch nicht durch Instinkt, der sonst einen weisen Urheber hat, regiert werden soll. Freiheit kann nur nach Regeln eines allgemein gültigen Willens bestimmt werden, weil sie sonst ohne alle Regel sein würde.

Kausalität. Die Beschaffenheit der (reinen) Freiheit, dadurch sie sich selbst die Ursache der Glückseligkeit ist; sie ist aber die Ursache der Glückseligkeit durch die Übereinstimmung allgemeiner Willkür. Die innere Gutartigkeit des Willens. An sich selbst ist der Wille gut, der mit dem allgemeinen Willen zusammenstimmt. [...]   [7199; 1780-89?]

Wir haben ein Wohlgefallen an Dingen, die unsere Sinne rühren, weil sie unser Subjekt harmonisch affizieren und uns unser ungehindertes Leben oder die Belebung fühlen lassen. Wir sehen aber, daß die Ursache dieses Wohlgefallens nicht im Objekt sei, sondern in der individuellen oder auch spezifischen Beschaffenheit unseres Subjekts liege, mithin nicht notwendig und allgemein-gültig sei: die Gesetze, welche die Freiheit der Wahl in Ansehung alles dessen, was gefällt, mit sich selbst in Einstimmung bringen, enthalten dagegen für jedes vernünftige Wesen, das ein Begehrungsvermögen hat, den Grund eines notwendigen Wohlgefallens; darum kann uns das Gute nach diesen Gesetzen auch nicht gleichgültig sein, so wie etwa die Schönheit; wir müssen auch ein Wohlgefallen an seinem Dasein haben, denn es stimmt allgemein mit Glückseligkeit mithin auch mit meinem Interesse.

Die Materie der Glückseligkeit ist sinnlich, die Form derselben aber ist intellektuell: diese ist nun nicht anders möglich als Freiheit unter Gesetzen a priori, ihrer Einstimmung mit sich selbst, und dieses zwar nicht um Glückseligkeit wirklich zu machen, sondern zur Möglichkeit und Idee derselben. Denn die Glückseligkeit besteht eben im Wohlbefinden, sofern es nicht äußerlich zufällig ist, auch nicht empirisch abhängend, sondern auf unserer eigenen Wahl beruht. Diese muß bestimmen und nicht von der Naturbestimmung abhängen. Das ist aber nichts anderes als die wohlgeordnete Freiheit.

Nur der ist fähig glücklich zu sein, dessen Gebrauch seiner Willkür nicht deren datis zur Glückseligkeit, die ihm Natur gibt, zuwider ist. Diese Eigenschaft der freien Willkür ist die conditio sine qva non der Glückseligkeit. Glückseligkeit ist eigentlich nicht die größte Summe des Vergnügens, sondern die Lust aus dem Bewußtsein seiner Selbstmacht zufrieden zu sein, wenigstens ist dieses die wesentliche formale Bedingung der Glückseligkeit, obgleich noch andere materiell (wie bei der Erfahrung) erforderlich sind.

Die Funktion der Einheit a priori aller Elemente der Glückseligkeit ist die notwendige Bedingung der Möglichkeit und das Wesen derselben. Die Einheit a priori aber ist die Freiheit unter allgemeinen Gesetzen der Willkür, d. i. Moralität. Das macht die Glückseligkeit als solche möglich und hängt nicht von ihr als dem Zwecke ab und ist selbst die ursprüngliche Form der Glückseligkeit, bei welcher man die Annehmlichkeiten gar wohl entbehren und dagegen viel Übel des Lebens ohne Verminderung der Zufriedenheit, ja selbst zur Erhebung derselben, übernehmen kann.

Seinen Zustand angenehm zu finden, beruht auf dem Glück, aber sich über die Annehmlichkeiten dieses Zustandes als Glückseligkeit zu erfreuen, ist dem Wert derselben nicht angemessen; sondern Glückseligkeit muß von einem Grund a priori, den die Vernunft billigt, herkommen. Elend zu sein, ist nicht die notwendige Folge von Übeln des Lebens.

Für die Sinne kann keine völlige Befriedigung gefunden werden, nicht einmal läßt sich mit Gewißheit und allgemein bestimmen, was den Bedürfnissen derselben gemäß sei; sie steigen immer in der Forderung und sind unzufrieden, ohne sagen zu können, was ihnen denn Genüge tue. Noch weniger ist der Besitz dieser Vergnügen wegen der Veränderlichkeit des Glücks und der Zufälligkeit günstiger Umstände und der Kürze des Lebens gesichert. Aber die durch die Vernunft belehrte Gesinnung, sich aller der Materialien zum Wohlbefinden wohl und einstimmig zu bedienen, sind a priori gewiß, lassen sich vollständig erkennen und gehören uns selbst an, so daß selbst der Tod als ein passiver Zustand ihren Wert nicht vermindert.

Es ist wahr, die Tugend hat den Vorzug, daß sie aus dem, was Natur darbietet, die größte Wohlfahrt zuwege bringen würde. Aber darin besteht nicht ihr hoher Wert, daß sie gleichsam zum Mittel dient. Daß wir es selbst sind, die als Urheber sie unangesehen der empirischen Bedingungen (welche nur partikuläre Lebensregeln geben können) hervorbringen, daß sie *Selbstzufriedenheit* bei sich führe, das ist ihr innerer Wert.

Es ist ein gewisser Hauptstuhl (Fonds, Grundstück) von Zufriedenheit nötig, daran es niemandem fehlen muß, und ohne welchen keine Glückseligkeit möglich ist, das Übrige sind Akzidenzien (reditus fortuiti). Dieser Hauptstuhl ist die

Selbstzufriedenheit (gleichsam apperceptio iucunda primitiva). Da er weder von Naturgeschenk noch von Glück und Zufall abhängen muß, weil diese zu unseren wesentlichen und höchsten Zwecken nicht von selbst zusammenstimmen müssen. Da die Zufriedenheit damit notwendig, mithin a priori und nicht bloß nach empirischen Gesetzen, die niemals apodiktisch gewiß und allgemein zusammenhängen muß, so muß jener 1. auf der freien Willkür beruhen, damit wir uns ihn selbst nach der Idee des höchsten Guts machen können. 2. diese Freiheit muß zwar Unabhängigkeit von sinnlicher Nötigung sein, aber doch nicht ohne alles Gesetz. Also, da keine noch höheren Bewegungsgründe und ein höheres Gut gegeben worden, so muß es in der Freiheit bestehen nach Gesetzen, einer durchgängigen Zusammenstimmung mit sich selbst, welche alsdann den Wert und die Würde der Person ausmachen wird.

In dem Bewußtsein hat der Mensch Ursache, mit sich selbst zufrieden zu sein. Er hat die Empfänglichkeit aller Glückseligkeit, das Vermögen auch ohne Lebensannehmlichkeiten zufrieden zu sein und glücklich zu machen. Dieses ist das Intellektuelle der Glückseligkeit.

In diesem Hauptstuhl ist nichts Reales, kein Vergnügen als die Materie der Glückseligkeit, aber gleichwohl die formale Bedingung der Einheit, welche jener wesentlich ist und ohne die die Selbstverachtung uns das Wesentliche vom Wert des Lebens, nämlich den Wert der Person, wegnimmt. Sie ist als eine Spontaneität des Wohlbefindens.

Das Gute des Lebens oder die Glückseligkeit: entweder wie sie erscheint oder wie sie ist. Das letztere wird durch moralische Kategorien vorgestellt, die aber nicht auf besondere Gegenstände sondern die des Lebens und der Welt gehen, aber um die Einheit derselben in einer einzigen möglichen empirischen Glückseligkeit festzusetzen. An sich selbst stellen sie nicht etwas Gutes vor sondern bloß die Form der Freiheit, die empirische data zum wahren und selbständigen Guten zu nutzen.

Die Glückseligkeit ist nicht etwas Empfundenes sondern Gedachtes. Es ist auch kein Gedanke, der aus der Erfahrung genommen werden kann, sondern der sie allererst möglich macht. Nicht zwar als ob man die Glückseligkeit nach allen ihren Elementen kennen müsse, sondern die Bedingung a priori, unter der man allein der Glückseligkeit fähig sein kann. [...]

Ein Mensch von solchen moralischen Gesinnungen ist würdig glücklich zu sein, d. i. in den Besitz aller Mittel zu kommen, dadurch er seine und anderer Glückseligkeit bewirken könne.

Damit aber die Moralität über alles und zwar schlechthin gefalle, ist nötig, daß sie nicht aus dem Gesichtspunkt der einzelnen und eigenen Zuträglichkeit, sondern aus einem allgemeinen Gesichtspunkt a priori, d. i. vor der reinen Vernunft, gefalle und zwar, weil sie allgemein zur Glückseligkeit notwendig und derselben auch würdig ist. Gleichwohl vergnügt sie darum doch nicht, weil sie das Empirische der Glückseligkeit nicht verspricht; sie enthält also an sich keine Triebfedern; dazu werden immer empirische Bedingungen, nämlich Befriedigung der Bedürfnisse, erfordert.

Moralität ist die Idee der Freiheit als eines Prinzips der Glückseligkeit (regulatives Prinzip der Glückseligkeit a priori). Daher müssen die Gesetze der Freiheit unabhängig von der Absicht auf eigene Glückseligkeit gleichwohl die formale Bedingung derselben a priori enthalten.

Ich höre ein Verbot: Du sollst nicht lügen! und warum nicht? Darum, weil es dir selbst schädlich ist, d. i. deiner eigenen Glückseligkeit widerstreitet (Epikur). Allein ich bin klug genug, um in allen Fällen, wo es mein Vorteil mit sich bringt, bei der Wahrheit zu bleiben, aber auch in allen, wo mir die Lüge nützlich sein kann, Ausnahmen von der Regel zu machen. Allein deine Lüge ist der allgemeinen Glückseligkeit zuwider! Was geht die mich an, antworte ich, mag ein jeder für die seinige sorgen. − Aber diese Glückseligkeit liegt dir selbst am Herzen, oder auch diese Lüge findet in dir selbst einen Abscheu (Stoiker). Darüber, antworte ich, kann ich allein urteilen. Es mögen andere so zärtlichen Geschmacks sein, daß eine Lüge auszustoßen ihr Innerstes umkehrt, bei mir ist es anders; ich lache, wenn ich jemanden habe überlisten können und zwar mit solcher Überlegung, daß es nicht entdeckt wird. Euer Gefühl mag für euch entscheiden, ihr könnt es aber mir nicht zum Gesetz machen. Allein, spricht ein dritter, du magst nun die Lüge weder als dir schädlich noch als an sich selbst abscheulich fliehen oder belieben, so bist du nicht frei zu tun, was du willst. — Siehe über dir das höchste Gut, was in seinen Ideen, die deine Vernunft anschauen kann, sie mit der Person selbst, die ihr ergeben ist, ausstößt und sie von der Glückseligkeit ausschließt. Platoniker. Woher wißt ihr die Ideen dieses höchsten Wesens? Ich besinne mich nicht, jemals mit einer solchen in Bekanntschaft gelangt zu sein. Sind diese Ideen nicht vielleicht zufällige Produkte der Erziehung des eingeführten Gebrauchs? Und woher wißt ihr, daß ein solches höchstes Wesen, das ihr nur durch Vernunft kennt, sie verabscheue als darum, weil sie an sich verabscheuungswürdig ist, das ist es aber eben, woran ich zweifle und wovon ihr mir den Zweifel nicht habt benehmen können. [...]

Nachdem ich auf solche Weise alle fremde Überredungen abgewiesen habe, so kehre ich in mich selbst zurück und finde, ungeachtet es mir frei stand, es andern zu verhehlen und niemand mir überzeugende Beweise davon geben konnte, in mir ein Prinzip der Mißbilligung und eines unauslöschlichen inneren Abscheu, der zwar bisweilen von entgegenstehenden Anreizen überwogen werden mag, niemals aber vertilgt werden kann. Worauf beruht diese Mißbilligung? ist es unmittelbar Gefühl der Schändlichkeit, ist es versteckte Reflexion über die Schädlichkeit, ist es Furcht vor einem unsichtbaren Richter? denn Gewohnheit kann es nicht sein, weil sie sonst nicht allgemein und unbezwinglich sein würde.

Da die Frage ist, ob meine Freiheit in diesem Punkt durch nichts eingeschränkt sei, so vermute ich einen Grund der Auflösung derselben, der nicht bloß auf diesen Fall, sondern überhaupt auf Freiheit geht. Freiheit ist an sich selbst ein Vermögen, unabhängig von empirischen Gründen zu tun und zu lassen. Also kann es keine Gründe geben, welche uns in allen dergleichen Fällen empirisch zu bestimmen das Gewicht hätten. Die Frage ist also: wie darf ich mich meiner Freiheit überhaupt bedienen? Ich bin frei aber nur vom Zwange der Sinnlichkeit, kann aber nicht zugleich von einschränkenden Gesetzen der Vernunft frei sein; denn eben darum, weil ich von jenem frei bin, muß ich unter diesen stehen, weil ich sonst von meinem eigenen Willen nicht sagen kann. Nun muß mir diejenige Ungebundenheit, dadurch ich wollen kann, was meinem Willen selbst zuwider ist, und ich keinen sicheren

Grund habe, auf mich selbst zu rechnen, im höchsten Grad mißfällig sein, und es wird a priori ein Gesetz als notwendig erkannt werden müssen, nach welchem die Freiheit auf die Bedingungen restringiert wird, unter denen der Wille mit sich selbst zusammenstimmt. Diesem Gesetz kann ich nicht entsagen, ohne meiner Vernunft zu widerstreiten, welche allein praktische Einheit des Willens nach Prinzipien festsetzen kann. Diese Gesetze bestimmen einen Willen, den man den reinen Willen nennen kann, der vor allem Empirischen vorausgeht, und bestimmen ein reines praktisches Gut, welches das höchste obgleich nur formale Gut ist, weil es von uns selbst geschaffen mithin in unserer Gewalt ist und auch alles Empirische, sofern es in unserer Gewalt ist, der Einheit nach in Ansehung des vollständigen Guts, nämlich einer reinen Glückseligkeit, möglich macht. Wider diese Regel muß keine Handlung streiten; denn alsdann streitet sie mit dem Prinzip der Selbstzufriedenheit, welche die Bedingung aller Glückseligkeit ist, sie mag nun a posteriori verschafft werden oder auch a priori in unserer Denkungsart beruhen, auf andere oder auf uns selbst gehen. Diese Beschaffenheit der freien Willkür bestimmt des Menschen persönlichen und absoluten Wert. Das übrige, was ihm innerlich ist, nur seinen bedingten, sofern er nämlich sich seiner Talente wohl bedient. Auch ist er nur sofern der Mittel zur Glückseligkeit würdig (denn Glückseligkeit ist ein Produkt der eigenen Menschenvernunft), weil er nur nach diesen Gesetzen mit dem Vernunftbegriff derselben zusammenstimmen kann. Worin besteht aber dieses moralische Gesetz? 1. In der Übereinstimmung der natürlichen Begierden mit der Natur seiner selbst.

2. In der Übereinstimmung der beliebigen und zufälligen Begierden mit der Natur und untereinander; folglich in der Idee eines allgemeinen Willens und den Bedingungen, unter denen ein solcher, der jeden besondern unter sich enthält und einschränkt, möglich ist.

Ohne diese Einheit muß die Freiheit in unseren eigenen Augen das größte Übel sein, und wir hätten Ursache aus Instinkt mithin vernunftlose Tiere zu sein. Mit dieser Einheit ist sie das größte und eigentlich absolute Gut in jedem Verhältnisse. [...]   [7202; 1780-89]

Das vornehmste Problem der Moral ist dieses: Die Vernunft zeigt, daß die durchgängige Einheit aller Zwecke eines vernünftigen Wesens sowohl in Ansehung seiner selbst als anderer, mithin die formale Einheit im Gebrauche unserer Freiheit, d. i. die Moralität, wenn sie von jedermann ausgeübt würde, die Glückseligkeit durch Freiheit hervorbringen und vom Allgemeinen zum Besonderen ableiten würde und daß umgekehrt, wenn die allgemeine Willkür jede besondere bestimmen sollte, sie nach keinen anderen als moralischen Prinzipien verfahren könnte. Es ist aber zugleich klar, daß, wenn nur einer sich diesen Regeln unterwerfen wollte, ohne sicher zu sein, daß es andere auch tun würden, seine Glückseligkeit auf diesem Wege nicht zu erhalten sei. Nun fragt sich, was noch übrig bleibe, um gleichwohl den Willen eines jeden (gutdenkenden) zu bestimmen, sich dieser Regel als einer unverletzlichen zu unterwerfen: ob die Glückseligkeit nach der Ordnung der ewigen Vorsehung oder die bloße Würdigkeit glücklich zu sein (nach aller Urteil, da er, soviel an ihm ist, zu aller Glückseligkeit beiträgt) oder die bloße Idee der Einheit der Vernunft im Gebrauch der Freiheit. Dieser letzte Grund ist nicht gering zu schätzen. Denn die Selbstbestimmung aus Prinzipien gibt allein einen Grund der Einheit der Präkognition aller Handlungen her, und, da die Vernunft als eine bestimmende Ursache von aller Zeit und Bedingung der Sinnlichkeit unabhängig auf alles Dasein des vernünftigen Wesens geht, so ist dieses ein principium der freien Handlungen in Beziehung auf ewige Dauer. Wenn aber Menschen ewig leben sollten, so würde das Wohlverhalten auch glücklich machen. Die Selbstzufriedenheit der Vernunft vergilt auch die Verluste der Sinne.

Gleichwie die Identität der Apperzeption ein principium der synthesis a priori für alle mögliche Erfahrung ist, so ist die Identität meines Wollens der Form nach ein principium der Glückseligkeit aus mir selbst, wodurch alle Selbstzufriedenheit a priori bestimmt wird.

Ich kann nur, wenn ich nach Prinzipien a priori handle, immer eben derselbe in der Art meiner Zwecke sein, innerlich und äußerlich. Empirische Bedingungen machen Verschiedenheiten.

Transzendentale Einheit im Gebrauch der Freiheit.

Was kann mich dieses principium a priori der allgemeinen Einstimmung der Freiheit mit sich selbst interessieren? Die Freiheit nach Prinzipien empirischer Zwecke hat keine durchgängige Einstimmung mit sich selbst; ich kann mir daraus nichts Zuverlässiges in Ansehung meiner selbst vorstellen. Es ist keine Einheit meines Willens. Daher sind restringierende Bedingungen des Gebrauchs derselben absolut notwendig. Moralität aus dem principio der Einheit. Aus dem Prinzip der Wahrheit. Daß man sein principium, was man öffentlich bekennen darf, befolgt, was also für jedermann gilt. Vollkommenheit der Form nach: die Zusammenstimmung der Freiheit mit den wesentlichen Bedingungen aller Zwecke, d. i. Zweckmäßigkeit a priori.   [7204; 1780-89?]

Moral ist die Wissenschaft, welche die Prinzipien der Einheit aller möglichen Zwecke vernünftiger Wesen a priori enthält. 1. Bedingungen dieser Einheit, 2. praktische Notwendigkeit dieser Einheit. Pragmatisch (empirisch) bestimmt ist die Einheit aus den Begriffen von Glückseligkeit. Rational aus dieser Glückseligkeit, sofern sie bloß eine Wirkung der Freiheit ist.   [7205; 1780-89?]

Es kann keine Pflicht zum Genießen geben, folglich keine Pflicht aus dem Prinzip der Glückseligkeit. Alle Pflicht ist zum Tun, nicht zum Genießen.   [7263; 1780-89?]

Glückseligkeit ist das Bewußtsein einer immerwährenden Zufriedenheit mit seinem Zustand. Nun kann man durch die Tugend an sich glückselig sein, wenn man das Physische seines Zustandes für gleichgültig hält und im Bewußtsein seines moralischen Zustandes, sofern er ein immerwährender Fortschritt zum Bessern ist, den ganzen Wert seines Daseins setzt.   [7311; 1780-89?]

Von der Glückseligkeit

Man kann nicht glücklich sein, ohne nach seinem Begriffe von Glückseligkeit; man kann nicht elend sein, ohne nach dem Begriffe, den man sich vom Elend macht, d. i. Glückseligkeit und Elend sind nicht empfundene, sondern auf bloßer Reflexion beruhende Zustände. Vergnügen und Schmerz werden empfunden, ohne daß man den mindesten Begriff sich von ihnen machen könnte, denn sie sind unmittelbare Einflüsse auf das Bewußtsein des Lebens. Aber nur dadurch, daß ich die Summe meiner Vergnügen und Schmerzen in einem Ganzen zusammenfasse und das Leben nach der Schätzung derselben wünschenswert oder unerwünscht halte, dadurch, daß ich mich über diese Vergnügen selbst freue oder über den Schmerz betrübe, halte ich mich für glücklich oder unglücklich und bin es auch. [...]   [610; 1780-89]

Einwurf: der Mensch kann nicht glücklich sein, wenn er sich nicht selbst wegen seines Charakters Beifall geben kann. Er kann dieses aber nur dann nicht, wenn er in der Moralität einen absoluten Wert sieht. Wenn er hierauf nicht Rücksicht nimmt, wenn ihm das Wohlbefinden aus physischer Empfindung genug ist, so kann er glücklich sein, ohne sich im mindesten um die Übereinstimmung seines Verhaltens mit der Moral zu bekümmern, davon er nur den äußeren Schein oder die Beobachtung nach dem Buchstaben, als eine von den Regeln der Klugheit benutzt aber ohne die Gesinnung, derselben irgendeinen inneren Wert zuzugestehen.   [7314; 1794-95]

Register:

Die Würdigkeit, glücklich zu sein

Die Sittlichkeit ist eine objektive Unterordnung des Willens unter die Bewegungsgründe der Vernunft. Die Sinnlichkeit (practice) eine subordinatio des Willens unter die Neigung. Neigungen, vereinigt durch die Vernunft, stimmen zur Glückseligkeit, d. i. zum Wohlbefinden aus der dauerhaften Befriedigung aller unserer Neigungen. Neigungen einzeln, wenn sie auf die Befriedigung der übrigen die Aufmerksamkeit verhindern, widerstreiten der Glückseligkeit. Leidenschaften also widerstreiten natürlicherweise sowohl der Glückseligkeit als der Sittlichkeit. Die Glückseligkeit stimmt aber zur zufälligerweise mit der Sittlichkeit (actualiter sive subiective); allein obiective stimmt sie damit notwendigerweise, d. i. die Würdigkeit glücklich zu sein. [6610; 1769-1770?]

Der Gebrauch der Freiheit, der ein Grund der Glückseligkeit nach einer allgemeinen Regel ist, ist die Würdigkeit glücklich zu sein. Uns liegt es ob, die Glückseligkeit einer Regel zu unterwerfen. [6844; 1776-78]

Die erste Frage ist: warum eine gewisse Regelmäßigkeit der Handlungen der Glückseligkeit würdig macht?
 Die zweite Frage ist: warum wir so handeln *sollen,* daß wir dieser Glückseligkeit würdig werden, wenn kein Wesen vorausgesetzt wird, welches solche nach Würdigkeit austeilt? [...] [6969; 1776-78?]

Der Begriff der Sittlichkeit besteht in der Würdigkeit glücklich zu sein (der Befriedigung seines Willens überhaupt). Diese Würdigkeit beruht auf der Übereinstimmung mit den Gesetzen, unter denen, wenn sie allgemein beobachtet würden, jedermann der Glückseligkeit im höchsten Grade, als es nur durch Freiheit geschehen kann, teilhaftig sein würde. (Warum muß man sich aber der Glückseligkeit würdig verhalten?)
 1. Diese Übereinstimmung mit allgemeingültigen Gesetzen

der Willkür ist nach der Vernunft ein notwendiger Grund unserer Selbstbilligung und Zufriedenheit mit uns selbst, was auch andre tun mögen.

Können wir nun glücklich sein ohne viel Vergnügen der Sinne oder Stillungen ihrer Bedürfnisse, so ist jener innere Beifall ein hinreichender Bewegungsgrund, uns zu nezessitieren.

Weil aber die Selbstzufriedenheit die Seele erhebt und sie wegen vieler sinnlicher Belustigungen, die in ihren Augen rechtmäßigerweise gering sind, weil man sie durch Stärke überwinden kann, schadlos hält: so ist es ein großer und der größte Bewegungsgrund der Vernunft, unabhängig von Sinnen die Glückseligkeit zu einem Produkt der Spontaneität zu machen. Also nur in Ansehung der Unzulänglichkeit, ohne Einstimmung des Schicksals glücklich zu werden, gibt die Idee von der Möglichkeit eines heiligen und gütigen Wesens und nur bloß von der Möglichkeit desselben, das Komplement. [6892; 1776-78]

Tue das Gute gern. Suche deine Glückseligkeit unter allgemeingültigen Bedingungen derselben, d. i. die Handlung mit dir selbst und deinen wesentlichen Zwecken stimme, die für jedermanns Glückseligkeit und für jedermanns Freiheit, sie sich selbst zu verschaffen, und auch für die wesentliche Zwecke der Natur gültig sein.

Suche deine Glückseligkeit unter der Bedingung eines allgemeingültigen Willens (sowohl für dich selbst als für andre, und dieses sowohl für anderer Neigung als ihrer Willkür). Diese Regel zeigt nicht den Weg zur Glückseligkeit, sondern schränkt die Bemühung dazu auf Bedingungen ein, ihrer würdig zu werden, indem sie solche mit dem allgemeinen System einstimmig macht. [6989; 1776-78]

Man nennt Vorliebe (Prädilektion) den Wunsch, sich selbst oder einen andern glücklich zu sehen ohne Beziehung auf das Urteil, ob man dieser Glückseligkeit würdig sei. Wer ohne Vorliebe (ohne dabei interessiert zu sein) urteilt, urteilt unparteiisch. Unser Wunsch ist jederzeit in Ansehung unsrer selbst parteiisch (eigenliebig). Deswegen denken wir uns einen Dritten als Richter, der mit uns und andern nichts zu schaffen habe. Aber ohnerachtet alles eigenliebigen und und unablässigen Wunsches können wir doch das Vernunfturteil nicht unterdrücken, daß zwar die Begierde zur Glückseligkeit natürlich vor dem Wunsche es zu sein vorhergehe, gleichwohl das letztere vor dem ersteren in dem Urteil der Vernunft vorhergehen müsse: daß die erste Frage sein muß, ob die Person gut sei, und die zweite nur: ob ihr Zustand gut und glücklich sei. Wir würden eine Welt verachten und eine Regierung der Welt, worin es anders geordnet wäre. Die Würdigkeit glücklich zu sein ist zwar nicht unser unmittelbarer Wunsch, aber die erste und unnachlaßliche Kondition, unter welcher die Vernunft ihn billigt.

Es scheint aber auch, als wenn die Vernunft uns in diesem Gebot auch etwas verspreche. Nämlich daß man hoffen könne glücklich zu sein, wenn man sich nur so verhält, daß man derselben nicht unwürdig ist. Denn da der ohne Zweifel ein Tor (Phantast, grillenhaft) sein würde, welcher sich eigensinnig einer Regel unterwürfe, ob er gleich wüßte, daß er seinen Zweck viel besser erreichen würde, wenn er gelegentlich Ausnahmen davon machte: so würde folgen, daß man auch wohl ein dupe (Geck) der Tugend sein könne: ein unausstehlicher und ungereimter Gedanke. Es kommt daher manchmal auch wohl denkenden Personen in den Sinn, sich so zu entrüsten, vornehmlich über Menschen, daß sie der Tugend abtrünnig werden wollten, und, weil diese gleichsam ihnen nicht Wort hält, sondern sie hintergeht, ihre Anmahnungen nicht zu hören. [7059; 1776-78]

Würdigkeit glücklich zu sein.

Prinzipien der Sittlichkeit aus der Einstimmung der Freiheit mit den notwendigen Bedingungen der Glückseligkeit überhaupt, d. i. aus dem allgemeinen selbsttätigen principio der Glückseligkeit.

Wenn die Freiheit unangesehen des Zustandes, darin das freie Wesen sich befindet, mithin unabhängig von empirischen Bedingungen (der Antriebe) eine notwendige Ursache der Glückseligkeit sein soll, so muß sie 1. Aus Prinzipien die Willkür bestimmen. 2. Aus Prinzipien der Einheit sowohl mit seiner eigenen Person und zugleich in Ansehung der Gemeinschaft mit andern, weil Freiheit, die nicht äußerlich nach allgemeinen Gesetzen zusammenstimmend ist, sich selbst in der Glückseligkeit hindert, in der Zusammenstimmung aber sie durchaus befördert.

Prinzipien der Einheit aller Zwecke überhaupt (vorhergehend vor allen empirischen Bedingungen der Zwecke). Mithin Prinzipien der reinen Vernunft.

Die imperativi der Sittlichkeit enthalten die einschränkenden Bedingungen aller Imperativen der Klugheit. Man darf nur die Glückseligkeit unter den Bedingungen suchen, unter welchen man allein derselben würdig sein kann, d. i. ihrer notwendig teilhaftig werden würde, weil die Glückseligkeit etwas allgemeines in der Befriedigung der Zwecke ist. Sonst ist es das bloße Vergnügen. Daher pathologisch oder praktisch notwendig. [7200; 1780-89?]

Alle Prinzipien der Sittlichkeit sind etweder die des dem Natureinfluß gehorchenden und gesetzverwaltenden oder des selbstgesetzgebenden Willens. Jenes ist das Prinzip der Glückseligkeit. Dieses der Würdigkeit glücklich zu sein. Jenes der Selbstliebe (Wohlwollens gegen sich selbst). Dieses der Selbstschätzung (d. i. des Wohlgefallens an sich selbst). Jenes des Werts des Zustandes in den Augen der Person. Dieses des Werts der Person selbst und selbst ihres Daseins in dem Urteile der praktischen Vernunft überhaupt. Jenes nach dem Urteile einer sich um Glückseligkeit bewerbenden, dieses im Urteile einer die Glückseligkeit allgemein austeilenden Vernunft. Jenes setzt die oberste Bedingung des höchsten Gutes in dem, was sehr vom Zufall abhängt. Dieses in dem, was jederzeit in unserer Gewalt ist. Jenes erfordert in der Anwendung viel Erfahrung und Klugheit. Dieses nichts mehr, als seinen Willen allgemein zu machen und zu sehen, ob er mit sich selbst stimmt. [7242; 1780-89]

Register:

»als allein ein guter Wille«

Was da vergnügt, ist darum nicht schlechthin gut, sondern für den Menschen gut, wenn es dauerhaft ist, oder vielmehr, weil gut ein objektives Prädikat ist, nicht gut, sondern ihm angenehm (denn angenehm überhaupt notwendigerweise ist nichts).

Gut ist also nichts anderes als der Wille. Was keinen Willen hat, ist nur bedingterweise gut, selbst dann, wenn es Verstand hat. Ein sehr kluger Mensch kann sehr gut sein, wenn sein Wille mit seiner ganzen Person, d. i. mit den wesentlichen Beziehungen aller seiner Organe und Kräfte übereinstimmt. Man kann annehmen, daß der Mensch die Zwecke alle wolle, dazu seine Natur abzielt, und daß diese Abzielung selber nicht der Zweck eines Fremden sei, mit welchem sein Wille übereinstimmt, sondern sein eigener Zweck sei; wenn dann sein Wille mit diesen Zwecken zusammenstimmt, so stimmt er eigentlich mit sich selbst. Es ist aber objektiv notwendig, dasjenige zu wollen, was man will; folglich ist die Übereinstimmung seines Willens mit seinen wesentlichen Zwecken gut. [...]

Die Notwendigkeit ist zwiefach: die subjektive der Ursachen und die objektive des Werts. Wir fragen nicht bloß: wodurch die Sache notwendig da sei, sondern: warum sie nötig, d. i. es gut sei, daß sie da ist. Dieses heißen wesentliche Zwecke, nicht des Urhebers, sondern desjenigen Willens, der dieses sein einzeln Dasein will. Dieses fundamentale Gut oder das oberste primitive Gut ist nicht auszumachen.   [679; 1769-1770]

Die vernünftigen Wesen haben den Beziehungspunkt der Vollkommenheit in sich. Es ist möglich, daß sie ihn auch außer sich haben; niemals aber ist es der Regel des Guten gemäß, daß er gänzlich außer ihnen sei, d. i. daß sie bloß um eines anderen Wesens willen da, viel weniger unglücklich sind. [693; 1769-70]

Es kann überall nichts schlechthin Gutes sein als ein guter Wille. Das übrige ist entweder mittelbar gut oder nur unter einer restringierenden Bedingung. Allgemeine Glückseligkeit ist für die sehr gut oder angenehm, die sie genießen, aber schlechthin gut ist sie nicht, d. i. für jedermanns Augen, d. i. in dem allgemeinen Urteil der Vernunft, wenn die, so solche genießen, keine Würdigkeit derselben in ihrem Verhalten haben. Talente sind sehr gut als Mittel; aber es kommt doch zuletzt darauf an, welchen Willen das Subjekt habe, sich ihrer zu bedienen. Alle Art von Vollkommenheit im höchsten Wesen: Ewigkeit, Allmacht, Allgegenwart ist an sich selbst erhaben und schrecklich, so lange noch ein guter Wille fehlt, solche wohl zu gebrauchen. Der freie Wille und dessen Beschaffenheit ist allein einer inneren Bonität fähig. Daher nicht die Glückseligkeit, sondern die Würdigkeit glücklich zu sein ist das, was die oberste Bindung alles Guten ausmacht. [6890; 1776-78]

Die Welt ist von keinem Wert, wo nicht vernünftige Wesen sind, von denen sie gebraucht wird (nicht bloß angeschaut wird); der bloß beliebige Gebrauch der Welt geht auf das Vergnügen des Lebens. Also war dieses als aller vernünftiger Geschöpfe natürlicher Zweck auch die einzige Absicht, wozu eine Welt gut ist, nicht bloß zum Genuß, sondern auch zum Gebrauch. Allein die oberste Bedingung dieser Absicht ist der gute Gebrauch, den sie von sich selbst und den Dingen der Welt machen. [6908; 1776-78]

Jedermann bescheidet sich, daß, um gelehrt in einer Kunst, geschickt oder auch zur Arbeit geübt zu werden, Zeit gehöre, nicht allein die Regeln zu fassen, sondern sie auch leicht in Ausübung zu bringen. Allein gut zu werden: das, glaubt man, komme bloß auf unser Wollen an. (Nämlich auf unseren guten Willen, welches identisch ist; nämlich das Gutsein ist eigentlich nur ein guter Wille.) Es ist auch in der Tat ein bloßer Wille: das, was gänzlich selbsttätig ist und auch auf einer Maxime beruht. Aber die Ausübung erfordert Handlungen in concreto, wodurch diese Grundsätze Triebfedern werden. [6914; 1776-78?]

Im Anfang der Moral muß zuerst gehandelt werden: vom an sich Guten oder Bösen. Nichts ist schlechthin an sich gut als ein guter Wille. Danach urteilt man auch, ob ein Mensch gut sei. Selbst das höchste Wesen ist nur dadurch gut. Unglück ist ein Übel, aber in manchen Fällen ein Gegenstand der Billigung; das Gute im physischen ist immer relativ. [7216; 1780-89?]

Wenn das absolute Gut nicht auf dasjenige gehen soll, was ich empfinde (leide), so muß es lediglich in dem bestehen, wie ich handle. [1041; 1780-84]

Register:

Die Allgemeingültigkeit
des sittlichen Wollens

Wir haben eine Grundtätigkeit der Vernunft, nach welcher wir nicht umhin können, unsere Tätigkeiten einstimmig mit der Vernunft auszuüben, und also ein Mißfallen haben, sobald sie dadurch widerlegt werden. Ich kann zum Exempel das Goldmachen, sobald ich es unmöglich finde, nicht anders als verwerfen. Nun sind alle Urteile durch Vernunft notwendig allgemein gültig; folglich, wenn sie nicht allgemein gültig sind, sehe ich mich genötigt, sie zu verwerfen. D. i. ich kann wohl zwei entgegengesetzte Empfindungen in mir stattfinden lassen, aber nicht zwei entgegengesetzte Erkenntnisse. [6591; 1764-68?]

Die Bedingungen, ohne welche die *Billigung* einer Handlung nicht *allgemein* sein (nicht unter einem allgemeinen Grundsatz der Vernunft stehen) kann, sind *moralisch*. Die moralische Bedingungen der Handlungen machen die Handlungen, die mit ihnen stimmen, erlaubt und schränken die pathologische ein. Die Billigung einer Handlung kann nicht allgemein sein, wenn sie nicht ohne Beziehung auf die sinnlichen Antriebe des Handelnden Gründe der Billigung enthält. Demnach geht die allgemeine Billigung auf den objektiven Zweck der Sache oder eines Vermögens, (e. g.) der Freiheit der Sprache, und dieser schränkt alle subjektiven Zwecke ein. Daher sind die Zwecke, die der Mensch aus Neigung hat, von dem Zwecke, wozu der Mensch diese oder jene Eigenschaften, Gliedmaßen und Neigungen hat, zu unterscheiden. Dieser ist der ursprüngliche oder originale, jener der billig untergeordnete Zweck. [...] [6627; 1769-1770?]

[...] Wie kann aber die Willkür ein Grund eines Gesetzes werden. Was der Grund einer notwendigen Einstimmung eines Willens mit dem Willen eines anderen ist, bringt ein Gesetz hervor. Denn niemand ist obligiert außer durch seine Einstimmung. Diese ist nun entweder notwendig oder zufällig. [6645; 1769-1775]

Moralitas besteht in respectu entweder des nexus oder der Opposition mit motivis moralibus. Die motiva moralia bestehen in der Übereinstimmung mit dem moralischen Gesetz. Dieses aber besteht in dem consensu arbitrii mit der regula omnibus communi. Also stimmen die Handlungen mit dem, was allgemein als ein Objekt des Willens angesehen werden kann und was als ein Gegenstand von dem Willen andern noch als gut gilt. [6651; 1769-1775]

Eine Handlung ist moralisch gut, insofern sie in Verhältnis auf jeden Willen und auf jede Neigung möglich ist. [6689; 1770-1775]

Es ist die Frage, ob die moralische Beurteilungen dadurch geschehen, daß die Handlungen als gut oder als angenehm angesehen werden. Ist das erste, so ist es die Beschaffenheit der Handlungen, die vor jeden Verstand dieselbe ist, welche den Grund des Urteils enthält, und dieses geschieht durch Vernunft; ist das zweite, so urteilt man aus Gefühl, und dieses ist nicht notwendigerweise vor jeden gültig. [6691; 1770-1771?]

Es ist wahr: alle Moralität muß auf etwas Nützliches gehen. Aber nicht der Nutzen, sondern die Allgemeinheit desselben ist das, was sie moralisch gut macht, nämlich, daß sie als Regel allein gut ist und ohne sie keine allgemeine Regel stattfände. [...] [4335; 1770-71?]

Wir halten alles hoch, was dem Guten Sicherheit und bestimmte Gewißheit verschafft, daher alles, was einer Regel des Guten gemäß ist. Das Gute, welches aber die Regel unsicher macht, mißfällt. Dies ist der Quell der Moralität. Man ist des Guten nur wert, sofern man den Regeln folgt. [6710; 1772-1775?]

Der Wert der Handlung oder Person wird immer durch das Verhältnis zum Ganzen ausgemacht. Dieses ist aber nur durch Übereinstimmung mit den Bedingungen einer allgemeinen Regel möglich. [6711; 1772-1775?]

Das All bestimmt den Wert absolute, aller andre ist bloß relativ und bedingt. Es muß etwas einen Wert haben in Verhältnis aufs Gefühl, aber die Allgemeinheit dieses Werts bestimmt ihn absolute. Alle Restriktion dessen, was gut ist, mißfällt; daher müssen wir die Allgemeinheit zum Maße nehmen. Der erste Grund der Schätzung ist das absolut Gute. Die Restriktion läßt sich nur aus dem Absoluten erkennen. [6712; 1772-1775?]

Die motiva moralia müssen rein und unvermengt mit stimulis, mit motivis der Klugheit vorgetragen werden.

Die Allgemeingültigkeit des Willens ist entweder möglich, daß der Privatwille eines jeden der Grund sei von dem Willen aller, oder daß der Wille aller der Grund von jedes Privatwillen sei.

Das erstere ist nur möglich, wenn jedes Privatwille gut ist; aber aus der Übereinstimmung mit jedes Privatwille ist keine Übereinstimmung möglich, also keine Regel, außer sofern sie durch die zweite restringiert wird. Also ist das erste das Gesetz, das zweite die Liebe.   [6718; 1772?]

Die ganze Schwierigkeit bei dem Streit über das principium der Moral ist: wie ein kategorischer imperativus möglich sei, der nicht konditional ist, weder sub conditione problematica noch apodictica (der Geschicklichkeit, Klugheit). Ein solcher imperativus sagt, was ursprünglich, primitive gut ist. Es ist zu bewundern, daß das primitive Gut: die Kondition von allem, was gefällt, nur einem Willen zukomme. Die Ursache ist, weil alle Vollkommenheit eine Idee und die Wirklichkeit derselben einen Willen voraussetzt, und weil alles Zufällige und aller Ursprung sich auf Freiheit gründet. Alle Notwendigkeit der Urteile gründet sich auf die Allgemeinheit oder diese auf jene. Mithin ist der Grund der Notwendigkeit, welche moralische Sätze enunziieren, in der Allgemeingültigkeit der Gründe des Wollens zu setzen (schlechthin notwendig, absolute, bedeutet nicht innerlich, sondern überhaupt notwendig).   [6725; 1772]

[...] Materialiter Unrecht ist, was der Materie (dem Objekte des Willens andrer), formaliter, was den Bedingungen des reziproken Willens überhaupt widerstreitet. Daher kann bei dem letzten die Handlung nicht allein kein Gegenstand des Willens aller sein, sondern ist auch unter einer allgemeinen Regel genommen unmöglich. [...]   [6732; 1772-1775?]

Eine Handlung ist unrecht, insofern sie, wenn andere diese Grundsätze in uns voraussetzen, unmöglich ist, e. g. Lüge. Es ist unmöglich, einen zu betrügen, der da weiß, daß man betrügen will, oder Treulosigkeit im Vertrage. Es ist auch unmöglich, solche Handlung als eine allgemeine Befugnis zu wollen und zu billigen. Ungesellig ist der, der solche Maximen hat, daß, wenn andere eben dergleichen haben, er mit ihnen nicht umgehen könnte. Dazu gehört Geld. Der gefällige Mensch wünscht, daß alle Menschen ebenso wären wie er; der Ungesellige das Gegenteil. Der Gerechte fordert es. Die Gerechtigkeit ist ein Grund der Möglichkeit der Gesellschaft, obzwar ohne Wunsch. Die Gütigkeit ist ein Antrieb zur Gesellschaft. Fordere das von anderen, was du willst, daß andere von dir fordern sollen.   [6734; 1772-1775?]

Die Handlung, deren Intention, als allgemeine Regel betrachtet, sich selbst und andrer ihrer notwendig widerstreiten würde, ist moralisch unmöglich.

Die Gesinnung, sich in seinen Handlungen dem allgemeinen principio der Regeln gemäß zu verhalten, ist moralisch. Wenn der Wille der Form des Verstandes überhaupt unterworfen ist.

Die treibende Kraft des Verstandes beruht darauf, daß er sich an sich selbst allen principiis der Handlungen widersetzt, die den Gebrauch der Regeln unmöglich machen.   [6765; 1772?]

Es ist von der größesten Notwendigkeit vor der Vernunft, gewisse praktische Regeln als Grundsätze anzunehmen, die absolut nezessitieren (kategorisch), ohne auf den Bedingungen von Nutzen zu beruhen, z. E. keine Absicht wider sein eigen Leben zu haben oder seine eigene Person nicht andern Absichten aufzuopfern. Denn weil in Bestimmung des Nutzens alles zufällig ist (die allgemeine Bedingung aber aller freien Handlungen und der Vorzug der Freiheit selbst, der den Menschen eines moralischen und inneren Werts fähig macht, dieses ist, daß er durch die tierischen Triebfedern niemals überwältigt werde, dasjenige zu wollen, was ein principium der Handlung wider sich selbst verrät etc. etc.), so muß das, was eine vorhergehende Bedingung ist, sich seiner Freiheit zu bedienen, die Freiheit notwendig einschränken, folglich die wesentliche Bestimmungen seiner eignen Person und das Leben selbst. Wider diese kann keine Absicht stattfinden, ob sie zwar selbst nicht eben die Absicht selber sein dürfen. Wesentliche Bestimmungen sind die, ohne die er entweder kein Mensch oder gar kein freies Wesen sein würde.

Er soll nicht Absicht haben, die Unwahrheit zu reden, weil er als einer, der seinen Sinn bezeichnen kann, die Bedeutung derselben nicht vernichtigen muß. Er soll nicht sich selbst töten, weil er, wenn er mit sich selbst schaltet, sich *als eine Sache betrachtet* und die Würde eines Menschen verliert. Er beleidigt andre, wenn er das, was *nicht seine* Sache ist, als die seinige behandelt. Der Selbstmörder zeigt auch die Freiheit in dem größten Widerstreit wider sich selbst, mithin in der größten Zerrüttung des eigenen Wahnes. Die Menschheit *ist heilig* und unverletzlich, sowohl in seiner eignen Person als in der anderer. Seine eigne Einwilligung ist hier nichtig, weil man keinen Willen hat um aufzuhören gar etwas zu sein. Alle Pflichten nämlich die notwendigen, bestehen nicht darin, daß wir der Menschen Wohlfahrt, sondern der Menschheit Vorzüge und Würde ehren. Also ist das Recht der Menschheit dasjenige, was alle Freiheit durch notwendige Bedingungen einschränkt. Der Mensch kann große Handlungen selbst im Unglücke ausüben und da, wo er das Leben aufopfert, nicht weil er dasselbe haßt, da ist er doch des Lebens wert. Der so sein Leben selbst kleiner schätzt als die Gemächlichkeit des Glücks, der ist des Lebens nicht wert. [...]   [6801; 1773-1775?]

Das allgemeine und oberste praktische Gesetz der Vernunft ist: daß die Vernunft die freie Handlungen bestimmen müsse. Wir können nur ein Wohlgefallen daran haben, so bald wir sie damit zusammen stimmen sehen. Es ist einem vernünftigen Wesen notwendig, zuvor die Freiheit unter das allgemeine Vernunftgesetz zu bringen. Dieses besteht darin, daß die

Gesinnung der Handlung allgemein genommen mit der freien Willkür (mit sich selbst) stimme und daß die Freiheit zuerst aufhört, eine Ungebundenheit und Gesetzlosigkeit zu sein. Appetite geben keine allgemein stimmigen Gesetze; entweder Natur oder Willkür überhaupt geben den Beziehungsgrund überhaupt an die Hand, in Verhältnis auf welchen eine allgemeine Übereinstimmung der Handlungen sein muß. Worauf beruht also das Wohlgefallen an der Übereinstimmung der Handlung mit dem, was allgemein genommen notwendig gefallen würde? und warum gefällt uns diese Allgemeingültigkeit? Woher sind wir bestimmt, das Besondere aus dem Allgemeinen abzuleiten? Darum weil wir eben so wohl im praktischen Urteil als dem theoretischen die Vernunft als die notwendige Bedingung derselben ansehn.

Die Handlungen sind nicht richtig, die Freiheit ist regellos, wenn sie nicht unter solcher Einschränkung aus der Idee des Ganzen steht. Sie mißfällt uns selbst. Dieses ist die notwendige Bedingung der praktischen Form, so wie der Raum der Intution.   [6802; 1773-1775?]

[...] *Die Konformität einer Handlung mit einer notwendigen und allgemeingültigen Regel des Wohlgefallens ist die Moralität.* [...]   [6805; 1773-75]

Die moralische Gesetze entspringen nicht aus der Vernunft, sondern sind dasjenige, was die Bedingungen enthält, wodurch es allein möglich ist, daß freie Handlungen nach den Regeln der Vernunft können bestimmet und erkannt werden. Dieses geschieht aber, wenn wir den allgemeingültigen Zweck zum Grunde der Handlungen machen. Damit die besondere Zwecke mit denen stimmen, welche man ansehen kann, als wären dadurch alle Dinge möglich.

Das moralisch Gute erfordert komplete Einheit des Grundes der Handlung für die Vernunft, folglich daß er hergenommen sei aus der idea archetypa, welche der Zweck der ganzen Welt ist.

Was den Bedingungen gemäß ist, unter welchen alles nach Regeln a priori geschieht, gefällt notwendigerweise. Denn es bringt die Einstimmung mit der gesamten Natur hervor. Und also ein Bewußtsein der Einstimmung der Handlungen mit sich selbst und mit allen andern. [...]   [5445; 1776-78]

Die Unterwerfung der Freiheit unter die Gesetzgebung der reinen Vernunft. Aus den allgemeinen Bedingungen der Zwecke überhaupt zu den besonderen zu gehen. Die reine, d. i. von allen (sinnlichen) *Triebfedern* abgesonderte Vernunft hat in Ansehung der Freiheit überhaupt *gesetzgebende Gewalt*, die jedes vernünftige Wesen erkennen muß, weil ohne Bedingungen der allgemeinen Einstimmung mit sich selbst in Ansehung seiner selbst und anderer gar *kein Gebrauch der Vernunft* in Ansehung ihrer statt finden würde. Nun ist das ein natürlicher und notwendiger *Gegenstand des Abscheues*, wodurch die oberste Kraft *sich selbst widerstreitet*, ebenso wie im logischen, wenn sie sich selbst widerspricht.   [6853; 1776-78?]

Die Moralität besteht in der Unterordnung eines jeden Willens unter die Regel allgemeingültiger Zwecke. Die Regel muß sein, daß die Handlung den allgemeingültigen Zweck zur Bedingung habe.   [6924; 1776-78]

Die Sittlichkeit besteht in dem Verhältnis freier Handlungen mit den Gesetzen (Bedingungen) des allgemeinen Willens, entweder der Menschheit oder der Menschen. Der allgemeine Wille der Menschheit geht auf die Erhaltung dessen, was zu der Menschlichen Natur wesentlichen Zwecken gehört. Der allgemeine Wille der Menschen besteht in dem Gegenstande oder der Form der Handlungen, dadurch er unabhängig von jeder besonderen Neigung wird. Er bedeutet den Willen eines jeden Teils, den Willen, der auf einen jeden gerichtet sein kann.   [6950; 1776-78]

Es kann niemand den andern obligieren, als durch eine notwendige Einstimmung des Willens anderer mit dem seinen nach allgemeinen Regeln der Freiheit. Also kann er niemals den andern obligieren, als vermittelst desselben eigenen Willen.   [6954; 1776-78?]

Der moralische Grund ist der Bewegungsgrund der Handlungen aus den ursprünglichen Zwecken vernünftiger Wesen, d. i.

denen Zwecken, durch die allein ihr Dasein möglich ist. Alles, was dem widerstreitet, widerstreitet ihnen selbst, weil es dem principio essendi derselben entgegen ist. Wenn die Glückseligkeit nur ein Werk vernünftiger Wesen gegeneinander sein kann, so ist es ihre Pflicht oder eigentümliche Funktion, solche zu erteilen. Sie sind zu dem Ende da, um das Glück anderer zugleich mit ihre Sorgfalt sein zu lassen. Die selbsttätigen Zwecke machen einen noch größeren Bewegungsgrund. Denn die Einstimmung der Willen ist eine notwendige Bedingung der Einigkeit der Willen, welches die wesentliche Form der intelligiblen Welt ist.   [6977; 1776-78?]

Unter allem, was da gefällt, muß dasjenige das höchste Wohlgefallen haben, wodurch alles Wohlgefallen unter eine Regel kommt. Die Regel der Komplazenz gefällt selbst am meisten weil sie die Lust dem Gebrauch der Freiheit am meisten unterwirft. Die Regel ist hier nicht eine besondere, sondern die Regel der Willkür überhaupt nach den Bedingungen der größten Zusammenstimmung mit der Freiheit.   [7022; 1776-78?]

Die empirischen Gründe unserer Wahl haben keine Gewißheit, weil sie keine allgemeine Richtschnur haben und also untereinander Widersprüche geben können. Die Regel ihrer Zusammenstimmung: Einheit in einem Ganzen ist die oberste. Das äußerste Mißfallen ist das, wenn alles bloß den Sinnen überlassen ist und man keine Regierung der Vernunft antrifft. [7027; 1776-78?]

Es sind zwei Gründe des Wohlgefallens der Handlungen: 1. Die Übereinstimmung mit dem Objekte der Begierde; 2. Die Übereinstimmung der freien Handlungen mit einer Regel des Wohlgefallens überhaupt, d. i. mit einem allgemeingültigen Grunde, folglich auch aller freien Handlungen untereinander. Dieses ist das principium regulativum, jenes constitutivum alles Gebrauchs der Freiheit. Die principia der ersten sind empirisch, und der Gebrauch der Freiheit stimmt nicht untereinander. Das Wohlgefallen an der Regelmäßigkeit in allen unsern Handlungen ist das größte.

Die Würdigkeit, glücklich zu sein, ist die Möglichkeit, nach allgemeinem Gesetze der Glückseligkeit teilhaftig zu werden. [7049; 1776-78]

Es ist keine bestimmte Regel der Zwecke als die Allgemeingültigkeit der Zwecke der Natur und der Zwecke der Menschen. D. i. aus dem Ganzen der Natur und der Zwecke der Menschen. Auch wird dadurch auch die Beziehung auf Glückseligkeit aus den eigenen Handlungen der Menschen so wohl in Ansehung der Natur als in Ansehung einander auf bestimmte Grundsätze gebracht. Der ist würdig der Glückseligkeit, dessen freie Handlungen auf die Einstimmung mit dem allgemeinen Grunde derselben gerichtet sind, der also derselben aus seiner eignen Handlung fähig ist. Aus der Idee des Ganzen wird hier die Glückseligkeit jedes Teiles bestimmt.

Der allgemeine Zweck der Menschen ist Glückseligkeit; was sie praktisch dazu vorbereitet, ist Geschicklichkeit; was die Geschicklichkeit dirigiert, ist Klugheit; was endlich die Klugheit restringiert und dirigiert, ist Sittlichkeit. [7058; 1776-78]

Gleichwie die Vernunft nicht durch die Sinne, aber doch in Beziehung auf dieselbe nach den allgemeinen Bedingungen einer Erkenntnis überhaupt urteilt: so auch eben dieselbe nicht durch das Gefühl, aber doch in Beziehung auf dasselbe nach den Bedingungen der Allgemeingültigkeit des Urteils über das Wohlgefallen und Mißfallen. Es ist die allgemein gemachte Appetition, wie jene die allgemein gemachte Apprehension. Kein Gefühl unterscheidet das Recht vom Unrecht, sondern die Vernunft entwirft die Bedingungen, unter denen allein eine Regel stattfindet hierüber zu urteilen. Das Wohlgefallen an der Regelmäßigkeit ist eigentlich ein Wohlgefallen an dem Grunde der Beständigkeit und Sicherheit in Ansehung alles dessen, was durch den Gebrauch der Freiheit angenehmes intendiert wird. Es ist auch ein Vergnügen über den Gebrauch der Vernunft und die der blinden Willkür entrissene Glückseligkeit. [5620; 1778-79?]

Wir sollen nur einen objektiven Grund angeben von unserm Urteil, daß etwas geschehen soll, und dieses ist die Zusammenstimmung mit einem Prinzip der Vernunft. Der subjektive Grund des moralischen Gefühls, wenn er über alles stark gedacht würde, würde erklären, wie etwas vorzüglich geschieht. Nur Vernunft kann das Sollen vorschreiben. Die Einschränkung des besonderen Willens durch die Bedingungen der Allgemeingültigkeit ist ein Prinzip der Vernunft des Praktischen. Weil sonst unter Handlungen keine unbedingte Einheit sein würde.

Vernunft hat Regeln eines bedingten Gebrauchs unserer Kräfte und Prinzipien des unbedingten Gebrauchs der Freiheit überhaupt. Die letzteren sind notwendig und geben dem Zufälligen die Bestimmung a priori.   [7253; 1780–89]

Principium objectivum: Die Übereinstimmung der Freiheit mit der allgemeinen Gesetzmäßigkeit der Natur. 1. Muß diese Einstimmung freiwillig sein; 2. nicht mit den Naturgesetzen, sondern bloß der allgemeinen Gesetzmäßigkeit der Natur, so daß die Maxime unserer Handlungen *mit unserm Willen* ein allgemeines Naturgesetz sein könne.

Denn was die Vernunft gebietet, gebietet sie nicht parteiisch. Wenn mein Wille also durch Vernunft bestimmt wird, so muß er zugleich von mir als ein allgemeines Gesetz vor jedermann gemeinet sein.

Moralität aus dem Prinzip der Freiheit, so fern sie zugleich (in allem ihren Wollen) Gesetzgebend ist. Principium libertatis nomotheticae: ich muß nach einem Willen handeln, der zugleich gesetzgebend sein kann. Also bin ich unter einem Gesetz, um selbst in Handlungen Gesetz zu sein.   [7269; 1780–89?]

Register:

Der formale Charakter des Sittengesetzes

Die obersten Prinzipien diiudicationis moralis sind zwar rational, aber nur principia formalia. Sie determinieren keinen Zweck, sondern nur die moralische Form jedes Zwecks; daher nach dieser Form in concreto principia prima materialia vorkommen.   [6633; 1769-1770?]

Die Methode der Moral muß nicht so geführt werden, daß sie von dem ersten principio der Freiheit anfängt und von den einfachsten Begriffen, auch nicht von einzelnen Erfahrungen, sondern aus einer gewissen Mitte von den allgemeinen Gesetzen, die wir in concreto beobachten.   [6641; 1769?]

Wir können durch Vernunft nur das Formale erkennen, daher auch nur, was im Verhältnisse gut ist, oder die Form des Guten; aber die erste constitutiva des Guten erkennet nur der, dessen Vernunft anschauend ist; wir aber haben keine erste data des Wohlgefallens als die Sinne. So auch im theoretischen fehlt das Absolute z. B. Subjekte oder Prädikate.   [6750; 1772?]

Freiheit ist das Vermögen, nur durch Vernunft determiniert zu werden, und nicht bloß mittelbar, sondern unmittelbar, also nicht durch Materie, sondern Form des Gesetzes. Also moralisch.   [5436; 1776-89]

Die Moralität ist die legalitas arbitrii puri, folglich die Gesetzmäßigkeit der Freiheit unabhängig von allen sinnlichen Antrieben. Sie hat also gar keine empirische Prinzipien. Aber alle empirische Prinzipien sind nur legal, so fern sie den Gesetzen des arbitrii puri nicht widerstreiten. [...]   [7213; 1780-89?]

Die rationes obligandi sind der species nach von allen causis impulsivis, die von einem Objekt der Willkür hergenommen sind, unterschieden. Sie bestehen bloß in der Form des Willens, welche an sich legal sein muß.   [7225; 1780-89]

Alle Obligation beruht auf der Form der Maxime; die Materie derselben kann sie nicht zur allgemeinen Regel machen, denn die ist willkürlich. Selbst der Begriff der Vollkommenheit, wenn diese eine Realität bedeuten soll oder bloß consensus des Mannigfaltigen zu einem, setzt ein zufälliges Gefühl des Wohlgefallens voraus. Der Wille aber als frei muß determiniert sein, folglich nur sofern er allem Wollen zur Regel dienen kann. [7229; 1780-89]

Register:

Kritik der Moralsysteme

Die Theorien der Alten scheinen darauf abzuzielen, die beide Elemente oder wesentliche Bedingungen des höchsten Gutes: Glückseligkeit und Sittlichkeit auf eines zu bringen. Diogenes auf ein negatives, nämlich Einfalt der Natur. Epikur die Sittlichkeit auf die selbstbewirkte Glückseligkeit. Zeno die Glückseligkeit auf die selbstgnugsame Sittlichkeit. Die Systeme der Neueren dienen, das principium der moralischen Beurteilung zu finden. Außer denen, die es aus empirischem Ursprunge herleiten (Gewohnheit oder Obrigkeit), teilen sie sich in die Moralisten der reinen Vernunft und die der sittlichen Empfindung. Von jenen hat [Wollaston, A. d. Hrsg.] die Regel der Wahrheit als die Richtschnur der Sitten, Wolff den Begriff der Vollkommenheit davor angenommen. Allein der allgemeine Begriff der Vollkommenheit ist nicht durch sich selbst begreiflich, und von ihm wird keine praktische Beurteilung abgeleitet, sondern er ist vielmehr selbst ein abgeleiteter Begriff, indem das, was in besonderen Fällen gefällt, mit dem allgemeinen Namen vollkommen belegt wird. Aus diesem Begriffe (aus dem man gewiß nicht urteilen würde, was Schmerz oder Vergnügen ist) werden alle praktische (obgleich tautologische Regeln, nämlich daß man das Gute tun soll) Vorschriften so wohl in Ansehung der Sittlichkeit als Glückseligkeit hergeleitet und dieser Unterschied nicht gewiesen.   [6624; 1769-70?]

Die Alten frugen nicht (wie wir) wodurch: ob durch Verstand oder Gefühl wir die Moralität *beurteilen*, sondern: worin wir *sie setzen*, entweder im *Intellektuellen der Tugend* oder dem *Sensitiven der Wohlfahrt* oder der Einfalt.

(imgleichen: welchen Ursprungs: natürlich, künstlich oder mystisch.

Zwei Stücke: Wohlverhalten und Wohlergehen; daher zuerst Würdigkeit glücklich zu sein und denn Gelangung zur Glückseligkeit. Der Weg, zum höchsten Gut zu gelangen, war 1. die Natur, 2. Sorge für seine Glückseligkeit, 3. für die Tugend, 4. Beschäftigung mit dem Intellektuellen.

Epikur erniedrigte die Würde der Tugend zu sehr, Zeno erhob sie zu sehr. Jener machte die Prinzipien der Tugend sensitiv, dieser die der Glückseligkeit intellektuell. Mensch der Natur, der Weltmann, der Weise, der reine Geist (Intelligenz). System der rohen Natur, der Kunst und des schwärmerischen Geistes.)   [6880; 1776-78]

Von dem sittlichen Ideal der Alten, dem höchsten Gut. Es ist entweder negativ oder positiv, d. i. Mangel des Lasters und Schmerzens, Unschuld und Gnugsamkeit, oder Tugend und Glückseligkeit. Die letztere sind entweder so subordiniert, daß die Glückseligkeit eine notwendige Folge der Tugend oder die Tugend eine notwendige Form der Mittel zur Glückseligkeit ist. Das erste ist der Stoizism, das zweite der Epikureism. Endlich so ist entweder der Grund des höchsten Gutes in der Natur oder in der Gemeinschaft mit dem höchsten Wesen. Jenes principium ist natürlich, das zweite mystisch. Diese ist die platonische Theorie. [...]   [6601; 1769-70?]

Die Alten koordinierten nicht Glückseligkeit und Sittlichkeit, sondern subordinierten sie; weil, wenn beide zwei unterschiedene Stücke ausmachen, deren Mittel verschieden sind, sie öfters im Streite sind. Die stoische Lehre ist die wahrhafteste der reinen Moral, aber am wenigsten der Natur des Menschen angemessen. Es ist auch das leichteste einzusehen. Das Epikureische ist weniger wahr, aber den Neigungen der Menschen vollkommen angemessen. Das Zynische ist der menschlichen Natur am gemäßesten in der Idee, aber in der Exekution am wenigsten natürlich und ist das Ideal der künstlichsten Erziehung sowohl als der bürgerlichen Gesellschaft.

Das stoische Ideal ist das richtigste reine Ideal der Sitten, aber in concreto auf die menschliche Natur unrichtig; es ist richtig, daß man so verfahren soll, aber falsch, daß man jemals so verfahren wird. Das Ideal des Epikurs ist nach der reinen Regel der Sitten und also in der Theorie des sittlichen principii falsch, obzwar in den sittlichen Lehren wahr; allein es stimmt am meisten mit dem menschlichen Willen. Das Zynische betrifft *bloß die Mittel* und ist in der Theorie richtig, in der praxi aber sehr schwer, obzwar die norma. Die vorigen Ideale waren bloß Theorien der moralischen Philosophie, das Zynische bloß eine Lehre der Mittel. [6607; 1769?]

Epikur sah bloß auf den Wert des Zustandes, er wußte nichts vom inneren Wert der Person. Zeno gestand nicht den Wert des Zustandes, sondern erkannte als das wahre Gut bloß den Wert der Person.

Diese Philosophie stieg über die Natur des Menschen, jene unter dieselbe. [6837; 1776-78]

[...] Epikur setzte die Zwecke aller tugendhaften Handlungen bloß in dem Verhältnisse der Objekten zur Sinnlichkeit, d. i. zur Befriedigung der Neigungen, ebensowohl als in den lasterhaften, und unterschied die Tugend nur durch die Form der Vernunft in Ansehung der Mittel.

Zeno setzte alle Zwecke tugendhafter Handlungen bloß in dem Intellektualen und der Besiegung der ganzen Sinnlichkeit.

Nach ihm war die Selbstbilligung die ganze wahre Glückseligkeit. Die Zufälligkeiten des Zustandes waren doch der Person nicht eigen. Der nur innere Wert der Person. [6621; 1769-70?]

principium vel pragmaticum vel morale summi boni.

Der Unterschied der epikureischen und stoischen Philosophie betrifft den Begriff des höchsten Guts: ob Tugend nichts als Klugheit in Ansehung des Zwecks der wahren Glückseligkeit oder Glückseligkeit nichts als Bewußtsein seiner Tugend sei, mithin die Einheit in dem Begriffe des höchsten Guts.

Der Unterschied der zynischen und platonischen den Ursprung des höchsten Guts: ob er physisch oder hyperphysisch sei; die epikureische und stoische nahmen den Ursprung als künstlich an und die Wirkung von erworbenen und durch Nachdenken gefundenen Grundsätzen an. [6874; 1776-78]

Der Hauptfehler des Epikurs ist, daß er die Prinzipien der Ausübung unter die der Beurteilung setzt, des Zeno aber umgekehrt. [6617; 1769-75?]

Epikur: die Sittlichkeit in guter Laune; Zeno – in gravitätischer Würde. Diogenes: in natürlicher Einfalt. Plato: transzendent.

höchste Gut. 1. Worin es besteht; zweitens: wie es erworben wird.

Diogenes: daß er methodisch sei durch Wissenschaft. Der erste: natürlich; der zweite: erworben; der dritte: eingegeben.

Wenn die Hoffnung der Glückseligkeit unserer sittlichen Würdigkeit soll gemäß sein, so ist der Weise des evangelii das wahre sittliche Ideal. Der nämlich die natürliche Tugend und das natürliche Glück nicht für hinreichend hält, sondern beides als ergänzungbedürftig so wohl zur Würdigkeit als auch den Besitz der Glückseligkeit. [6882; 1776-78]

Die praktische Philosophie der Alten war materialiter verschieden.

Die Neuere differieren in formali: welches das principium der Moralität. Ob Verstand oder Nutze oder Gefühl?

Die neuere principia: 1. Durch Vernunft.

                       2. Durch Sentiment. Geschmack.

                       3. Durch Neigung.

(theologisch. Die Alte hatten Systeme, welche die Mittel zum höchsten Gut exsekutieren.

[Die] Neuere[n] [Systeme der] Dijudikation.) [6819; 1776-78?]

Das principium der moralischen Dijudikation ist nicht der göttliche Wille. 5. Auch [nicht] der Mittelstraße. Aristoteles. 4. nicht der allgemeine Begriff der Vollkommenheit. 2. nicht der allgemeine Begriff der Glückseligkeit. 1. nicht die Privatglückseligkeit. (sie wären empirisch.) 3. nicht das moralische Gefühl und Geschmack. (Geschmack ist relativisch in Verhältnis aufs Subjekt.) 3. – sondern vernunft. [...] [6760; 1772]

Das Prinzip der Moral kann weder aus dem unmittelbaren Vergnügen an der Handlung, so fern dasselbe auch zu meiner Glückseligkeit gehört, noch aus dem Vergnügen an den Wir-

kungen aufs Subjekt, wovon die Handlungen die Ursache
sind, abgeleitet werden. [7055; 1776-78]

I. Das principium der Moral ist nicht sensual, weder directe
oder pathologisch, weder liegts im physischen (Lehre der
Geschicklichkeit) noch moralischen Sinn (der letztere ist
unmöglich*, weil in Ansehung des Intellektualen kein Sinn
stattfindet); noch indirecte sensual oder pragmatisch (Lehre
der Klugheit): trachte nach deiner wahren Glückseligkeit
(epicureism). Da die Vernunft nur zum Mittel dient, die Art
zu bestimmen, wie die größte Summe der Neigungen befriedigt wird, und die Mittel dazu. Es ist also intellektuell (pure**),
aber nicht tautologisch (perfice te, medium tene). II. Es ist
nicht äußerlich, außer der Natur der Handlung, in einem
andern Willen gelegen.
   *)Wenn auch ein solches möglich würde, so könnten doch
notwendige kategorische und allgemeine Gesetze darauf nicht
gegründet sein.
   **)Sie enthalten die Übereinstimmung der Handlungen mit
ihren schon gegebenen Zwecken und die Form dieser Übereinstimmung überhaupt: 1. Richtigkeit (Wahrheit), 2. Vollkommenheit, 3. nicht mehr, nicht weniger; sind also tautologische Regeln und gehen auf die Beziehung der Handlungen auf
Zwecke, nicht die Zwecke selbst. [6754; 1772?]

Das Prinzip des Hutcheson ist unphilosophisch, weil es ein
neues Gefühl als einen Erklärungsgrund anführet, zweitens in
den Gesetzen der Sinnlichkeit objektive Gründe sieht.
   Das Prinzip des Wolff ist unphilosophisch, weil es leere Sätze
zu Grundsätzen macht und das abstractum von allen qvaesitis
für den Erkenntnisgrund des qvaesiti ausgibt. Ebenso als
wenn man den Grund des Hungers in der Begierde nach
Glückseligkeit suchen möchte.
   Das Ideal des Christen hat dieses Besondere, daß es nicht
allein die Idee der sittlichen Reinigkeit zum principio der
Dijudikation macht, sondern auch zur unnachlaßlichen Richtschnur der Handlungen und daß er darnach solle *gerichtet*
werden. [...] [6634; 1769-70?]

Unter den Intellektual-Philosophen der Moral ist das principium der Wahrheit als ein Mittel der Beurteilung gut. Denn dasjenige, dessen Maxime öffentlich kann gestanden werden, ist gut. Daher ist alles moralisch Böse wider die Wahrheit, weil er tacite eine andre Maxime annimmt, als er bekennt. [...]   [6642; 1769?]

Perfice te heißt: mache alle deine Vermögen und Kräfte, aber proportionierlich, größer. Vornehmlich die dirigierende Kraft ihres Gebrauchs: die freie und vernünftige Willkür.   [6980; 1776-78?]

Der Satz: »perfice te« ist tautologisch. Man will wissen, worin die Vollkommenheit bestehe, die das Objekt des kategorischen Imperativs ist. Die moralische Vollkommenheit ist die Bedingung, unter der alle andere allein Vollkommenheit heißen kann. Nun will ich wissen, worin die besteht. Sie ist eine Vollkommenheit des Willens; aber worin? Der keinen guten Willen hat, ist des Verstandes nicht wert.   [7254; 1780-89]

Der Satz: »perfice te«, wenn er so viel sagen soll als: »sei gut, mache dich der Glückseligkeit würdig, sei ein guter Mensch, nicht ein bloß glücklicher«, kann als das principium der Ethik angesehen werden.   [7268; 1780-89]

Register:

Dijudikation – Exekution

Die erste Untersuchung ist: Welches sind die principia prima diiudicationis moralis (theoretische Regeln der Dijudikation), d. i. welches sind die obersten Maximen der Sittlichkeit, und welches ist ihr oberstes Gesetz.

2. Welches ist die Regel der Anwendung (praktische der dijudizierenden Applikation) auf ein Objekt der Dijudikation. (Sympathie andrer und ein unparteiischer Zuschauer.) 3. Wodurch werden die sittlichen Bedingungen motiva, d. i. worauf beruhet ihre vis movens und also ihre Anwendung aufs Subjekt? Die letzteren sind erstlich das mit der Moralität wesentlich verbundene motivum, nämlich die Würdigkeit glücklich zu sein. [6628; 1769-1770?]

1. Das *principium* des *moralischen Urteils* ist (Das principium der Vernunftmäßigkeit der Freiheit überhaupt, d. i. der Gesetzmäßigkeit nach allgemeinen Bedingungen der Einstimmung): die Regel der Unterordnung der Freiheit unter das principium der allgemeinen Einstimmung derselben mit sich selbst (sowohl in Ansehung seiner als anderer Personen).

2. Der *Grund* des *moralischen Gefühls*, worauf das *Wohlgefallen* an dieser Einstimmung nach Prinzipien beruht, ist die Notwendigkeit des Wohlgefallens an der Form der Handlungen, wodurch wir mit uns selbst im Gebrauche unsrer Willkür zusammen stimmen. Der Mangel des *moralischen Gefühls* (wir haben notwendig Wohlgefallen an Regeln.) beruht darauf, daß man an der *Form nicht so viel Anteil* nimmt als an der *Materie* und einen Gegenstand nicht aus dem Gesichtspunkte der *Allgemeinheit* betrachtet oder auf sein Gefühl appliziert. Dieses ist kein besonderes Gefühl, sondern eine Art überhaupt, etwas aus dem allgemeinen Gesichtspunkte zu betrachten.

3. Die *Triebfeder* des moralischen *Verhaltens* ist wiederum davon unterschieden und beruht auf der Entschlossenheit, einem einmal genommenen Vorsatz (einer allgemeinen *Maxime*) gemäß zu handeln. Also auf der Macht der Vernunft in Ansehung der Freiheit. [...] [6864; 1776-78]

Nach der Theorie vom höchsten Gut die moralische Bonität besonders erwogen:

1. die Gründe der Dijudikation, worin sie bestehe, wie in concreto das Urteil anzustellen sei. 2. der Exekution oder der Ausübung (wir müssen die Macht der Moralität durch die Herbeiziehung des Interesse (nicht bloß Nutzens) zu verstärken suchen, aber sie nicht damit vermischen; sondern jene soll nur das vehiculum sein). a. Handlungen haben etwas Wohlgefallendes oder Mißfallendes entweder wegen der Geschicklichkeit (Räuberanschlag, wie er mißfällt, wenn er durch Dummheit seinen Zweck verfehlt.) (wir sind indessen nur bis zu dem Augenblick zufrieden, da er komplett ist; nachher sind wir über das Ganze unzufrieden, also nur bis zum Ausgang, nicht über den Ausgang). Die Geschicklichkeit läßt sich an Werken wahrnehmen, obgleich nicht einsehn, und gefällt an sich selbst an einer Uhr. [...]   [6915; 1776-78]

Nur was vor dem allgemeinen Urteil bedingter oder unbedingter Weise gefällt, ist gut.

tautologische imperativen.

1. qvaestio diiudicationis: Qvid est bonum? 2. executionis: cur hoc bonum a me faciendum?

Nicht tue, was angenehm oder was dir nützlich, sondern was gut ist, d. i. in allgemeiner Beziehung gefällt.   [6972; 1776-1778?]

Man verlangt vom Moralphilosophen:

1. Lehren der Moralischen Beurteilung, zu erkennen, was gut und böse sei, was verabscheuenswürdig sei, und also Gründe der Billigung und Mißbilligung;

2. Gründe der Ausübung, causas subiective moventes, damit man das, was man billigt, wirklich liebe und, was man verabscheuungswürdig findet, wirklich verabscheue;

3. Vorschriften, wie die Neigung mit den Grundsätzen einstimmig gemacht oder ihnen unterworfen werden könne. [...]   [6988; 1776-78?]

Die moralischen Gesetze haben an sich selbst keine vim obligatoriam, sondern enthalten nur die Norm. Sie enthalten die objektiven Bedingungen der Beurteilung, aber nicht die subjektiven der Ausübung. Die letzten bestehen in der Übereinstimmung mit unserem Verlangen zur Glückseligkeit. Die moralischen Gesetze bedürfen einen Gesetzgeber, dessen Willen ein guter Wille (ein heiliger), aber auch ein allvermögender Wille sei. Das erste: daß er Absicht auf das Glück der Menschen habe, das zweite: daß die Kondition sie zu erteilen die moralische Vollkommenheit sei, das dritte: daß er die Macht dazu habe. Darauf beruhet die potestas legislatoria.   [7097; 1776-78?]

Triebfedern des Willens

Die Schwäche der menschlichen Natur besteht in der Schwäche des moralischen Gefühls verhältnisweise gegen andre Neigungen. Daher die Vorsehung sie mit hilfeleistenden Trieben als analogis instinctorum moralium vergrößert hat, e. g. Ehre [...], Mitleiden, Sympathie oder auch mit Belohnungen und Strafen. Wenn diese die Bewegungsgründe zum Teil sind, so ist die Moralität nicht rein. Die Moral ist chimaerisch, welche alle diese motiva auxiliaria ausschließt. [6560; 1762-63?]

Epikur nahm die subjektive Gründe der Exekution, die uns zum Handeln bewegen, für objektive Gründe der *Dijudikation*. Zeno umgekehrt. Daß Epikur alles auf körperliche Reize aussetzt, scheint mehr eine Meinung, die Entschließungen der Menschen zu erklären, als eine Vorschrift zu sein. Selbst die *größten geistigen* Freuden finden zwar den Grund ihrer Approbation im intellektualen Begriff, ihre elateres aber im Sinnlichen.

Es ist besonders, daß der vorgestellte Nutzen und Ehre nicht die so starke Entschließung der Tugend nachzuahmen hervorbringen können, als das reine Bild der Tugend an sich selbst; und selbst, wenn man im Geheim durch Aussicht auf Ehre getrieben wird, tut man es doch nicht um dieser Ehre willen allein, sondern nur sofern wir uns durch eine geheime Überredung einbilden können, die Grundsätze der Tugend hätten es hervorgebracht. Wir müssen uns vor unsern eignen Augen die Mechanik unserer eigennützigen Antriebe verbergen.

Das kräftigste Mittel, die Menschen zum moralisch Guten anzutreiben, ist also die Vorstellung der reinen Tugend, um sie hochzuschätzen und deutlich zu sehen, daß man sich selbst nur schätzen kann, in so fern man ihr gemäß ist, daß man aber auch zeige, dieses sei das einzige Mittel, von andern geschätzt und geliebt zu werden, hiedurch die größte Sicherheit und Gemächlichkeit, lauter Folgen, um derer willen man zwar nicht das Gute tut, die es aber begleiten. Man muß die

Neigungen, die mit der Moralität nahe zusammen stimmen, exzitieren: Ehrliebe, Geselligkeit, Freiheit.

Es besteht also die praxis der Sittlichkeit in derjenigen Formierung der Neigungen und des Geschmacks, der uns fähig macht, die Handlungen, die auf unser Vergnügen hinaus laufen, mit den moralischen Prinzipien zu vereinigen. Dieses ist der Tugendhafte, folglich der, welcher seine Neigungen den moralischen Grundsätzen zu konformieren weiß.

(Der gegenwärtig verheißene Nutzen kann auch wohl ohne alle Moralität zu derselben Handlung antreiben, die die Sittlichkeit befehlen würde. Allein niemals wird jemand aus bloßen selbstliebigen Bewegungsgründen sich allgemein und nach einer allgemeinen Regel solchen Handlungen unterziehen ohne allen moralischen Bewegungsgrund oder dessen Überredung.) [6619; 1769-70?]

Wenn alle gute Handlungen gewiß keinen Vorteil fänden und das Glück bloß ein Preis der Arglist oder ein Los des blinden Zufalls wäre, so würde ein gut denkender Mensch doch der moralischen Regel aus Sentiment folgen, sofern es nur nicht seinen größten Schaden zu wege brächte, wegen der größeren Schönheit. Wenn die Glückseligkeit unmittelbar dadurch könnte gewonnen werden, so würde die moralische Schönheit ganz in dem Eigennutz verschlungen sein und niemals die Ehre des Verdiensts erwerben. Nun es einen natürlichen Vorteil nach allgemeinen Gesetzen bringt tugendhaft zu sein, obgleich das Laster durch Ausnahmen auch ein Mittel zum Vergnügen sein kann; nun die Tugend aber keinen sichern Vorteil bei sich führt: so muß man ihre Bewegungsgründe mit dem Nutzen, den sie schafft, vereinigen.   [6629; 1769 bis 70?]

Eine jede Gemütsbewegung bringt auch eine innere Lebensbewegung hervor, oder vielmehr: jene kann ohne diese nicht sein. Wir können aber unser Gemüt nicht in Bewegung setzen, weil wir wollen, z. E. in ein herzlich Lachen, in die Bewegung der Furcht (blaß werden) oder der Scham (Röte); sondern wir müssen den Gegenstand so stellen, daß er in unserem Zustande etwas wirkliches, was uns angeht und affiziert, zu sein scheine. Hieraus folgt, daß, da Moralität als Pflicht vor uns gar nicht von der Art hergenommen ist, wie unser Zustand affiziert wird, dieselbe auch nicht uns Gemütsbewegung eindrücken könne. Also ist dieses gerade der Fall, wo *bloß der Wille* das Gemüt bewegen soll. Wir können dieses nicht anders effektuieren, als wenn wir uns in Gedanken in einem ordentlichen Weltganzen betrachten und uns als geziemende Glieder selbst schätzen lernen. [1016; 1772-75]

Die treibende Kraft der moralischen Bewegungsgründe ist die Schwächste; stärker ist die der pragmatischen, noch stärker die der pathologischen. Also alles umgekehrt nach der Regel der Dijudikation. Man muß aber auch, anstatt die Triebfeder der Sittlichkeit zu verstärken und die der Sinnlichkeit zu schwächen, die letztere nicht mit der ersten alliieren, weil man dadurch wohl die Handlungen des Menschen, aber nicht den Menschen bessert. Nicht Vorteil, nicht Ehre, nicht Ruhm. [6722; 1772-78?]

Was die subjektive bewegende Gründe der Sittlichkeit oder die Triebfedern betrifft, so hat der Verstand wohl eine Kraft, den Wunsch eines so guten Willens zuwege zu bringen; allein die Gewichte, welche den sinnlichen Menschen bewegen sollen, müssen aus dem Vorrat der Sinnlichkeit entlehnt sein, ob sie zwar durch den Verstand auf ihre Hebel zweckmäßig sollen verteilt werden. Dennoch glaube ich, daß, damit die Tugend, vornehmlich die von der nachgebenden, duldenden Art, die Entsagung nicht bloß der Gemächlichkeiten, sondern der Eigenliebe (ausschließende Liebe seiner Person, nicht ausschließende Neigung zum Wohlleben) stattfinde, der Mensch etwas entnervt, schwach und des Zutrauens zu sich selbst etwas beraubt sein müsse. Der, welcher von der schwachen und entkräftenden Aufwallung des Errötens und der verlegenen Bescheidenheit frei wäre; der von andern die wahre und lebendige Vorstellung hätte, ihr Urteil in Ansehung seiner nicht von so großem Gewichte zu finden; der keine weichliche Unruhe fühlte, wenn er vermutet, daß andere ihm ungeneigt wären, oder durch Mangel an Selbstgnugsamkeit zu den Gesetzen der Gesellschaft geschmeidig gemacht würde, der durch Beschwerlichkeiten nur neue Kräfte bekommt und den Feindschaft und Drohen nur warm und mutig machen; der abgehärtet, zum Wohlleben und zum Mangel gleich entschlossen, kein Spiel seiner Einbildungen und Sympathien, sondern von starker, sich selbst besitzender Gesundheit wäre. Dieser würde sich in großer Versuchung sehen, das zu wagen, wovon andere sich dadurch abhalten lassen, daß sie bei dem tadelnden Auge anderer nicht contenance halten können, die von andern viel hoffen und fürchten und die glauben, in Einöde versetzt zu werden, wenn sie anderer Neigung gegen sich erkalten sähen. Er würde darum vielleicht nicht sofort ein Bösewicht, aber wenig nachgebend sein etc. etc.

Die Tugend gegen sich selbst kommt auf Stärke an, imgleichen die großmütige Tugenden gegen andere, aber die milden und sanften, die nachgebenden auf Schwächen. Das Roß muß entnervt werden, damit es der menschliche Zentaur regieren kann.   [6763; 1772]

[...]
Wie kann Vernunft eine Triebfeder abgeben, da sie sonst jederzeit nur eine Richtschnur ist und die Neigung treibt, der Verstand nur die Mittel vorschreibt? Zusammenstimmung mit sich selbst. Selbstbilligung und Zutrauen. Die Triebfeder, die mit der *Pflicht verbunden* werden kann, aber *niemals an deren Stelle* gesetzt werden muß, ist Neigung oder Zwang. Die erste darum, weil die Neigung (selbst die wohlwollende) durch Pflicht muß regiert werden. Die zweite darum, weil die Zwangsbedürftigkeit an sich selbst schon eine Schwächung der Macht der Pflicht ist.   [6864; 1776-78]

Die bewegende Kraft des sittlichen Begriffs liegt in dessen Reinigkeit und Unterscheidung von allen anderen Antrieben. Das ursprünglich intellectuale fällt dadurch nur auf, daß es mit anderen analogischen Bewegungsgründen der Ehre, der Glückseligkeit, der Wechselliebe, der Ruhe des Gemüts verglichen wird und sich in der Vergleichung über alle erhebt. Anpreisungen der Tugend und Ermahnungen können von keinem Werte sein, sondern bloß die Entwicklung ihres Begriffs. Beispiele, aus denen die Reinigkeit des Tugendbegriffs hervorleuchtet, und ein unmittelbar moralischer Abscheu bei Erziehung sind besser.   [6898; 1776-78]

Geht in Bestimmung der Willkür die Lust vor dem Gesetz voraus, so ist die Lust *pathologisch* –. Geht aber in dieser Bestimmung das Gesetz vor der Lust voraus und ein Bestimmungsgrund der letzteren, so ist die Lust *moralisch*. Also sind die objektiv bestimmenden Triebfedern. [7320; 1800]

Register:

Moralisches Gefühl

Vom sensu morali. Die Regeln der Klugheit setzen keine besondere Neigung und Gefühl voraus, sondern nur ein besonderes Verhältnis des Verstandes auf dieselbe. Die Regeln der Sittlichkeit gehen auf ein besonderes gleichnamiges Gefühl, worauf der Verstand so wie bei jener gerichtet ist [...] [6581; 1764-68]

[...] *Das moralische Gefühl ist kein ursprüngliches Gefühl.* Es beruht auf einem notwendigen inneren Gesetz, sich selber aus einem äußerlichen Standpunkt zu betrachten und zu empfinden. Gleichsam in der Persönlichkeit der Vernunft: da man sich im allgemeinen fühlt und sein individuum als ein zufälliges Subjekt wie ein accidens des allgemeinen ansieht. [6598; 1769-70?]

Wenn ein besonderes Gefühl die Ursache der moralischen Unterscheidung wäre, so würde die höchste Mißbilligung des Lasters eigentlich aus dem größten Abscheu oder der unangenehmsten Empfindung, welche die Vorstellung desselben begleitete, entspringen, und es würde daher der moralische Bewegungsgrund natürlicher Weise andere überwiegen. Nun urteilen wir nur, daß er billig alle anderen überwiegen sollte. Das, was wir des Abscheues würdig erkennen, verabscheuen wir wirklich an andern. Wir hassen aber doch mehr an andern die uns nachteiligen Eigenschaften als sein moralisch Böses, doch so, daß wir um des letzteren willen die Person mehr verachten und tadeln. [6623; 1769-1770?]

Die Lehre des moralischen Gefühls ist mehr eine Hypothese, das phaenomenon des Beifalls, den wir einigen Arten von Handlungen geben, zu erklären, als daß sie Maximen und erste Grundsätze festsetzen sollte, die objektiv gelten, wie man etwas billigen oder verwerfen, tun oder lassen soll. [6626; 1769-70?]

Eine Handlung, die an und für sich selbst gut ist, muß notwendig für jedermann gut sein, also nicht verhältnisweise aufs Gefühl.   [6648; 1769-75]

Man muß das sittliche Gefühl nicht zur Beurteilung bringen, sondern nach derselben, bloß um die Neigung hervorzurufen; wenn das Gefühl, e. g. Mitleiden, vor der Maxime vorläuft, so entspringt ein falsches Urteil.   [6677; 1769?]

Das menschliche Gefühl ist nicht bloß tierisch, sondern dem Geiste* subordiniert; sonst wäre es nicht möglich, daß pure intellectualia motiva elateres animi werden könnten. Diese Rezeptivität, durch den bloßen Geist bewegt zu werden, heißt der moralische Sinn.
  Die Möglichkeit, nach motivis intellectualibus zu handeln und also independenter a stimulis, ist das Fundament eines jeden praktischen Urteils; also ist die Freiheit eine anticipatio practica.
  * Es ist so, wie wir nicht allein eine sinnliche und intellektuelle Vorstellungskraft haben, sondern auch ein Vermögen, durch die letztere die Sinnlichkeit zu analogischen und erläuternden Vorstellungen zu exzitieren; e. g. Bilder, die eine Analogie mit den Erkenntnissen des Geistes haben.   [1010; 1769?]

Man hatte bemerkt, daß der Verstand nichts als das Besondere unter das Allgemeine ordnete und auf bloße allgemeine Verhältnisse ginge; da aber dieses das absolute, nämlich das Wohlgefallen, nicht gibt, so war das die Ursache, daß, da das moralische Wohlgefallen nicht aufs Verhältnis geht, man ein besonderes Prinzip davon erfand, nämlich das moralische Gefühl.   [6705; 1770-71?]

Das Gefühl ist der Grund des Angenehmen und Unangenehmen, der Fähigkeit glücklich oder unglücklich zu sein. Wenn ein moralisches Gefühl wäre, so würden wir darauf als ein Mittel uns zu vergnügen rechnen, es wäre ein Sinn mehr sich zu vergnügen. Allein in dieser Art von Schätzung würde die Tugend mit ihren idealischen Reizen gegen das Laster mit seinen physischen sehr verlieren. Allein es ist etwas in der

Moralität für den Geschmack zur Beurteilung. Allein weil der Geschmack etwas sich auf die Gesellschaft Beziehendes ist und auch darauf, daß man der Gesellschaft bekannt sei: so ist hierin nichts Beständiges. Indessen wenn der Mensch zuerst gelernt hat, das Laster als etwas der Verachtung und des Hasses Würdiges anzusehen, so wird er jederzeit besorgen, ein rechtmäßiger Gegenstand des Ekels zu werden, [...] [6755; 1772]

Das moralische Gefühl folgt auf den moralischen Begriff, bringt ihn aber nicht hervor; noch viel weniger kann es ihn ersetzen, es setzt ihn voraus. [6757; 1772?]

[...] Das sentiment gehört bloß vor den Verstand und ist eigentlich die gesunde Vernunft im Moralischen. [...]
 Das moralische Urteil der Billigung und Mißbilligung geschieht durch den Verstand, die moralische Empfindung des Vergnügens und Abscheus durch das moralische Gefühl, doch so, daß nicht das moralische Urteil aus dem Gefühl, sondern dieses aus jenem entspringt. Alles moralische Gefühl setzt ein sittliches Urteil durch den Verstand voraus. [...] [6760; 1772?]

Das Empfindungs- und Anschauungsvermögen des Sehens. Jenes auf Licht und Farben überhaupt, dieses auf das Verhältnis lichter Gegenstände im Raum, d. i. Gestalt. Ebenso Urteil und Gefühl im Guten. [6793; 1773-1775?]

Die moralischen Motive sollen nicht bloß vim obiective necessitantem haben zur Überzeugung des Verstandes, sondern vim subiective necessitantem, d. i. sie sollen elateres sein. Die subjektive Bedingung, darunter sie es sein können, heißt *Gefühl*. Wäre es ein wirkliches Gefühl (proprie), so würde die Nezessitation pathologisch sein; die causae impulsivae wären nicht motiva, sondern stimuli; nicht die Bonität, sondern das iucundum würde uns bewegen. Also ist der sensus moralis nur per analogiam so genannt und soll nicht Sinn, sondern Gesinnung heißen, nach welcher die moralischen Motive in dem Subjekt ebenso wie stimuli nezessitieren. Es ist also in sensu proprio ein Unding, ein bloß analogon sensus und dient nur, ein

Vermögen (nicht Rezeptivität), wofür wir keinen Namen haben, auszudrücken. [5448; 1776-78]

In Ansehung unsrer Selbst haben wir eine sinnliche Lust in Ansehung dessen, was wir leiden, und eine intellektuelle in Ansehung dessen, was wir (aber nicht um einer Neigung willen) tun, also was wir nach einer Idee tun entweder des ursprünglichen oder allgemeinen menschlichen Beliebens. [6974; 1776-78?]

Wir haben ein reines und unbedingtes Vergnügen, welches wir von dem allgemeinen ableiten. Denn dies ist notwendig in aller Beziehung gültig; also ist der moralische Sinn eigentlich die allgemein gemachte sinnliche Lust, die von Einschränkung frei wird. [7255; 1780-89]

Register:

Pragmatische und moralische Nötigung

Weil die Handlungen nur kategorisch gut sind, sofern sie moralisch gut sind, und die Glückseligkeit selber nur dadurch gut ist, daß sie damit zusammenstimmt: so ist eigentlich keine necessitatio obiectiva stricta als nur durch motiva moralia. [...]   [6662; 1769-1770?]

Die imperativi der Geschicklichkeit sind Regeln, enunziieren Erfordernisse (Postulate) und postulieren. Die der Klugheit Vorschriften, enthalten Vorschriften und diktieren uns. Endlich die der Sittlichkeit Gesetze oder vielmehr Gebote.
  Man ärgert sich über seine Ungeschicklichkeit; man schämt sich seiner Unklugheit; man verabscheut sich wegen seiner Unsittlichkeit.   [6824; 1776-78]

bonitas actionis est necessitas obiectiva. bonitas actionis contingentis est necessitatio obiectiva. necessitatio est imperativus. Moralis est cathegoricus.   [6926; 1776-78?]

Die pathologische Nezessitation findet nicht statt, weil der Mensch frei ist; die pragmatische ist bedingt und die Imperative hypothetisch; bloß die moralische ist unter kategorischen Imperativen.   [6938; 1776-78]

Das Gesetz sagt die Obligation zu Handlungen aus, muß aber auch einen Effekt derselben gemäß der Obligation determinieren, also zugleich pragmatisch sein. Die Obligation ist bloß moralisch; aber das Pragmatische dient nicht zum Bewegungsgrund, sondern zum Gleichgewicht gegen die sinnliche Bewegungsursache, das Pragmatische fließt hier aus der Moralität.   [6946; 1776-78]

Man muß sich selbst zu klugen und sittlich guten Handlungen zwingen. Daher imperativi. Die Ursache ist, weil seine Willkür auch sinnlich ist, und die erste Bewegung ist von daher. Je mehr man sich selbst zwingen kann, selbst durch pragmatischen Zwang, desto freier ist man. Dieser Zwang geschieht dennoch per stimulos, aber indirecte, nämlich man verfährt nach Überlegung. Der moralische Zwang ist äußerlich durch fremde Willkür; und wenn wir von diesem frei sind, so bleibt noch der innere Zwang; frei von aller Schuldigkeit kann noch verbindlich sein; wer nichts Gutes tut, ist des freiwilligen Guten von andern nicht wert. Wer Böses tut, ist nicht wert, daß er geduldet oder geschont werde.   [6998; 1776-78]

Wenn der Bewegungsgrund die Regel nicht affiziert, so ist diese eine unbedingte Regel. Die unbedingte Regel der Willkür ist eine moralische Regel. Die imperativi sind kategorisch.
 Wenn der Bewegungsgrund die Regel affiziert, so ist diese entweder eine allgemeine Regel der Selbstliebe (pragmatisch) oder eine Regel der besonderen Neigungen derselben (problematisch), welche nicht für alle gilt, sondern restringiert ist. Die Bewegursache, welche macht, daß wir ohne Regel handeln, ist stimulus.   [7020; 1776-78?]

Es gibt pragmatische Ursachen der Gesetze, um den Mißbrauch zu verhüten, und moralische oder juridische, deren Grund bloß das Recht ist. Weil ein jeder, der sein Recht sucht, auch solche Mittel desselben haben will, dadurch er gesichert ist, so unterwirft er sich pragmatischen Gesetzen. Daher gibt es transzendentale Gesetze, z. E. niemals Unwahrheit zu reden, praktische und pragmatische.   [7095; 1776-78?]

[...] Das Begehrungsvermögen, sofern es unter der Vorstellung einer Regel bestimmbar ist, heißt der Wille. Wenn die Regel als der unmittelbare Bestimmungsgrund des Willens betrachtet wird, so ist Bestimmung des Willens durch dieselbe, objektiv, d. i. durch Vernunft betrachtet, Verbindlichkeit, enthält sie nur das Allgemeine der Verknüpfung eines anderen Bestimmungsgrundes mit dem Willen, so ist die Bestimmung des Willens nach dieser Regel objektiv durch die Vernunft pragmatische Nötigung. Beide sind Imperativen. Ist der von der Regel unterschiedene Bestimmungsgrund bloß als möglicher Gegenstand des Begehrungsvermögens anzusehen, so ist er gar kein Bestimmungsgrund des Willens, sondern bloß der Handlung als Mittels durch die Vernunft, und die Begierde

bestimmt den Willen. Dieses ist alsdann die formale praktische Nötigung. [...]   [7201; 1780-1789]

Pflicht als Nötigung

Der Mensch muß moralisch gezwungen werden und tut das Gute ungern, nicht weil er böse Neigungen, sondern weil er überhaupt Neigungen hat, die nicht völlig unter seiner Gewalt stehen. Würde man in sich nach Belieben Neigungen und also auch Gründe der Wohlfahrt hervorbringen können, so würde jeder Mensch heilig sein.   [6665; 1769-70?]

Des Menschen Sittlichkeit ist Pflicht, denn seine Freiheit ist nicht ursprünglich aus dem Verstande bestimmt. Sie ist also nur eine bedingte Spontaneität. [...]   [6799; 1773-75?]

Bei einem natürlich guten Willen sind die moralischen Motive Gründe der Notwendigkeit, bei zufällig gutem Willen Gründe der Nötigung, bei mit Neigungen affiziertem Gründe des Zwanges.   [6991; 1776-78?]

Der menschliche Wille ist pathologisch, aber nicht moralisch gänzlich frei.   [7001; 1776-78]

Register:

6482, 6665, 6675, 6688, 6723, 6724, 6947, 6952, 6993, 6998, 6999, 7000, 7002, 7003, 7015, 7061, 7246, 3871.

»pflichtmäßig« – »aus Pflicht«

[...] Conatui opponitur vel impedimentum practicum vel physicum; eigentlich ist es einerlei, ob jemand durch Furcht der Strafen oder die Unmöglichkeit zurückgehalten wird. [6558; 1762?]

Nicht die physischen Folgen der Handlungen, die auf das Subjekt redundieren, machen die Moralität aus, sondern die innere Beschaffenheit; das Wohlverhalten glänzt mehr auf dem schwarzen Grund des Unglücks. [6968; 1776-78?]

Die littera legis ist die Handlung selbst (materia), die anima ist die Form oder die Übereinstimmung mit dem Bewegungsgrund. Die anima legis moralis ist der moralische Bewegungsgrund. Wer bloß aus Furcht der Strafen Handlungen unterläßt, der satisfaziert dem Gesetz pragmatice, nicht moraliter. [7043; 1776-78]

Register:

6619, 6797, 7045, 7047, 7273.

Pflicht und Neigung

Ob es wohl für eine Lobeserhebung würde angesehen werden, wenn man von jemandem sein boshaftes, neidisches Gemüt beschriebe und hinzusetzte, daß er gleichwohl sich zu guten, frommen Sitten gezwungen habe. Sokrates.   [1186; 1773-78?]

[...] Die moralische Regel ist eine Regel des reinen Willens; sie geht also auf Handlungen, man mag eine Neigung dazu haben oder nicht; ja, sie geht sogar auf ein Verlangen, eine Neigung hervorzubringen; also heißt es hier: suche auch eine Neigung zum Guten hervorzubringen. [...]   [6987; 1776-78?]

Wir sollen wohl gerne das Gute tun, aber wir müssen oft gezwungen werden.   [6992; 1776-78?]

Es gibt Regeln, von denen man zwar Ausnahmen machen müßte, um seinen Zweck in gewissen Fällen zu erreichen; weil aber diese Ausnahmen empirisch, also durch Neigung bestimmt sind, so ist keine Gewißheit eines im Ganzen guten Ausganges. Daher müssen solche Regeln unverletzlich sein, weil sie in Ansehung des Wesentlichen Sicherheit geben. [7214; 1780-89?]

[...] Daß der Mensch tue, was das Gesetz ihm gebietet, kann von ihm gefordert werden. Daß er es *gern* tue, nicht. [...]   [8105; 1799]

Register:

6486, 6611, 6906, 6968, 6976, 6989, 7002, 7197, 7219, 7233.

Einteilung der Pflichten

Es sind verschiedene Grade der Bestimmung unserer Willkür:
1. Nach allgemeinen Gesetzen der Willkür überhaupt, das Recht.
2. Nach allgemeinen Regeln des Guten überhaupt, die Gütigkeit.
3. Nach allgemeinen Regeln des Privatguten, die vernünftige Selbstliebe.
4. Nach den besonderen Regeln einer Privatneigung, der sinnliche Trieb.
Die motiva moralia sind von verschiedenen Graden:
1. Das Recht eines andern.
2. Mein eigenes Recht.
3. Anderer Bedürfnisse.
4. Mein Bedürfnis.
Der eigene Nutzen ist kein Grund eines Rechts.
Der Nutzen vieler gibt ihnen kein Recht gegen einen.
Das Recht gründet sich auf keine Bewegungsgründe der Gütigkeit. [...] [6586; 1764-68?]

[...] Die motiva des Rechts limitieren alle anderen Pflichten außer gegen sich selbst. Handlungen des Rechts müssen nicht in der Form der Gütigkeit erteilt werden. Diese Gesetze sind bestimmt. Durch Prästation der Schuldigkeit hört Verbindlichkeit auf. Vom casu necessitatis. Iuri opponitur Ius. [6732; 1772-78?]

Wer in der Wahl zwischen Recht und Nutzen noch unschlüssig ist, wer sich eine Handlung der Ehrlichkeit zum Verdienste anrechnet, ist kein rechtschaffener Mann. Wer zwischen Recht und Gutherzigkeit unschlüssig ist, ist ein schwacher guter Mann. Hat er schon solche Grundsätze, so ist er kein gesetzter Mann. [7017; 1776-78?]

Einteilung. Alle Pflichten sind entweder *äußerlich:* gegen andere Menschen, oder *innerlich:* nämlich nicht gegen andere Menschen (welche also von anderen Menschen nicht können gefordert oder verlangt werden). Beide sind entweder passiv oder aktiv. Passive Pflichten sind die durch die Willkür eines andern. Aktive: Ohne sie als durch die Willkür eines andern bestimmt anzusehen. Aktiv äußere Pflichten sind freie Pflichten, passive sind Zwangspflichten gegen Menschen. Aktiv innere Pflicht ist Pflicht gegen sich selbst. Passiv innere Pflicht ist Pflicht gegen den allgemeinen Gesetzgeber. In Ansehung Gottes sind alle unsere Pflichten passiv. Sondere ich also diese ab, so bleiben übrig Pflichten der Schuldigkeit, des Verdienstes und der Anständigkeit. Moralisch anständig ist, was der Würde eines vernünftigen Wesens gemäß ist. Gegen Gott haben wir keine andere als passive Pflichten, nicht bloß moralisch, sondern auch physisch (wir können auf Gott nicht wirken). Unsere aktiven Verbindlichkeiten gegen andere Menschen sind verdienstlich. Gegen uns selbst aber schuldige, obzwar nicht Zwangspflichten. Also sind diese schuldige Pflichten gegen andere.   [7038; 1776-78?]

Alle Verbindlichkeit gegen uns selbst und gegen andere ist innerlich oder äußerlich; beides ist vollkommen oder unvollkommen (sofern sie den wesentlichen oder außerwesentlichen moralischen Gesetzen gemäß ist). Die vollkommen äußeren sind juridisch, alle unvollkommenen ethisch.   [7053; 1776-78]

Gewisse Regeln gehören zur Ethik schon materialiter, als die Liebespflichten (Pflichten gegen sich selbst), andere nur formaliter, als die Pflicht, dem Recht anderer aus Gesinnung ein Genüge zu tun.   [7076; 1776-78]

Vollkommene Pflicht ist diejenige, welche nicht auf die Bedingung eingeschränkt ist, eine andere Pflicht nicht zu übertreten. Ist also so viel als unbedingte Pflicht gegen sich selbst und gegen andere. Sie ist das Recht der Menschheit oder der Menschen. Die unvollkommene geht auf die Zwecke der Menschheit in unserer Person und die Zwecke der Menschen.
  Die erste setzen Achtung für die Menschen, die zweite Liebe voraus. Wohlwollen ohne Wohlgefallen, und umgekehrt das Recht erfordert Wohlgefallen am Gesetz ohne Wohlwollen.
  Das Recht der Menschheit in unserer eigenen Person kann

das Recht der Menschen nicht zur einschränkenden Bedingung haben, aber auch nicht umgekehrt. Denn ein anderer kann kein Recht auf mich haben, als sofern ich Person bin; also gründet sich die Möglichkeit des ersten auf die Persönlichkeit und hat sie samt dem daraus fließenden Rechte der Menschheit nicht zur einschränkenden Bedingung.

Der Zweck der Menschheit in meiner eigenen Person ist die Beförderung der natürlichen Anlagen, d. i. die Vollkommenheit. Diese kann ich nicht an andern zum Zweck haben; denn jeder beurteilt seine Kultur billig nach seiner besonderen Lage, Konvenienz.   [7264; 1780-89?]

Wir müssen unterscheiden ethische Pflichten von dem ethischen Grund aller Pflichten oder der ethischen Pflichtmäßigkeit.   [7266; 1780-89?]

Alle obligatio ist stricta, d. i. wovon keine exceptio gilt, aber nicht alle leges obligandi sind strictae, sondern einige auch latae, weil sie nicht die Handlung bestimmen, sondern den Bewegungsgrund, aber unter Einschränkungen enthalten. Pflichten, nicht Schuldigkeiten.   [7270; 1780-89]

Register:

Recht und Moral

Recht überhaupt ist eine Handlung, sofern man in Ansehung derselben frei ist. Ein Recht aber ist die Freiheit, wodurch die Freiheit anderer eingeschränkt wird: jus quaesitum. A natura sind alle frei, und nur die Handlungen sind recht, die keines Freiheit einschränken.   [6738; 1772?]

Wir können an den Handlungen die Moralität und Legalität derselben betrachten. Wenn diese stattfindet, ist jene noch nicht entweder dem Objekt nach (Gütigkeit) oder bloß dem Bewegungsgrunde nach (Gesinnung oder Furcht). Die Legalität ist entweder juridisch oder ethisch.   [6764; 1772?]

[...] Das ius strictum sagt nur, was Recht ist, d. i. geschehen soll in Beziehung auf das arbitrium commune (problematisch). Die necessitatio subiectiva ist hier pathologisch. Die Ethik sagt, es sei gut, d. i. aus motivis internis notwendig, recht zu handeln. Daher gehört das Recht mit unter die Sittlichkeit.   [7014; 1776-78]

Das principium der Moralität ist innerlich, und die Triebfeder der Handlungen ist eben dasselbe principium, alsdann sind Handlungen ethisch; oder die Triebfeder ist nicht dem principio innerlich, sondern im Zwange, und alsdann ist die Handlung juridisch gut. Man kann also aus Prinzipien gesetzmäßig handeln oder aus Zwang: weil man will oder muß.   [7064; 1776-78?]

[...] »Du sollst dein Versprechen halten«, ist eine Regel der Materie des Rechts. »Du sollst kein Versprechen tun in der Absicht es zu brechen«, ist eine Regel der Form. Diese ist viel größer. [...]   [7067; 1776-78?]

Schaffe, daß ein jeder vor das Seine in Ansehung deiner in Sicherheit sei. Dieses ist die Pflicht zur bürgerlichen Gesellschaft, die allgemeine Bedingung aller Rechte und Eigentums der Menschen.

Stelle einen jeden wegen seines Rechts von deiner Seite in Sicherheit (suum cuiqve); denn nur dann kann er sagen, daß etwas sein ist, und zwar facto, nicht bloß jure, wenn er wegen dessen Besitz gesichert ist. Dieses ist die einzige affirmative äußere natürliche Pflicht: exeundum e statu naturali.   [7075; 1776-78]

Es kann kein Mensch ohne Recht, mithin gegenseitig nicht ohne Pflicht, und also auch nicht ohne Zwang sein.

Unterwirf dich den Bedingungen, wodurch jedem das Seine bestimmt werden kann. Dies ist der Zwang. Der Grundsatz »honeste vive« ist das ethische principium und verlangt rectitudinem actionum internam, die Rechtschaffenheit (der Gesinnung). Der Grundsatz »neminem laede« die rectitudinem externam und justitiam negativam. Der Grundsatz »suum cuique tribue« die justitiam positivam, d. i.: »schaffe jedem Sicherheit vor sein Recht« (iustitia distributiva): principium status civilis: »trete in den Zustand eines Bürgers oder unterwirf dich den Bedingungen der bürgerlichen Verfassung«. Suum cuiqve kann nur verschafft werden, sofern positive äußere Gesetze da sind, denen sich jeder unterwirft.*
Unterwirf dich der Gewalt nach Gesetzen.

*Naturaliter habe ich niemandem etwas zu erzeigen und zu tribuieren; denn das Seine eines jeden muß er von sich selbst erwarten. Aber ich bin doch verbunden, demjenigen *Zustande* die Hand zu bieten, worin ein jeder das Seine mit Sicherheit erlangen kann. Dieses ist das principium iuris publici, sowie »neminem laede« iuris privati. Ich soll also einem jeden Sicherheit vor das Seinige in Ansehung meiner verschaffen. Ob die iustitia distributiva könne parteilich sein, d. i. einen pardonnieren, andere strafen? [...]   [7078; 1776-78]

Die äußere Rechtmäßigkeit der Handlungen geht nur auf die Tat und heißt Legalität, die innere auf die Gesinnung, aus welcher sie entsprungen, und auf das Prinzip und heißt Moralität. Das ius naturae betrachtet die Handlungen nur nach ihrer Legalität, folglich wie sie sein würden, wenn sie auch alle durch den Zwang erpreßt werden müßten. Die Ethik: wie *sie sein müßten*, wenn sie *ohne allen Zwang* bloß aus moralischen Gesinnungen entspringen sollten.   [7261; 1780-89]

Die Rechtslehre als Recht der Menschen ist der Inbegriff der Gesetze, ohne die Freiheit nicht äußerlich mit der Freiheit von jedermann zusammen bestehen kann. Die Tugendlehre ist der Inbegriff aller Pflichten oder Gesetze, sofern die Idee derselben für sich allein die hinreichende Bestimmung zur Handlung enthält. Jene ist die Pflicht der Handlungen, diese der Gesinnungen. Beide können auch unter der Einteilung der vollkommenen und unvollkommenen Pflichten begriffen werden. Jene beruhen bloß auf der Form der Handlungen, nämlich der Freiheit, die in ihrer äußeren und inneren Allgemeinheit betrachtet mit sich selbst bestehen kann. Diese bestehen in der Beziehung der Freiheit auf Zwecke: 1. Zwecke an sich selbst, 2. Zwecke der Menschen.   [7309; 1780-89]

Register:

Maximen

Der Charakter erfordert zuerst, daß man sich Maximen mache und dann Regeln. Aber Regeln, die nicht durch Maximen eingeschränkt sind, sind pedantisch, wenn sie ihn selbst einschränken, und störrisch, ungesellig, wenn sie andre einschränken. Sie sind der Gängelwagen der Unmündigen. Die Maxime bestimmt der Urteilskraft den Fall, der unter der Regel ist. [1164; 1772-75]

Das *wesentliche bei einem guten Charakter ist der Wert*, den man *in sich selbst* (in die Menschheit) setzt, sowohl in Ansehung der auf sich selbst bezogenen Handlungen, als im Verhältnis auf andre. Denn der Charakter bedeutet, daß die Person die Regel ihrer Handlungen aus sich selbst und der *Würde der Menschheit* entlehnt. Die selbstgewählten und festen Entschließungen beweisen einen Charakter, aber nur, wenn sie sich ähnlich sind. Der sich selbst an willkürliche Regeln bindet, künstelt einen Charakter; denn das sind nicht Maximen. [...] [1179; 1173-78?]

Die moralische Maxime ist der Grund der Verbindlichkeit, das Gefühl: der Neigung zum Guten. [6921; 1776-78?]

[...] Es kommt bei der Ethik nicht auf die Handlungen, die ich tun soll, sondern das principium an, woraus ich sie tun soll. Maxime. [7078; 1776-1778]

Das gute Naturell ist passiv gut, der gute Charakter aktiv gut. Jenes: Mildigkeit, Gelindigkeit, nicht abschlagen können. Dieser: gut nach Regeln und Maximen. [1126; 1776-78]

Register:

Moralisches Unvermögen

Die moralische Gesetze, weil sie für den freien Willen überhaupt gelten, so sind sie auch gültig für den menschlichen; allein die reine Regeln der Pflicht, appliziert auf die Schwäche der menschlichen Natur, erleiden zwar keine Ausnahmen oder Milderung (diese würde auch zum Schaden der menschlichen Natur und anderer Menschen gereichen), aber sie dienen durch das Bewußtsein der eigenen Ungerechtigkeit, nicht bloß aus Gütigkeit, sondern aus Gründen des Rechts nicht alle Ansprüche zu machen, welche sonst nach den strengen Befugnissen der Gerechtigkeit von einer Person, die selbst gerecht wäre, zu machen sein würden, e. g. Staatsverfassung. Denn es ist nicht zu verlangen, daß alles gerecht sei gegen uns, wenn wir es nicht mit Gewißheit gegen andere sind. Zweitens: die Religion zu den Pflichten hinzuzutun. [6715; 1772?]

Man muß sich auf die Schwäche der menschlichen Natur niemals bei den Vergehungen wider die Redlichkeit berufen; denn hierin kann man vollkommen sein. [7169; 1776-78?]

Moralisches Unvermögen. Wir sind unvermögend, durch uns selbst gut zu werden*; denn zu dem Ende müßten wir schon gut sein. Aber wir sind vermögend, jedes einzelne Gute zu tun; denn dazu ist nicht nötig, daß man gut sei, sondern daß man sich Zwang tue. Es ist möglich, daß ich einen jeden Schritt in der geraden Linie von dem Punkt aus, da ich bin, zum Ziel tue (dann habe ich aber immer neue Visierpunkte). Es ist aber nicht möglich, daß ich alle Schritte so tue. Es ist möglich in jedem Wurf, daß ich sechs werfe, und ebenso möglich als jeder andere Fall; aber es ist nicht möglich, daß ich immer sechs werfe, denn dazu würde ein Grund der Notwendigkeit erfordert. Also um gut zu sein wird ein Grund der Notwendigkeit und nicht der bloßen Möglichkeit erfordert. Die bloße Möglichkeit zugleich mit der Möglichkeit des Gegenteils macht es unmöglich, daß es sich immer zutrage (das wäre nicht Zufälligkeit).

*Die Bonität des Willens hat sowohl in der Natur ihr Maß als die Vollkommenheit des Talents. [7170; 1776-78]

Im Spiel kann ich jeden Wurf (wenn die drei Seiten ein Auge hätten) so ansehen, als wäre er der erste Wurf. Aber daß ich immer dasselbe werfen werde, wenn in den Würfeln nicht der Grund liegt, ist unmöglich. Dieses zeigt an, daß ich zwar die Handlungen durch Freiheit, aber die Freiheit selbst nicht in meiner Gewalt habe. Wenn diese nicht ganz gut oder böse ist, so sind ihre Handlungen als Vermögen zwar auf eben derselben Seite möglich, aber nicht als Kräfte. [7171; 1776 bis 78]

Das christliche Ideal ist das Ideal der Heiligkeit, d. i. der Reinigkeit der Sitten, die vor den Augen Gottes bestehen kann, welches ein Probierstein ist, daran die Vernunft die Reinigkeit der Gesinnung allein prüfen kann und danach unser Gewissen als Stellvertreter eines höchsten (inneren) Richters als Herzenskündigers die Handlungen beurteilt; denn im Standpunkte eines Menschen bringen wir, selbst wenn wir uns das Gesetz denken wollen, die menschliche Schwachheit in Anschlag, um die Forderung desselben herabzustimmen, obzwar eben diese Schwachheit und Unlauterkeit durch die Heiligkeit des Gesetzes nach und nach gehoben und gereinigt werden soll. Das christliche Gesetz kann auf diese Art freilich nur einen unaufhörlichen Fortschritt vom Guten zum Besseren fordern, verspricht die Versicherung desselben aber doch durch den *guten* Geist, der, wenn wir herzlich wollen, in uns wohnen wird.
  Hierin ist es vom stoischen Ideal der Weisheit unterschieden, welches keine solche Reinigkeit der Gesinnungen, sondern nur Zutrauen zu seiner Stärke in Ansehung aller Versuchungen fordert und Eigendünkel erregt, der sehr schädlich ist und den Fortschritt verhindert. [7312; 1780-89]

Register:

6560, 6563, 6634, 6872, 7176, 7177, 7307, 1225, 1255.

Das Böse in der menschlichen Natur

Die allgemeine Gebrechlichkeit besteht nicht in bösen Neigungen, sondern in der großen Möglichkeit derselben, böse zu werden. Das ist der *Hang der Neigungen* zu Bösem, ehe die Neigungen böse sind. Würde bei der Vergrößerung aller Neigungen die Moralität auch wachsen, so bliebe alles gut. [6563; 1762-63?]

Der allgemeine (obere) Wille ist gut. Die natürliche Neigungen sind nicht gut, nicht böse.   [1124; 1773-78?]

[...] Wie ein Charakter, d. i. ein eigentümlicher Gebrauch der Freiheit könne angeboren, d. i. auf die Natur gegründet sein, da Natur und Freiheit sonst unterschieden sind, ist unbegreiflich, aber nichtsdestoweniger gewiß. Der böse Charakter muß auf das gehen, was schlechthin böse ist, z. E. betrügen, Neid, stehlen. Dagegen ist das böse Herz und schlechte Gemüt auf das gerichtet, was nur bedingterweise böse ist.   [1155; 1772-73]

Der Mensch hat keine unmittelbare Neigung zum Bösen, aber das Gute liebt er aufrichtig und unmittelbar. Das Böse zieht er aus Verleitung mit innerem Widerwillen vor. Da sind also die Keime des Guten, imgleichen die Triebfedern, die es begleiten können: Hochachtung und Liebe anderer.   [1409; 1773-78?]

Daß die Menschen von Natur böse sein, erhellet daraus, daß sie von selbst niemals mit ihrer Idee des Guten zusammenstimmen, auch daraus, daß sie, in einem Staatskörper vereinigt, jederzeit gewalttätig, eigennützig und unvertragsam sind, und daß sie müssen gezwungen werden, imgleichen daß sie sich wechselweise durcheinander von Einem zwingen lassen. Imgleichen muß der Mensch diszipliniert werden und die Wildheit weggenommen werden. Das Wohlverhalten der Menschen ist also was erzwungenes, und die Natur desselben ist demselben nicht gemäß. Es ist ein Grundsatz der bürgerlichen sowohl als Staatsklugheit: jedermann ist von Natur böse, und nur sofern gut, als er unter einer Gewalt steht, die ihn nötigt, gut zu sein. Er hat aber das Vermögen, nach und nach auch ohne Zwang gut zu werden, wenn die Triebfedern des Guten, die in ihm liegen, nach und nach entwickelt werden. Das Kind erwächst böse ohne Disziplin. Das macht: das Tierische geht bloß auf seine Neigung und die Pflicht auf die Idee des Guten. Wenn er gleich moralisch böse ist, so ist er doch physisch gut. [6906; 1776-78?]

Es gibt keine unmittelbar böse angeborne Gesinnung, aber wohl Neigung, die aber noch nicht moralisch böse ist. [7179; 1776-78]

Religion

Der Wille Gottes enthält wohl die größesten motiva obligantia, aber nicht den Grund der Form moralischer Gesetze. [6500; 1763-64?]

Das System des feinsten Eigennutzes ist darin von dem Lehrbegriff der sich selbst genügsamen Tugend unterschieden, daß diese die Tugend an sich selbst liebt und darum nicht umhin kann, einen allsehenden Richter ihrer Reinigkeit und ihre Belohnung zu hoffen. Die Tugendliebe ist der Hoffnung glücklich zu sein, und diese gibt ihr Stärke, dem Unangenehmen, was mit ihr verbunden ist, zu widerstehen. Dagegen im ersteren System ist die Hoffnung der Glückseligkeit womöglich ein Grund der Tugend, eigentlich ein Grund kluger Handlungen, die eben dieselbe Wirkung, aber nicht aus denselben principiis leisten. [6606; 1769?]

Die moralischen Gesetze sind Gründe des göttlichen Willens. Dieser ist ein Grund des Unsrigen vermittelst seiner Gütigkeit und Gerechtigkeit, danach er die Glückseligkeit mit dem Wohlverhalten verbindet.

Wäre kein Gott, so würden alle unsere Pflichten schwinden, weil eine Ungereimtheit im Ganzen wäre, nach welcher das Wohlbefinden nicht mit dem Wohlverhalten stimmte, und diese Ungereimtheit würde die andere entschuldigen.

Ich soll gerecht gegen andere sein; aber wer sichert mir mein Recht? [6674; 1769?]

Es ist nötig, die Sittlichkeit vor der Religion zu schicken, daß wir eine tugendhafte Seele Gott darbringen; wenn die Religion vor den Sitten vorhergeht, so ist die Religion ohne sentiment eine kalte Einschmeichelei und die Sitten eine Observanz aus Not ohne Gesinnung. Alles muß rein und unvermengt eingesogen und dann verknüpft werden, einander zu begleiten, nicht zu vermengen. [6753; 1772?]

Aus dem Bewegungsgrunde der Göttlichen Heiligkeit kann kein Grund der sittlichen Regel (der Beurteilung) genommen werden, weil die Heiligkeit die Moralität voraussetzt. Aus den Bewegungsgründen der Güte auch nicht; denn aus Dankbarkeit können wir einem viel zu Gefallen tun, wovon wir doch die natürliche Billigkeit nicht einsehen. [6756; 1772]

Die Religion ist nicht ein Grund der Moral, sondern umgekehrt.

1. Wenn die Moralität sich auf die Erkenntnis des göttlichen Daseins gründete, so würde das Bewußtsein der Sittlichkeit mit dem vom göttlichen Dasein verbunden sein.

2. Wir würden nicht die moralische Bonität des Göttlichen Willens erkennen können.

3. Die vis obligatoria ist in dem moralischen Verhältnis des göttlichen Willens zu unserm (nicht der Macht). [6759; 1772?]

Es ist wahr: ohne Religion würde die Moral keine Triebfedern haben, die alle von der Glückseligkeit müssen hergenommen sein. Die moralischen Gebote müssen eine Verheißung oder Drohung bei sich führen. Die Glückseligkeit ist in diesem Leben nicht ihre Aufmunterung; überdem ist die reine Gesinnung des Herzens das, was den eigentlichen moralischen Wert ausmacht; diese aber wird niemals von andern recht erkannt, oftmals gar verkannt. Es hat sicherlich keinen Menschen gegeben, der mit gänzlicher Gewissenhaftigkeit über die Reinigkeit seiner Sitten wachte und der nicht zugleich hoffte, daß einmal diese Sorgfalt von großer Wichtigkeit sein werde und von einer die Welt regierenden höchsten Weisheit erwartete, es werde nicht umsonst sein, dieser genauen Beobachtung sich gewidmet zu haben. Allein das Urteil über den Wert der Handlungen, sofern sie Beifalls und der Glückseligkeit würdig sind, muß doch von aller Erkenntnis von Gott unabhängig sein. [6858; 1776-78?]

Unter allen Abweichungen von der natürlichen Beurteilung und bewegenden Kraft der Sitten ist die schädlichste, da man die Lehre der Sitten in eine Lehre der Religion verwandelt oder auf Religion gründet. Denn da verläßt der Mensch die wahren moralischen Gesinnungen, sucht die Göttliche Gunst zu gewinnen, abzudienen oder zu erschleichen und läßt allen

Keim des Guten unter den Maximen der Furcht ersterben. [6903; 1776-78]

Der Lehrer des evangelii setzte mit Recht zum Grunde, daß die zwei principia des Verhaltens, Tugend und Glückseligkeit, verschieden und ursprünglich wären. Er bewies, daß die Verknüpfung davon nicht in der Natur (dieser Welt) liege. Er sagte, man könne sie jedoch getrost glauben. Aber er setzte die Bedingung hoch an und nach dem heiligsten Gesetz. Zeigte die menschliche Gebrechlichkeit und Bösartigkeit und nahm den moralischen Eigendünkel weg (Demut) und, indem er das Urteil dadurch geschärft hatte, so ließ er nichts übrig als Himmel und Hölle, das sind Richtersprüche nach der strengsten Beurteilung. Er nahm noch alle unmoralischen Hilfsmittel der Religionsobservanzen weg und machte dagegen die Gütigkeit Gottes in alle dem, was nicht in unseren Kräften ist, zum Gegenstand des Glaubens, wenn wir soviel als in unsern Kräften mit Aufrichtigkeit zu leisten bestrebt sind. Er reinigte die Moral also von allen nachsichtigen und eigenliebigen Einschränkungen. Das Herz von moralischem Eigendünkel. Die Hoffnung der Glückseligkeit von phantastischen Aussichten. Den Begriff der Gottheit von den schwachen Begriffen nachsichtiger Gütigkeit, imgleichen dem dienstbedürftigen Willen Observanzen zu verlangen, von kindischem Leichtsinn leerer Hoffnung und von knechtischer Furcht kriechender Andächtelei und gab ihm Heiligkeit des Willens als die Norm der Gütigkeit seiner Absichten. Folglich wurde die Moral mit einer Stütze versehen, worauf sich alle Hebel, die das Herz bewegen sollen, fest stützen, aber zugleich rein, ohne Beimengung der eigennützigen Absichten oder fremdartiger Ersetzungsmittel. [7060; 1776-78]

Ob die Naturgesetze vim obligatoriam haben würden, wenn sie nicht auch natürlicherweise eine Verheißung bei sich führen würden. Die Drohung kann nicht vim obligandi haben. Die Verheißung obligiert nicht, sie benimmt nur die Ausrede der Selbstliebe, welche ein Recht hat, alles mit seiner Glückseligkeit als einstimmig zu fordern. [7108; 1776-78?]

Der Grund der Verbindlichkeit ist doch im göttlichen Willen, weil nur das verbindlich sein kann, was mit unserer Glückseligkeit zusammenstimmt, dieses aber nur Gott tun kann. Also ist die Moralität als Regel aus der Natur, als Gesetz aus dem göttlichen Willen. Idee, welche in der Theologie realisiert wird.   [7258; 1780-89]

[...] Wie kann die Hoffnung auf göttliche Güte mit der Uneigennützigkeit verbunden werden? Wenn sie nicht als praemium betrachtet wird, sondern nur als Beifall, der unsere Wahl bestätigt.   [7280; 1780-89?]

Theologie

Was denkt man sich unter der Idee von Gott?

Ob die Moral ohne Theologie möglich sei? Ja, aber nur in Ansehung der Pflichten und Rechte der Menschen, nicht in Ansehung des Endzwecks. Denn würde man annehmen, daß das erstere nicht möglich sei, so würden ohne göttliche Gebote keine Pflichten gedacht werden können, also auch nicht ohne Religion als Pflicht gegen Gott, also müßten wir doch allererst Lehre von Pflichten haben, ehe wir Gott erkennten, welches der Hypothesis widerspricht. [...]   [8097; 1792-94]

1. Daß der Mensch keinen andern Gott verehre, als den er sich einstimmig mit dem moralischen Gesetz macht.

2. Daß er keine Handlungen zur Religion rechne, deren Zweck auf Gott gerichtet sein soll, sondern nur auf Menschen in der Welt, zu denen er die Erweckung und Aufmunterung aus dem Vernunft- oder Offenbarungs-Begriff von Gott hernimmt.*

3. Daß er im Selbstgeständnis seines Glaubens sowohl was den Gegenstand als den Grad desselben betrifft die größte Aufrichtigkeit und lautere Wahrhaftigkeit beobachte und sich darüber aufs strengste prüfe. Auch in den Fällen, wo er zum Lehrer berufen ist, eben solche Offenherzigkeit nur nicht diejenige historische Lehren ohne Not anzufechten.

*Es gibt daher keine Pflichten gegen Gott, aber wohl sollen alle Pflichten als Göttliche Gebote befolgt werden. Warum aber das? Es ist nicht an sich Pflicht und notwendig einen Gott anzunehmen, aber es ist ein moralisches Bedürfnis bei der auf das höchste Gut in der Welt zu befördern gerichteten Absicht. Ebenso ein künftig Leben zu glauben. Das letztere ist nur ein Glaube vom zweiten Rang. Denn es ist nicht notwendig, daß wir existieren oder ewig existieren aber wohl, daß solange wir leben, wir uns des Lebens würdig verhalten. [...] [8101; 1794-95]

Register:

Die moralische Welt

Das moralische Gefühl kann nur durch das Bild von einer Welt voll Ordnung in Bewegung gesetzt werden, wenn wir uns in Gedanken in dergleichen Welt versetzen.* Dieses ist die intellektuelle Welt, deren Band Gott ist.

Wir sind wirklich zum Teil in derselben, sofern Menschen doch wirklich nach moralischen Grundsätzen urteilen.

*Glückseligkeit würde davon die *natürliche* Folge sein, welches ganz was anderes ist als die bloß willkürliche durch göttliche Vorsorge, indem wir unser Glück selber schaffen würden und es wirklich noch zu einer solchen moralischen Weltordnung bringen können.   [1171; 1772-75]

Der erste Anreiz zum Bösen ist der, daß man sich, wenn man auch gut sein wollte, von anderen nicht eben ein solches versprechen kann. Niemand will allein gut sein. Unter lauter gütigen, ehrlichen Leuten würde der Bösewicht seine Bosheit ablegen, sobald er überzeugt wäre, daß er von anderer gutem Willen sich lauter Gutes versprechen kann. Hier liegt nun die Schwierigkeit, daß das Gute einzeln nur vom allgemeinen erzeugt werden kann, das Gute aber nicht allgemein werden kann ohne das einzelne. Das sieht ein jeder ein, daß er in einem Paradiese leben würde, welches schade sein würde zu stören oder daraus verstoßen zu werden, wenn alles gut gesinnt wäre. Es scheint alles darauf anzukommen, daß man von dem, was allgemeinen Einfluß hat, d. i. von der Regierung, anfange. Hier muß man Philosophen, Geschichtschreiber, Dichter, vornehmlich Geistliche ersuchen, diese Idee vor Augen zu haben. Die Gesellschaft ist die Büchse der Pandora, wo alle Talente und zugleich Neigungen entwickelt ausfliegen; aber auf dem Boden sitzt die Hoffnung.   [1407; 1773-78?]

Wenn drei wohlgesinnte und gut instruierte mächtige Regenten zugleich in Europa herrschen werden, wenn ihre Regierung von eben solchen nur ein paar Zeugungen durch gefolgt wird, welcher Fall sich einmal ereignen kann: so ist die Erfüllung da. Vorjetzt leben wir in der unsichtbaren Kirche, und das Reich Gottes ist gleichwohl in uns. Die Zurückhaltung ist jetzt noch nötig; alsdann aber Offenherzigkeit, die aber gütig ist und dafür aufgenommen wird.   [1408; 1773-78?]

Es müssen nach und nach alle Maschinen, die als Gerüste dienten, wegfallen, wenn das Gebäude der Vernunft errichtet ist.   [1415; 1773?]

Das Reich Gottes auf Erden ist ein Ideal, welches in dem Verstand desjenigen eine bewegende Kraft hat, der sittlich gut sein will.   [6904; 1776-78]

Das Prinzipium der Einheit der Freiheit unter Gesetzen stiftet ein analogon mit dem, was wir Natur nennen, und auch einen inneren Quell der Glückseligkeit, den Natur nicht geben kann und wovon wir selbst Urheber sind. Wir befinden uns alsdann in einer Verstandeswelt nach besonderen Gesetzen, die moralisch sind, verbunden, und darin gefallen wir uns.
   Die Einheit der intelligiblen Welt nach praktischen Prinzipien, sowie der Sinnenwelt nach physischen Gesetzen.   [7260; 1780-89?]

Register:

In vielen Fällen scheint der Zusatz des Vorteils das moralische Vergnügen zu verringern. Ich möchte zu der Zeit, da ich jemandem aus Dankbarkeit einen großen Dienst tue, nicht gerne eine Belohnung davor annehmen, damit meine Zufriedenheit rein sei. [6622; 1769-1775]

Viele Menschen haben wohl Lust, gute Handlungen zu tun, wollen aber desfalls unter keiner Schuldigkeit gegen andere stehen; wenn man ihnen nur mit Unterwerfung kommt, so tun sie alles; sie wollen sich nicht den Rechtsamen der Menschen unterwerfen, sondern solche nur als Gegenstände ihrer Großmut ansehn. [...]
  Daher vor aller Anpreisung der Regeln der Gütigkeit zuerst der Nacken unter das Joch der schuldigen Pflichten muß gebeugt werden. Der ist immer ein Rebell gegen das göttliche Regiment, der es sich ausnimmt, als ein Freigeist nach bloßem eigenen Gutdünken zu tun, was Menschen von ihm fordern können. [6736; 1772]

Das oberste principium formale der Moralität muß die Wahrhaftigkeit sein. Denn von allen andern Verbindlichkeiten werden wir dadurch liberiert, daß andere sie gegen uns übertreten, von dieser aber niemals. [6737; 1772?]

Wir haben nicht an moralisch guten Handlungen das größeste Vergnügen, aber wir halten es am höchsten, d. i. wir urteilen, daß dieses Vergnügen selbst die größte Billigung verdiene.
  Die moralische Maximen bringen zuletzt durch Gewohnheit ein Gefühl vor Sittlichkeit zuwege.
  Wir halten den Verstand höher als die Rechtschaffenheit (eine Ehrlichkeit aus Grundsätzen); aber wir glauben, daß diese höher müsse geschätzt werden.
  Alle unsere Vergnügen werden dadurch vermindert, daß wir einsehen, ihre Gegenstände sind nicht achtungswürdig.
  Wir erkennen, daß der Tod nicht zu fürchten sei, und fürchten ihn doch.

Wir erkennen, daß die gute Handlungen aus Neigung nicht so viel moralischen Wert haben als die aus bloßen Maximen. Aber wir halten doch mehr auf denjenigen, der aus Neigung gut ist.   [6749; 1772?]

Die viele Anpreisungen der Gutherzigkeit, welche doch wenig mehr als gute Wünsche hervorbringen, romanische Paradiese etc. verhindern das Gemüt, einen Charakter anzunehmen. Aber die pünktlichste Genauigkeit im Unterscheiden dessen, was zum Rechte der Menschen gehört, und größte Gewissenhaftigkeit im Beobachten desselben bildet einen Charakter, macht den Menschen nicht weich, sondern wacker, und bringt Tätigkeit hervor.   [1166; 1772-75]

Die Pflicht, mit andern wegen ihrer Unterdrückung gemeinschaftliche Sache zu machen, ist mehr als bloß gütige Pflicht.   [6997; 1776-78]

Eine praktische Maxime ist: keine Einrichtung ist gut, bei der es unmöglich wird, besser zu werden. Mithin ist die erbliche Untertänigkeit, da es unmöglich ist, seinen Zustand zu verbessern, guten Zwecken zuwider. Wenn sie eine Strafe sein soll, so fehlt ihr die Beziehung aller Strafen auf Vollkommenheit und Verbesserung.
   Es ist auch lächerlich, daß man über die Unfähigkeit solcher Personen spottet, sich selbst zu regieren, da sie doch nur durch diesen Zustand in der Unfähigkeit sein. [...]   [6891; 1776-78]

Anderer Bedürfnis schränkt mein Recht nicht ein. Es kann mich niemand von meiner Schuldigkeit los sprechen, als bloß der andre. Der Fleck des Unrechts ist unauslöschlich. Etwas Erniedrigendes; dagegen nicht die Hartherzigkeit.
   Ein jeder suche sein Glück, wie er kann, aber nur so, daß eine Willkür mit allgemeingültigen Bedingungen stimme.   [7005; 1776-78]

Der ein Recht wider jemand hat, kann ihn in allen Freuden stören, ihn vom Altar wegholen. Alle Macht des Himmels steht auf der Seite des Rechts.   [7006; 1776-78]

Man hat aber doch ein Recht, andere zu zwingen, daß sie mit Erhaltung ihres Lebens zugleich das unsrige notdürftigst erhalten, Weil Eigentum nur ein Anteil an der gemeinschaftlichen Ausstattung der Natur ist. [7193; 1776-78?]

Aus der Zärtlichkeit muß kein Gewerbe gemacht werden. Sie ist peinlich, leicht beleidigt, macht das Herz welk und schlägt den Mut nieder. Fröhliche Gleichmütigkeit, Neigung zum Scherz, Aufmunterung, mit zärtlicher Gesinnung verbunden, dauert. [1142; 1776-78?]

Einige Charaktere sind mit sich selbst nicht wohl zusammenstimmend. Bald sind sie freigebig, bald besinnen sie sich und sind karg. Einige machen sich Regeln und sind nicht aus Neigung karg, sondern aus einem falsch angenommenen Grundsatze. In der Einheit des Charakters besteht die Vollkommenheit des Menschen. [1216; 1776-78]

Eine Vorschrift, unabhängig zu sein, ist die, daß man sich gewöhne, das zu entbehren, was man nur von der Willfährigkeit der Menschen erwarten kann, e. g. zu Gaste gebeten zu werden (man muß zu Hause glücklich sein) und allenfalls nur die Dienste bedürfe, die man bloß vom Eigennutz anderer (ihren eigenen Bedürfnissen) hoffet. Dazu aber gehört Vermögen, es sei eine Macht oder Ehre oder Reichtum in summa, einen Einfluß zu haben.
 Der zweite Grad ist also, daß man auch anderer Mitwirkung überhaupt entbehren könne. Denn es ist nicht sicher, daß sie uns bedürfen möchten; sie können sich eben so wie wir davon losmachen.
 Der dritte, daß man alles entbehren könne, was vom Glück abhängt und darin seine Zufriedenheit und Wert setze, daß man sich selbst niemals verringert sehen kann. [7198; 1780-89?]

[...] Es ist die Frage: ob der Neid das erste sei (als Bosheit) mithin das Hassenswürdige, welcher eine ursprüngliche Feindseligkeit unter Menschen bedeutet, oder die Falschheit. Wir würden uns aber nicht beneiden, wenn wir uns unser Scheinglück und unser Scheinverdienst uns, wie wir es selbst kennen, andern ohne Zurückhaltung eröffneten. Auch ist die Rivalität eine Triebfeder zum Perfektionieren, und wenn wir uns nicht vorstellten, würden wir unsern Rang unter andern nicht dadurch, daß wir andern ihren verkleinern, um den unsrigen hervorragend zu machen, suchen, sondern unsere eignen Gebrechen würden uns keine Ansprüche machen lassen, sondern wir würden jeder für sich zuerst müssen gut zu sein trachten und bloß die Tunlichkeit desselben an andern bemerken ohne Haß.

Die Falschheit gegen andere ist der angenommene Schein ihrer Achtung so wohl als Wohlwollens und Freundschaft, indessen daß sie entweder nichts oder gar das Widerspiel davon in sich haben. (Vom Plebejen im Umgange, d. i. der Freiheit, die man sich erlaubt, ohne gnugsame Delikatesse in Ansehung der Achtung, die der andere fordert.) Daß sich jemand von der besten Seite in Ansehung dessen, was den inneren Wert des Menschen oder seinen Marktpreis ausmacht, zeige, gehört zu den Mitteln der Selbsterhaltung, wodurch er keinen betrügt, weil keiner ein Recht hat hievon die Wahrheit zu erfahren. Aber in äußerer Deklaration der Freundschaft, des Wohlwollens und der Achtung kann ich Wahrheit fordern, und die Nachäffung der Manieren der Freundschaft und überhaupt der Geselligkeit bringt den Verdacht hervor, daß nichts dergleichen in der Wirklichkeit vorhanden sei. Es ist ein formales Böse, welches durch nichts berechtigt werden kann, wie es wohl mit dem materialen, z. B. dem Neide und Schadenfreude, berechtigt werden kann. Es kostet den Falschen nichts, diese einzige Würde der Menschheit, nämlich Wahrhaftigkeit, zu verlassen. – Die Lüge (deren Anfänger Teufel genannt wird aber auch der erste Neider) ist ein formales Böse, welches in keinem Verhältnisse gut sein kann. Dazu kann keine Anlage in der menschlichen Natur und keine Triebfeder anerschaffen sein. Wir haben auch eine ursprüngliche Verachtung gegen sie. Der ganze Wert des Menschen wird dadurch vernichtet, z. B. in gelehrten Sachen. [8096; 1792-94]

Es ist etwas an sich Verabscheuungswürdiges, sich einen militärischen Enthusiasmus zu denken, einen Trieb und Würde, die Menschheit durch Menschen verabscheuungswürdig zu machen. Man muß das Abstraktum des Muts, sich für das Wohl eines Staats überhaupt aufzuopfern, also nur unter der Bedingung der Verderbnis der menschlichen Natur, aber nicht als Sache an sich selbst darin Ehre und Billigung finden. Indessen liegt darin doch etwas, was den Krieg für sich selbst zum Ehrenstand macht, wenn er auch ein Krieg der Söldner ist, und er ist immer ein Ehrenstand. [7318; 1798-1804]

Register:

Das Faktum der Vernunft

Zurechnung

Frühe Rezeption

Anonym
Rezension der »Grundlegung zur Metaphysik der Sitten«
(1785)

Riga. Bei J. Fr. Hartknoch; Grundlegung zur Metaphysik der Sitten. Von Immanuel Kant. 1785. 128 Seiten in Octav.

Die Einsicht in den Inhalt dieser Schrift wird sich aus folgenden Hauptsätzen derselben ergeben. Ein guter Wille wird auch schon nach den gemeinen sittlichen Begriffen für das absoluteste Gut erkannt. Dieser gute Wille besteht in der Fertigkeit, seine Pflichten zu erfüllen aus Achtung für das moralische Gesetz; auch ohne alle von den Neigungen hergenommenen Beweggründe. Das moralische Gesetz hat eine absolute Notwendigkeit, ist Gesetz für alle vernünftigen Wesen. Pflicht bezieht sich auf vernünftige Wesen, die dawiderhandeln können. Ihre Form ist ein kategorischer Imperativ. Das Materielle solcher Pflichten und Gesetze des reinen Willens oder der reinen praktischen Vernunft, auch nur ein einziges Beispiel davon, sind wir nicht im Stande anzugeben. Denn das Materielle aller unserer Begriffe bezieht sich auf die Erfahrung von der sinnlichen Welt, in welcher auch der Mensch nach seinem Innern, sofern er es empfindet, mit begriffen ist, gehört also nicht zur reinen Vernunft. Auch haben wir keinen reinen Willen, der bloß allein durch Achtung für das moralische Gesetz bestimmt würde ohne Antrieb der Neigungen. Wenigstens läßt er sich nicht aus der Erfahrung von wirklichen, eigenen oder fremden, Handlungen beweisen. Indessen liegt die Idee eines solchen Willens in den gemeinen Urteilen und Empfindungen von der Vorzüglichkeit der Handlungen und der Würde der Charaktere zu Grunde. — Und beweisen läßt sich die Möglichkeit eines solchen Willens und der Wirksamkeit des kategorischen Imperativs, sobald man voraussetzt, daß es Freiheit gibt; welche Voraussetzung im Grunde einerlei ist mit der, daß es eine praktische Vernunft gebe. Denn beide bestehen in einer von den Ursachen und Gesetzen der durch Erfahrung uns bekannten sinnlichen Natur unabhängigen Selbsttätigkeit. (Einiges, was der V. bei dieser Gelegenheit sagt, würde mittelst genauerer Unterscheidung der verschiedenen Arten von Freiheit sich anders wenden.) Zu dieser Voraussetzung berechtigt uns auch der von der Vernunft notwendig anzuerkennende Unterschied der sinnlichen und der intellektualen Welt und ihre Gewißheit vom Dasein der letzteren. Denn es muß doch Etwas hinter dem Schein sein. Die Eigenschaften dieses Etwas oder der intellektuellen Welt sind wir nicht vermögend zu erkennen. Folglich auch nicht imstande, die Gesetze der praktischen Vernunft und der Freiheit zu erklären und zu begreifen. Ihre Möglichkeit kann aber damit doch auch nicht widerlegt werden, daß ihre Voraussetzung nicht in unsere Erfahrung von der sinnlichen Natur und ihren Gesetzen einpaßt, sondern diesen vielmehr widerspricht. Denn wir sind nicht befugt, die Gesetze der sinnlichen Natur auch zu Gesetzen der intellektualen Welt zu machen. – Die Vernunft gibt uns also nur den formellen Gedanken, nicht die objektive Erkenntnis von einem sittlichen Gesetz. Dadurch berechtigt sie uns aber doch, daran zu glauben. Und dieser Glaube kann allein unseren sittlichen Begriffen Erhabenheit und Festigkeit verschaffen. – Die gemeine empirische, auf Erfahrungen vom Menschen und seinen Neigungen sich gründende Moral ist an sich wohl nützlich, weil der Mensch doch nicht durch reine praktische Vernunft, sondern durch Neigungen und davon hergenommene Beweggründe in seinem Verhalten bestimmt wird. Aber sie kann aus ihrem eigenen Grund und Boden keine reine Sittenlehre hervorbringen, sondern verwirrt und zerstört diese vielmehr, indem sie aus den ihr eigentümlichen Prinzipien der Erfahrung und Empfindung sie zustande bringen will. (Der Verf. drückt sich hierwider vielfältig hart und unfreundlich aus.) Alle bisher angenommenen Gründe der Sittlichkeit taugen nichts, weil sie den Willen von etwas anderem als ihm selbst abhängig machen, Heteronomie statt Autonomie annehmen. Am meisten verwerflich ist das Prinzip der eigenen Glückseligkeit: a) weil sein Grund falsch ist und die Erfahrung dem Vorgeben, als ob das Wohlbefinden sich jederzeit nach dem Wohlverhalten richte, widerspricht. (Diese Einwendung dürfte doch wohl nichts beweisen, weil sie zu viel beweist. Denn entweder ist es für unsere Glückseligkeit gleichgültig, wie wir uns verhalten, oder was nach der gemeinen empirischen Moral Wohlverhalten heißt, ist vielmehr hinderlich dabei als zuträglich; oder unsere Glückseligkeit erfordert dieses Wohlverhalten, obgleich unser Wohlbefinden nicht jederzeit in diesem Leben und in allen Stücken sich danach richtet oder davon abhängt. Auf dies letzte disjunktive Glied gründet die gemeine Moral die Verbindlichkeit ihrer Vorschriften; und ihr metaphysisches formelles Prinzip dabei ist der Grundsatz der reinen Vernunft: wer die Absicht will – durchaus und unablässig, wie alle Menschen Glückseligkeit wollen – muß auch das Mittel wollen. Welches von den beiden anderen disjunktiven Gliedern will der Verf. wählen und verantworten?) b) Tauge das Prinzip der eigenen Glückseligkeit nichts, weil es gar nichts zur Gründung der Sittlichkeit beitrage (viel gesagt!), indem es ganz etwas anderes ist, einen glücklichen als einen guten Menschen zu machen. (Wie etwas ganz anderes? Nämlich ein durch Zufälle und äußere Ursachen glücklicher und ein guter Mensch sind nicht einerlei. Aber ein durch sich selbst, die Stimmung und Verhältnisse seiner Kräfte und Triebe zufriedener und seliger und ein guter Mensch sind einerlei Subjekt unter verschiedenen Gesichtspunkten.) c) Etwas anderes ist, den Menschen klug und auf seinen Vorteil abgewitzt, und ihn tugendhaft zu machen. (Dies so abgenutzte und so oft wiederlegte Argument war doch kaum vom Verf. zu erwarten. Welcher Unvoreingenommene sieht nicht gleich, daß es auf der Vermengung der niedrigen, nur nach dem Äußeren und Zeitlichen strebenden Klugheit und der höheren Klugheit, der nach dem Wesentlichen und Ewigen strebenden Weisheit beruht? Von gleichem Gehalt ist auch das Nachfolgende, »daß jenes Prinzip der Sittlichkeit Triebfedern unterlege, die sie eher untergraben und ihre ganze Erhabenheit zernichten, indem sie die Bewegursachen zur Tugend mit denen zum Laster in eine Klasse setzen (was heißt dies? Und wenns Tadel sein könnte, wen träfe er am Ende?) und nur den Kalkül besser ziehen lehren.«[1] (Wenn die Grundtriebe an sich gut sind und nur durch Irrtum Böses bewirken, so hat die Moral weiter nichts zu tun als durch Wahrheit, mag nun gleichwohl heißen, richtigeren Kalkül vom Bösen abzuhalten.) – Auf die Rechnung des polemischen Eifers setzen wir nebst mehrerem auch, was Seite 46 f. steht,

»daß der Begriff von Glückseligkeit ein so unbestimmter Begriff sei, daß, obgleich jeder Mensch zu derselben zu gelangen wünsche, er doch niemals bestimmt und mit sich selbst einstimmig sagen kann, was er eigentlich wünsche und wolle« usw. – Damit es aber einigen Lesern leichter werde, selbst zu beurteilen, ob die gemeine Moral, die unser Verf. so sehr herabsetzt, unter jenen erhabenen Begriffen von Tugend und Sittlichkeit mit ihren eigentümlichen empirischen Prinzipien so weit zurückbleibe, so wollen wir ganz kurz die Hauptgrundsätze derselben hier gleichfalls in ihrer Schlußreihe aufstellen. Die Glückseligkeit des Menschen beruht auf der Übereinstimmung seines inneren Zustandes mit den ihm unabänderlichen Gesetzen seiner Natur, seiner Empfindungen und Triebe. Dieser innere Zustand hängt zwar von mannigfaltigen Einflüssen äußerlicher Dinge und Umstände ab, aber ungleich mehr von eines jeden eigenen Vorstellungen, Neigungen und Kräften. Die dauerhaftesten und erhabensten Quellen der Freude und Zufriedenheit liegen überhaupt nicht außer uns, sondern in uns, in den Gefühlen von Kraft und Übereinstimmung, besonders aber im Bewußtsein solcher Kräfte und Eigenschaften, die in jedwedem Verhältnis unentbehrlich sind, unser Wohlsein zu gründen, zu erhöhen oder zu sichern; bei denen wir auch allein uns des beseligenden und beglükkenden Beifalls des Allgütigen und Allweisen würdig halten können und des Beifalls anderer, gleichen Naturgesetzen mit uns unterworfener und danach empfindender und urteilender Wesen. Folglich müssen wir die Gesetze der allgemeinen Wohlfahrt, so weit wir sie erkennen, die Gesetze der Gerechtigkeit und Billigkeit und jedwedes allgemeine Gesetz der Vernunft und Weisheit, das wir aus Einsicht oder aus Glauben anerkannt haben, zur unwandelbaren Richtschnur unseres Verhaltens uns machen; wir müssen unsere Vernunft, den Grund der Erkenntnis und richtigen Anwendung dieser Gesetze, zu befestigen und mit sich selbst übereinstimmend zu erhalten suchen. Die Pflicht oder Gesetzmäßigkeit muß uns also über alle andere entscheidender Beweggrund, der danach bestimmte gute Willen und das gute Gewissen das höchste Gut sein. – Die Schwierigkeiten, die diese Moral in der Anwendung findet und übrigläßt, darf unser Verf. ihr nicht zur Last legen; denn dahinein wagt er sich mit seiner metaphysischen

Moral auch nicht. Sie sind aber in der Natur so groß und abschreckend nicht, als sie sich vorstellen lassen, wenn man dies will. – Wir haben freilich viele Mittelsätze, deren sich der Verf. mit seiner bekannten feinen Dialektik bedient, noch unberührt gelassen, weil ihre Erörterung uns hier zu weit führen würde. Wir lernen sonst gern von dieser meisterhaften Dialektik und sind weit davon entfernt, der tiefsinnig und mühsam angelegten Philosophie des Verf. ihr Verdienst in Absicht auf allseitige gründliche Erörterung, so wenig als ihre endliche Vereinbarkeit mit derjenigen Philosophie, auf die wir uns bei unseren Vorträgen einschränken, abzusprechen. Aber, gestehen müssen wir es, die rein philosophische Kaltblütigkeit, Mäßigung und Unparteilichkeit haben wir hier und da, mehr als uns lieb sein konnte, vermißt.

1 [Grundlegung zur Metaphysik der Sitten, AB S. 90 f.]

Hermann Andreas Pistorius
Rezension der »Grundlegung zur Metaphysik der Sitten«
(1786)

In dem Vorsatz, dereinst eine Metaphysik der Sitten zu liefern, die eine reine Moralphilosophie, die von allem, was nur empirisch sein mag, völlig gesäubert sei, läßt Herr Prof. Kant diese Grundlegung vorangehen, worin er das Subtile, das in der Metaphysik der Sitten unvermeidlich ist, vorträgt, um es nicht künftig faßlicheren Lehren beizumischen, und das oberste Prinzip der Moral aussuchen und festsetzen will, welches er für ein in seiner Absicht ganzes und von allen anderen sittlichen Untersuchungen abzusonderndes Geschäft hält. Er ist der Meinung, daß es von der äußersten Notwendigkeit sei, einmal eine reine Moralphilosophie zu bearbeiten, denn daß es eine solche geben müsse, leuchte von selbst aus der gemeinen Idee von Pflicht und von sittlichen Gesetzen ein – und zwar nicht bloß aus einem Beweggrund der Spekulation, um die Quelle der a priori in unserer Vernunft liegenden praktischen Grundsätze zu erforschen, sondern weil die Sitten selbst allerlei Verderbnis unterworfen bleiben, solange jener Leitfaden und oberste Norm ihrer richtigen Beurteilung fehlt. Der Verf. hat hierbei den Gang genommen, der seiner Meinung nach der schicklichste ist, wenn man von gemeinen Kenntnissen zur Bestimmung des obersten Prinzips derselben analytisch, und wiederum zurück von der Prüfung dieses Prinzips und der Quelle desselben zur gemeinen Erkenntnis, darin sein Gebrauch angetroffen wird, synthetisch den Weg nehmen will. Es hat also diese merkwürdige Schrift folgende drei Abschnitte erhalten: I. Übergang von der gemeinsittlichen Vernunfterkenntnis zur philosophischen. II. Übergang von der populären Moralphilosophie zur Metaphysik der Sitten. III. Letzter Schritt von der Metaphysik der Sitten zur Kritik der reinen praktischen Vernunft. Ich werde die Hauptsätze des Verf. ausziehen und einige erläuternde und prüfende Anmerkungen hinzusetzen.

Der Verf. bemerkt zuerst, daß ohne Einschränkung nichts für gut zu halten sei als ein guter Wille, daß dieser Wille nicht durch das, was er bewirkt und ausrichtet, nicht durch seine Tauglichkeit zur Erreichung irgendeines vorgesetzten Endzweckes, sondern allein durch das Wollen d. i. an sich gut sei, und für sich betrachtet ohne Vergleichung weit höher zu schätzen sei als alles, was durch ihn zugunsten irgendeiner Neigung, ja, wenn man will, der Summe aller Neigungen, nur immer zustande gebracht werden könnte. Der Verf. gesteht, daß in diesem Grundsatz zur Schätzung des Werts des Willens etwas Befremdliches liege, obgleich er die Beistimmung auch der gemeinen Vernunft haben soll; er hält es also für nötig, ihn noch näher zu prüfen. Hierbei wünschte ich nun, daß es dem Verf. beliebt hätte, vor allen Dingen den allgemeinen Begriff von dem, was gut ist, zu erörtern, und was er darunter versteht, näher zu bestimmen, denn offenbar müßten wir uns erst hierüber einverstehen, ehe wir über den absoluten Wert eines guten Willens etwas ausmachen können. Ich bin also berechtigt zuerst zu fragen, was ist überhaupt gut und was ist in Sonderheit ein guter Wille? Läßt sich auch ein an und für sich und ohne Beziehung auf irgendein Objekt betrachteter guter Wille gedenken? Sagt man: das ist gut, was allgemein gebilligt und geschätzt wird, so darf ich weiter fragen, warum wird es gebilligt und geschätzt, geschieht es mit Recht und mit Grund oder nicht? Eine allgemein übereinstimmende Billigung, wenn sie auch in irgendeinem Stück stattfände und möglich wäre, würde doch einem philosophischen Forscher nie für den letzten Entscheidungsgrund gelten können. Hier sehe ich nun nicht, wie man überhaupt irgend etwas als schlechterdings und ganz absolut gut annehmen oder etwas gut nennen könne, das in der Tat zu nichts gut wäre, und ebenso wenig, wie man einen absolut und bloß in sich betrachtet guten Willen annehmen könne. Allein der Wille soll nur in Beziehung auf irgendein Objekt desselben absolut gut sein, nicht in Beziehung auf sein Prinzip oder ein Gesetz, um dessentwillen er handelt. Es sei so; dann frage ich weiter: ist es hinlänglich, einen Willen zum Guten zu machen, daß er nur nach irgendeinem Prinzip oder aus Achtung gegen irgendein Gesetz handle, sei es wie es wolle, gut oder böse? – unmöglich, also muß es ein gutes Prinzip, ein gutes Gesetz sein, dessen Befolgung einen Willen gut macht, und die Frage, was ist gut? kehrt also wieder zurück, und wenn wir sie vom Willen bis auf das Gesetz zurückgeschoben hatten, so müssen wir sie nun doch hier auf eine genugtuendere Weise beantworten; d. i. wir müssen nun endlich doch auf irgendein Objekt oder auf den Endzweck des Gesetzes kommen und müssen das Materielle mit zu Hilfe nehmen, weil wir mit dem Formalen weder des Willens noch des Gesetzes auslangen. Was hieraus für das ganze Moralsystem folge, werden wir hernach sehen. Nun fahre ich fort, eine Bemerkung des Verf. mitzuteilen, wodurch er seinen obigen Grundsatz vom Wert eines absolut guten Willens bestätigen will. Es ist diese: daß falls an einem Wesen, das Vernunft und Willen hat, seine Erhaltung, sein Wohlergehen, mit einem Worte, seine Glückseligkeit der eigentliche Endzweck der Natur wäre, sie ihre Veranstaltungen dazu sehr schlecht (ganz dem Grundsatz entgegen, daß in den Naturanlagen eines organisierten Wesens kein Werkzeug zu irgendeinem Zwecke gefunden werde, als was auch zu demselben das schicklichste und ihm angemessenste sei) getroffen habe, sich die Vernunft des Geschöpfs zur Ausrichterin dieser ihrer Absicht zu ersehen. Denn alle Handlungen, die es in dieser Absicht auszuüben hat, würden ihm weit genauer durch Instinkt vorgezeichnet und jener Zweck weit sicherer dadurch haben erhalten werden können, als es jemals durch Vernunft geschehen kann, die allenfalls ihm nur dazu hätte dienen können, um über die glückliche Anlage seiner Natur Betrachtungen anzustellen, sie zu bewundern und der wohltätigen Ursache dankbar zu sein; nicht aber um sein Begehrungsvemögen jener schwachen und trüglichen Leitung zu unterwerfen und in die Naturabsicht zu pfuschen. Mit einem Worte, sie würde verhütet haben, daß Vernunft nicht in praktischen Gebrauch ausschlüge usw. Bei diesem Raisonnement ist, wie es mir scheint, weder auf die Frage, ob auch eine ganz unpraktische Vernunft möglich wäre, noch auf die Natur der sich nur allmählich entwickelnden Vernunft und gleichfalls nur progressiven Glückseligkeit des Menschen gehörige Rücksicht genommen. Die Natur, sagt der Verf., hätte, wenn Glückseligkeit ihr Zweck war, uns weit sicherer und unfehlbarer durch Instinkte dazu geführt; ja, antworte ich, wenn Glückseligkeit durch Vernunft und Glückseligkeit durch

Instinkte einerlei ist und zwischen beiden kein anderer Unterschied ist, als daß die erstere schwächer, geringer und mißlicher ist als die letztere, und wenn wir auf den Umstand, daß wir sie unseren Bemühungen verdanken, auf den köstlichen Zusatz, uns bewußt zu sein, daß sie größtenteils das Werk unserer Selbsttätigkeit ist, gar nicht rechnen dürfen – nun dann war es weit sicherer und zweckmäßiger, den Menschen durch den Instinkt zur Glückseligkeit zu treiben, oder ihm, welches einerlei, eine tierische oder instinktmäßige Glückseligkeit zu geben. Aber wozu sollte ihm dann die Vernunft, die Einsicht und Erkenntnis von dem, was ihn glückselig macht, dienen? Sollte sie mit den Instinkten, die uns zur Glückseligkeit treiben, völlig übereinstimmen, und dies müßte wohl sein, wenn sie das vom Verf. angewiesene Geschäft verrichten sollte, so würden sich ihre Maximen von den Leitungen unserer Triebe nicht unterscheiden lassen und wir würden es nie ausmachen können, wieviel Anteil an unserer Beseligung der Zwang des Instinkts oder die Wahl der Vernunft habe – oder sie sollte, mit dem Instinkt uneinig, die Zwangsgesetze desselben mißbilligen und die Sklaverei der Sinnlichkeit verwerfen; alsdann würde sie nicht nur ein müßiger, sondern auch schädlicher Zusatz zu unserer mit sich selbst im Widerspruch stehenden Natur sein, und alle Freuden der Triebe würden uns durch diese zwar vernünftige, aber ganz unnütze Tadlerin gestört und vergällt werden. Es scheint also, wenn wir überall Vernunft haben sollten, so müßte es eine praktische Vernunft sein, und wir sind nicht berechtigt, aus dem Umstande, daß uns unsere nicht auf einmal vollkommene, sondern nur allmählich sich ausbildende Vernunft auch nur zu einer progressiven Glückseligkeit führt, die nämlich gleichfalls nicht auf einmal, nicht in irgendeinem bestimmten Augenblick unseres Daseins vollkommen ist, sondern mit unserer sich vervollkommnenden Vernunft so ziemlich parallel fortläuft (es versteht sich wahre innere Glückseligkeit); hieraus, sage ich, sind wir nicht berechtigt zu schließen, weder daß unsere Glückseligkeit nicht ein Zweck der Natur sei, noch daß uns die Vernunft nicht gegeben sei, uns glückselig zu machen. Daß sie diesen Zweck aber so selten, so unvollständig erreicht, kann ebensowenig einen Grund abgeben es zu leugnen, daß sie bestimmt sei, uns der Glückseligkeit teilhaftig zu machen, als ihre Unhinlänglichkeit und ihr Unvermögen, die Menschen auf irgendeine beträchtliche Weise tugendhaft oder der Glückseligkeit würdig zu machen, etwas wider die Voraussetzung, daß uns die Vernunft als eine Führerin zur Tugend gegeben worden, beweisen kann. – Mit diesem ersten Satz hängt nun folgender zusammen: »Eine Handlung aus Pflicht hat ihren moralischen Wert nicht in der Absicht, welche dadurch erreicht werden soll, und er hängt also nicht von der Wirklichkeit des Gegenstandes der Handlung ab, sondern bloß von dem Prinzip des Wollens, nach welchem die Handlung, unangesehen aller Gegenstände des Begehrungsvermögens geschehen ist.«[1] – »Worin kann also«, setzt der Verf. hinzu, »der moralische Wert der Handlung liegen, wenn er nicht im Willen, in Beziehung auf deren verhoffte Wirkung liegen soll? Er kann nirgends anders liegen als im Prinzip des Willens – denn der Wille ist mitten inne zwischen seinem Prinzip a priori, welches formell ist, und zwischen seiner Triebfeder, welche materiell ist, gleichsam auf einem Scheideweg; und da er doch durch irgendetwas muß bestimmt werden, so wird er durch das formelle Prinzip des Wollens überhaupt bestimmt werden müssen, wenn eine Handlung aus Pflicht geschieht, da ihm alles materielle Prinzip entzogen ist.«[2] Dies formelle Prinzip drückt nun der dritte Satz aus: »Pflicht ist die Notwendigkeit der Handlung aus Achtung für das Gesetz«.[3] Es bleibt nämlich für den Willen nichts anderes übrig, was ihn bestimmen oder zu einem guten Willen machen kann, als objektiv das Gesetz und subjektiv reine Achtung für dieses praktische Gesetz, mithin die Maxime, einem solchen Gesetz selbst mit Abbruch aller meiner Neigungen Folge zu leisten. Zur weiteren Erläuterung dient folgendes: Alle Wirkungen, z. B. Annehmlichkeit des Zustandes, Beförderung des Glücks anderer konnten auch durch andere Ursachen zustandegebracht werden (doch wohl nicht auf gleiche Art und in gleichem Maße), und es brauchte dazu also nicht des Willens eines vernünftigen Wesens, worin gleichwohl das höchste und unbedingte Gut allein kann angetroffen werden; es kann also nichts anderes als die Vorstellung des Gesetzes an sich selbst, die freilich nur in vernünftigen Wesen stattfindet, sofern sie, nicht die verhoffte Wirkung der Bestimmungsgrund des menschlichen Willens ist, das so vorzügliche Gute, das wir sittlich nennen, ausmachen, welches in der Person, die danach handelt, selbst schon gegenwärtig ist, nicht aber allererst aus der Wirkung erwartet werden darf. Der Verf. fährt weiter fort: »Was kann das aber für ein Gesetz sein, dessen Vorstellung, auch ohne auf die daraus erwartete Wirkung Rücksicht zu nehmen, den Willen bestimmen muß, damit dieser ohne Einschränkung gut heißen könne? Die bloße Gesetzmäßigkeit der Handlung ist überhaupt übrig, welche allein dem Willen zum Kennzeichen dienen soll: d. i. *Ich soll niemals anders verfahren als so, daß ich auch wollen könne, meine Maxime soll ein allgemeines Gesetz werden.* Hier ist nun die bloße Gesetzmäßigkeit überhaupt (ohne irgendein auf gewisse Handlungen bestimmtes Gesetz zum Grunde zu legen) das, was dem Willen zum Prinzip dient und ihm auch dazu dienen muß, wenn Pflicht nicht überall ein leerer Wahn und chimärischer Begriff sein soll, hiermit aber stimmt die gemeine Menschenvernunft in ihren praktischen Beurteilungen auch vollkommen überein und hat das gedachte Prinzip jederzeit vor Augen.«⁴ Dies alles macht der Verf. durch folgendes Beispiel deutlich, das ich abgekürzt hersetzen will. Es sei die Frage, ob ich, wenn ich im Gedränge bin, nicht ein Versprechen tun darf in der Absicht, es nicht zu halten. Ich mache hier leicht den Unterschied, den die Bedeutung der Frage haben kann, ob es klüglich oder ob es pflichtmäßig sei, ein falsches Versprechen zu tun. Zwar sehe ich wohl, daß es nicht genug sei, mich vermittels dieser Ausflucht aus einer gegenwärtigen Verlegenheit zu ziehen, sondern daß wohl überlegt werden müsse, ob mir aus dieser Lüge nicht hinterher viel größere Ungelegenheit entspringen könne, und da die Folgen bei aller meiner vermeinten Schlauigkeit nicht so leicht vorauszusehen sind, daß nicht ein einmal verlorenes Zutrauen mir weit nachteiliger werden könnte als alles Übel, das ich jetzt zu vermeiden gedenke, ob es nicht klüglicher gehandelt sei, hierbei nach einer allgemeinen Maxime zu verfahren und es sich zur Gewohnheit zu machen, nichts zu versprechen als in der Absicht, es zu halten. Allein es leuchtet mir hier sehr bald ein, daß eine solche Maxime doch nur die besorglichen Folgen zum Grunde habe. Nun ist es doch ganz etwas anderes, aus Pflicht wahrhaftig zu sein als aus Besorgnis der nachteiligen Folgen; indem im ersten Fall der Begriff der Handlung an sich selbst schon ein Gesetz für mich enthält, im zweiten ich mich allererst anderwärts umsehen muß, welche Wirkungen wohl damit für mich verbunden sein möchten. Denn wenn ich von dem Prinzip der Pflicht abweiche, so ist es ganz gewiß böse, werde ich aber nur meiner Maxime der Klugheit abtrünnig, so kann das mir doch manchmal sehr vorteilhaft sein, wiewohl es freilich sicherer ist, bei ihr zu bleiben. Um indessen mich in Beantwortung dieser Aufgabe, ob ein lügenhaftes Versprechen pflichtmäßig sei, auf die allerkürzeste und doch untrüglichste Weise zu belehren, so frage ich mich selbst: würde ich wohl damit zufrieden sein, daß meine Maxime (mich durch ein unwahres Versprechen aus Verlegenheit zu ziehen) als ein allgemeines Gesetz sowohl für mich als für andere gelten solle, und würde ich wohl zu mir sagen können: es mag jedermann ein unwahres Versprechen tun, wenn er sich in Verlegenheit findet, daraus er sich auf andere Art nicht ziehen kann; so werde ich bald inne, daß ich zwar die Lüge, aber ein allgemeines Gesetz zu lügen gar nicht wollen könne: denn nach einem solchen würde es eigentlich gar kein Versprechen geben, weil es vergeblich wäre, meinen Willen, in Ansehung meiner künftigen Handlungen gegen andere, vorzugeben, die diesem Vorgeben doch nicht glauben würden, oder wenn sie es übereilter Weise täten, mich doch mit gleicher Münze bezahlen würden; mithin meine Maxime, sobald sie zu einem allgemeinen Gesetz gemacht würde, sich selbst zerstören müßte. Hieraus zieht nun der Verf. diese Folgerung: »Was ich also zu tun habe, damit mein Wollen sittlich gut sei, dazu brauche ich gar keine weit ausholende Scharfsinnigkeit, unerfahren in Ansehung des Weltlaufs, unfähig auf alle sich ereignenden Vorfälle desselben gefaßt zu sein, frage ich mich nur: kannst du auch wollen, daß deine Maxime ein allgemeines Gesetz werde? Wo nicht, so ist sie verwerflich, und das zwar nicht um eines dir oder auch anderen daraus bevorstehenden Nachteils willen«[5] (und ist dann die Aufhebung alles den Menschen zum Behuf ihres Lebens, der Notdurft und Geschäfte desselben so nötigen wechselseitigen Vertrauens, die Unmöglichkeit, durch Versprechen weiter etwas auszurichten, nicht ein wahrer mir und anderen zugezogener Nachteil, der mir hauptsächlich erst durch Erfahrung bekannt werden muß, und ist dieser Nachteil nicht die einzige Ursache, warum sich die Maxime, sich durch lügenhafte Versprechungen zu helfen, nicht in eine allgemeine Gesetzgebung paßt?) »sondern weil sie nicht als Prinzip in eine allgemeine Gesetzgebung passen kann. Für diese aber zwingt mir die Vernunft unmittelbare Achtung ab, von der ich zwar jetzt noch nicht einsehe, worauf sie sich gründet, wenigstens aber doch soviel verstehe: daß es eine Schätzung des Werts sei, welche allen Wert dessen, was durch Neigung angepriesen wird, weit überwiegt, und daß die Notwendigkeit meiner Handlung aus reiner Achtung fürs praktische Gesetz dasjenige sei, was die Pflicht ausmacht, der jeder andere Bewegungsgrund weichen muß, weil sie die Bedingung eines an sich guten Willens ist, dessen Wert über alles geht.«[6]

Dies ist nun das Resultat, das dem Verf. die Beobachtung über die sittlichen Empfindungen und Erkenntnisse der Menschen hergeben soll, indessen läßt sich noch zweifeln, teils, ob seine Vorstellungsart von einem guten Willen, von dem Wert desselben und von Pflicht die einzig mögliche mit diesen Beobachtungen zu vereinigende sei, teils ob das von ihm aufgestellte Gesetz und höchste Prinzip der Sittlichkeit bloß, wie er will, formell sei und alles Materielle ausschließe. Weil es hier auf die Hauptsache dieses neuen Moralsystems ankommt, so werde ich es wagen, einige Anmerkungen darüber herzusetzen, und zwar will ich vom letzteren anfangen. Hier scheint es mir nun, daß das vom Verf. festgestellte Prinzip der Sittlichkeit: handle so, daß du wollen kannst, daß deine Maxime des Wollens ein allgemeines Gesetz werde, wenig verschieden sei von der Behauptung anderer Moralisten, daß das Recht sei, dessen allgemeine Ausübung *gemeinnützig* oder dem Interesse vernünftiger Wesen gemäß ist, und das Unrecht sei, dessen allgemeine Ausübung *gemeinschädlich* oder dem Interesse vernünftiger Wesen entgegen ist; welches man dann auch so ausdrücken könnte: handle so, daß deine Maxime, nach der du handelst, dem gemeinschaftlichen Interesse aller vernünftigen Wesen nicht entgegen, sondern gemäß sei. – Denn um bei dem obigen Beispiel zu bleiben, so kann man fragen: warum ich ein allgemeines Gesetz zu lügen nicht wollen könne, und da scheint es mir offenbar zu sein, daß, wenn ein solches Gesetz gar keinen Einfluß, gar keine Beziehung auf ein vorausgesetztes Interesse vernünftiger Wesen hätte, oder wenn diese überhaupt kein Interesse, weder des

Verstandes noch des Willens hätten, mit einem Worte, wenn sie gegen Einstimmung oder Widerspruch, gegen Wahrheit oder Falschheit, gegen Vollkommenheit oder Unvollkommenheit, gegen Vergnügen oder Schmerz usw. ganz gleichgültig und völlig unempfindlich wären, so müßte es ihnen auch gleichviel sein, ob ein allgemeines Gesetz, die Wahrheit zu sagen, oder ein allgemeines Gesetz zu lügen festgestellt würde. Die Betrachtung, daß im letzten Falle gar kein Versprechen mehr möglich wäre, würde ein solches Wesen, dem nichts daran läge, ob es wahre oder falsche, oder überall gar kein Versprechen gäbe, nicht bestimmen und seine Maxime, wenn es anders überall Maximen haben könnte, würde sich durch gar nichts zu einer allgemeinen Gesetzgebung qualifizieren können. Ja es scheint mir ganz undenkbar zu sein, daß einem solchen völlig uninteressierten Wesen überall ein Gesetz gegeben und daß es zu dessen Beobachtung moralisch, d. i. durch Vorstellungen genötigt werden könne. Was kann dies aber für eine Vorstellung sein, die ein vernünftiges Wesen an ein Gesetz bindet oder demselben die reine Achtung für das Gesetz gibt? Unmöglich kann man sagen: die Vorstellung des Gesetzes selbst, denn dies wäre idem per idem, da das Gesetz selbst für ein vernünftiges Wesen nichts anderes als eine gewisse Vorstellung ist, daß es so und so handeln soll; aber wir suchen hier eine dritte Vorstellung, die den notwendigen Zusammenhang zwischen dem Gesetz und dem Willen des vernünftigen Wesens ausmache, und eine solche muß es geben, sofern das Gesetz moralisch und nicht physisch sein soll. Eine solche Vorstellung könnte nun entweder die Wahrheit oder der Nutzen des Gesetzes, dessen Harmonie mit der Denkkraft oder dessen Übereinstimmung mit dem Begehrungsvermögen sein. In beiden Fällen würde das Gesetz ein vernünftiges Wesen interessieren, insofern es seiner Natur gemäß wäre; und die Vorstellung hiervon würde nur das Mittelband, und zwar das einzig mögliche sein, wodurch ein vernünftiges Wesen überhaupt an ein Gesetz gebunden und zur Befolgung desselben genötigt werden könnte. Wäre dies Wesen gegen Nutzen und Schaden gleichgültig, so bliebe uns das Interesse der Wahrheit oder des spekulativen Denkens übrig; aber auch da gründete sich die Verbindlichkeit oder das Ansehen des Gesetzes noch immer auf ein Interesse. Fände aber auch dies nicht statt, so könnte die Betrachtung, daß durch ein allgemeines Gesetz, betrügliche Versprechen tun zu dürfen, alle Versprechen wegfallen und sich selbst vernichten würden, nie etwas über mich vermögen. Denn wie schon gesagt, wenn es mir gleich viel gilt, ob eine Sache überhaupt wahr oder falsch, gedenkbar oder nicht gedenkbar ist, so kann auch nie darum und dadurch, daß eine Sache wie ein Versprechen nur durch ein Gesetz in sich bestehend oder gedenkbar wird, eine Achtung für dies Gesetz stattfinden.

Aber wenn sich die Sache so verhält, so werden wir das nie auffinden, was der Verf. für nötig hält, um Sittlichkeit von Klugheit oder recht und pflichtmäßig Handeln vom bloßen klug und schlau Handeln zu unterscheiden, nämlich einen sogenannten kategorischen Imperativ, oder ein solches höchstes Gebot der Sittlichkeit, das schlechterdings an und für sich gilt und auf keinerlei Weise und in keinem Betracht hypothetisch ist. Ich frage: warum müssen wir dann einen solchen kategorischen Imperativ ausfinden? Etwa, um einen absolut guten Willen annehmen zu können? Hier frage ich weiter: warum müssen wir dann einen absolut guten Willen annehmen; und was liegt in unseren moralischen Empfindungen und gemeinen Kenntnissen von Sittlichkeit, das uns auf die Voraussetzung eines solchen absolut guten Willens notwendig führt? In der Erfahrung, dies gesteht der Verf. selbst, kann er nie als wirklich gegeben werden. Es ist aber noch die Frage: ob ein solcher guter Wille etwas mehr als eine schöne, aber unmögliche Idee sei, und ob das, was ihn allein zu einem absolut guten Willen machen soll, das bloße Formelle nämlich oder der einzige Umstand der Gesetzmäßigkeit hierzu hinreichend sei? Mir deucht es nicht, wie ich schon oben erinnerte, weil ich doch immer die Gültigkeit oder verbindende Kraft des Gesetzes voraussetzen muß, wofern ein in Gemäßheit desselben handelnder Wille gut sein soll. Und diese Gültigkeit muß doch irgendworin gegründet, muß doch irgendworaus erkannt werden, sonst müßte es ein angeborenes physisches durch Zwang des Instinkts, nicht ein moralisches durch Vorstellungen wirkendes Gesetz sein. Nun macht eben das, worauf sich die Gültigkeit desselben gründet oder woraus sie erkannt wird, die *Bedingung* seiner Gültigkeit aus, mithin gibt es kein anderes sittliches Gesetz als ein hypothetisches, und kein bloß formelles Gesetz läßt sich als gültig denken, so wenig ich einen Willen bloß darum, weil er gesetzmäßig oder weil das Gesetz bloß die Maxime seines Willens ist, für schlechterdings gut erkennen kann, sondern es kommt immer erst darauf an, ob sein Gesetz auch gut sei. Dies führt uns dann darauf, was ich im Anfang erinnerte, daß die sittliche Untersuchung mit dem Begriff von *gut* anfangen und die Frage zuerst untersucht werden müsse, ob sich in Beziehung auf das Verhalten des Menschen irgendetwas anderes als gut angeben lasse, als was wirklich für den Menschen, als ein empfindendes und denkendes Wesen, gut ist. Wenn sich nun bei dieser Untersuchung etwas findet, was ganz allgemein für empfindende und denkende Wesen ohne Ausnahme unter allen Umständen gut ist, so muß dies das höchste und absolute Gute genannt werden. Gibt es ein solches höchstes Gut, so muß es eine gemeinschaftliche Natur und ein hierin gegründetes allgemeines Interesse aller vernünftiger Wesen geben, denn nur durch die Übereinstimmung mit jener und der Konformität mit diesem kann etwas überhaupt für ein solches Wesen gut sein. Diesem zufolge würde nun der gute Wille derjenige sein, dessen Maxime es ist: tue das, was deiner und zugleich aller vernünftigen Wesen gemeinschaftlicher Natur und darin gegründetem gemeinschaftlichem Interesse gemäß und zustimmend ist. Dies ist das höchste Prinzip der Sittlichkeit, und wenn dies keinen kategorischen Imperativ gibt, so ist keiner möglich. Denn höher oder tiefer als in der gemeinschaftlichen Natur aller vernünftigen Wesen kann die Regel ihres Willens und ihres Verhaltens nicht aufgesucht werden. Dies Prinzip wird verbindend und ein Gesetz für mich durch die Vorstellung, daß meines und aller vernünftigen Wesen Interesse eines und dasselbe ist, daß folglich nie eine wahre Kollision meines wahren Vorteils und des wahren Vorteils anderer vernünftiger Wesen entstehen könne und daß in dem Falle, wenn ich nicht einem Teil meiner Natur, z. B. einer besonderen Neigung, sondern meiner ganzen Natur folge, ich zugleich nicht nur mich selbst, sondern überhaupt alle vernünftigen Wesen zu meinem Zwecke mache und ihr Interesse zugleich mit dem meinigen besorge. Folglich entspricht dies so angegebene Prinzip der Sittlichkeit auch der *zweiten Formel*, worin der Verf. sein Prinzip ausdrückt, dieser nämlich: *handle*

*so, daß du vernünftige Wesen niemals bloß als Mittel
gebrauchst, sondern immer auch als Zweck betrachtest.*

Nun läßt sich auch leicht zeigen, daß mit dieser Vorstellungsart von dem höchsten Prinzip der Sittlichkeit weder aller Unterschied zwischen Sittlichkeit und Klugheit aufgehoben noch Pflicht in einen leeren chimärischen Begriff verwandelt werde, wir also, um diesen Unterschied und Pflicht als einen reellen Begriff zu erhalten, eines kategorischen Imperativs nicht schlechterdings bedürfen. Sittlich oder recht und pflichtmäßig handeln, heißt das oben angeführte höchste Prinzip der Sittlichkeit zur Maxime seines Willens machen, und wenn scheinbare Kollisionen des eigenen und des allgemeinen Interesses vorkommen, jenes diesem nachsetzen; dies heißt aber auch zugleich weise handeln, wenn es anders wahr ist, daß es eine allgemeine Harmonie im Reiche der Geister, oder wie es der Verfasser ausdrückt, der Zwecke gibt, und daß ich mein eigenes wahres Beste alsdann unfehlbar befördere, wenn ich dem allgemeinen Interesse gemäß zu handeln zur Maxime meines Willens mache. Das Gegenteil hiervon heißt böse, unsittlich, pflichtwidrig handeln, wenn ich nämlich meinen besonderen Vorteil dem allgemeinen Interesse vorziehe, oder wie man es auch vorstellen könnte, wenn ich nicht meiner ganzen Natur, insofern sie mit der Natur aller vernünftigen Wesen eine und dieselbe ist, sondern nur einem Teil derselben, z. B. einer Neigung folge; aber alsdann handle ich auch unweise, wie denn überhaupt Weisheit und Tugend nur verschiedene Benennungen eben derselbigen Sache sind, und zwar wird jene in Rücksicht auf den Verstand und diese in Beziehung auf den Willen gebraucht. Allein, mit dieser Weisheit ist, nach dem Sprachgebrauch, Klugheit und Schlauigkeit nicht einerlei, und darum kann ich zugleich unweise und unpflichtmäßig und doch klug handeln, d. i. ich kann auf die nächsten von mir zu übersehenden Folgen meiner Handlung Rücksicht nehmen und nach dieser meiner Voraussicht mein Bestes besorgen. Ich kann aber auch bloß aus Klugheit meine Pflicht tun, wenn nicht jenes gemeinschaftliche Interesse der Geisterwelt, nicht die Vorstellung von der Übereinstimmung dieses allgemeinen Interesses mit dem meinigen, sondern die vorausgesehenen und vorausberechneten Vorteile, die mir mein Rechttun einbringen wird, meinen Willen bestimmt, und ein gewisser kaufmännischer Rechnungsgeist die Maxime desselben ausmacht. Freilich, wäre meine Voraussicht und Berechnung immer unfehlbar und richtig und fänden sich in mir keine Hindernisse, das zu wollen, was mein wahrer von mir immer richtig erkannter Vorteil fordert, so wäre diese Klugheit mit Weisheit und Tugend einerlei, aber alsdann fände auch keine eigentliche Pflicht oder Nötigung durch Achtung für ein Gesetz zu demjenigen statt, was meine Weisheit und Klugheit mir untrüglich und unwiderstehlich vorschrieben, so wenig als bei Gott eine Pflicht kann angenommen werden. Aber nun, da meine Voraussicht und Berechnung sehr eingeschränkt und trüglich ist und alle Schlauigkeit nicht zureicht, mir mein wahres Bestes zuverlässig zu entdecken, nun da ich besondere mit meinem wahren Interesse streitende Absichten und Neigungen habe, kann Klugheit meine Maxime der Sittlichkeit nicht sein, sondern ich muß mich, wenn ich für mein wahres Bestes sorgen will, an eine sicherere Maxime halten, d. i. ich muß recht zu tun zu meiner Maxime machen. Wenn ich mich nun hieran halte, so handle ich pflichtmäßig, und dies ist offenbar von klug Handeln oder vom Berechnen und Beobachten meines eigenen Vorteils oder Schadens in jedem Fall weit unterschieden. Der Mensch also handelt pflichtmäßig und recht, der in dem obigen Beispiel sich darum nicht durch ein betrügliches Versprechen aus der Verlegenheit ziehen will, weil er überzeugt ist, daß dies jener Maxime, nichts zu tun, was dem Interesse aller vernünftigen Wesen, und also eingeschlossen seinem eigenen wahren Interesse entgegen ist, widerstreitet; der handelt klüglich, der, ohne auf das Interesse des Ganzen Rücksicht zu nehmen, das betrügliche Versprechen bloß darum unterläßt, weil er befürchtet, daß es ihn um seinen Kredit bringen oder sonstige Nachteile zuziehen würde.

Vergleichen wir endlich die *dritte* Formel, worin der Verf. sein Prinzip der Sittlichkeit oder seinen kategorischen Imperativ ausdrückt, so möchte sich auch mit dieser unser hypothetischer Imperativ einigermaßen vereinbaren lassen. Diese dritte Formel ist: *die Autonomie des Willens ist das höchste Prinzip der Sittlichkeit.* »Diese Autonomie des Willens ist die Beschaffenheit desselben, dadurch er ihm selbst (unabhängig von aller Beschaffenheit der Gegenstände des Wollens) ein

Gesetz ist. Das Prinzip der Autonomie ist also: nichts anderes zu wählen als so, daß die Maxime seiner Wahl in demselben Wollen zugleich als allgemeines Gesetz mit begriffen sei.«[7] Dies ist etwas undeutlich, aber ich verstehe es so, daß die Maxime nichts anderes als das Gesetz selbst sei; wird es nämlich objektiv genommen, so heißt es das Gesetz, dem der Wille gemäß ist; nimmt man es subjektiv, so ist es die Maxime, nach welcher der Wille handelt. Noch deutlicher wird dies werden, wenn man das, was der Verf. Heteronomie des Willens nennt, dagegenhält. Diese Heteronomie soll alsdann stattfinden, wenn der Wille irgendworin anders als in der Tauglichkeit seiner Maxime zu seiner eigenen allgemeinen Gesetzgebung seine Bestimmung sucht, mithin wenn er über sich selbst hinausgeht und in der Beschaffenheit irgendeines seiner Objekte das Gesetz sucht, das ihn bestimmen soll. Der Wille gibt alsdann nicht ihm selbst, sondern das Objekt, durch sein Verhältnis zum Willen, gibt diesem das Gesetz. Dies Verhältnis gestattet nur hypothetische Imperativen: ich soll darum etwas tun, weil ich etwas anderes will; dagegen sagt der kategorische Imperativ: ich soll so oder so handeln, ob ich gleich nichts anderes wollte, z. B. jener sagt: »Ich soll nicht lügen, wenn ich bei Ehren bleiben will; dieser aber: ich soll nicht lügen, wenn es mir auch nicht die mindeste Schande zuzöge.« Der Wille, sagt der Verf., soll nicht über sich hinausgehen, nicht in der Beschaffenheit irgendeines seiner Objekte das Gesetz suchen, das ihn bestimmen soll. Indessen muß ihn doch etwas bestimmen, etwas an das Gesetz binden; soll dies nun nicht die besondere Beschaffenheit des Objekts sein (dahin dann auch die Folgen seiner Wahl dieses Objekts gehören), so bleibt schlechterdings nichts anderes übrig als seine eigene Natur und das in derselben gegründete allgemeine Interesse jedes vernünftigen Wesens, das ihn bestimmen kann und soll. Ein betrügliches Versprechen zu tun ist diesem Interesse entgegen, dieser Umstand allein (nicht die etwaigen guten oder schlimmen Folgen, die sein lügenhaftes Versprechen für ihn haben könnte) soll ihn bestimmen, dergleichen Versprechen nicht zu tun. Einen anderen Sinn, als daß das in der gemeinschaftlichen Natur der vernünftigen Wesen gegründete doppelte Interesse der Wahrheit und des Nutzens, oder das aus der Harmonie eines Satzes mit den wesentlichen

Gesetzen unserer Denkkraft und das aus der Übereinstimmung desselben mit unserem ganzen Begehrungsvermögen oder der Summe derselben resultierende Interesse aller vernünftigen Wesen den Willen als Gesetz und als Maxime bestimmen soll – einen anderen Sinn, sage ich, kann ich dieser Autonomie nicht beilegen; ich kann mir auch keine freiere Gesetzgebung denken oder wünschen als die, die gleichsam meine eigene Natur ausübt und die die Stoiker durch diese Formeln ausdrückten: naturam, optimam ducem, tanquam Deum sequi, naturae convenienter vivere usw. Und alsdann stimmt dies mit dem von mir vorgeschlagenen hypothetischen Prinzip der Sittlichkeit überein. Versteht der Verf. aber dies darunter: der Wille gibt sich ein Gesetz, ohne darauf zu sehen, ob dies Gesetz irgendwozu gut sei und auf irgendein Interesse Beziehung habe, oder insofern durch diese Formel der Autonomie eine Lossagung von allem Interesse beim Wollen aus Pflicht soll angedeutet werden, so scheint mir diese ganze eigenmächtige Gesetzgebung ein blindes Verfahren, und von dem, was man sonst Eigensinn nennt, wo es heißt: stat pro ratione voluntas, wenig unterschieden zu sein. Es würde sich aber diese dritte Formel der Autonomie des Willens in diesem Sinn genommen mit der ersten: *handle so, daß du wollen kannst, daß die Maxime deines Willens ein allgemeines Gesetz werde,* aus den oben angeführten Gründen nicht wohl vereinigen lassen, denn diese Formel weist doch, so wenig dies der Verfasser auch zugestehen will, auf eine Bedingung hin, die meine Maxime haben muß, um in eine allgemeine Gesetzgebung zu passen. Wenn man daher diese erste Formel mit unserem hypothetischen Prinzip vergleicht, so wird man finden, daß beide mit gleichem Recht entweder kategorisch oder hypothetisch genannt werden können. Nun scheint das Prinzip: ich soll etwas tun, weil es meiner und aller vernünftigen Wesen Natur und Interesse gemäß ist, noch mehr geradezu ausgedrückt zu sein als des Verf. kategorisch sein sollender Imperativ von der allgemeinen Gesetzgebung, denn wie gesagt: ich muß doch auf das erstere als einzig mögliche Bedingung zurückkommen, wenn ich einen Erkenntnisgrund suche, was und warum es sich in die allgemeine Gesetzgebung paßt.

Nachdem ich nun dem Verf. bis hierher, da er den Hauptsatz

seiner Schrift ausgeführt, daß der sittliche Imperativ kategorisch sein müsse, und wie derselbe in drei verschiedenen Formeln ausgedrückt werden könne, gefolgt bin, und einige meiner Gegengründe, warum ich einen kategorischen Imperativ der Sittlichkeit weder für nötig noch für möglich halte, angeführt habe, so wird es nun umso weniger nötig sein, ihm in den übrigen Teil, der die abstruseste Metaphysik enthält und zeigen soll, wie ein solcher, ganz unbedingter Imperativ möglich sei und warum er notwendig sei, noch weiter nachzugehen, oder vielmehr in die tiefste Grube der Spekulation nachzuklettern, um doch nur statt aller Ausbeute dies in der Tat wenig befriedigende Resultat heraufzubringen, »daß wir zwar nicht die praktische unbedingte Notwendigkeit des moralischen Imperativs begreifen, aber doch seine Unbegreiflichkeit begreifen, wenn dies auch alles sein sollte, was man billigermaßen von einer Philosophie, die bis zur Grenze der menschlichen Vernunft in Prinzipien strebt, fordern könne«.[8] Es mag genug sein, noch folgendes beizufügen. Der Verf. gesteht, daß, obgleich uns kein Interesse irgendeiner Art zur Unterwerfung unter das Prinzip der Sittlichkeit treiben könne (weil dies nur immer einen bedingten Imperativ geben müßte), wir doch hieran notwendig ein Interesse nehmen und sehen müssen, wie das zugeht. Hier mußte nun der Weltweise allen seinen Scharfsinn aufbieten, nicht nur zu zeigen, wie dies nötige Interesse Nehmen an einem Prinzip der Sittlichkeit, das alles Interesse ausschließt, von dem durch Interesse zur Unterwerfung unter dasselbe Getriebenwerden unterschieden sei, sondern auch begreiflich zu machen, wie dies Interesse Nehmen überhaupt möglich sei. Er bedient sich dazu seines problematischen Freiheitsbegriffes, versetzt uns aus der Sinnen- in die Verstandeswelt und holt aus dieser uns seinen sonstigen Prinzipien nach völlig unbekannten Welt die Gründe der Möglichkeit und Notwendigkeit seines kategorischen Imperativs herüber. Da ich schon über diesen Freiheitsbegriff, worauf zuletzt das ganze Moralsystem des Verf. ruht, mich in der Anzeige der Schulzischen Erläuterung über die Kritik der reinen Vernunft[9] erklärt habe, so sage ich davon weiter nichts und begnüge mich, nur noch dies anzumerken: wenn auch alle die Vorwürfe, die der Verf. den von den seinigen abweichenden Moralsystemen macht, daß sie nämlich durch Angebung unechter (hypothetischer) Prinzipien der Sittlichkeit die Moral auf mannigfaltige Weise verderben und der Sittlichkeit der Menschen schädlich gewesen, begründet wären, das seinige doch diese Gebrechen höchstens nur in der Theorie oder der bloßen Spekulation nach heilen würde, für die Praxis aber gar keine Dienste leisten könne, weil sein Prinzip schlechterdings weder dem Verstande gemeiner und gewöhnlicher Menschen und überhaupt denen, die nicht im spekulativen Denken geübt sind, als verbindendes Gesetz einleuchtend zu machen ist, noch auf den Willen derer Einfluß haben kann, für die selbst der Begriff von Glückseligkeit noch zu hoch, zu abstrakt und zu unwirksam zu sein scheint. Was wollen wir bei Menschen, deren beinahe einzige Triebfedern Neigung zum Vergnügen und Abscheu vorm Schmerz ist, wohl durch diese Vorstellung ausrichten? Du mußt Recht tun, wenn du auch alle deine Neigungen verleugnen, ja, wenn du auch selbst den Trieb nach Glückseligkeit unterdrücken solltest, denn nicht um glückselig zu werden, sondern um der Glückseligkeit würdig zu sein mußt du recht tun. Zwar ist es wahrscheinlich, daß, wenn du dich hier der Glückseligkeit durch Rechttun würdig machst, du derselben dereinst teilhaftig werden wirst, aber diese Hoffnung muß bei dir kein Beweggrund sein, deine Pflicht zu erfüllen, sofern du nicht deine Sittlichkeit verderben und deine Tugend verfälschen willst, du würdest alsdann, so rechtmäßig auch deine Handlungen sein möchten, doch immer nur klug, nicht aber sittlich handeln.

1 [Grundlegung zur Metaphysik der Sitten, AB S. 13.]
2 [A.a.O., AB S. 13 f.]
3 [A.a.O., AB S. 14.]
4 [A.a.O., AB S. 17.]
5 [A.a.O., AB S. 19 f.]
6 [A.a.O., AB S. 20.]
7 [A.a.O., AB S. 87.]
8 [A.a.O., AB S. 128. Ungenaues Zitat.]
9 [In der angezeigten Schrift handelt es sich um: Johann Schulze (Schulz), Erläuterungen über des Herrn Professor Kants Kritik der reinen Vernunft, Königsberg 1784.]

Hermann Andreas Pistorius
Rezension der
»Kritik der praktischen Vernunft«
(1794)

[...]

Es ist die Frage, ob wir die Vernunft insofern praktisch
nennen dürfen, daß sie als höchste und einzige Gesetzgeberin
des Menschen demselben das eigentliche Prinzip der Sittlichkeit nicht nur angeben, sondern auch zugleich ihr eingreifendes Ansehen und ihr Vermögen, sich bloß durch sich selbst
Achtung und Gehorsam zu verschaffen, gehörig beweisen
könne. Dies alles räumt der Verf. der Vernunft ein. Da sich
aber durch unmittelbares Bewußtsein reine Vernunft gar
nicht, und also auch nicht im Kantischen Sinne, als praktisch,
oder als höchste und einzige Gesetzgeberin, oder als Stifterin
aller Sittlichkeit zu erkennen geben kann (weil unser Bewußtsein selbst, so wie alles, was wir durch dasselbe wahrnehmen,
nur empirisch, nur das Selbstbewußtsein eines sinnlich-vernünftigen Objekts ist), auch sich das höchste gesetzgebende
Ansehen der reinen Vernunft nicht durch irgendeine vernünftelnde Analyse unserer Seelenkräfte, etwa die Freiheit, herausbringen läßt; so bleibt nichts anderes übrig, was hier zum
Beweis dienen könnte, als das, was der Verf. das Faktum der
reinen Vernunft nennt; dieses nämlich, daß wir einen Imperativ der Sittlichkeit von den Imperativen der Klugheit, und ein
absolutes Gesetz, das nur die reine Vernunft geben kann, von
allen Regeln und hypothetischen Gesetzen der Selbstliebe, der
Neigungen und überhaupt der sinnlichen Antriebe und
Bedürfnisse unterscheiden, und demzufolge einen unbedingt
guten Willen, dessen Wert über alles geht, zugestehen müssen.
Hierauf ruht nun, als auf dem letzten und einzigen Grunde,
das ganze Kantische Moralsystem; hierauf beruht nämlich die
Notwendigkeit, ein bloß formales Prinzip der Sittlichkeit im
Gegensatz aller materiellen Prinzipien anzuerkennen. Wenn
es sich nun noch zeigen ließe, daß dies formale Prinzip der
Sittlichkeit im genauesten Verstande kein kategorischer

Imperativ genannt werden könne (weil doch immer ein Erkenntnisgrund, warum gerade diese oder jene besondere Maxime zur allgemeinen Gesetzgebung passe, vorhanden sein muß), und wenn es sich dann weiter zeigen ließe, daß dieser Erkenntnisgrund, wenn es nicht der Grundsatz des Widerspruchs selbst ist, kein anderer sein könne als Gemäßheit oder Übereinstimmung der Maxime mit der Natur des Subjekts, dessen Maxime es sein soll; so hindert dies alles doch nicht, daß eine solche Maxime, die wir um ihrer Übereinstimmung mit der Natur willen als in eine allgemeine Gesetzgebung passend erkennen, nicht gleichfalls formal sein und insofern mit dem Kantischen Prinzip der Sittlichkeit übereinkommen sollte. Dies letztere ist und kann nichts anderes sein als das *Vernunftmäßige,* und nach allen den Exempeln zu urteilen, die zur Erklärung angegeben werden, ist es das Selbstbestehende, das Konsequente in einer Maxime, oder der Umstand, daß ich, indem ich dieselbe befolge, mir nicht selbst widerspreche, oder daß ich nicht zugleich eben dasselbe will und nicht will. Das Gegenteil aber oder der Umstand, warum eine Maxime zur allgemeinen Gesetzgebung nicht taugt, ist das Widersprechende, sich selbst Aufhebende und Zerstörende, das darin wahrzunehmen und bei der Befolgung derselben unvermeidlich ist. Weiter erstreckt sich nun auch der Erkenntnisgrund nicht, aus dem wir nach dem Verf. urteilen könnten, ob eine gewisse Maxime des Willens oder ihr Gegenteil sich in eine allgemeine Gesetzgebung passe; und wenn es Maximen gibt, wie es deren unstreitig gibt, deren Tauglichkeit oder Untauglichkeit zur allgemeinen Gesetzgebung sich nicht bloß aus dem auffallenden Vernunftmäßigen oder Unvernunftmäßigen derselben erkennen und entscheiden läßt, so bedürfen wir, wie es scheint, um dies auszumachen, irgendeiner Bedingung oder höheren Betrachtung, und so wäre in diesem Fall der Kantische Imperativ weder kategorisch noch das höchste Sittengesetz. Ob es aber solche Fälle gebe? kommt darauf an, daß man Beispiele anführe, worin sich die Gültigkeit einer Maxime oder ihres Gegenteils zur allgemeinen Gesetzgebung bloß aus der Vernunftmäßigkeit und Unvernunftmäßigkeit derselben nicht beurteilen läßt, und dergleichen auszufinden möchte nicht schwer sein. Man setze, daß man zwischen den beiden entgegengesetzten Maximen, die wir in Ansehung des

Betragens gegen unsere Feinde beobachten können, diejenige nämlich, welche das Christentum vorschreibt und derjenigen, welche der Hurone befolgt, welche letztere man auch so ausdrücken könnte: verschone deinen Feind nie, sondern verfolge ihn, bis du ihn außer Stand gesetzt hast, dir jemals zu schaden, und wenn dies nicht anders möglich ist, bis du ihn vertilgt hast – zu entscheiden hätte, welche von beiden sich in eine allgemeine Gesetzgebung passe. Hier ist, dünkt mich, offenbar, daß das bloße Vernunftmäßige oder Konsequente, das in der einen, und das Widersprechende, das in der anderen liegen sollte, zum Erkenntnisgrund nicht kann gebraucht werden, weil ich weder konsequent handle, wenn ich die eine befolge, noch mir selbst widerspreche, wenn ich die andere ausübe. Es verhält sich hier gar nicht eben so wie bei dem von Kant angegebenen Fall, ob ich mich durch ein falsches Versprechen aus einer Verlegenheit herausziehen darf oder nicht, oder in dem Fall, ob ich stehlen soll oder nicht, denn in beiden Fällen würde ich mir selbst widersprechen; ich würde etwas wollen und zugleich nicht wollen – wollen nämlich, daß Versprechen gelten sollen und auch nicht gelten sollen; wollen, daß es ein Eigentum gebe und auch nicht gebe. Aber ich mag nun christlich oder huronisch mit meinem Feinde verfahren, so handele ich in dem einen Fall nicht konsequenter und auch nicht widersprechender als in dem anderen. Hier verläßt mich also der Erkenntnisgrund, den die reine Vernunft, oder ihr bloßes sic volo, sic iubeo angeben könnte, und ich muß zwischen meinen beiden Maximen entweder immer unentschieden bleiben oder, wenn mir daran liegt, zwischen beiden zu wählen, eine höhere Betrachtung aufsuchen, aus der ich den gesetzgeberischen Wert oder Unwert meiner Maximen entscheiden könne; und daß diese Betrachtung oder dieser Erkenntnisgrund nicht weiter in der reinen Vernunft zu suchen sei, dies, deucht mir, ist offenbar; denn wollte man etwa sagen: man müsse, um den sittlichen Wert oder Unwert einer Handlung oder einer Maxime zu beurteilen, sich selbst fragen, ob man wohl die Handlung als durch seinen Willen möglich ansehen könnte, wenn sie nach dem Gesetz einer Natur geschehen sollte, wovon man selbst ein Teil wäre; oder ob die Maxime einer Handlung so beschaffen sei, daß sie zu einem allgemeinen Naturgesetz tauglich sein könne – sich endlich selbst fragen: was würde daraus werden, wenn ein jeder so handeln wollte? – so ist es unleugbar, daß, wenn man bei diesen Fragen noch mehr wissen will, als was konsequent ist oder nicht, sondern auch wissen will, was der Natur und dem hierin gegründeten allgemeinen Interesse vernünftiger Wesen gemäß ist, man zur Beantwortung derselben Erfahrungskenntnisse zu Hilfe nehmen und auch die Folgen der Handlungen oder vielmehr der Maximen in Betracht ziehen müsse, daß folglich *reine Vernunft* für sich allein nicht imstande sei, sie zu beantworten. In der Tat werden wir auch bei dieser Anweisung, den Wert einer Maxime auszumitteln, auf das Stoische Moralprinzip als den höheren Erkenntnis- und Entscheidungsgrund des Sittlichen verwiesen. Ebenso scheint es mir unleugbar zu sein, daß des Verf. höchstes Sittengesetz, wenn das Obige richtig ist, in der Tat nicht hinreicht, in allen Fällen auszumachen, welche von entgegengesetzten Maximen des Willens wir als gültig für eine allgemeine Gesetzgebung vorzuziehen haben.

Aber dies beiseite gesetzt, läßt sich auch gegen das ganze Kantische Moralsystem die Einwendung machen, daß, der Mensch bloß als reine Intelligenz betrachtet, bloß auf den vernünftigen Teil seiner Natur, nicht aber auf den sinnlichen und dessen Bedürfnisse und Neigungen Rücksicht genommen werde, da doch, wenn für den Menschen als ein sinnlich- vernünftiges Subjekt Sittlichkeit und Gesetze der Sittlichkeit sollen angegeben werden, seine ganze Natur billig sollte in Betracht gezogen werden. Der Mensch ist nicht eine reine Intelligenz, er kann es auch nie werden, sondern bleibt immer ein Glied der Sinnenwelt, insofern er ein der Sittlichkeit fähiges, folglich veränderliches Wesen sein soll. Sittlichkeit ist doch nichts anderes als eine gewisse Art zu wollen und zu handeln und setzt voraus, daß das derselben fähige Subjekt so oder so wollen und handeln könne – daß es sich zu seiner Beschaffenheit und zu seinem Zustande gewissermaßen selbst bestimmen könne – daß es eine Art dieser Selbstbestimmung gebe, die jeder anderen Art derselben vorzuziehen sei – daß dies Wesen eine ursprüngliche, vor aller Selbstbestimmung vorhergehende Grundbestimmung oder eine ursprüngliche Anlage haben müsse; denn hätte es diese nicht, so ließe sich bei ihm gar keine bessere und schicklichere, noch viel weniger beste und schicklichste Art, sich selbst zu bestimmen und zu handeln denken, so wenig sich von einer an sich unförmlichen, gegen alle Formen, die man ihr geben könnte, auf gleiche Weise sich leidendlich verhaltenden Masse sagen läßt, daß diese oder jene Form für sie die schicklichste und beste sei. Es kann also für ein solches Wesen die beste und schicklichste, d. i. die pflichtmäßige Art sich selbst zu bestimmen, keine andere sein als diejenige, die in seine Grundbestimmung oder in seine ursprüngliche Anlage einstimmt und also darauf abzweckt, aus diesem Wesen gerade das zu machen, was nach seiner Grundbestimmung daraus werden konnte und sollte. Ein der Sittlichkeit fähiges Wesen muß mithin auch ein solches sein, das das, was es sein kann und sein soll, nicht *auf einmal* ist, es auch nicht bloß und lediglich vermöge seiner Grundbestimmung oder nur durch fremde Bestimmung wird, sondern das sich zum Teil wenigstens selbst bestimmen kann und soll, folglich ein zur Ausführung seiner ursprünglichen Anlage, zur Vollendung seiner Grundbestimmung, d. h. zu seiner sittlichen Ausbildung fortschreitendes, mithin veränderliches Wesen sein und bleiben muß; denn könnte es je ganz vollendet oder vervollkommnet werden, so würde es stillstehen müssen, könnte über den erreichten Punkt der Vollkommenheit nicht hinausgehen, würde aufhören, ein *sittliches* Wesen zu sein und würde nun nach den vom Verf. angenommenen Begriffen ein *heiliges* Wesen sein. Läßt sich nun das Fortschreiten von einem Zustand zum anderen ohne den Zeitbegriff schlechterdings nicht denken und gehört der Zeitbegriff bloß zur Sinnen- und Erscheinungswelt, so wird der sittliche Mensch, insofern er sittlich bleiben soll, nie eine reine Intelligenz werden, nie aus der Welt der Erscheinungen herauskommen; und hieraus folgt, daß er auch jene transzendente Freiheit, wir mögen sie als negativ oder positiv betrachten, nie haben kann, d. i. sie nie wirklich erreicht, ob er sich gleich derselben auf eine unbestimmbare Weise nähern kann. Alles dies scheint zu beweisen, daß alle Rücksicht auf den sinnlichen Teil der menschlichen Natur bei Bestimmung dessen, was für ihn sittlich und Sittlichkeit ist, nicht außer acht zu lassen sei. Eben dies wird sich nun noch weiter bestätigen, wenn wir auf unsere Frage, inwiefern unsere Vernunft als praktisch betrachtet werden könne, zurückkommen.

Im allgemeinen kann die Vernunft praktisch heißen, insofern sie sich mit dem Begehrungsvermögen befaßt und überhaupt einen Einfluß auf das Tun und Lassen des Menschen äußert. Dahin gehört, daß sie die Wirkungen des Begehrungsvermögens vor ihren Richterstuhl zieht, billigt und mißbilligt, und so ist es natürlich, daß sie das erstere unter anderem insofern und darum tut, insofern sie die Handlungsmaximen und -weisen mit ihrem eigenen Grundgesetz der Einstimmung und des Widerspruchs übereinkommend oder konsequent, und das letztere, insofern sie diese Maximen und Handlungsweisen diesem ihrem großen Grundgesetze widerstreitend oder inkonsequent findet. Bloß aus diesem Gesichtspunkt und in dieser Beziehung will der Verf. die Vernunft als praktisch betrachtet wissen; indessen ist es nicht zu leugnen, daß die Vernunft auch nach ihrem zweiten Grundgesetze, dem Grundsatz des Grundes und des Gegründeten die Handlungen beurteilt, sie billigt, wenn sie diesem Grundsatz gemäß gegründet und zweckmäßig sind, und sie mißbilligt, wenn sie demselben entgegen ungegründet und unzweckmäßig sind. Ja, nach dem gemeinen Sprachgebrauch wird das gegründete und zweckmäßige Handeln insonderheit der Vernunft zugeschrieben; warum sollte denn, möchte man denken, dies zweite Grundgesetz der Vernunft nicht ebenso gut einen Imperativ der Sittlichkeit hergeben als der Grundsatz der Einstimmung und des Widerspruchs einen solchen hergibt? Vielleicht, weil sich kein solches Faktum der reinen Vernunft, worauf die Gültigkeit des Kantischen Imperativs der Sittlichkeit ruhen soll, für einen Imperativ, der sich auf den Grundsatz der Kausalität bezieht und sich darauf gründet, angeben läßt? Aber wie es sich mit diesem Faktum der reinen Vernunft auch verhalten mag, so gehört doch auch der Grundsatz der Kausalität ebenso wie jener des Widerspruchs zum Wesen der reinen Vernunft, und wir finden die Billigung der Vernunft in Ansehung des Konsequenten durch eben dasselbe empirische Bewußtsein, wodurch wir die Billigung derselben in Ansehung des Gegründeten und des Zweckmäßigen wahrnehmen. Eins so gut wie das andere scheint also ein Faktum der reinen Vernunft zu sein und als ein solches zum Grunde eines Imperativs der Vernunft liegen zu können. Sowohl daß das konsequente Wollen und Handeln dem inkonsequenten Wollen und

Handeln vorzuziehen sei und daß dies konsequente Wollen und Handeln von dem bloß gegründeten und zweckmäßigen Handeln noch unterschieden sei als auch, daß das zweckmäßige oder mit Grund etwas Wollen und Handeln dem unzweckmäßigen und ohne Grund Wollen und Handeln vorzuziehen sei, ist auf gleiche Weise ein Anspruch, ich will nicht sagen, der reinen Vernunft, denn diese läßt sich durch unser bloß empirisches Bewußtsein nicht unmittelbar vernehmen, sondern der gesunden Menschenvernunft. Wenn nun deren Ausspruch in dem einen Fall alles bei uns gelten soll, so sollten wir billig für dieselbe, wenn sie in dem anderen Fall ebenso laut spricht, eben die Achtung beweisen. Ein solcher Fall wäre nun dieser, wenn solche Umstände einträten, daß von den beiden Maximen: fiat iustitia et pereat mundus, und dieser: salus populi suprema lex esto, nur die Befolgung der einen möglich wäre, und also einem Volke oder dessen Regenten nur die Wahl übrig bliebe, ob die Gerechtigkeit verletzt oder die gemeine Wohlfahrt aufgeopfert werden solle. Ein Regent mag es in seiner Gewalt haben, entweder ein öffentlich und feierlich gegebenes Versprechen zu brechen oder sein Volk auf immer, wenigstens auf unabsehbare Zeiten aus seinem Wohlstand in die verworfenste Sklaverei und in grenzenloses Elend zu stürzen. Was befiehlt ihm hier seine Pflicht, oder vielmehr, was sagt hier die gesunde Menschenvernunft? Soll er lieber sein Volk untergehen lassen und also seinem höchsten Zweck entgegen handeln oder sein Wort brechen? Und wenn er sein Wort bricht und dadurch sein Volk rettet, sollte er nach dem Urteil dieser Vernunft gerade nicht besser handeln als der falsche Spieler, der sich durch Betrügereien bereichert? Sollte er die durch den Bruch seines Worts bewirkte Erhaltung seines Staats als etwas, wodurch er in seinen eigenen Augen verächtlich würde, zu betrachten haben? Ich zweifle sehr daran, daß er nach dem Ausspruch des schlichten Menschenverstandes sich so streng für die Verletzung der Gerechtigkeit bestrafen würde. Aber laßt uns den entgegengesetzten Fall annehmen: er opfert, damit der Gerechtigkeit nur ein Genüge geschehe, die gegenwärtige und künftige Glückseligkeit seines Volks auf, wird er sich nun bei den unvermeidlichen Vorwürfen, die er sich selbst, die ihm sein Volk, die ihm die Welt machen wird, bloß dadurch beruhigen und auf den Trümmern seines Vaterlandes damit rechtfertigen können: ich habe wenigstens der Maxime gefolgt, von der ich wollen kann, daß sie ein allgemeines Gesetz werde? – Wie der große Friedrich diesen Gewissensfall entschieden, kann keinem Leser seiner hinterlassenen Schriften unbekannt sein; und wenn beinahe alle Regenten und Nichtregenten, wo hier überhaupt eine Ausnahme zu machen ist, alter und neuerer Zeiten in diese von dem Kantischen Moralsystem so weit abgehende Entscheidung einstimmen sollten, so würde dies wenigstens als Tatsache so viel beweisen, daß, wenngleich der schlichte Menschenverstand einen Unterschied zwischen Recht und Nutzen, zwischen pflichtmäßig (konsequent) und klug (zweckmäßig) handeln anerkennt, und ein Betragen, wo das letztere dem ersteren vorgezogen wird, in gewöhnlichen Fällen nicht billigt, es doch aber auch Fälle geben könne (wohin der oben angeführte gehört), wo der Nutzen so überschwenglich groß und ausgebreitet, der entgegengesetzte Nachteil so wichtig und unersetzlich, das Bedürfnis so dringend, so gebieterisch wird, daß nach dem Ausspruch eben dieser gesunden Menschenvernunft derjenige, der dies alles durch die bloße Achtung für das vernunftmäßig-konsequente Handeln überwiegen ließe, wo nicht in seinen eigenen Augen, doch in den Augen aller übrigen Menschen als ein übervernünftelnder Phantast erscheinen würde, und aus dieser Tatsache ließe sich dann, wie mich dünkt, wieder mit Recht folgern, daß es nicht nur in des Menschen Natur sei, darauf zu sehen, ob die Maxime, wonach er handelt, konsequent sei und als eine solche sich in eine allgemeine Gesetzgebung passe oder nicht, sondern auch darauf, ob seine Handlung gegründet und zweckmäßig sei oder nicht. Und hat dies nur als eine in dem gemeinen Wahrheitssinn gegründete Tatsache seine Richtigkeit, so läßt sich, meiner Einsicht nach, Rücksicht auf den letzten Zweck oder auf die ganze Naturanlage des Menschen von der Untersuchung und Festsetzung dessen, was der Mensch zu tun und zu lassen hat, dessen, was für ihn Recht, Pflicht oder schicklich ist, nicht ganz ausschließen; noch weniger läßt es sich behaupten, daß durch jede Rücksicht auf das Zweckmäßige die Moral verderbt und ein Wille, bei dem das Zweckmäßige in irgendeinen Betracht kommt, eben dadurch unsittlich gemacht werde. Dies hat meines Wissens vor Kant noch nie ein Philosoph in dieser Strenge und Allgemeinheit behauptet, und, wenn wir die schwärmerischen Verteidiger der reinen Liebe Gottes ausnehmen, wohl noch nie ein Sittenlehrer demjenigen Willen, der sich zu einer gesetzmäßigen Handlung auch aus Rücksicht auf den letzten und höchsten Zweck des Menschen bestimmt, um dieser Rücksicht willen allen sittlichen Wert abgesprochen.

Wir kommen nun zu des Verf. Begriff vom Guten und Bösen oder dem Gegenstand und Zweck des Moralgesetzes. Auch das, was der Verf. hierüber vorträgt, scheint einige Anmerkungen nicht unnötig zu machen. Der Rez. der Grundlegung zur Metaphysik der Sitten hatte (A. d. Bibl. B. 66, S. 449) behauptet,[1] daß die Untersuchung des Sittlichen von der Festsetzung des Begriffs vom Guten ausgehen müsse; hierauf scheint der Verf. insofern Rücksicht genommen zu haben, daß er im Gegensatz zu dieser Behauptung zu zeigen sucht, daß, weil das höchste Prinzip der Moral nicht materiell, sondern formal sein müsse, nicht der Begriff des Guten und Bösen das höchste Moralgesetz angeben oder bestimmen könne, sondern daß gerade umgekehrt das zuerst auszufindende Moralgesetz uns allererst das absolut Gute oder das höchste Gut in demjenigen, was dieses Gesetzes Zweck und Gegenstand sei, ausfinden lasse. Wenn wir nun auf diese Weise ein höchstes Gut aufsuchen und finden, daß es nichts anderes sei als die Fertigkeit, vernunftmäßig, d. i. konsequent zu wollen und zu handeln, und wir nun mit dem Verf. eben hierin die Tugend setzen: so leidet es keinen Zweifel, daß die Tugend für das höchste Gut zu halten sei. Auf eben dieses Resultat kam die stoische Philosophie, indem sie den Grundsatz: *Handle der Natur gemäß*, zum höchsten Prinzip der Sittlichkeit machte; eben dasselbe, das der gedachte Rez. zur Met. d. S. angenommen hatte, als welches genau betrachtet ebenfalls formal und nicht materiell ist. Auch in Absicht des Gegenstands und Zwecks dieses Prinzips stimmt die stoische Moralphilosophie mit der Kantischen überein, daß nach beiden die Tugend das höchste Gut sei, nur in Ansehung des zweiten oder integrierenden Teils des höchsten Guts, nämlich der Glückseligkeit, die nach Kant sowohl als nach den Stoikern zum höchsten Gut gerechnet wird, weichen beide voneinander ab, und diese Abweichung scheint hauptsächlich von dem verschiedenen

Begriffe, den sie sich von Glückseligkeit machen, herzurühren. Die Stoiker setzen bekanntlich die Glückseligkeit in der Ausübung der Tugend und suchen beide zu identifizieren, nach dem bekannten Ausspruche: ne putes alium sapiente bonoque beatum, oder dem: sola bona quae honesta; und so brauchten sie keinen besonderen Beweis zu führen, daß Glückseligkeit zum höchsten Gut gehöre oder einen Bestandteil davon ausmache – einen Beweis, den sie nach ihrem Begriff von Glückseligkeit, und da sie bei Festsetzung ihres Prinzips der Sittlichkeit und dessen, was zur Tugend gehört, auch die sinnliche Natur des Menschen mit in Betracht zogen (obgleich in beständiger Unterordnung unter der vernünftigen), auf allen Fall leicht führen konnten. Denn daß der ganzen Natur des Menschen, der sinnlichen und vernünftigen zusammengenommen, letzter Zweck auf Glückseligkeit führe, fällt von selbst auf. Aber Kant, der den stoischen Zusammenhang oder, wie er es auch nennt, das Koalitionssystem zwischen Tugend und Glückseligkeit nicht will gelten lassen, sondern vielmehr behauptet, daß die Vernunft und Tugend den Menschen der Glückseligkeit nur würdig, nicht aber teilhaftig machen könne, müßte billig den Beweis führen, daß auch Glückseligkeit wenigstens als integrierender Teil zum höchsten Gut gehöre, insofern auch sie ebenso wie seine Tugend Gegenstand und Bedürfnis und folglich auch Zweck der reinen praktischen Vernunft sei. Wenn er einen solchen Beweis unternehmen wollte, so kann derselbe, wie es scheint, nie für eine solche Glückseligkeit gelten, wie sie sich für eine reine praktische Vernunft paßt, und dies kann keine andere sein als eine solche, wodurch ihr einziges Bedürfnis, ihr einziger Zweck, konsequente, in eine allgemeine Gesetzgebung reiner Intelligenzen passende Maximen des Willens zu haben, befriedigt und erreicht wird. Macht nun Befriedigung des einzigen Bedürfnisses, Erreichung des einzigen Zwecks und Wunsches nach Kants eigener Definition der Glückseligkeit dieselbe aus, so kann die Vernunft an und für sich selbst nach keiner anderen Glückseligkeit streben als nach derjenigen, die sich aus der Erfüllung und Befriedigung ihres einzigen Bedürfnisses und Zwecks ergibt. Doch diese Glückseligkeit scheint K. nicht im Sinne zu haben, sondern vielmehr eine solche, die man im populären Sinne Glückseligkeit nennt, die nämlich sinnliche Bedürfnisse, Triebe und Neigungen voraussetzt, und die wenigstens zum Teil mit aus der Befriedigung derselben entsteht. Glückseligkeit soll nämlich, wie K. sagt, der Zustand eines vernünftigen Wesens sein, dem im Ganzen seiner Existenz alles nach Wunsch und Willen geht, weswegen sie auf der Übereinstimmung der Natur zu seinem ganzen Zweck, in gleichen zum wesentlichen Bestimmungsgrunde seines Willens beruhe. Ist nun die Verknüpfung dieser Glückseligkeit mit der Tugend nicht analytisch, wie sowohl die Stoiker als Epikuräer (obgleich auf eine verschiedene Weise) behaupteten, sondern vielmehr, wie K. annimmt, synthetisch, so kann man noch immer fragen, was berechtigt ihn, Glückseligkeit mit Tugend im Begriff des höchsten Guts zu verbinden, oder zu fordern, daß zu dem höchsten Gut auch ein dem Grade der Tugend proportionierter Grad der Glückseligkeit hinzukommen müsse, und zwar eine Glückseligkeit, wie sie nicht nur die vernünftige, sondern auch die sinnliche Natur des Menschen heischt? Daß es aber eine solche ist, die er fordert, erhellt nicht nur aus der oben angeführten Definition derselben, sondern auch aus seiner ganzen Argumentation gegen das stoische Koalitionssystem. Und wenn es noch mehrere Beweise hiervon bedürfte, so könnte man sich unter anderem auch auf seine Behauptung, daß Selbstzufriedenheit und Selbstbilligung noch nicht Glückseligkeit sei, berufen, ferner darauf, daß Glückseligkeit beim Wollen nicht, insofern sie Glückseligkeit, d. i. etwas angenehmes, den Neigungen schmeichelhaftes, sondern der Tugend ungebührendes ist, der Gegenstand des guten Willens sein soll, eben weil sie vermischter Natur ist und etwas zum Zweck des guten Willens machen würde, was eigentlich nicht der Zweck desselben sein soll. Dies alles zeigt denn deutlich genug, daß der Verf. unter Glückseligkeit auch hauptsächlich äußerlichen Wohlstand und sinnliches Vergnügen mit versteht. Wenn nun eine solche Glückseligkeit zum höchsten Gut, mithin auch zum Gegenstand und Zweck des Moralgesetzes (selbst unter den Einschränkungen und Modifikationen, die er hierbei macht) gerechnet wird, so nimmt der Verf. offenbar bei Bestimmung des Begriffs vom höchsten Gut auch Rücksicht auf die gegenwärtige sinnliche Natur des Menschen, indem er das, was nur sie fordert (äußeren Wohlstand und sinnliches Vergnügen), mit zum höchsten Gut rechnet, und hier muß es nun sehr inkonsequent scheinen, daß er bei Bestimmung des Gesetzes und des demselben gemäßen Willens, der das höchste Gut hervorbringen soll, nicht gleichfalls auch auf die sinnliche Natur des Menschen Rücksicht nehmen wollte, daß er also von der Ursache mehr fordere als sie möglicherweise leisten konnte und sollte; mit einem Worte, daß er seine Glückseligkeitslehre und Tugendlehre nicht einander angepaßt, sondern zueinander in ein auffallendes Mißverhältnis und in eine Art von Mißhelligkeit gegeneinander gesetzt hat – daß er in der Tugendlehre strenger als Zeno und in der Glückseligkeitslehre laxer als Epikur zu sein scheint. Die sehr richtige Bemerkung des Herrn Garve in seinen Anmerkungen zu Fergusons Moralphilosophie, daß es widersinnig sei, der Tugend in einem künftigen Lebenszustand als eigentliche Belohnung solche Güter und Vergnügungen und überhaupt eine solche Glückseligkeit anzuweisen, die man uns hier zur Pflicht gemacht hat um der Tugend willen zu verachten und derselben aufzuopfern,[2] scheint auf den gegenwärtigen Fall anwendbar zu sein. Ohnedem, je mehr wir uns der reinen Sittlichkeit und der absoluten Freiheit oder Unabhängigkeit von Naturnotwendigkeit und mithin auch von dem Eindruck äußerer Gegenstände und dem Reiz sinnlicher Vergnügungen nähern, desto entbehrlicher, desto gleichgültiger und desto unschmackhafter werden uns diese Dinge und Vergnügungen werden; und sie sollten noch immer, wenn wir einen sehr hohen Grad reiner Sittlichkeit und Freiheit erreicht hätten, ein unentbehrliches Ingredienz unserer Glückseligkeit ausmachen? noch immer nicht fehlen dürfen, wofern die unparteiische Vernunft den wahren Ausspruch tun sollte, daß unserer so erhöhten Tugend eine ihr angemessene Glückseligkeit, eine Glückseligkeit, deren sie würdig ist, wirklich zuteil geworden sei? Hierbei fällt es zugleich auf, daß, wenn äußerliche und sinnliche Glückseligkeit noch immer zu derjenigen Glückseligkeit gehören soll, welche das höchste Gut erst vollendet darstellt, vorausgesetzt werden müsse, daß der Mensch immer ein Mitglied der Sinnenwelt bleibt, und auch eben daraus folge, daß bei Entwurf eines Moralprinzips und eines Sittengesetzes auf ihn als ein sinnliches Wesen auch hätte Rücksicht genommen werden müssen. Vor diesem Vorwurf der Inkonsequenz war die stoische Philosophie durch das richtige Verhältnis und die Harmonie zwischen ihrer Tugendlehre und Glückseligkeitslehre gesichert, auch nahmen die Stoiker in ihrer Tugendlehre Rücksicht auf die ganze Natur des Menschen, sowohl auf den vernünftigen als auf den sinnlichen Teil derselben. Ihre Tugend bestand nicht nur in Gerechtigkeit und in dem, was darunter begriffen wird, sondern auch in Klugheit, Mäßigung und Tapferkeit. Klugheit, d. h. mögliche Kenntnis und Einsicht sowohl der Natur der Dinge überhaupt als der menschlichen insonderheit; sie war dem Weisen nötig, zuvorderst um das, was in des Menschen Macht steht, von dem, was nicht in seiner Macht steht, zu unterscheiden, und dann auch, um durch die Erkenntnis der Natur einsehen zu lernen, wie sich der Wille dieselbe möglichst unterwerfen und über sie herrschen könne. Ferner Mäßigung, oder Bestrebungen und Übungen, diejenigen Neigungen und Wünsche, die er als für menschliche Kräfte unerreichbar erkannt hatte, zu schwächen und zuletzt zu unterdrücken; und endlich Tapferkeit, oder das Bestreben und die Übung, unvermeidliche Übel und Beschwerden zu ertragen und sich eine Fertigkeit zu erwerben, sich dagegen immer unempfindlicher zu machen und sich über Furcht und Schrecken zu erheben, so wie ihn die Mäßigung und die Übung in derselben über den Reiz der Güter des Glücks und die Vergnügungen der Sinnlichkeit erheben sollte. Diese Tugendlehre hatte eine offenbare Beziehung auf die Lage des vernünftigen Menschen in der Sinnenwelt und zielte darauf ab, ihn seiner Glückseligkeit in eben dem Verhältnis näherzubringen, in welcher er sich der Tugend und seiner Grundbestimmung, die Vernunft zur Herrschaft über die Sinnlichkeit zu erheben, näherte, und wäre nur überhaupt diese Tugend für den Menschen erreichbar, so würde er auch der ihr proportionierten Glückseligkeit nicht verfehlen.

Zuletzt wäre über die sogenannten Postulate der reinen Vernunft noch manches anzumerken, da indessen dieser Aufsatz schon so weitläufig geraten ist, so muß ich mich begnügen, nur über das Postulat von der Freiheit noch einige Erinnerungen beizufügen. Zuerst merke ich an, daß das, was der Verf. über die sogenannte transzendente Freiheit lehrt, mir nicht bestimmt, sondern zweideutig zu sein scheint, ob er nämlich die Freiheit der Gleichgültigkeit oder eine solche verstehe, wie die Indeterministen im Gegensatz des Determinismus fordern, oder bloß das, was ein Leibnizischer Philosoph absolute Freiheit nennen würde. Nach der Beschreibung, die er von derselben gibt, da er sie teils eine Unabhängigkeit von Naturnotwendigkeit oder von allem Einfluß äußerer Dinge auf die Bestimmung des Willens, teils ein Vermögen der praktischen Vernunft, den Willen durch ihre eigenen Gesetze zu bestimmen, nennt, scheint es nicht allein nicht nötig zu sein, an eine indeterministische Freiheit zu denken, sondern man müßte wohl vielmehr das Gegenteil derselben annehmen, denn der Wille wird doch immer bestimmt und muß immer bestimmt werden, wenngleich nicht durch äußere Dinge, doch durch die Vernunft und durch das Gesetz, das sie dem Willen vorschreibt. Auf der anderen Seite aber scheint es, als wenn der Verf. zu dem Begriff der sittlichen Zurechnung und zur Möglichkeit derselben indeterministische Freiheit nötig halte und behaupte, daß da, wo eine Art von Notwendigkeit sei (die immer in dem Begriff der deterministischen Freiheit eingeschlossen ist), gar keine Zurechnung stattfinde. Doch kann es sein, daß er nur eine Notwendigkeit versteht, wodurch der Wille von außen, nicht aber von innen durch sich selbst bestimmt wird, und also einen gewissen größeren Vernunftfatalismus, und also nur von der ersteren behauptet, daß da, wo sie zu finden ist, keine Imputation statthaben könne. Angenommen, daß dies letzte seine Meinung sei, so würden dem Menschen, insofern und solange er unter Naturnotwendigkeit steht, keine seiner Handlungen zuzurechnen sein; und da sehe ich nicht, wie man dadurch, daß man dem unter Naturnotwendigkeit stehenden Menschen oder dem Menschen als Glied der Sinnenwelt auch einen intelligiblen Charakter beilegt oder ihn zugleich als Glied einer Verstandeswelt betrachtet, folglich zu gleicher Zeit die transzendente Freiheit zuteilt, vermöge der er für seine Handlungen verantwortlich wird, sich aus dieser Verlegenheit heraushelfen könne; denn beide Arten der Freiheit, da sie einander gerade widersprechend sind und aufheben, kann doch ein und dasselbe Subjekt unmöglich zu gleicher Zeit wirklich haben und äußern, ebenso wie es unbegreiflich scheint, daß der Mensch, der doch nur eine Person ausmacht, zu gleicher Zeit einen doppelten sich

entgegengesetzten Charakter, den sinnlichen und intelligiblen, als Glied zweier verschiedener Welten wirklich besitzen
und in der Tat zwei entgegengesetzte Ichs ausmachen sollte.
Ich gestehe es gern, dieser doppelte Charakter des Menschen,
diese zwei Ichs in dem einfachen Subjekt, sind mir bei allen
den Erklärungen, die Kant selbst und seine Schüler darüber
gegeben haben, bei allen den Anwendungen, die sie davon
insonderheit zur Auflösung der bekannten Antinomie von der
Freiheit machen, das Dunkelste und Unbegreiflichste in der
ganzen kritischen Philosophie. Ich gestehe, daß, wenn ich
diese Hypothese von dem doppelten Charakter und den zwei
Ichs in dem Menschen auf die gewöhnliche Entgegensetzung
des Geistigen und Sinnlichen im Menschen, auf das, was
Paulus das Gesetz in unserem Gemüt und in unsern Gliedern
nennt, oder auch auf das, was den Araspes beim Xenophon in
der Cyropädie verleitete, sich zwei Seelen, eine gute und eine
böse, zuzuschreiben, zurückbringen wollte, derselbe mir bis
auf die neue Terminologie etwas Bekanntes und Verständli-
ches zu sein scheine; aber dann kann ich mir weder die Auflösung der Antinomie noch das, was sonst in der kritischen
Philosophie darauf gebaut wird, hinlänglich erklären. Auch
könnte mir die Vorstellung, daß der Mensch nach seinem sinnlichen Charakter oder nach seinem empirischen Ich als eine
Erscheinung, nach seinem intelligiblen Charakter und Ich als
ein Ding an sich selbst zu betrachten sei, zur Erklärung das
nötige Licht geben; denn ich möchte nun den Menschen, als
Glied der Sinnenwelt, mit seinen Handlungen und mit seiner
Naturnotwendigkeit immerhin als Erscheinung betrachten, so
blieb er doch immer ein sittlich handelndes Wesen, seine der
Naturnotwendigkeit unterworfenen Handlungen blieben immer imputabel und seine Sklaverei unter der Naturnotwendigkeit war nicht scheinbar, sondern wirklich. Stellt man sich
aber den doppelten Charakter des Menschen und seine zwei
Ichs nicht als zu gleicher Zeit mit einander bestehend, sondern
als aufeinander folgend vor, so daß der Mensch in der Sinnenwelt nichts weiter als die Anlage zum intelligiblen Charakter,
nichts weiter als die Bestimmung, dereinst eine reine Intelligenz zu werden habe, so kann man doch, wenn das, was oben
erinnert worden, richtig ist, bloß annehmen, daß er sich
diesem intelligiblen Charakter und allen damit verbundenen

Eigenschaften und Vorzügen nur in einem Infinitesimal-Verhältnisse nähern, nie aber denselben erreichen werde und könne. Sollte er denselben wirklich erreichen, so würde er wirklich zu dem Range und den Vorzügen einer Gottheit erhöht werden, weil nach den Beschreibungen der Eigenschaften und Vorzüge einer solchen Intelligenz alles sein Wollen und Handeln (da er nicht mehr, wie in der Sinnenwelt, bald so, bald so handeln könnte und keiner Veränderung unterworfen wäre) bei ihm nichts weiter als ein einziger unveränderlicher Aktus seines Willens (gerade wie man es sich bei dem unendlichen unveränderlichen Wesen gedenken muß) sein müßte und er bei aller der Kausalität des Veränderlichen, die ihm zugeschrieben wird, selbst als ganz unveränderlich müßte betrachtet werden.

Bei allen diesen Schwierigkeiten, Dunkelheiten, und, aufs gelindeste gesagt, Scheinwidersprüchen kann man meiner Einsicht demnach nicht mehr als einen einfachen, nämlich den sinnlichvernünftigen Charakter, nur ein Ich, nur eine, nämlich sehr eingeschränkte Freiheit oder vernünftige Selbsttätigkeit dem Menschen zuschreiben, von der man aber annehmen kann, daß sie immer weniger eingeschränkt sich einer absoluten Freiheit in einem unendlichen Progressus nähern werde und könne, ohne doch diese, wofern er nicht aufhören soll, ein endliches Wesen zu sein, jemals zu erreichen. Widrigenfalls müßte man bei ihm eine Freiheit annehmen, die er zwar hätte, aber die er nicht gebrauchen kann und die ihm in der Tat nichts hilft, da er noch immer der Naturnotwendigkeit unterworfen ist, wobei er noch immer zu Handlungen bestimmt wird, die ihm wirklich beigemessen werden und wofür er auch alsdann, wenn er nach abgelegtem Scheinwesen als reine Intelligenz aus der Sinnen- in die Verstandeswelt übergehen würde, noch immer verantwortlich bleibt. Was hilft ihm denn diese ganze Distinktion, wenn doch auf seinen doppelten Charakter, auf sein zwiefaches Ich eben die Antwort paßt, die jener Bauer seinem Regenten, einem Fürstbischof, soll erteilt haben? Da der Bauer diesem nämlich wegen seiner übertriebenen Neigung zur Hetzjagd die Vorstellung machte, daß es sich für ihn als einem geistlichen Herrn nicht gezieme, die Felder seiner Untertanen durch das Wild verheeren zu lassen, erwiderte er demselben auf die Gegenrede: der Bauer müsse bedenken, daß er nicht nur ein geistlicher, sondern auch ein weltlicher Herr sei: »Aber, gnädiger Herr, wenn der Teufel den weltlichen Herrn holt, wo wird der geistliche bleiben?«

Wie sollen wir uns endlich die Vereinigung dieser beiden so verschiedenartigen Charaktere in ein und demselben Subjekt als möglich denken? Ist sie wesentlich notwendig, so daß sich schlechterdings der vernünftige Charakter nicht anders als mit dem sinnlichen verbunden in einem endlichen Subjekt denken läßt? Wenn dies sein sollte, so können sie nicht so einander entgegengesetzt sein, daß man sie sich als zwei Personen, als zwei Ichs in dem nämlichen Subjekt denken könne, so kann der Mensch, so wie er nie eine reine Intelligenz gewesen, es auch nie werden, so ist die in ihrer Art einzige Abstraktion der Vernunft von der Sinnlichkeit, oder vielmehr die gewaltsame Trennung beider, die man der kritischen Philosophie mit Recht Schuld gibt, durchaus nicht zu rechtfertigen. Hat diese Vereinigung in einer willkürlichen Anordnung der Gottheit ihren Grund, so läßt sich auch, wenn man sich auch auf die Behauptung der kritischen Philosophie nicht berufen wollte, daß der Grund der Erscheinungswelt, wohin die Sinnlichkeit des Menschen gehört, nicht in der Gottheit, in welcher nur die Ursache des Reellen liegt, zu suchen sei, doch auch nicht wohl begreifen, daß Gott die Vernunft durch willkürliche Beigesellung der Sinnlichkeit ihrer eigentümlichen Freiheit berauben und sie aus der Selbstherrschaft, die ihr gebührte, zur Sklavin unter einer Tyrannin, die der usurpierten Herrschaft so unwürdig ist, dadurch erniedrigen wollen, daß er sie von Naturnotwendigkeit abhängig gemacht. Wollen wir endlich annehmen, daß sich der Mensch als reine Intelligenz freiwillig mit der Sinnlichkeit vereinigt hat, so sieht diese Hypothese den Träumen gewisser morgenländischer Philosophen, die vorgaben, daß höhere Geister sich durch die Einsenkung in irdische Körper von ihrer hohen Würde herabgestürzt, sich versinnlicht und verschlechtert haben, so ähnlich, daß es nicht der Mühe lohnt, sich mit der Auseinandersetzung der Widersinnigkeiten derselben länger aufzuhalten. In der Tat würde die freiwillige Vereinigung der Vernunft mit der Sinnlichkeit die erste und die einzige Sünde des Menschen sein, die erste, weil alle anderen Sünden daraus entsprungen, die einzige, weil sich alle anderen auf diese einzige zurückbringen lassen, indem alle anderen Handlungen unter der Abhängigkeit von Naturnotwendigkeit geschahen und insofern nicht mehr imputabel sind. Diese erste Sünde würde dann mit dem sogenannten Sündenfall sehr viel Ähnliches haben, nur würde sie noch unwahrscheinlicher sein, da man sich vorstellen müßte, daß sie von jeder einzelnen Intelligenz müsse begangen werden, und nicht, wie Adams Sünde, nur von ihm allein begangen werden dürfe, um auf alle seine Nachkommen fortgeerbt oder für sie alle geltend zu sein. – Der Rez., indem er diese seine Zweifel und Bedenklichkeiten hersetzt, bescheidet sich gern, daß sie leicht daher rühren mögen, weil es ihm nicht hat glücken wollen, über diesen Punkt der kritischen Philosophie, den er ihr großes Geheimnis nennen möchte, sich Licht zu verschaffen. Indessen, so sehr auch alle diese Zweifel auf Mißverstand gegründet sein und so wenig sie also an sich bedeuten mögen, so würden sie doch einiges Verdienst haben, wenn sie auch nur dazu dienten, die künftigen Erklärer und Verteidiger der kritischen Philosophie auf diesen Punkt aufmerksam zu machen und ihnen denselben als insonderheit ihrer Aufklärung bedürftig auszuzeichnen.

1 [Siehe den in diesem Band abgedruckten Text der Rezension, S. 144-160.]
2 [Adam Fergusons Grundsätze der Moralphilosophie. Übersetzt und mit einigen Anmerkungen versehen von Christian Garve. Frankfurt und Leipzig 1787, S. 269 f.]

August Wilhelm Rehberg
Rezension der
»Kritik der praktischen Vernunft«
(1788)

In der Grundlegung zur Metaphysik der Sitten hatte der Verf. aus den gemeinen verworrenen Begriffen von Sittlichkeit analytisch entwickelt: daß es unumgänglich notwendig sei, auf ein letztes praktisches Prinzipium zurückzukommen, welches sich a priori erkennen ließe, und also die Vernunft allein zur Quelle des sittlichen Vermögens des Menschen zu machen, wenn er anders nicht auf alle Sittlichkeit gänzlich Verzicht leisten und sich bloß den Empfindungen überlassen wolle, welche seiner tierischen Natur anhängen; daß dieses praktische Vernunftgesetz des sittlichen Verhaltens des Menschen, wenn es rein gedacht wird, auf die Idee der metaphysischen Freiheit führe und also den Menschen ihm selbst in einer von der sinnlichen Welt und deren Gesetzen ganz unabhängigen höhern Gestalt und in einer ganz eigenen Würde, als Teilnehmer einer andern, intelligibeln Welt, zeige.

Diese Ideen über die sittliche Natur des Menschen führt nunmehr der Vf. hier im ersten Teile (der Elementarlehre) im synthetischen Vortrage aus. Zuerst enthält die Analytik eine Entwicklung des praktischen Grundgesetzes der Vernunft. Objekte gibt mir die Sinnenwelt zu erkennen, es kann also ein Gesetz der Vernunft kein Objekt enthalten, sondern es muß dasselbe bloß formal sein. In Anwendung auf ein *gegebenes* Objekt wird es zur Maxime. Alle Objekte, die demselben gegeben werden können, beziehen sich auf die sinnliche Natur des Menschen, also auf das Prinzipium der Selbstliebe oder eignen Glückseligkeit. Jenes Gesetz der Vernunft hingegen kann nicht durch einen Gegenstand, sondern bloß durch seine Form einen Bestimmungsgrund des Willens enthalten, denn es würde aufhören, als Gesetz der Vernunft wirksam zu sein, sobald diese Wirksamkeit an einen Begriff von sinnlichen Gegenständen gebunden wird. Ein durch die bloße Form bestimmter Wille ist frei, denn die metaphysische Freiheit besteht in der gänzlichen Unabhängigkeit von allen Gesetzen der sinnlichen Welt. Ein solcher freier Wille kann gegenseitig durch nichts anderes als durch das Gesetz, vermöge seiner Form, bestimmt werden. Das Grundgesetz der reinen praktischen Vernunft ist also dieses: Handle so, daß die Maxime deines Willens jederzeit als Prinzipium einer allgemeinen Gesetzgebung gelten könne. Dieses Gesetz ist wirklich dasjenige, welches allen moralischen Urteilen des Menschen zu Grunde liegt, und es folgt also aus diesem Facto, daß die reine Vernunft wirklich praktisch sei. (Daher denn auch das Werk nicht Kritik der reinen praktischen Vernunft überschrieben ist, sondern Kritik der praktischen Vernunft, weil diese Kritik des praktischen Vernunftvermögens erweist, daß es rein sei.) Dieses alleinige Prinzip aller moralischen Gesetze ist also mit der Autonomie des Willens, das ist, seiner völligen Unabhängigkeit und Freiheit, einerlei.

Diese Grundsätze der reinen praktischen Vernunft verstatten keine solche Deduktion ihrer Rechtmäßigkeit in der Anwendung auf wirkliche Gegenstände wie die Grundsätze der reinen Vernunft im spekulativen Gebrauch: denn in diesem ist die Frage, welches die Gegenstände seien, auf welche Anwendung der Ideen der reinen Vernunft verstattet werden möge oder gar notwendig sei. Hier aber bringt das Gesetz selbst, sobald es wirklich ist (welches durch seine Gedenkbarkeit schon hinlänglich erwiesen wird), seinen Gegenstand hervor und dient also zum Prinzip einer Deduktion der sonst unerforschlichen Freiheit, die in der spekulativen Vernunft als möglich, aber auch nur als möglich aufgestellt werden mußte. Eben deswegen, weil diese praktische Vernunft ihren Gegenstand selbst hervorbringt, ist dieser eben so reell wie sie selbst, und darauf gründet sich ihre Befugnis im praktischen Gebrauche aus sich selbst herauszugehen, welches sie im spekulativen Gebrauche nicht kann, ohne in eine Ideenwelt überzugehen, deren objektive Realität sich durch nichts beweisen läßt.

Der Gegenstand einer reinen praktischen Vernunft kann also nicht vor dem moralischen Gesetze bestimmt werden (welchem er gewöhnlich von den empirischen Moralisten sogar zu Grunde gelegt wird), sondern es muß dieser Gegenstand nach dem Gesetze und durch dasselbe bestimmt werden (2tes Hauptstück). Dieser Gegenstand ist also das sittlich (das ist, an sich selbst, ohne alle subjektive Bedingungen) *Gute* und *Böse*, welche Worte schon durch den gewöhnlichen Sprachgebrauch, der sie von dem Wohl und Übel oder Wehe unterscheidet, zu dem Ausdruck dieser Ideen bestimmt werden. Die Freiheit in Ansehung der Begriffe des Guten und Bösen durch alle Kategorien durchgeführt, zeigt also den Weg zu einer vollständigen Untersuchung des ganzen moralischen Vermögens des Menschen (die wir mit der größten Sehnsucht in der versprochenen Metaphysik der Sitten erwarten). [...]

Diese Gesetze der Freiheit können (so fährt der Verf. unter der Überschrift: von der Typik der reinen praktischen Urteilskraft, fort) nicht wie die Begriffe des reinen Verstandes vermittelst eines Schemas (der reinen Form der Anschauung) in der sinnlichen Welt dargestellt werden, denn sie sind ganz von den Gesetzen der Natur verschieden, ja denselben entgegengesetzt. Als Gesetz aber lassen sie sich in den Gesetzen der Natur (nicht in deren Gegenstande) als in einem Typo darstellen, und dieser Typus ist die Regel der Handlungen, daß sie als allgemeines Gesetz einer intellektuellen Natur sollen gelten können, von der man selbst ein Teil sei. Diese Regel ist in der Tat diejenige, nach welcher der gemeine Verstand die sittliche Güte der Handlungen beurteilt (nach der gewöhnlichen Frage: Wenn das ein andrer täte?) Diesem Begriffe des sittlich Guten ist es also wesentlich, daß er sich zu der Vernunft verhalte wie die Wirkung zur Ursache, daß folglich das moralische Gesetz unmittelbar den Willen bestimme. Es kann die Moralität daher schlechterdings keine andre Triebfeder (3tes Hauptstück) zulassen als sich selbst. Eine jede Handlung, die aus andern Triebfedern entspringt, ist nur dem Gesetze gemäß, legal, aber nicht moralisch. Diesen andern sinnlichen Triebfedern tut eines Teils das moralische Gesetz, als Bestimmungsgrund des Willens, Abbruch, und andern Teils verschafft es sich selbst dadurch Raum zu eigner Wirksamkeit: es ist also in jener Rücksicht Gegenstand der Furcht, in dieser, Gegenstand der größten Achtung des Menschen, und diese durch bloße reine Vernunft erzeugten Gefühle (die moralischen) sind die sittlichen Triebfedern des Menschen, nicht Triebfeder zur Sittlichkeit, sondern die Sittlichkeit selbst als Triebfeder. Im beständigen Kampfe mit den sinnlichen Neigungen (also in endlichen Wesen) wird sie Tugend, in unendlichen Wesen hingegen, wo sie ohne alle Hindernisse freiwirkend gedacht wird, ist sie Heiligkeit.

Zum Beschluß der Analytik folgt noch unter der Aufschrift: *Kritische Beleuchtung der reinen praktischen Vernunft,* eine Rechtfertigung des Ganges, der in der ganzen Ausführung genommen worden, und des Gebrauches der Idee von Freiheit, als der Hauptidee, die dem Ganzen zu Grunde liegt, zur Verhütung des in der Philosophie so gewöhnlichen Mißverstandes und Mißbrauches derselben. Die Freiheit im metaphysischen Verstande, die absolute Freiheit, im Gegensatz zu der komparativen, welche nur Dependenz von innern Ursachen andeutet, aber nach denselben Gesetzen der Naturnotwendigkeit, denen die mechanische Abhängigkeit von äußern Ursachen unterworfen ist: diese Freiheit ist ein transzendentales Vermögen, nicht eine psychologische Eigenschaft. Nimmt man nun die Zeit, durch deren Vermittelung Notwendigkeit von der ganzen ihr unterworfenen Welt der Naturerscheinungen erwiesen wird, für eine Eigenschaft der Dinge an sich selbst, so ist es ganz unmöglich, jene transzendente Freiheit, auf welche doch das moralische Gesetz (Rez. fügt hinzu: und das spekulative Bedürfnis der Vernunft) unvermeidlich führt, mit der erweislichen Notwendigkeit aller Erscheinungen in der Zeit zu vereinigen; und es zeigt sich also auch hier der große Wert der in der Kritik der reinen Vernunft angestellten Untersuchung dieses Begriffs der Zeit. Und eben hierdurch ist auch die Auflösung einer andern Schwierigkeit gegeben, welche dem Begriff von Freiheit von seiten des noch höhern Begriffs von Gott als dem Schöpfer aller Dinge droht. Denn wenn diese Schöpfung die Dinge an sich selbst, nicht aber ihre Erscheinung in der Zeit angeht, so deutet auch dieselbe gar kein Verhältnis zu der Sinnenwelt an, und es ist also kein Bestimmungsgrund der Erscheinungen in der Gottheit zu suchen. Indessen scheint der Verfasser selbst zu fühlen, daß hier noch immer eine Schwierigkeit liegt, die er noch nicht aufzulösen imstande ist, und die er lieber ehrlich anzeigen, als gleich den mehresten Philosophen der vermeinten guten Sache, die eigentlich nur das Interesse ihrer Eigenliebe ist, zu gefallen die tiefer liegenden Schwierigkeiten, in der Hoffnung, daß andere sie übersehen werden, verdecken will. (In der Tat hängt diese Schwierigkeit sehr genau mit dem

Grunde des ganzen Systems des Verfassers und mit der Art, wie er die Objektivität der intelligibeln Welt in praktischer Absicht deduziert, zusammen, wie die hiernächst folgende Ausführung der Erinnerungen, die Rez. zu machen hat, zeigen wird.)

Zweites Buch. Dialektik. Das Geschäft der Vernunft ist allemal, das Unbedingte zu den in der Sinnlichkeit gegebenen bedingten Gegenständen zu suchen. Dieses ist nirgends zu finden als in den Dingen selbst. Unsere Erkenntnis reicht aber nicht weiter als auf Erscheinungen. Daher der Schein, der die Vernunft verleitet, Erscheinungen für Dinge an sich selbst zu halten, bis der daraus unvermeidlich entstehende Widerstreit der Vernunft mit sich selbst sie auf jene notwendige Unterscheidung führt, deren Grund in der Krit. der rein. Vern. unter dem Namen Dialektik entwickelt wird. Im praktischen Gebrauche sucht die Vernunft ein solches Unbedingtes als Gegenstand, unter dem Namen des höchsten Gutes. Ein unbedingtes Gutes ist nun zwar die Tugend, aber doch noch kein vollendetes, denn zu einem solchen, als dem Gegenstande des *ganzen* Begehrungsvermögens eines endlichen Wesens, gehört auch noch Glückseligkeit, und die Analytik hat gezeigt, daß die Verbindung dieser beiden Begriffe, der Tugend und der Glückseligkeit, in einem einzigen nicht als Identität analytisch erkannt werden könne, so wie Epikur und die Stoiker glaubten, von denen jener Tugend im Bewußtsein des Bestrebens nach Glückseligkeit, und diese die Glückseligkeit im Bewußtsein der Tugend auflösen wollten. Diese Verbindung ist vielmehr synthetisch. Es muß also die Begierde nach Glückseligkeit die Bewegursache zur Tugend oder die Tugend die wirkende Ursache der Glückseligkeit sein. Jenes aber hebt alle Tugend auf, und dieses ist unmöglich, weil die Erscheinungen der sinnlichen Welt sich nicht nach den moralischen Gesinnungen, sondern nach physischen Umständen richten.

Diese Antinomie wird aufgelöst, so wie in der Kritik der reinen Vernunft die Antinomie der Freiheit und Naturnotwendigkeit. Die Glückseligkeit als notwendige Folge der Sittlichkeit läßt sich nämlich in einer intelligibeln Welt gar wohl denken, und es empfindet sogar das vernünftige Wesen schon ein Analogon davon in seiner sinnlichen Erscheinung, in dem Gefühle der Selbstzufriedenheit. Ein notwendiges Erfordernis zu der Bewirkung jenes höchsten Gutes ist die völlige Angemessenheit der Gesinnungen zum moralischen Gesetze, oder die Heiligkeit. Diese ist in einem vernünftigen Wesen der Sinnenwelt in keinem Augenblicke möglich und kann nur in einem ins Unendliche gehenden Progressus zu jener Vollkommenheit gesucht werden. Dieser, und mithin Unsterblichkeit der Seele, ist also ein Postulat der reinen praktischen Vernunft. Das zweite, was zur Vollendung des höchsten Guts gehört, ist die der Heiligkeit durchgehend angemeßne Glückseligkeit, oder der Begriff eines Ganzen, worin die sittliche Vollkommenheit mit dem Maße der Glückseligkeit in vollkommenem Verhältnisse steht. Diese dem Maße der Sittlichkeit durchgehend proportionierliche Glückseligkeit nun läßt sich nur vermittelst des Begriffs von einer heiligen Intelligenz als letzter Ursache der Welt denken. Die Existenz Gottes also ist das zweite Postulat der reinen praktischen Vernunft. (Im letzten Abschnitt fügt doch der Verf. hinzu, daß jene Unmöglichkeit, eine Zusammenstimmung der Welt mit dem sittlichen Gesetze ohne Gott zu denken, nur subjektiv sei, daher in einem Wesen, das zum Bewußtsein seiner Moralität kommt, zwar kein Unglaube, aber doch Zweifel, εποχη möglich ist.)

Es ist in der Tat mit Widerwillen, daß Rez. hier in so wenigen dürren Zeilen den Inhalt dieses Abschnittes angibt (eine der erhabensten Abhandlungen, die er je gelesen), aber er sieht noch so vieles zu sagen vor sich, daß fortgeeilt werden muß.

Obgleich also die praktische Vernunft, durch ihre Postulate, Unsterblichkeit, eine intelligible Welt freier Kräfte, und das theologische Ideal, aufstellt, deren objektive Realität die spekulative Vernunft nur durch Täuschungen zu erweisen vermochte, so wird dennoch keine Erkenntnis dieser Objekte dadurch begründet, denn alles, was das Bedürfnis des Sittengesetzes erweiset, ist dieses, daß jene Gedanken Objekte haben. Der Einsicht in die Natur dieser Objekte bedarf die praktische Vernunft weiter nicht, und sie eröffnet auch keine Quellen dazu. Es bleibt also alle theoretische Erkenntnis von der Natur Gottes und der Seele ein bloßes Spielwerk mit leeren Worten oder offenbar falschen Vorstellungen.

Der zweite Teil, *Methodenlehre*, enthält eine kurze, sehr einleuchtende, äußerst faßliche Ausführung der Art, wie man dem Gesetze der Vernunft auf die menschlichen Gemüter

Eingang verschaffen müsse: es soll nämlich durch Entwicklung des praktischen Gesetzes in seiner Reinheit Achtung gegen dasselbe gegründet und so Tugend erzeugt und gestärkt werden. Ein großer Kontrast mit der beliebten Methode der neuern Erziehungswissenschaft, die auf Erregung leidenschaftlicher Gefühle so vielen Wert legt und dadurch nur schwache und hoffärtige Geschöpfe bildet. [...]

Indessen hat sich nach der Einsicht des Rez. in das hier ausgeführte System etwas Unerweisliches mit eingeschlichen und läuft durch die ganze Abhandlung durch, welchem zufolge sie zu vollkommener Evidenz zwar nur einer geringen Änderung im Ausdruck bedarf, aber dessen Erörterung eben deswegen von der größten Wichtigkeit ist.

Die Grundgesetze der Moral müssen kategorisch sein, wenn es überhaupt eine Moral geben und diese nicht zur Klugheitslehre herabgewürdigt werden soll. Notwendigkeit findet sich nur in Vernunfterkenntnis, also ist reine Vernunft allein die Erkenntnisquelle reiner Sittenlehre. Das alles ist keinem Zweifel unterworfen, und die Verteidiger einer empirischen Moral als der einzig möglichen mögen sich drehen wie sie wollen, sie werden nie den gegründeten Vorwürfen entgehn, die ihnen in dieser Kritik der praktischen Vernunft an mehreren Stellen sehr kräftig und in den bündigsten Raisonnements gemacht werden.

Nun fragt sich aber, ob die reine Vernunft, für sich allein, einen synthetischen Grundsatz ihrer Wirksamkeit ausfindig machen könne und in welchem Verhältnisse derselbe als sittliches Gesetz zu dem sinnlichen Menschen stehe?

Zuerst, ist es überhaupt erlaubt, eine reine praktische Vernunft zu denken? Obwohl nämlich die Realität der Kategorien nur von Gegenständen der Sinne vermittelst der Anschauungen der reinen Form der Sinnlichkeit erwiesen werden kann, so lassen sich doch noumena unter den Kategorien denken, wenngleich nicht erkennen. Es ist also erlaubt, die reine Vernunft (ein noumenon) als Ursache oder Kraft zu denken und dasjenige, was alsdann der Wirkung korrespondiert, *gut* zu nennen. Das Verhältnis unter der reinen Vernunft als Ursache mit diesem *Guten* als Wirkung, ist ein reiner Wille. Es lassen sich also auch synthetische Grundsätze von der Verbindung der reinen Vernunft als Ursache durch

Freiheit mit einem (ganz unbekannten) Objekte denken: und alles dieses kann, insofern es zum Reiche der Ideen (nicht aber Chimären, welche eine unbefugte sinnliche Einkleidung jener Ideen sind) gehörig, gar nicht verworfen werden. Nur fragt sich, wie denn ihr Zusammenhang mit der Sinnenwelt und ihre Realität in dieser sich erweisen lassen? Es kann dieses unmittelbar nicht anders geschehen als vermittelst des Bewußtseins seiner selbst, als reiner Vernunft, als freien Willens und Besitzers des absolut Guten: wie auch der Verf. selbst gleich zu Anfang sagt, daß reine Vernunft, wenn sie wirklich praktisch ist, ihre Realität durch die Tat beweist. Aber das erste, das Selbstbewußtsein als reine Vernunft, existiert nirgends. Das zweite, das Bewußtsein des freien Willens, hängt von jenem ab. Der Vf. sucht die Vorstellung desselben (im 2. Absch. des 1. Hauptst.) durch die Bemerkung zu erleichtern, daß der Verstand, außer seiner Beziehung auf Objekte, auch noch ein Verhältnis zum Begehrungsvermögen habe. Aber die Erklärung, die er (S. 16. d. Vor.) von diesem Begehrungsvermögen gibt, ist eine Erklärung des Willens. Sie heißt: das Vermögen, durch seine Vorstellungen Ursache von der Wirklichkeit der Gegenstände dieser Vorstellungen zu sein. Wir begehren viele Dinge, von denen wir selbst wissen, daß wir nicht Ursache ihrer Wirklichkeit sein können. Jene Erklärung paßt also wohl nicht nach dem gewöhnlichen Sprachgebrauch auf das Begehrungsvermögen, sondern auf den Willen, welcher das Verhältnis des Verstandes zum Begehrungsvermögen anzeigt, also nicht wieder ein Correlatum des Verstandes in einem solchen Verhältnis sein kann. (Um alle Zweideutigkeit und Einmischung sinnlicher Bestimmungen zu vermeiden, damit also die angeführte Erklärung eine transzendente Thelematologie ganz deutlich mit in sich begriffe, würde R. sie also fassen: die Kraft, Möglichkeit zur Wirklichkeit zu bestimmen. So enthielte sie wirklich lauter Kategorien.)

Fragt man endlich drittens nach der Erklärung der Idee des absolut Guten (dergleichen im 2. Hauptstück der Analytik vergeblich gesucht wird), so läßt sich durchaus nichts anderes herausbringen als das Vernunftmäßige. Soll dieses Gute als ein transzendentes Objekt gedacht werden, so entsteht nichts als Schwärmerei, da unsere transzendente Erkenntnis nur auf das Formelle geht: das Formelle eines jeden transzendenten

Objekts aber kann gar nichts anderes sein als Vernunftgesetz. Es bestätigt sich also auch hier, wie im spekulativen Gebrauch, daß die Vernunft sich immer nur in sich selbst herumdreht; sich schlechterdings nicht aus sich selbst herausdenken und für sich selbst synthetische Grundsätze entdecken kann. Wenn sie aber doch überhaupt zum Behuf einer reinen Gesetzgebung der Sittenlehre dergleichen denken darf, so fragt sichs, ob nicht die reine Vernunft, wenngleich kein unmittelbares Bewußtsein derselben in der Sinnlichkeit stattfindet, doch mit dieser verbunden werden könne? Die Notwendigkeit eines solchen Übergangs von der Vernunft in die Sinnlichkeit, zum Behuf der Moralität, soll (S. 53.) dadurch erwiesen werden, daß ohne die Sittlichkeit das Problem der Freiheit gar nicht aufgeworfen sein würde. Allein dies ist falsch. Die Metaphysik der Natur enthält ebensowohl die Veranlassung zu der Idee von einer durch sich selbst vollständig bestimmten Kraft, und es ist nur das subjektive Interesse der Glückseligkeit, welches die Frage in Rücksicht auf die Sittlichkeit so viel wichtiger für uns macht. Und wodurch soll jener Übergang geschehen? Wird die Handlung eines sinnlichen Wesens als Wirkung der Vernunft betrachtet, so ist dieses Verfahren demjenigen völlig ähnlich, welches in der Kritik der reinen Vernunft unter der Überschrift: von der Amphibolie der Reflexionsbegriffe, so vortrefflich in seiner ganzen Schwäche dargestellt wird. Es muß also jener Übergang durch etwas mit dem Sinnlichen Gleichartiges geschehen, wodurch die reine Vernunft der Zeitbestimmung unterworfen wird, ohne sinnlich zu werden. Dieses ist das moralische Gefühl, die Achtung gegen das Gesetz. Aber ist diese Achtung keine Empfindung? Kant windet und dreht sich im 3. Hauptstücke der Analytik auf die mannigfaltigste Art, um zu beweisen, daß sie kein sinnliches Gefühl sei. Aber hier ist er ganz unbefriedigend. Alles, was sich aus seinen Gründen folgern läßt, ist dieses: daß die angenehme Empfindung, die mit der Erkenntnis des Vernunftgesetzes verbunden ist, eben deswegen, weil sie mit dem absolut Innern der Erkenntnis, im Gegensatz zu allem objektiven Inhalte derselben, verbunden ist, verdient, von diesen Quellen der Glückseligkeit ganz abgesondert zu werden. [...] Es ist daher ganz vortrefflich, daß Kant den Ausdruck der Achtung bloß für das mit der Erkenntnis des Vernunftgesetzes verbundne

Gefühl bestimmt, aber diese Achtung bleibt doch immer demungeachtet ein Gefühl der Lust, wie sich auch sehr deutlich bei der ganz uninteressierten Betrachtung großer menschlicher Charaktere zeigt: denn die Unbehaglichkeit, die hiermit nach des Verfassers Bemerkung (S. 137) verbunden ist, entsteht allein aus dem Gefühle eigner Schwäche, das dadurch oftmals erregt wird, und andern subjektiven Nebenumständen. Er beschuldigt diejenigen der Schwärmerei, welche dieses Gefühl der Lust am Gesetze zur moralischen Triebfeder machen, da diese doch im Gesetze selbst allein bestehn müsse. Er findet diese moralische Schwärmerei sehr verderblich und erhebt gegen sie die Religionsschwärmerei (S. 150), so wie vorher (S. 125) den Mystizismus, weil sich diese doch mit der Reinheit des Gesetzes vertragen. Dieses letztere ist zwar wohl in der abstrakten Idee gegründet und in der Spekulation wahr. Auch findet sich wohl einmal irgendwo (wenn es anders erlaubt ist, wirkliche Menschen, deren unendlich komplizierte moralische Triebfedern, keiner ganz reinen Bestimmung fähig sind, als Exempel aufzustellen) ein Fenelon, der seine Liebe zur Schönheit des sittlichen Gesetzes auf ein Objekt, auf das Ideal der Vernunft, überträgt und so als religiöser Schwärmer der erhabenste Mensch wird: aber gewöhnlich ist dies gar nicht der Weg, den menschliche Leidenschaft zu gehen pflegt. Vielmehr zieht dieses Objekt der religiösen Schwärmerei, die mehresten von denen, die sich ihr ergeben, von der wirklichen Welt ab und macht sie ganz vergessen, daß die wahre Moralität nur in der Anwendung ihrer Gesetze auf die sinnliche Welt besteht. Daher ist die Mystik gewöhnlich nur die unschuldige letzte Zuflucht solcher unglücklicher Personen, die durch Elend und Widerwärtigkeiten zu aller Wirksamkeit in der Welt unfähig geworden sind; oder der schändliche Deckmantel der unsittlichsten Charaktere, die in der sinnlichen Welt, als welche dem Ideale doch nie entsprechen könne, sich alles erlauben, und die Sittlichkeit dafür in eine intelligibele Welt übertragen, auf deren Gefühle sie nur noch die abscheulichste von allen Arten des Hochmuts, den übersinnlichen theologischen Hochmut gründen. Aus allen diesen Ursachen lieben so viele Große der Erde die Schwärmerei, und deswegen sind alle Bemühungen der Priester-Seelen, von welcher Denomination sie auch immer sein mögen, durch solche

Schwärmerei die Gemüter solcher Menschen zu heilen oder zu trösten, entweder vergeblich oder verabscheuungswürdig.

Der Gedanke, daß das Gesetz selbst, nicht aber das Vergnügen am Gesetze, die Triebfeder der Sittlichkeit sein müsse, ist selbst Schwärmerei. Denn was ist es anders als Schwärmerei (die in der Erdichtung übersinnlicher Gegenstände besteht), wenn Achtung fürs Gesetz ein Gefühl und doch keine sinnliche Empfindung sein soll? Und diese Schwärmerei führt unmittelbar zu einem andern und dem allerschlimmsten Fanatismus, der Ertötung der Sinne. Wenn nur das sittlich gut ist, was unmittelbar um des Gesetzes willen geschieht, und die Achtung fürs Gesetz *allen* sinnlichen Triebfedern Abbruch tut, so wird durch sie auch das Vergnügen am Gesetze eingeschränkt, und wir haben die unglückselige und alle Moralität vernichtende Skrupulosität derer, die sich selbst straften, weil sie an der Liebe Gottes Vergnügen fanden und ihn also nicht uneigennützig um seiner selbst willen, sondern um ihrer dadurch entstandnen Glückseligkeit willen liebten.

Das Verhältnis der Ideen von reiner Sittlichkeit und Freiheit zur menschlichen Natur ist also dieses. Sie liegt, wie der Verf. (S. 75) sehr gut sagt, unsern Willensbestimmungen gleichsam als Vorzeichnung zum Muster vor. So als Idee, aber nicht als Ursache wird der transzendente Gebrauch der reinen praktischen Vernunft immanent; und dieses ist auch für die Moralität vollkommen hinreichend. Denn die Zurechnung, die nach des Verf. Behauptung mit der transzendentalen Freiheit ganz wegfällt, geht wirklich nicht auf das (der rationalen Psychologie in der Krit. der reinen Vern. zufolge) ganz leere transzendentale Ich, sondern auf das empirische Bewußtsein. Ich, in meiner Erscheinung in der Sinnenwelt, bin es, der von sich selbst einer Ungerechtigkeit wegen angeklagt und verachtet wird. Und wie würde es mit dieser Zurechnung aussehen, wenn sie das transzendentale Ich, das Noumenon, dessen Wesen die reine Vernunft ist, träfe und absolute Freiheit notwendig voraussetzte? Hier ist der Ort, die Schwierigkeit zu erörtern, die der Verf. selbst, wie oben angezeigt worden, aufstellt und in gewisser Rücksicht vortrefflich löst. Eben sowohl nämlich als die Vernunft als causa noumenon gedacht werden darf, eben sowohl ist es auch erlaubt, sie unter der

Kategorie der Wirkung zu denken und nach dem Grunde ihrer Existenz zu fragen. Bei dieser Frage gerät man denn (zwar nicht notwendigerweise unmittelbar) auf die Idee von Gott als dem Schöpfer alles Existierenden. Wird aber die Gottheit als Ursache der Seele als eines Dinges an sich selbst gedacht, so ist die reine Wirkung dieses Dinges Wirkung der Gottheit. Kant sagt hierauf: die Schöpfung beziehe sich nur aufs noumenon, folglich nicht auf die Wirkung desselben in der Sinnenwelt. Rez. würde noch weiter gehen und den Beweis der Realität jenes Begriffes der metaphysischen Schöpfung fordern, der als Idee immer gedacht werden *kann*, aber dessen Anwendung auf noumena nicht erhellt. Aber ist durch Kants Antwort die Schwierigkeit wirklich behoben? Freilich, wenn wir den Begriff von der Gottheit nur dazu gebrauchten, damit die Vorstellung von endlichen noumenis und ihren denkbaren Verhältnissen vollständig würde. Aber die wahre metaphysische Veranlassung zu der Idee von einer Gottheit und das metaphysische Bedürfnis der Vernunft, ein Urwesen anzunehmen, liegt gar nicht hier, sondern in der durch die Erfahrung gegebenen und der Vernunft unbegreiflichen Verbindung der Vernunft mit der Sinnlichkeit. Diese macht das letzte unauflösliche Problem der ganzen Philosophie, der transzendenten Psychologie sowohl als Kosmologie, aus. Begriffe des Verstandes und Ideen der Vernunft lassen sich denken, und sinnliche Empfindung läßt sich anschauen, aber wie es zugehe, daß sinnliche Empfindung durch Begriffe des Verstandes subsumiert werde, wie die Intelligenzen sinnliche Gegenstände anschauen, wie also die Ideenwelt mit der wirklichen Welt verbunden sein könne und wirklich verbunden sei, das ist ein Problem, dessen Unauflöslichkeit die Idee eines letzten unendlichen Urwesens erzeugt, in dem die Verbindung der intelligibeln und Erscheinungs-Welt gegründet sei. Die Idee der Gottheit ist also unentbehrlich, um sich die Möglichkeit zu denken, wie noumena sinnlich erscheinen, und wenn Schöpfung in der Zeit gleich ein abgeschmackter Gedanke ist, so verlangt doch die Existenz der Erscheinungen in der Zeit eine Idee, um begreiflich zu machen, wie diese Erscheinung gedacht werden könne. Von jenem großen Probleme, welches zu seiner Auflösung der Idee der Gottheit notwendig bedarf, ist aber auch die Frage ein Teil, wie die

Wirksamkeit einer Intelligenz (die sich als Ursache denken, aber nicht erkennen läßt) zu einer sinnlichen Handlung werde. Es ist daher ganz unmöglich, diese Erscheinung in der Sinnenwelt von dem Verhältnisse der Kraft selbst zur Gottheit ganz abzutrennen. So unphilosophisch also auch nicht allein der atheistische, sondern auch der deistische Naturfatalismus ist, so können wir uns doch von einem andern intelligiblen gar nicht losmachen, ohne die Idee von dem höchsten Urwesen zugleich zu verwerfen. Bei diesem System intelligibler Notwendigkeit leidet aber die Sittlichkeit gar nicht; denn diese hängt ganz an der Vernunft. Diese bleibt aber Vernunft, sie mag selbständig sein oder von einem andern Wesen ihre Existenz haben: und so ist die Idee der Moralität zwar mit einem komparativen Begriffe von Freiheit (der Abhängigkeit von innern Bestimmungsgründen anzeigt), nicht aber mit dem absoluten Begriffe von Freiheit, der auch selbst von der Vernunft als noumenon nicht einmal erwiesen werden kann, wie soeben gezeigt worden, unzertrennlich verbunden.

Aus allen diesem glaubt sich Rez. berechtigt, den Schluß zu ziehen:

Daß es gar keine besondre reine praktische Vernunft gebe: sondern daß dieselbe nur in der Anwendung der reinen Vernunft auf das empirisch gegebne Begehrensvermögen bestehe: daß folglich (um sich Kantischer Ausdrücke zu bedienen) die transzendenten Prinzipien dieser Kritik zu transzendentalen herabgestimmt werden müssen: daß sie als transzendente Prinzipien nur zu regulativen Ideen tauglich sind, als transzendentale hingegen zu konstitutiven Prinzipien der Moral werden: und daß hierdurch das (S. 162) in der Ferne gezeigte Problem der Einheit des ganzen reinen Vernunftvermögens, des theoretischen sowohl als praktischen, bereits aufgelöst sei.

Diesem zufolge ist der Satz des Widerspruchs das oberste Principium cognoscendi der reinen Sittlichkeit. Es sind aber auch ihre Vorschriften ursprünglich wirklich nur verbietend, und alle ursprüngliche Wirksamkeit der Vernunft besteht darin, Handlungen aufzuheben, ebenso wie der empfundene Widerspruch in einem Gedanken die Illusion vernichtet, vermöge deren er für wahr gehalten ward. Nun ist aber auch wirklich das in der Krit. der prakt. V. angegebene Grundgesetz der Sittlichkeit: Handle so, daß die Maxime deines Willens jederzeit zugleich als Prinzip einer allgemeinen Gesetzgebung gelten könnte, zwar, als Maxime gedacht, wo es Regeln für andre uns ähnliche Wesen mit in sich begreift, synthetisch: aber auch nur als solche. Hingegen hat es als oberstes Gesetz der reinen pr. Vernunft nur einen falschen Schein eines synthetischen Satzes. Es scheint zwar, als ob es durch das Wort *allgemeines* Gesetz noch mehr in sich fassen wollte als die Handlung selbst, welcher es in jedem Falle angepaßt wird. Allein diese Allgemeinheit zeigt nur eine negative Bestimmung an, eine Losmachung von allen möglichen subjektiven Nebenbestimmungen.

Ebenso sind auch, wenn *Freiheit* nur Unabhängigkeit von allen Bedingungen der sinnlichen Welt andeuten soll, die Auflösungen der beiden Aufgaben, die Natur eines durch das moralische Gesetz bestimmten Willens und hinwiederum die Natur des Bestimmungsgrundes eines freien Willens zu finden, identische Sätze: (wie der Verf. selbst in den Anmerkungen zur 2. Aufgabe sagt, daß Selbstbewußtsein einer reinen pr. Vernunft mit dem positiven Begriffe von Freiheit einerlei sei.) Denn die bloß gesetzgebende Form subjektiver Maximen ist Vernunftgesetz, von der Vernunft aber läßt sich keine andre Erklärung geben, als, das unsinnliche Erkenntnisvermögen des Menschen: der Wille, dessen zureichender Bestimmungsgrund die Vernunft ist, ist also von den Bedingungen der sinnlichen Welt unabhängig. Soll aber Freiheit die gänzlich durch sich selbst bestimmte Kraft anzeigen, bei der kein Regressus der Fragen nach höhern Bestimmungsgründen weiter stattfindet, so haben wir gesehen, daß diese Idee keinem andern noumenon als der Gottheit beigelegt werden kann.

Es erscheint denn also auch das Verhältnis dieser Theorie der Sittlichkeit zu den andern, gewöhnlichen Theorien etwas anders. In einer sehr schönen Anmerkung ist (S. 69.) eine Tafel aller möglichen materialen Bestimmungsgründe der Moral aufgestellt. Unter diesen sind zwei objektive: die Vollkommenheit nach Wolf und den Stoikern und der Wille Gottes nach den theologischen Moralisten. Dieser letztere gehört, wenn er der gemeinen Denkungsart zufolge nur die Nachgiebigkeit gegen unsern Herrn, der uns durch Furcht und

Hoffnung künftiger Strafen und Belohnungen regiert, bedeuten soll, zu den innern subjektiven Bestimmungsgründen. Wenn hingegen dadurch die erhabne theologische Moral angedeutet werden soll, da Gott als das vollkommenste Wesen unsre Regel der Vollkommenheit ausmacht, so lehrt es nur durch einen Umweg ebendasselbe, was das Gesetz der Vollkommenheit enthält.

Dieser Grundsatz der Vollkommenheit aber ist im Grunde ein formaler Grundsatz, und kein materialer: denn Vollkommenheit läßt sich durch nichts anders als durch Übereinstimmung, folglich durch Vernunftgesetz erklären: denn alle relative Vollkommenheit zu einem gewissen Zwecke setzt schon eine absolute Vollkommenheit voraus und fällt hier ohnedem ganz weg, wo von der eignen Vollkommenheit die Rede ist, also desjenigen Subjekts, das keinen anderen Endzweck hat, als sich selbst. Es ist also wohl im Grunde das in der Kritik der prakt. Vernunft aufgestellte System (wenigstens für den, der die bisher ausgeführten Erinnerungen begründet findet, und es darnach modifiziert) nur eine bessere und durchaus befriedigende Darstellung des Systems, das die Vollkommenheit zu Grunde legt.

Der Verf. wird nicht glauben, daß der Rez. durch diese Bemerkung dem Wert des Werkes das geringste nehmen möchte. Aber des Lesers wegen muß eine vortreffliche Anmerkung der Vorrede (S. 14.), womit einem Rezensenten geantwortet wird, auch hier angewendet werden: »Eine neue und richtige Formel ist allerdings etwas äußerst wichtiges. Ganz neue und unerhörte Prinzipien setzen eine ganze neue und bisher unbekannte Welt voraus. Alle unsre wissenschaftlichen Bemühungen sind weiter nichts als das Aufsuchen von Formeln.«

Die Stoiker aber, welche einigemal gegen die neure Moral (eigentlich gegen die platonische, sofern diese nur von den schwärmerischen Ansichten gereinigt wird, die ihr und allem aus ihr abgeleiteten Glauben anhängen) in ein etwas unvorteilhafteres Licht gestellt werden, möchte Rez. durch die Betrachtung rechtfertigen, daß die vollkommne, bloß formelle Reinheit des Gesetzes, als Grund der Moral, freilich im spekulativen System unstreitig allein befriedigend ist; daß aber die Stoiker (deren Ideal eines Weisen ebenfalls ein in dieser Welt unerreichbares Muster war), so viel uns bekannt ist (denn wir haben ihre berühmten Theoretiker nicht einmal), alles auf den wirklichen Menschen angelegt hatten und also ihren Vortrag des Sittengesetzes enge mit den Empfindungen verknüpften, die demselben am meisten beförderlich sind, und welche zu schwächen seitdem das Hauptbestreben der bürgerlichen und intellektuellen Einrichtungen der Welt ausmacht.

Über die Gegenstände der Dialektik wird nunmehr nicht sehr viel mehr zu sagen sein. Die beiden Postulate, auf die es ankommt, vermöge deren Unsterblichkeit und Gottheit als Objekte gedacht werden müssen, widersprechen dem Postulate der Freiheit, aus dem sie hergeleitet werden. Denn die Freiheit konnte nur dadurch gerechtfertigt werden, daß die Schöpfung nur die intelligible, nicht aber die sensible Existenz der Dinge angehn sollte. Da aber die sinnlichen Empfindungen zur Glückseligkeit der Intelligenzen mitgerechnet werden müssen (wenn der Vf. nicht in dieselbe Argumentation verfallen will, die er selbst an den Stoikern tadelt), so ist sie auch ein Teil, wenngleich ein noch so geringer, doch ein Teil des höchsten Guts, also auch ein Teil derjenigen Welt, von welcher Gott die letzte Ursache ist: man mag nun dieses Verhältnis (das eigentlich nur unschicklicherweise Ursache genannt wird) Schöpfung, oder wie man sonst will, benennen. Es bestätigen sich also auch hier die Grundsätze der Dialektik der reinen spekulativen Vernunft. Und da die Vernunft, vermöge ihrer Natur, auf eine höchste Einheit in ihren Prinzipien arbeitet, so schlagen alle ihre vergeblichen Bemühungen, ihre Ideen realisiert zu denken, nur zu einem Spinozismus aus, der nicht allein, wie Kant (S. 182) sehr richtig sagt, die einzige Art ist, wie die wirkliche Welt gedacht werden kann, wenn Raum und Zeit für ihr selbst anhängende Bestimmungen gelten sollten: sondern der auch, von diesen falschen Vorstellungen von Raum und Zeit gereinigt, die einzige Art ist, wie überall die theologischen Ideen gedacht werden können, wenn ihnen eine objektive Realität angedichtet werden soll, dergleichen sie *für unsern jetzigen* Verstand gar nicht haben können.

Wenn aber, nach des Rez. Ausführung, die reine Vernunft nicht praktisch ist, so kann das höchste Gut auch durch die

Kategorie der Gemeinschaft gedacht werden, und weil auch alsdann alle Triebfedern des Willens mit den objektiven Gesetzen vollkommen harmonieren müssen, so ließe sich auch hierdurch allerdings die Idee von einer besten Welt bilden, mit welcher die wirkliche den schrecklichsten Kontrast macht. Da ferner, und hierauf kommt es vorzüglich an, die Sittlichkeit nach der vom Rez. aufgestellten Theorie ebensowohl auf der Vernunft beruht, welcher kein Mensch entsagen kann, der sich ihrer bewußt ist, so ist im Grunde der Unterschied nicht sehr bedeutend, ob man die notwendigen Vernunft-Ideen für objektiv begründet, und ihre Prinzipien für konstitutiv hält, oder ob man jenen nur eine idealische Realität beilegt, und diese für regulativ hält. Als Triebfeder aber zu einer vermehrten Kultur der Vernunft, als der Mensch sich ohnedem durch sich selbst bewogen findet zu suchen, dürfen jene Ideen keineswegs gebraucht werden, weil daraus unvermeidlich Heteronomie des Willens entspringt und damit alle wahre Würde der Moral verlorengeht. Dieses letztere ist ganz unstreitig, wie der unvergleichliche Schriftsteller, der zu allen diesen Betrachtungen Anlaß gibt, so vortrefflich ausgeführt hat, das größte Verderbnis, dem nur die menschliche Natur ausgesetzt ist. So verderblich auch die Wirkung des törichten materialistischen Atheismus in der sinnlichen Welt ist, die bloß von Leidenschaften regiert wird und die er zu dem eiteln Wahne verleitet, als seien sie für sich selbst Glückseligkeit: Tugend aber sowie Vernunft aus der sie abstammt, ein leerer Name: ebenso heilsam ist im Reiche der Kultur der Vernunft der Einfluß des spekulativen Atheismus, indem er durch seinen beständigen Widerspruch die Anmaßungen einer dogmatisch-metaphysischen Religion zurücktreibt, die sich unfehlbar allemal hervortun und die Moralität sowie alles andre verderben, was auf gründlicher Einsicht beruht, die zu Wissenschaft brauchbar ist: wenn sie nicht durch jenen beständigen Widerspruch solcher in ihren Grenzen gehalten wird, die jene Grenzen wiederum auf ihrer Seite verkennen.

Der Mißbrauch theologischer Ideen ist aber nicht bloß dem Menschen, als ein vernünftiges spekulierendes Wesen betrachtet, gefährlich: sondern auch sogar dem sinnlichen, schwachen, unwissenden, leidenschaftlichen Menschen, und das selbst da, wo er sich selbst durch alle diese Eigenschaften so gefährlich ist, im großen Haufen, der durch die bürgerliche Verfassung in Staaten verbunden wird. Das Schauspiel eines solchen Haufens von Menschen, die von aller Sittlichkeit entblößt, bloß den sinnlichen Leidenschaften ergeben, sich untereinander durch Begierde nach solchem Genusse aufrieben, wäre schrecklich, und doch, weil selbst dieses nicht alle positive Äußerung aller Kräfte vernichten, und selbst nicht alle Vernunft zerstören könnte, so wäre es noch ein göttliches Schauspiel, gegen den Anblick eben dieses Haufens von Menschen, wenn er zu allen physischen Übeln, die ihn quälen, noch durch die Schrecken einer, durch sich selbst überschreitenden Vernunft, verwirrten Einbildungskraft in einen Haufen von Fanatikern verwandelt würde: die sich einer den andern und jeder sich selbst, die sie durch Vernunft beherrscht werden sollten, durch Vernunft zu zerstören trachteten, um in der Hölle ihrer Sinnlichkeit, die Seligkeit ihrer intelligiblen Personalität zu bewirken.

Die Religion, als Frucht der moralischen Gesinnung, ist das erhabenste Produkt des menschlichen Geistes, und die Einkleidung ihrer Prinzipien in Gesetze der Erscheinungen die schönste Dichtung des Verstandes, und in wirkliche Wesen die schönste Blüte der Einbildungskraft. Kant hat vortrefflich in seinem Werke gezeigt, daß sich ohne religiöse Ideen das moralische System nicht vollenden lasse. Weil aber der scheinheilige oder furchtsame Haufe, aus diesem Bekenntnisse nur Bestätigung alter Vorurteile zu ziehn bemüht sein wird, so muß auch zur Warnung andrer Philosophen, welche dieses alles etwa gebrauchen möchten, um wieder auf den allgemeinen Heeresweg konstitutiver Prinzipien der Moral, die aus einer andern Quelle als der Vernunft ihren Ursprung haben, einzuleiten, oder sich darauf zu beruhigen, hinzugefügt werden, daß das in dieser Krit. der prakt. Vernunft aufgestellte System schlechterdings der einzige Weg ist, die Religion, wenn sie mit zum Principio cognoscendi gezogen werden soll, mit den Grundsätzen einer echten und reinen Moral zu vereinigen. [...]

Christian Wilhelm Snell
Die Sittlichkeit in Verbindung mit der Glückseligkeit
(1790)

Nach dem System des moralischen Purismus sind also der objektive Grund und das Wesen der Sittlichkeit in der formellen Beschaffenheit der Vernunft selbst zu suchen, und nur in dem Maße kann den menschlichen Gesinnungen und Maximen sittlicher Wert beigelegt werden, in welchem sie durch jenes formale Gesetz bestimmt werden. Der Empirismus hingegen kennt keine andern Vernunftmotive des menschlichen Tuns und Lassens, oder des freien Verhaltens, als die Vorstellungen von dem relativ Guten und Bösen, d. i. von den der menschlichen Glückseligkeit günstigen oder ungünstigen Folgen der freien Handlungen, welche Folgen nur aus der Erfahrung erkannt werden können. Der Empiriker weiß also bloß von materiellen Bestimmungsgründen des Willens, d. i. solchen, die in dem Einflusse des Gegenstandes der Handlung oder der Materie des Begehrungsvermögens auf die Empfindungen der Lust und Unlust liegen. – Es geben zwar einige Anhänger dieses Systemes vor, das Prinzip der Glückseligkeit sei gleichfalls ein formelles Prinzip; und vermutlich soll dieses soviel heißen: der Begriff der Glückseligkeit liege der praktischen Beziehung der Objekte auf das Begehrungsvermögen allerwärts zu Grunde, und sei, wie Kant es ausdrückt, der allgemeine Titel der subjektiven Bestimmungsgründe. Allein dieser Begriff der Glückseligkeit oder der größtmöglichen Summen des Angenehmen ist, ungeachtet er ein allgemeiner Begriff ist, doch nichtsdestoweniger empirischen Ursprungs, weil das Angenehme nur aus Erfahrung erkannt werden kann. Überdies bestimmt der Begriff der Glückseligkeit nichts spezifisch, sondern es kommt ja lediglich auf eines jeden sein besonderes Gefühl der Lust und Unlust an, worin er seine Glückseligkeit zu setzen habe, und dies kann ihn doch nur seine eigene Erfahrung lehren. Soll aber die Behauptung, das Prinzip der Glückseligkeit sei formaler

Natur, etwa soviel sagen wollen, der allerletzte Grund, warum wir überhaupt des Gefühles der Lust und Unlust, mithin auch des Begriffes der Glückseligkeit fähig sind, sei eine formale Bedingung unserer sinnlich vernünftigen Natur; so ist dies zwar an sich ganz richtig: allein bei dem allem ist die Maxime: suche dich glücklich zu machen, nichts weniger als ein formales Gesetz. Denn da wir, wie gesagt, doch nur durch die Erfahrung belehrt werden können, was Glückseligkeit sei und wodurch wir sie zu erlangen vermögen, so ist und bleibt dasjenige, was, sofern wir bloß auf Glückseligkeit ausgehen, unsern Willen bestimmt, durchaus empirischer Natur. Bei der Sittlichkeit aber verhält es sich ganz anders: denn hier liegt die Regel, der wir all unser Wollen und Handeln genau anzupassen uns verpflichtet fühlen, als ein für alle vernünftige Wesen gültiges Gebot, das durch subjektive Bestimmungen und Bedürfnisse gar keine Abänderung leidet, vor aller Erfahrung in der Seele. Und ob wir gleich erst durch Vermittelung und Veranlassung der Erfahrung uns dieses Gesetzes bewußt werden, so erkennen wir doch auch zugleich, daß es gar nicht von der Erfahrung abgeleitet sei, sondern ganz unabhängig von derselben und von allen empirischen oder materiellen Zwecken unbedingten Gehorsam fordert. – Folgende Erläuterungen über die eigentliche Natur dieses formellen Gesetzes werden hoffentlich noch etwas mehr Licht über das bisher Gesagte verbreiten.

Soll der sittliche Bestimmungsgrund des freien Willens nicht in der *Materie,* nicht in dem Gegenstande einer praktischen Regel, folglich bloß in der *Form* derselben liegen (wie der Purismus behauptet), so kann diese keine andere sein als die Form einer *allgemeinen Gesetzgebung* für alle vernünftigen Wesen: oder mit anderen Worten, dasjenige, was eine Willensmaxime zum kategorischen Gesetze macht, ist ganz allein diejenige Beschaffenheit derselben, vermöge welcher sie sich zur allgemeinen Gesetzgebung schickt; mithin haben unsere Gesinnungen und Handlungen auch nur insofern sittlichen Wert, als wir sie in jene Form einzupassen suchen. Das formale Gesetz erfordert also, wenn es in Ausübung gebracht werden soll, allerdings auch eine Materie, etwas Bestimmbares; und dies ist nichts anderes als die Gegenstände der Erfahrung, insofern sie das Begehrungsvermögen angenehm affizieren, oder die Lust selbst, wenigstens die Vorstellung der Lust, welche sie uns versprechen. – Es ist demnach das Grundgesetz der reinen praktischen Vernunft folgendes: Handle immer nach solchen Maximen, die zugleich als Prinzipien einer allgemeinen Gesetzgebung für alle vernünftigen Wesen gelten können. Und woraus läßt sich beurteilen, ob eine Maxime zum allgemeinen Gesetze tauglich sei oder nicht? Ich antworte: sie muß so beschaffen sein, daß, wenn sie von jedermann befolgt würde, das allgemeine Weltbeste, oder die ununterbrochene größtmögliche sinnliche, geistige und sittliche Vervollkommnung der vernünftigen Wesen, die Folge davon sein müßte. Will ich also gern wissen, ob Stehlen und Lügen nach dem Moralgesetze erlaubt oder verboten sei, so darf ich mich nur selbst fragen: würde ich wohl mit Einstimmung meines Willens das Mitglied einer Gesellschaft von Menschen sein, von denen jeder es sich erlaubte zu stehlen und zu lügen, sooft er seinen Vorteil dadurch zu schaffen glaubte? Und wenn ich nun einsehe, daß eine solche Welt schlechterdings nicht bestehen könnte, so mache ich mit Recht den Schluß, daß das Stehlen und Lügen unrecht und verboten sei. Man muß aber wohl merken, daß nicht das Weltbeste, sondern vielmehr die formelle Beschaffenheit der Maxime, vermöge welcher sie sich zur allgemeinen Gesetzgebung schickt, der eigentliche Bestimmungsgrund des Willens sei. Dies ist daraus klar, weil ich auf den ersten Blick einsehe, daß, wenn ich mich gleich noch so gewissenhaft des Stehlens und Lügens enthalte, doch hiervon das Wohl der Welt noch nicht die Folge ist, solange andere sich solches erlauben; und daß auch, wenn ich heimlich lüge oder stehle, deswegen gar nicht zu besorgen ist, daß nun auch andere solches um so mehr zum Schaden der menschlichen Gesellschaft tun werden. Ja es gibt sogar Fälle genug, wo es mir und andern im höchsten Grade nützlich, also zur Vermehrung der Summe der Weltglückseligkeit gar sehr zuträglich sein würde, heimlich Betrug zu begehen oder die Unwahrheit zu sagen; und ich müßte dieses auch in allen solchen Fällen unfehlbar tun, wo diese überwiegend guten Folgen nur wahrscheinlicher wären als ihr Gegenteil, wenn ich nur fähig wäre, durch materielle Zwecke in meinem Tun und Lassen bestimmt zu werden. Da ich nun aber durchaus nicht berechtigt bin, von den Regeln der Sittlichkeit Ausnahmen zu machen, sooft ich mir von ihrer Übertretung mehr Vergnügen und Vorteil für mich und für andere versprechen kann, als von ihrer Befolgung, so ist es nicht das beabsichtigte Weltbeste, sondern die Tauglichkeit meiner Maximen zu allgemeinen Gesetzen, worauf die sittliche Güte meiner Handlungen beruht. Daß aber meine Maximen diese Tauglichkeit haben, dies wird erkannt aus den guten Folgen, welche aus ihrer *allgemeinen* Beobachtung für das Ganze entspringen würden; mithin ist dieses Beste des Ganzen, wovon ich ein Teil bin, nur die vermittelnde Vorstellung, durch welche ich beurteile, wie ich mein Tun und Lassen einzurichten habe, wenn es dem sittlichen Gesetze angemessen sein soll; seine verbindende Kraft aber erhält das Gesetz nicht erst von dieser Vorstellung. Daß es also unrecht sei, mir das Leben zu nehmen, weiß ich – nicht daher, weil ich mich dadurch unglücklich machen, auch nicht daher, weil ich dem Weltbesten dadurch Abbruch tun würde –, sondern einzig und allein daher, weil eine Welt, worin jeder sein Leben willkürlich endigen dürfte, unmöglich bestehen könnte. Folglich ist es der aus reiner unbedingter Achtung gegen das Gesetz entspringende Gehorsam, keineswegs aber ein materieller Zweck, den ich mir etwa bei meinen Handlungen vorsetze, welcher mein Verhalten moralisch gut macht.

August Tittel
Über einige Sätze der
Kantischen Moral
(1791)

In Hinsicht auf die innige und durchgängige Verbindung der *Glückseligkeit* und *Sittlichkeit* hatten bisher die beiden Sätze: »Was für den Menschen Pflicht sein soll, muß (im Ganzen doch, nach Zusammenhang und Folge) wahre Glückseligkeit befördern« und »nur, was wahre Glückseligkeit befördert, kann Pflicht sein« dem gesunden Menschenverstande gleicheinleuchtend geschienen, weil man sonst durchaus allen festen Punkt verlieren würde, an welchem das, was als Pflicht geboten wird, Haltung haben könnte. Die Verteidiger dieses Systems erklärten dabei, daß bei Schätzung der wahren Glückseligkeit nur nicht auf sinnliche oder unmittelbare Vorteile allein gesehen, sondern vornehmlich auch die höheren und geistigen Belohnungen moralisch guter Gesinnungen und eines pflichtmäßigen tugendhaften Verhaltens, die innere Gemütsruhe, die stille und selige Zufriedenheit bei dem Bewußtsein der Unschuld, reiner Absichten und guter Taten, in Rechnung genommen werden müßten.

Eben diese Erklärung haben die neuen Gegner – welche nach kantischen Grundsätzen die Sittlichkeit von aller Absicht auf Glückseligkeit völlig unabhängig machen wollen, und die Moral eben dadurch, daß bei dem strengen Gebot von Pflicht vorerst überall keine Frage von Glückseligkeit sein solle, zu einer noch größern Würde aufzuheben wähnen – aufgegriffen, und zu einem speziösen Einwurf zu benutzen gesucht, der einer gründlichen Auseinandersetzung bedarf. Sehe man hier beides, den Zweifel selbst, und die Auflösung, deren derselbe, nach meiner Einsicht, fähig ist.

»Die innere Zufriedenheit – so lautet etwa jener Zweifel – bei dem Bewußtsein rechtschaffener und tugendhafter Gesinnungen, guter und schöner Taten (wodurch man bisher ein ungetrenntes Band zwischen Glückseligkeit und Sittlichkeit zu knüpfen sucht): setzt diese dann nicht schon immer einen höheren, früheren Begriff von Pflicht voran? Eben darum bin ich auch bei mangelnder jeder anderen Belohnung zufrieden, weil ich pflichtmäßig gedacht und gehandelt. Und wenn ein wichtiger Teil meiner Glückseligkeit in dieser Zufriedenheit beruht: so ist jene ja doch nur Folge eines früheren pflichtgebietenden Prinzips. Glückseligkeit ist nun doch nicht höchstes, sondern nur untergeordnetes Prinzip. Nach Pflicht handeln, ohne alle Hinsicht auf Glückseligkeit, sie folge oder folge nicht, ist erster und oberster Grundsatz der Moral.«

So spricht der Verteidiger des Systems sogenannter *reiner Sittlichkeit* nach kantischer Manier. Ganz, wie der ältere Mystiker von der reinen Liebe Gottes lehrte, »daß man Gott lieben müsse – nicht, weil er uns gütig ist, sondern auch dann, wenn er uns in die unterste Hölle verstieße«, ganz so lehren diese neuphilosophischen Puristen, daß man Tugend (Pflicht und Gesetz) nicht, weil sie uns glücklich macht, sondern weil sie Tugend ist, lieben müsse. Und beide wollen nicht verstehen, daß ein nichtgütiger Gott – nicht Gott; und eine nichtbeglückende Tugend – nicht Tugend sei.

Schon oft hat das schnelle Vor- und Nachordnen der Begriffe, die oft wechselseitig ineinander greifen, so manche Verwirrung in den Wissenschaften, und so viel unnützes Streiten erzeugt. So ging es ja schon, wenn man zu einseitig und mit zu wenig Bestimmtheit Verstand dem Willen, Sprache der Vernunft, Recht dem Gesetz etc. voranordnete. Fast auf die nämliche Weise verhält es sich auch mit der Frage: *Pflicht* oder *Glückseligkeit*, welcher von beiden Begriffen steht dem andern voran? *Pflicht!* »Aber woran hält nun Pflicht, wenn sie nicht an Glückseligkeit hält? *Glückseligkeit!* »Aber worauf soll Glückseligkeit sich anders gründen, als auf Pflicht?« – Beide Begriffe, Glückseligkeit und Pflicht, begleiten wechselseitig einander, halten durch ein innerstes, festgeschlossenes Band unauflöslich zusammen, sind in einem gemeinschaftlichen Punkt geeinigt, und gehen in Harmonie mit *Menschenbestimmung* und *Menschennatur* miteinander zurück. Unsere empfindende und erkennende Natur gibt dem Menschen den unmittelbaren Begriff von Wohlsein und Leiden (wornach Gutes und Böses allein und einzig geschätzt werden muß), lehrt aber auch, durch Vergleichen und Wägen, aus Zusammenhang und Folge, die Größe und Dauer des einen und des andern richtig bestimmen. Wohlsein ist der Natur gemäß; Leiden ist wider die Natur. Befördern des einen, Abhalten des andern, nicht bloß etwa für den gegenwärtigen Augenblick, sondern im Ganzen genommen, und nach den Summen, gibt Harmonie mit der Natur. Die zur Unterhaltung dieser Harmonie notwendigen Bestimmungen unseres freien Verhaltens nennt man Pflicht (Tugend und Gesetz). Und die davon unzertrennliche, dem Menschen genießbare Übereinstimmung mit seiner Natur ist Glückseligkeit. In der Bestimmung (ex destinatione) geht Glückseligkeit, als Zweck, in der Exekution (Erreichung) aber die Tugend, als Mittel voran. Aber Tugend kann ohne Glückseligkeit so wenig als Glückseligkeit ohne Tugend sein.

Zuerst sage man doch, was Pflicht sei? Und sag' es so, daß die Erklärung beruhigend und für Handlung entscheidend werden kann! Gebe man nicht Worte, sondern festen, haltbaren, praktischen Sinn! »Handele so, wie es der Achtung und Würde der Menschheit angemessen ist: das ist Pflicht.« – Aber kann denn etwas anderes überall der Achtung und Würde der Menschheit angemessener sein, als in gerader Richtung auf gemeines, bleibendes Menschenglück, mit Beiseitesetzung niedriger und beschränkter Absichten, in redlichem und tätigem Eifer hinarbeiten – Menschenwohl und Menschenvollkommenheit zu erhalten, zu gründen und zu erhöhen? Wenn der guthandelnde, edeldenkende Mann sich weit über den Eigennützigen und Gewinnsüchtigen erhebt, so liegt der Vorzug des einen vor dem andern nun nicht in dem, daß jener ohne Absicht auf Menschenwohl, das große und allgemeine Interesse der Menschheit, handelt, sondern darin allein, daß er menschliche Glückseligkeit nicht aus scheinbaren oder einseitigen, temporären und sinnlichen Vorteilen, [...] sondern aus einem größeren Zusammenhang und der gemeinen Menschenverbindung, von deutlichen Einsichten und richtigen Gefühlen geleitet, viel anders und besser als dieser zu bestimmen und zu schätzen weiß. Solche Gesinnungen und eine solche Handlungsweise erkennt der gute und edle Mensch für Tugend und für Pflicht. In dem Bewußtsein derselben findet er seine Zufriedenheit und sein Glück.

Schönes Wortspiel ist es, was man von »*reiner* Achtung für Pflicht und Menschenwürde« von »*reiner* Liebe und *reinem*

Gehorsam für das Gesetz« von »*reiner* Tugend und *reiner* Sittlichkeit« sagt, ohne den geraden und steten Blick auf wahres, dauerndes und allgemeines Menschenglück. Es kann Pflicht sein, einzelnen oder scheinbaren Vorteilen zu entsagen, um eine höhere und völligere Glückseligkeit zu begründen. Aber ungerechte Anmaßung wäre es, dem Menschen es zur Pflicht machen, seine Glückseligkeit, ihrem völligen und ganzen Umfang nach, und damit seine Bestimmung und den ersten Zweck seines Daseins zu verleugnen. Glückseligkeit ist *Zweck*. Tugend ist das allersicherste *Mittel*, ihn zu erreichen.

»Nicht Glückseligkeit, sondern der Glückseligkeit würdig zu sein, ist oberstes Prinzip der Moral.« – Aber sage man doch, wie ich handeln muß, um der Glückseligkeit würdig zu sein. »Immer nach Pflicht.« Ist richtig gesagt, wenn es nur so viel heißen soll: immer nach der Betrachtung des größeren und allgemeineren Guten, aus Gehorsam gegen jene wohltätigen Gesetze und ihre heilsamen Vorschriften, wodurch gemeines und besonderes Menschenglück mit Weisheit gesichert und befördert wird. Aber so muß man ja doch allen unseren Pflichten den Begriff von Glückseligkeit schon unterstellen. Alle unsere Pflichten weisen nun immer auf Glückseligkeit. Knüpfe man immerhin Pflicht an Gesetz! Aber Glückseligkeit ist der einzigvernünftige Zweck aller Gesetze. Alle guten und weisen Gesetze gehen aus dieser letzten Quelle hervor, und kehren dahin einzig zurück. Blindes, menschenwidriges und zweckloses Gebot, nicht weises, gehorsamverdienendes Gesetz mag es ohne die dadurch zu erzielende Glückseligkeit sein.

Und ist es überall denn schicklich, den Menschen lehren wollen, nicht Glückseligkeit, sondern der Glückseligkeit würdig zu sein, zu seinem höchsten Zweck zu machen? Muß nicht offenbar der Wert, den ich schon in die Sache selbst gelegt, mich antreiben, ihrer mich würdig und empfänglich zu machen? Wird der, dem es nicht Wunsch ist, Glückseligkeit zu genießen, sich ernstlich bemühen, sie zu verdienen? Billig geht Verdienst (Würdigkeit) dem Genuß in der Wirklichkeit voran. Aber Verdienst zielt ja doch auf Genuß. Nur der gewalttätigste Despot könnte es wollen, durch Gehorsam seiner Gesetze nur der Glückseligkeit sich würdig zu machen, nicht glücklich zu sein. Ist es dann möglich, das Band, welches der gütige Schöpfer so einleuchtend und so unauflösbar in unserer Natur zwischen Tugend und Glückseligkeit geknüpft, zu verkennen oder zu zerreißen?

Johann Günter Karl Werdermann
Versuch zur Aufhellung
einiger streitigen Punkte
in den Gründen der Moralphilosophie
(1794)

Die lesende Welt weiß es zur Genüge, daß die bisher aufgestellt gewesenen Grundsätze der Moralphilosophie durch die
Kantischen Prüfungen untergraben und seitdem von vielen
scharfsinnigen Männern nicht nur in Zweifel gezogen, sondern verworfen – und zwar nicht bloß als unzulänglich,
sondern zum Teil als sittenverderblich verworfen – werden;
welches letzte insonderheit dem Grundsatze widerfährt, auf
welchen wir zeither am allgemeinsten das Gebäude unsrer
Tugendlehre aufgeführt sahen, dem nämlich: Bestrebe dich,
dich selbst wahrhaftig glücklich zu machen!

Dennoch scheint der Eindruck, den diese Erschütterung
macht, nicht so allgemein und ernstlich zu sein, als man
meinen sollte, daß er sein müsse. Zum Teil indes liegt auch in
der neuen Moralphilosophie selbst Schwierigkeit: nicht nur
wegen Tiefsinnigkeit dieser Untersuchungen, die das Innerste
der menschlichen Natur betreffen, sondern auch wegen einiger Punkte, die noch nicht genugsam aufgehellt und daher
selbst unter den Anhängern dieser Schule streitig sind. [...]

Wenn die Vernunft unsern Willen bestimmt, daß er eine
vorliegende Handlung ausführen solle, so kann dies nicht
anders als durch folgenden Vernunftschluß geschehen: Wie in
diesem Falle alle Menschen handeln sollten, so soll auch ich
handeln; alle Menschen sollten in diesem Falle dergestalt handeln; folglich soll auch ich es.

Der Obersatz ist das sittliche Grundgesetz. Aber wodurch
bringt unsre Vernunft die Subsumtion zustande: so sollten in
diesem Falle alle Menschen handeln; oder, ich kann[1] wollen,
daß alle und jeder so handeln? Wodurch anders, als daß ich in
Überlegung der Folgen solcher Handlung urteile: das was
durch die vorliegende Tat zur Wirklichkeit kommen wird, sei
etwas das für alle vernünftige Menschen ein Gegenstand des

Willens sein könne? Es muß also ein allgemeines Gut gedacht werden, auf welches diese Folgen der Handlungen bezogen werden können. Die Vernunft muß in demjenigen, was sie durch diese oder jene Handlung zu bewirken erwartet, etwas sehen, wodurch der Zustand des Handelnden selbst oder eines andern, oder irgendein Zustand der Dinge, *besser* wird als er ohne dieselbe wäre, wenn sie das Wirklichwerden dieser Handlung an sich gut nennen soll; und ehe ausgemacht werden kann, daß es *sittlich gut* sei, sie zu tun, muß erst festgesetzt sein, daß es *gut* sei, daß sie *geschehe*.

Dieses ist meines Bedünkens der Punkt, in welchem die beiden jetziger Zeit im Kampfe begriffenen Systeme sich vereinigen. Meiner Einsicht nach, erfordert die Vollständigkeit und Haltbarkeit eines Moralsystems zuletzt eine Beziehung des Materialen der Handlungen auf das Wohl der Welt, als einen letzten Zweck. Freilich ein dunkler vielbefassender Zweck. Ein bloßer Zuwachs an Vergnügen kann, das geb ich zu, nicht das Gut sein, wornach die Vernunft durch Handlungen, die sie gut heißt, strebe; denn Vergnügen allein ist gar kein Objekt der Vernunft. Aber ohne alle Rücksicht auf Wohlsein kann, dünkt mich, ein letzter Zweck von Handlungen auch nicht gedacht werden; sonst wäre er kein Gegenstand des Willens. Es muß also Wohlsein in richtiger Proportion gegen die innre Harmonie der Vernunft dies höchste Gut sein, in Beziehung auf welches wir die Folgen einer Handlung gut nennen können. Die höchste Vernunft, verbunden mit einem heiligen, das ist vollkommen sittlich guten Willen, würde zum letzten Zwecke ihrer Handlungen diesen Stand der Vollkommenheit und wahren Glückseligkeit der Welt haben. Dieser Zustand ist zwar offenbar ein Ideal, ein so hochgestelltes Ideal, daß keine menschliche, keine endliche Kraft es ausdenken kann; aber dennoch ist es auch für unsre Vernunft das Ziel, durch Richtung auf welches unser Begriff von dem, was gut sei, wenn es geschähe, seinen Sinn erhält.

Es ist nicht zu leugnen: um dem Untersatze des moralischen Vernunftschlusses völlige Gewißheit zu geben, müßte unsre Einsicht in die Folgen einer Handlung, die wesentlichen und zufälligen, die nächsten und entferntesten, kurz die Unendlichkeit des Ganzen und aller Zukunft umfassen; und das Ideal vom Wohl der Welt müßte für uns eine Bestimmtheit haben, deren es nicht einmal fähig scheint, oder die wenigstens weit über unsre Kraft ist. Allein was folgt hieraus? Weiter wohl nichts, als daß wir von keiner einzigen Handlung mit Gewißheit behaupten können: sie wird gut sein. Das bedarf es aber auch nicht; genug wenn wir uns sagen können: nach meiner besten dermaligen Einsicht wird diese Handlung gut sein. Wenn ich dies sagen kann, und deshalb sie will, so ist sie in Absicht meiner zuverlässig sittlich gut. Aber um sittlich gut auch nur sein zu können, muß, dünkt mich, unabhängig von meinen Motiven zum Tun, für mich ausgemacht sein, daß sie an sich gut sei, das ist daß ihre Folgen wünschenswert seien.

Wir sagen also: die Vernunft bestimmt ob eine Handlung gut sei, aus Vergleichung ihrer erkennbaren Folgen mit einem idealischen Zustande von Vollkommenheit der Welt, die sie in Harmonie von Wohlsein und sittlicher Güte setzt. Sie bestimmt dies aber oft durch Hilfe gewisser abkürzenden Formeln: z. B. was dem Einzelnen Vergnügen oder Vorteil gewährt ohne Nachteil eines größeren Ganzen, das ist gut auch fürs Ganze; was der Vernunft widerspricht, das ist übel, so scheinbar gut auch die Folgen einmal uns dünken möchten.

Wir sagen ferner, das formale Sittengesetz: Handle so, wie du wollen kannst, daß alle Menschen handeln möchten; gebeut in seiner materialen Anwendung: Tue das, wodurch wahrhaft Gutes bewirkt wird, nach deiner besten Einsicht. Tut nun der Mensch dies Gute aus Achtung für das Geheiß seiner Vernunft, so handelt er sittlich gut.

Bisher nun haben wir den Menschen bloß als Vernunft erwogen, welcher ein freier Wille beigeordnet sei; jetzt wolle man den ganzen Menschen, sinnlich wie er ist, betrachten.

In dieser vollständigen Erwägung der gesamten Menschennatur, erscheint der Mensch als eine von der Vernunft bis zur Sinnlichkeit herabhangende Kette von Kräften, die wir nur in Gedanken in unterschiedne Glieder absondern, weil einmal alles Denken im Unterscheiden und Vergleichen besteht, die aber in der Natur zu einem Ganzen innigst verwebt sind. Vorhin beruhte der ganze Wert des Menschen auf der Übereinstimmung seiner Vernunft mit sich selbst, und seines Willens mit der Vernunft. Jetzt kommt auch seine Sinnlichkeit in Anschlag, und trägt zu seiner Vollkommenheit bei, jemehr sie jener sittlichen Güte harmonisch ist. Vorhin war der Wert seiner Vernunft desto größer, je stärkere entgegenstehende sinnliche Triebe sie bekämpfte; jetzt werden wir den Wert des ganzen Menschen desto höher schätzen, je wenigere widerstrebende sinnliche Triebe seine Vernunft zu bekämpfen hat. Warum sollte man Neigung und Pflicht einander entgegensetzen? Das vollkommenste Wesen will nichts anders als was die vollkommenste Vernunft erheischt. Auch der Mensch wird desto vollkommener sein, je mehr seine Neigungen mit seinen Pflichten übereinkommen. Vorhin war bloß von Sittlichkeit, die wir *Tugend* nannten, die Frage; jetzt kommen alle die Gemütseigenschaften in Betracht, wodurch entweder jene Übereinstimmung des Willens mit der Vernunft möglich gemacht wird, oder die gegenseitig aus derselben entspringen, und die wir *Tugenden* nennen. Vorhin betrachteten wir die Begleiterin der Tugend, die Selbstachtung, als die einzige Glückseligkeit; jetzt kommt das ganze innre Wohlsein des Menschen in Anschlag: und dieses hängt mit diesen *Tugenden* viel genauer zusammen, als mit der eigentlichen *Tugend*.

Das Bewußtsein des Mutes oder des Wohlwollens oder der Klugheit ist *auch an sich* eine angenehme Empfindung; ist es selbst dann noch, wenn diese Eigenschaften nicht in solcher Beziehung auf unsre Pflicht stehen, als sie der Vernunft nach stehen sollten. Überdies haben auf unser äußres Wohl diese einzelnen Gemütsvollkommenheiten einen großen unbezweifelten Einfluß: sie verschaffen uns Wertschätzung und Zuneigung, sie befördern Gesundheit und zeitliche Vorteile. Vielleicht hat selbst die gemeine Bemerkung dieses vorteilhaften Einflusses zuerst gemacht, daß man die Tugenden als die Mittel zur Glückseligkeit anerkannt, und dies auf die eigentliche Tugend übergetragen hat, wiewohl diese die Quelle einer ganz andern und eignen Art von Glückseligkeit ist.

Allein man darf nicht verhehlen, daß die Tugenden des Menschen diese Vorteile nicht so unveränderlich gewähren, daß sie nicht oft nach Umständen auch das Gegenteil zuziehen könnten; wie andrerseits dieselben Vorteile, wenigstens zum Teil, auch durch Glück oder durch andre Eigenschaften, und zuweilen selbst durch Fehler, erlangt werden. Wenn man diese Begriffe nicht sorgfältig sondert, wenn man von den Tugenden die gewöhnlichen und natürlichen Vorteile als sicher und notwendig, von der *Tugend* aber die Belohnungen der Tugenden, verspricht: so kann man zwar vielleicht eine starke Liebe zu allerlei Gutem im Menschen erzeugen, aber sie wird immer undeutlich und unbestimmt sein; und wenn die Erfahrung im Weltlaufe zunimmt, so werden tausend gegenseitige Instanzen leicht der Überzeugung von dem Werte der Tugend, und von ihrer Notwendigkeit zur Glückseligkeit, Abbruch tun.

1 Dem scharfsinnigen Herrn Verfasser gebe ich zu bedenken, ob hier das Wort *können* gut gewählt sei. Wenn die Vernunft ausspricht, daß in einem bestimmten Falle alle Menschen so und nicht anders handeln *sollen*, läßt sich dann nur sagen: »Ich *kann* wollen, daß alle so handeln?« Gewiß nicht; sondern: ich kann nicht anders als wollen, ich *muß* wollen, daß sie so handeln. – Indes wage ich nicht zu bestimmen, inwiefern diese Verwechslung des Ausdrucks Einfluß auf das folgende Räsonnement hat: wo das, was durch die Tat zur Wirklichkeit kommt, ein Etwas genannt wird, das für alle Menschen ein *Gegenstand des Willens* sein *kann;* wo von einem *Materiale* der Handlung, einem *Gut,* die Rede ist; und wo auf diese Weise ein Vereinigungspunkt der streitenden Systeme gefunden wird.

Sollte wohl überhaupt der Blick auf die *Folgen* einer Handlung – welche doch kein Mensch übersehen kann, und welche bei einer unmoralischen Handlung für ganze Generationen heilsam scheinen können oder auch sein mögen – die Moralität der Handlung zu bestimmen imstande sein? Sollte nicht feste Rücksicht auf das *Prinzip* den Handelnden sicherer leiten? ... Wenn man nicht anders auch das eine *Folge* der Handlung nennen will, daß durch dieselbe das *Vernunftprinzip* befördert oder geschwächt wird. Dann wäre aber von keiner *materialen* Folge die Rede, sondern von der Einführung oder Aufrechthaltung einer *Maxime,* welche sich eben auf das formale Gesetz bezieht.

Friedrich Schiller
Aus der Abhandlung
über Anmut und Würde
(1793)

Wenn sich der Geist in der von ihm abhängenden sinnlichen Natur auf eine solche Art äußert, daß sie seinen Willen aufs treueste ausrichtet und seine Empfindungen auf das sprechendste ausdrückt, ohne doch gegen die Anforderungen zu verstoßen, welche der Sinn an sie, als an Erscheinungen, macht, so wird dasjenige entstehen, was man Anmut nennt. Man würde aber gleich weit entfernt sein, es Anmut zu nennen, wenn entweder der Geist sich in der Sinnlichkeit durch Zwang offenbarte, oder wenn dem freien Effekt der Sinnlichkeit der Ausdruck des Geistes fehlte. Denn in dem ersten Fall wäre keine Schönheit vorhanden, in dem zweiten wäre es keine Schönheit des Spiels.

Es ist also immer nur der übersinnliche Grund im Gemüte, der die Grazie sprechend, und immer nur ein bloß sinnlicher Grund in der Natur, der sie schön macht. Es läßt sich ebenso wenig sagen, daß der Geist die Schönheit *erzeuge*, als man im angeführten Fall von dem Herrscher sagen kann, daß er Freiheit *hervorbringe;* denn Freiheit kann man einem zwar *lassen*, aber nicht *geben.*

So wie aber doch der Grund, warum ein Volk unter dem Zwang eines fremden Willens sich frei fühlt, größtenteils in der Gesinnung des Herrschers liegt und eine entgegengesetzte Denkart des letztern jener Freiheit nicht sehr günstig sein würde, ebenso müssen wir auch die Schönheit der freien Bewegungen in der sittlichen Beschaffenheit des sie diktierenden Geistes aufsuchen. Und nun entsteht die Frage: was dies wohl für eine *persönliche Beschaffenheit* sein mag, die den sinnlichen Werkzeugen des Willens die größere Freiheit verstattet, und was für moralische Empfindungen sich am besten mit der Schönheit im Ausdruck vertragen?

So viel leuchtet ein, daß sich weder der Wille bei der absichtlichen, noch der Affekt bei der sympathetischen Bewegung gegen die von ihm abhängende Natur als eine *Gewalt* verhalten dürfe, wenn sie ihm mit Schönheit gehorchen soll. Schon das allgemeine Gefühl der Menschen macht die Leichtigkeit zum Hauptcharakter der Grazie, und was angestrengt wird, kann niemals *Leichtigkeit* zeigen. Ebenso leuchtet ein, daß auf der andern Seite die Natur sich gegen den Geist nicht als Gewalt verhalten dürfe, wenn ein schöner moralischer Ausdruck statthaben soll; denn wo die bloße Natur *herrscht,* da muß die Menschheit verschwinden.

Es lassen sich in allem dreierlei Verhältnisse denken, in welchen der Mensch zu sich selbst, d. i. sein sinnlicher Teil zu seinem vernünftigen, stehen kann. Unter diesen haben wir dasjenige aufzusuchen, welches ihn in der Erscheinung am besten kleidet und dessen Darstellung Schönheit ist.

Der Mensch unterdrückt entweder die Forderungen seiner sinnlichen Natur, um sich den höhern Forderungen seiner vernünftigen gemäß zu verhalten; oder er kehrt es um und ordnet den vernünftigen Teil seines Wesens dem sinnlichen unter und folgt also bloß dem Stoße, womit ihn die Naturnotwendigkeit gleich den andern Erscheinungen forttreibt; oder die Triebe des letztern setzen sich mit den Gesetzen des erstern in Harmonie, und der Mensch ist einig mit sich selbst.

Wenn sich der Mensch seiner reinen Selbständigkeit bewußt wird, so stößt er alles von sich, was sinnlich ist, und nur durch diese Absonderung von dem Stoffe gelangt er zum Gefühl seiner rationalen Freiheit. Dazu aber wird, weil die Sinnlichkeit hartnäckig und kraftvoll widersteht, von seiner Seite eine merkliche Gewalt und große Anstrengung erfordert, ohne welche es ihm unmöglich wäre, die Begierde von sich zu halten und den nachdrücklich sprechenden Instinkt zum Schweigen zu bringen. Der so gestimmte Geist läßt die von ihm abhängende Natur, sowohl da, wo sie im Dienst seines Willens handelt, als da, wo sie seinem Willen vorgreifen will, erfahren, daß er ihr Herr ist. Unter seiner strengen Zucht wird also die Sinnlichkeit unterdrückt erscheinen, und der innere Widerstand wird sich von außen durch Zwang verraten. Eine solche Verfassung des Gemüts kann also der Schönheit nicht günstig sein, welche die Natur nicht anders als in ihrer Freiheit hervorbringt, und es wird daher auch nicht Grazie sein können, wodurch die mit dem Stoffe kämpfende moralische Freiheit sich kenntlich macht.

Wenn hingegen der Mensch, unterjocht vom Bedürfnis, den Naturtrieb ungebunden über sich herrschen läßt, so verschwindet mit seiner innern Selbständigkeit auch jede Spur derselben in seiner Gestalt. Nur die Tierheit redet aus dem schwimmenden ersterbenden Auge, aus dem lüstern geöffneten Munde, aus der erstickten bebenden Stimme, aus dem kurzen geschwinden Atem, aus dem Zittern der Glieder, aus dem ganzen erschlaffenden Bau. Nachgelassen hat aller Widerstand der moralischen Kraft, und die Natur in ihm ist in volle Freiheit gesetzt. Aber eben dieser gänzliche Nachlaß der Selbsttätigkeit, der im Moment des sinnlichen Verlanges und noch mehr im Genuß zu erfolgen pflegt, setzt augenblicklich auch die rohe Materie in Freiheit, die durch das Gleichgewicht der tätigen und leidenden Kräfte bisher gebunden war. Die toten Naturkräfte fangen an, über die lebendigen der Organisation die Oberhand zu bekommen, die Form von der Masse, die Menschheit von gemeiner Natur unterdrückt zu werden. Das seelestrahlende Auge wird matt, oder quillt auch *gläsern* und *stier* aus seiner Höhlung hervor, der feine Inkarnat der Wangen verdickt sich zu einer groben und gleichförmigen Tüncherfarbe, der Mund wird zur bloßen Öffnung, denn seine Form ist nicht mehr Folge der wirkenden, sondern der nachlassenden Kräfte, die Stimme und der seufzende Atem sind nichts als Hauche, wodurch die beschwerte Brust sich erleichtern will, und die nun bloß ein mechanisches Bedürfnis, keine Seele verraten. Mit einem Worte: bei *der* Freiheit, welche die Sinnlichkeit *sich selbst nimmt,* ist an keine Schönheit zu denken. Die Freiheit der Formen, die der sittliche Wille bloß *eingeschränkt* hatte, *überwältigt* der grobe Stoff, welcher stets so viel Feld gewinnt, als dem Willen entrissen wird.

Ein Mensch in diesem Zustand empört nicht bloß den *moralischen* Sinn, der den Ausdruck der Menschheit unnachlaßlich fordert; auch der *ästhetische* Sinn, der sich nicht mit dem bloßen Stoffe befriedigt, sondern in der Form ein freies Vergnügen sucht, wird sich mit Ekel von einem solchen Anblick abwenden, bei welchem nur die Begierde ihre Rechnung finden kann.

Das erste dieser Verhältnisse zwischen beiden Naturen im Menschen erinnert an eine *Monarchie,* wo die strenge Aussicht des Herrschers jede freie Regung im Zaum hält; das zweite an eine wilde *Ochlokratie,* wo der Bürger durch Aufkündigung des Gehorsams gegen den rechtmäßigen Oberherrn so wenig frei, als die menschliche Bildung durch Unterdrückung der moralischen Selbsttätigkeit schön wird, vielmehr nur dem brutaleren Despotismus der untersten Klassen, wie hier die Form der Masse, anheimfällt. So wie die *Freiheit* zwischen dem gesetzlichen Druck und der Anarchie mitten inne liegt, so werden wir jetzt auch die *Schönheit* zwischen der *Würde,* als dem Ausdruck des herrschenden Geistes, und der *Wollust,* als dem Ausdruck des herrschenden Triebes, in der Mitte finden.

Wenn nämlich weder *die über die Sinnlichkeit herrschende Vernunft noch die über die Vernunft herrschende Sinnlichkeit* sich mit Schönheit des Ausdrucks vertragen, so wird (denn es gibt keinen vierten Fall), so wird derjenige Zustand des Gemüts, *wo Vernunft und Sinnlichkeit* – Pflicht und Neigung – *zusammenstimmen,* die Bedingung sein, unter der die Schönheit des Spiels erfolgt.

Um ein Objekt der Neigung werden zu können, muß der Gehorsam gegen die Vernunft einen Grund des Vergnügens abgeben, denn nur durch Lust und Schmerz wird der Trieb in Bewegung gesetzt. In der gewöhnlichen Erfahrung ist es zwar umgekehrt, und das Vergnügen ist der Grund, warum man vernünftig handelt. Daß die Moral selbst endlich aufgehört hat, diese Sprache zu reden, hat man dem unsterblichen Verfasser der Kritik zu verdanken, dem der Ruhm gebührt, die gesunde Vernunft aus der philosophierenden wieder hergestellt zu haben.

Aber so wie die Grundsätze dieses Weltweisen von ihm selbst und auch von andern pflegen vorgestellt zu werden, so ist die Neigung eine sehr zweideutige Gefährtin des Sittengefühls, und das Vergnügen eine bedenkliche Zugabe zu moralischen Bestimmungen. Wenn der Glückseligkeitstrieb auch keine blinde Herrschaft über den Menschen behauptet, so wird er doch bei dem sittlichen Wahlgeschäfte gerne *mitsprechen* wollen und so der Reinheit des Willens schaden, der immer nur dem Gesetze und nie dem *Triebe* folgen soll. Um also völlig sicher zu sein, daß die Neigung nicht mitbestimmte, sieht man sie lieber im Krieg als im Einverständnis mit dem Vernunftgesetze, weil es gar zu leicht sein kann, daß ihre

Fürsprache allein ihm seine Macht über den Willen verschaffte. Denn da es beim Sittlichhandeln nicht auf die *Gesetzmäßigkeit* der Taten, sondern einzig nur auf die *Pflichtmäßigkeit* der Gesinnungen ankommt, so legt man mit Recht keinen Wert auf die Betrachtung, daß es für die erste gewöhnlich vorteilhafter sei, wenn sich die Neigung auf seiten der Pflicht befindet. So viel scheint also wohl gewiß zu sein, daß der Beifall der Sinnlichkeit, wenn er die Pflichtmäßigkeit des Willens auch nicht verdächtig macht, doch wenigstens nicht imstand ist, sie zu *verbürgen.* Der sinnliche Ausdruck dieses Beifalls in der Grazie wird also für die Sittlichkeit der Handlung, bei der er angetroffen wird, nie ein hinreichendes und gültiges Zeugnis ablegen, und aus dem schönen Vortrag einer Gesinnung oder Handlung wird man nie ihren moralischen Wert erfahren.

Bis hieher glaube ich mit den Rigoristen der Moral vollkommen einstimmig zu sein; aber ich hoffe dadurch noch nicht zum Latitudinarier zu werden, daß ich die Ansprüche der Sinnlichkeit, die im Felde der reinen Vernunft und bei der moralischen Gesetzgebung *völlig* zurückgewiesen sind, im Feld der Erscheinung und bei der wirklichen Ausübung der Sittenpflicht noch zu behaupten versuche.

So gewiß ich nämlich überzeugt bin – und eben darum, weil ich es bin – daß der Anteil der Neigung an einer freien Handlung nichts beweist, so glaube ich *eben daraus* folgern zu können, daß die sittliche Vollkommenheit des Menschen gerade nur aus diesem Anteil seiner Neigung an seinem moralischen Handeln erhellen kann. Der Mensch nämlich ist nicht dazu bestimmt, einzelne sittliche Handlungen zu verrichten, sondern ein sittliches Wesen zu sein. Nicht *Tugenden,* sondern *die Tugend* ist seine Vorschrift, und Tugend ist nichts anders »als eine Neigung zu der Pflicht«. Wie sehr also auch Handlungen aus Neigung und Handlungen aus Pflicht in objektivem Sinne einander entgegenstehen, so ist dies doch in subjektivem Sinn nicht also, und der Mensch *darf* nicht nur, sondern *soll* Lust und Pflicht in Verbindung bringen; er soll seiner Vernunft mit Freuden gehorchen. Nicht um sie wie eine Last wegzuwerfen, oder wie eine grobe Hülle von sich abzustreifen, nein, um sie aufs innigste mit seinem höhern Selbst zu vereinbaren, ist seiner reinen Geisternatur eine sinnliche beigesellt. Dadurch schon, daß sie ihn zum vernünftig sinnlichen Wesen, d. i. zum Menschen machte, kündigte ihm die Natur die Verpflichtung an, nicht zu trennen, was sie verbunden hat, auch in den reinsten Äußerungen seines göttlichen Teiles den sinnlichen nicht hinter sich zu lassen und den Triumph des einen nicht auf Unterdrückung des andern zu gründen. Erst alsdann, wenn sie *aus seiner gesamten Menschheit* als die vereinigte Wirkung beider Prinzipien hervorquillt, *wenn sie ihm zur Natur geworden ist,* seine sittliche Denkart geborgen, denn so lange der sittliche Geist noch *Gewalt* anwendet, so muß der Naturtrieb ihm noch Macht entgegenzusetzen haben. Der bloß *niedergeworfene* Feind kann wieder aufstehen, aber der *versöhnte* ist wahrhaft überwunden.

In der Kantischen Moralphilosophie ist die Idee der *Pflicht* mit einer Härte vorgetragen, die alle Grazien davon zurückschreckt und einen schwachen Verstand leicht versuchen könnte, auf dem Wege einer finstern und mönchischen Asketik die moralische Vollkommenheit zu suchen. Wie sehr sich auch der große Weltweise gegen diese Mißdeutung zu verwahren suchte, die seinem heitern und freien Geist unter allen gerade die empörendste sein muß, so hat er, deucht mir, doch selbst durch die strenge und grelle Entgegensetzung beider auf den Willen des Menschen wirkenden Prinzipien einen starken (obgleich bei seiner Absicht vielleicht kaum zu vermeidenden) Anlaß dazu gegeben. Über die Sache selbst kann, nach den von ihm geführten Beweisen, unter denkenden Köpfen, *die überzeugt sein wollen,* kein Streit mehr sein, und ich wüßte kaum, wie man nicht lieber sein ganzes Menschsein aufgeben, als über diese Angelegenheit ein anderes Resultat von der Vernunft erhalten wollte. Aber so rein er bei *Untersuchung* der Wahrheit zu Werke ging, und so sehr sich *hier* alles aus bloß objektiven Gründen erklärt, so scheint ihn doch in *Darstellung* der gefundenen Wahrheit eine mehr subjektive Maxime geleitet zu haben, die, wie ich glaube, aus den Zeitumständen nicht schwer zu erklären ist.

So wie er nämlich die Moral seiner Zeit, im Systeme und in der Ausübung, vor sich fand, so mußte ihn auf der einen Seite ein grober Materialismus in den moralischen Prinzipen empören, den die unwürdige Gefälligkeit der Philosophen dem schlaffen Zeitcharakter zum Kopfkissen untergelegt hatte.

Auf der andern Seite mußte ein nicht weniger bedenklicher *Perfektionsgrundsatz*, der, um eine abstrakte Idee von allgemeiner Weltvollkommenheit zu realisieren, über die Wahl der Mittel nicht sehr verlegen war, seine Aufmerksamkeit erregen. Er richtete also dahin, wo die Gefahr am meisten erklärt und die Reform am dringendsten war, die stärkste Kraft seiner Gründe und machte es sich zum Gesetze, die Sinnlichkeit sowohl da, wo sie mit frecher Stirne dem Sittengefühl Hohn spricht, als in der imposanten Hülle moralisch löblicher Zwecke, worein besonders ein gewisser enthusiastischer Ordensgeist sie zu verstecken weiß, ohne Nachsicht zu verfolgen. Er hatte nicht die *Unwissenheit* zu belehren, sondern die *Verkehrtheit* zurecht zu weisen. Erschütterung forderte die Kur, nicht Einschmeichelung und Überredung; und je härter der Abstich war, den der Grundsatz der Wahrheit mit den herrschenden Maximen machte, desto mehr konnte er hoffen, Nachdenken darüber zu erregen. Er ward der Drako seiner Zeit, weil sie ihm eines Solons noch nicht wert und empfänglich schien. Aus dem Sanktuarium der reinen Vernunft brachte er das fremde und doch wieder so bekannte Moralgesetz, stellte es in seiner ganzen Heiligkeit aus vor dem entwürdigten Jahrhundert und fragte wenig darnach, ob es Augen gibt, die seinen Glanz nicht vertragen.

Womit aber hatten es die *Kinder des Hauses* verschuldet, daß er nur für die *Knechte* sorgte? Weil oft sehr unreine Neigungen den Namen der Tugend usurpieren, mußte darum auch der uneigennützige Affekt in der edelsten Brust verdächtig gemacht werden? Weil der moralische Weichling dem Gesetz der Vernunft gern eine *Laxität* geben möchte, die es zum Spielwerk seiner Konvenienz macht, mußte ihm darum eine *Rigidität* beigelegt werden, die die kraftvolleste Äußerung moralischer Freiheit nur in eine rühmlichere Art von Knechtschaft verwandelt? Denn hat wohl der wahrhaft sittliche Mensch eine freiere Wahl zwischen Selbstachtung und Selbstverwerfung als der Sinnensklave zwischen Vergnügen und Schmerz? Ist dort etwa weniger Zwang für den reinen Willen als hier für den verdorbenen? Mußte schon durch die *imperative* Form des Moralgesetzes die Menschheit angeklagt und erniedrigt werden und das erhabenste Dokument ihrer Größe zugleich die Urkunde ihrer Gebrechlichkeit sein? War es wohl bei dieser imperativen Form zu vermeiden, daß eine Vorschrift, die sich der Mensch als Vernunftwesen selbst gibt, die deswegen allein für ihn bindend und dadurch allein mit seinem Freiheitsgefühle verträglich ist, nicht den Schein eines fremden und positiven Gesetzes annahm – einen Schein, der durch seinen *radikalen* Hang, demselben entgegen zu handeln (wie man ihm schuld gibt), schwerlich vermindert werden dürfte![1]

Es ist für moralische Wahrheiten gewiß nicht vorteilhaft, Empfindungen *gegen* sich zu haben, die der Mensch ohne Erröten sich gestehen darf. Wie sollen sich aber die Empfindungen der Schönheit und Freiheit mit dem austeren Geist eines Gesetzes vertragen, das ihn mehr durch *Furcht* als durch *Zuversicht* leitet, das ihn, den die Natur doch *vereinigte,* stets zu *vereinzeln* strebt, und nur dadurch, daß es ihm Mißtrauen gegen den einen Teil seines Wesens erweckt, sich der Herrschaft über den andern versichert? Die menschliche Natur ist ein verbundeneres Ganze in der Wirklichkeit, als es dem Philosophen, der nur durch Trennen was vermag, erlaubt ist, sie erscheinen zu lassen. Nimmermehr kann die Vernunft Affekte als ihrer unwert verwerfen, die das Herz mit Freudigkeit bekennt, und der Mensch da, wo er moralisch gesunken wäre, nicht wohl in seiner eigenen Achtung steigen. Wäre die sinnliche Natur im Sittlichen immer nur die unterdrückte und nie die *mitwirkende* Partei, wie könnte sie das ganze Feuer ihrer Gefühle zu einem Triumph hergeben, der über sie selbst gefeiert wird? Wie könnte sie eine so lebhafte Teilnehmerin an dem Selbstbewußtsein des reinen Geistes sein, wenn sie sich nicht endlich so innig an ihn anschließen könnte, daß selbst der analytische Verstand sie nicht ohne Gewalttätigkeit mehr von ihm trennen kann?

Der Wille hat ohnehin einen unmittelbaren Zusammenhang mit dem Vermögen der Empfindungen als dem der Erkenntnis, und es wäre in manchen Fällen schlimm, wenn er sich bei der reinen Vernunft erst orientieren müßte. Es erweckt mir kein gutes Vorurteil für einen Menschen, wenn er der Stimme des Triebes so wenig trauen darf, daß er gezwungen ist, ihn jedesmal erst vor dem Grundsatze der Moral abzuhören; vielmehr achtet man ihn hoch, wenn er sich demselben ohne Gefahr, durch ihn mißgeleitet zu werden, mit einer gewissen

Sicherheit vertraut. Denn das beweist, daß beide Prinzipien in ihm sich schon in derjenigen Übereinstimmung befinden, welche das Siegel der vollendeten Menschheit und dasjenige ist, was man unter einer schönen Seele verstehet.

Eine schöne Seele nennt man es, wenn sich das sittliche Gefühl aller Empfindungen des Menschen endlich bis zu dem Grad versichert hat, daß es dem Affekt die Leitung des Willens ohne Scheu überlassen darf und nie Gefahr läuft, mit den Entscheidungen desselben im Widerspruch zu stehen. Daher sind bei einer schönen Seele die einzelnen Handlungen eigentlich nicht sittlich, sondern der ganze Charakter ist es. Man kann ihr auch keine einzige darunter zum Verdienst anrechnen, weil eine Befriedigung des Triebes nie verdienstlich heißen kann. Die schöne Seele hat kein andres Verdienst, als daß sie ist. Mit einer Leichtigkeit, als wenn bloß der Instinkt aus ihr handelte, übt sie der Menschheit peinlichste Pflichten aus, und das heldenmütigste Opfer, das sie dem Naturtriebe abgewinnt, fällt wie eine freiwillige Wirkung eben dieses Triebes in die Augen. Daher weiß sie selbst auch niemals um die Schönheit ihres Handelns, und es fällt ihr nicht mehr ein, daß man anders handeln und empfinden könnte; dagegen ein schulgerechter Zögling der Sittenregel, so wie das Wort des Meisters ihn fordert, jeden Augenblick bereit sein wird, vom Verhältnis seiner Handlungen zum Gesetz die strengste Rechnung abzulegen. Das Leben des letztern wird einer Zeichnung gleichen, worin man die Regel durch harte Striche angedeutet sieht, und an der allenfalls ein Lehrling die Prinzipien der Kunst lernen könnte. Aber in einem schönen Leben sind, wie in einem Tizianischen Gemälde, alle jene schneidenden Grenzlinien verschwunden, und doch tritt die ganze Gestalt nur desto wahrer, lebendiger, harmonischer hervor.

In einer schönen Seele ist es also, wo Sinnlichkeit und Vernunft, Pflicht und Neigung harmonieren, und Grazie ist ihr Ausdruck in der Erscheinung. Nur im Dienst einer schönen Seele kann die Natur zugleich Freiheit besitzen und ihre Form bewahren, da sie erstere unter der Herrschaft eines strengen Gemüts, letztere unter der Anarchie der Sinnlichkeit einbüßt. Eine schöne Seele gießt auch über eine Bildung, der es an architektonischer Schönheit mangelt, eine unwiderstehliche

Grazie aus, und oft sieht man sie selbst über Gebrechen der Natur triumphieren. Alle Bewegungen, die von ihr ausgehen, werden leicht, sanft und dennoch belebt sein. Heiter und frei wird das Auge strahlen, und Empfindung wird in demselben glänzen. Von der Sanftmut des Herzens wird der Mund eine Grazie erhalten, die keine Verstellung erkünsteln kann. Keine Spannung wird in den Mienen, kein Zwang in den willkürlichen Bewegungen zu bemerken sein, denn die Seele weiß von keinem. Musik wird die Stimme sein und mit dem reinen Strom ihrer Modulationen das Herz bewegen. Die architektonische Schönheit kann Wohlgefallen, kann Bewunderung, kann Erstaunen erregen, aber nur die Anmut wird hinreißen. Die Schönheit hat *Anbeter; Liebhaber* hat nur die Grazie; denn wir huldigen dem Schöpfer und lieben den Menschen.

1 Siehe das Glaubensbekenntnis des V. d. K. von der menschlichen Natur in seiner neuesten Schrift: *Die Offenbarung in den Grenzen der Vernunft.* Erster Abschnitt.

Immanuel Kant
Aus der Religionsschrift:
Zu Schillers Abhandlung über
Anmut und Würde
(1794)

Herr. Prof. *Schiller* mißbilligt in seiner mit Meisterhand verfaßten Abhandlung (*Thalia* 1793, 3tes Stück) über *Anmut und
Würde* in der Moral diese Vorstellungsart der Verbindlichkeit,
als ob sie eine kartäuserartige Gemütsstimmung bei sich führe; allein ich kann, da wir in den wichtigsten Prinzipien einig
sind, auch in diesem keine Uneinigkeit statuieren, wenn wir
uns nur unter einander verständlich machen können. – Ich
gestehe gern: daß ich dem *Pflichtbegriffe* gerade um seiner
Würde willen keine *Anmut* beigesellen kann. Denn er enthält
unbedingte Nötigung, womit Anmut in geradem Widerspruch
steht. Die Majestät des Gesetzes (gleich dem auf Sinai) flößt
Ehrfurcht ein (nicht Scheu, welche zurückstößt, auch nicht
Reiz, der zur Vertraulichkeit einladet), welche *Achtung* des
Untergebenen gegen seinen Gebieter, in diesem Fall aber, da
dieser in uns selbst liegt, ein *Gefühl des Erhabenen* unserer
eigenen Bestimmung erweckt, was uns mehr hinreißt als alles
Schöne. – Aber die *Tugend,* d. i. die fest gegründete Gesinnung seine Pflicht genau zu erfüllen, ist in ihren Folgen auch
wohltätig, mehr wie Alles, was Natur oder Kunst in der Welt
leisten mag; und das herrliche Bild der Menschheit, in dieser
ihrer Gestalt aufgestellt, verstattet gar wohl die Begleitung
der *Grazien,* die aber, wenn noch von Pflicht allein die Rede
ist, sich in ehrerbietiger Entfernung halten. Wird aber auf die
anmutigen Folgen gesehen, welche die Tugend, wenn sie
überall Eingang fände, in der Welt verbreiten würde, so zieht
alsdann die moralisch-gerichtete Vernunft die Sinnlichkeit
(durch die Einbildungskraft) mit ins Spiel. Nur nach bezwun-
genen Ungeheuern wird Hercules *Musaget,* vor welcher Arbeit
jene gute Schwestern zurückbeben. Diese Begleiterinnen der
Venus Urania sind Buhlschwestern im Gefolge der Venus Dione, sobald sie sich ins Geschäft der Pflichtbestimmung einmi-

schen und die Triebfedern dazu hergeben wollen. – Frägt man nun: welcherlei ist die *ästhetische* Beschaffenheit, gleichsam das *Temperament der Tugend*, mutig, mithin *fröhlich*, oder ängstlich-gebeugt und niedergeschlagen? so ist kaum eine Antwort nötig. Die letztere sklavische Gemütsstimmung kann nie ohne einen verborgenen *Haß* des Gesetzes statt finden, und das fröhliche Herz in *Befolgung* seiner Pflicht (nicht die Behaglichkeit in *Anerkennung* desselben) ist ein Zeichen der Echtheit tugendhafter Gesinnung, selbst in der *Frömmigkeit,* die nicht in der Selbstpeinigung des reuigen Sünders (welche sehr zweideutig ist und gemeiniglich nur innerer Vorwurf ist, wider die Klugheitsregel verstoßen zu haben), sondern im festen Vorsatz es künftig besser zu machen besteht, der, durch den guten Fortgang angefeuert, eine fröhliche Gemütsstimmung bewirken muß, ohne welche man nie gewiß ist, das Gute auch *lieb gewonnen,* d. i. es in seine Maxime aufgenommen zu haben.

Immanuel Kant
Aus den Vorarbeiten zur Religionsschrift:
Zu Schillers Abhandlung über
Anmut und Würde
(vor 1794)

Die Frage ist, ob die Anmut vor der Würde oder diese vor
jener (als ratione prius) vorhergehen müsse, denn in Eins
zusammenschmelzen kann man es nicht im Begriffe von
Pflicht, wenn sie heterogen sind. Die Achtung fürs Gesetz in
einem Wesen, das fehlbar ist, d. i. versucht wird, es zu übertreten, ist Furcht vor Übertretung (Gottesfurcht), aber zugleich
freie Unterwerfung unter dem Gebot, das die Vernunft des
Subjekts ihm selbst vorschreibt. Die Unterwerfung beweist
Achtung, die Freiheit derselben je größer sie ist ist desto mehr
Anmut. Beides zusammen Würde (iustum sui aestimium).
Nicht ein *Heiliger* (Baxter oder ein Vieh), sondern in Demut
in Vergleichung mit dem Gesetz. Auch nicht ein *büßender*
Kopfhänger und Frömmling in Selbstverachtung aus Mangel
an Vertrauen zu sich selbst, also nicht als Sünder (denn das soll
er eben durch dieses Vertrauen verhüten zu sein), sondern als
ein freier Untertan unter dem Gesetz. *Würde.* (Pope Schreck-
licher Kartäuser.) Meine Gebote sind nicht schwer. Wir sind
nun eigentlich frei (Paulus). Anmut ist nicht im Gesetz und in
der Verpflichtung auch nicht Furcht in der Achtung. Beide
zusammen [...]
Über die Grazie der Gesetzgebung. Pflicht enthält keine
Anmut in ihrer Vorstellung, verstattet auch nicht, daß diese
ihr beigegeben werde, um zum Handeln zu bestimmen, denn
das ist Einschmeichelung des Gesetzgebers und seinem Ansehen zuwider. – Der Gürtel der Venus dione war die Verber-
gung des sinnlichen Reizes, den zu lösen andere lüstern
gemacht werden konnten, und dieser ist Achtung mit wollü-
stiger Neigung, die durch jene gebändigt wird – Ob es Schönheit der Bewegung des Leblosen gebe.
Alle Grazie abzusondern ist nicht sie verscheuchen, sie
mögen sich immer beigesellen, aber nicht sich anhängen –

Grazien schicken sich nicht zur Gesetzgebung. Der Ausdruck, Schreibart kann Grazie haben, nicht der Sinn und Inhalt.

Die menschlichen Handlungen teilen sich in Geschäfte (die unter dem Gesetz der Pflicht stehen) und Spiel. Es wäre ein Unglück, wenn ihm das letztere verboten würde; er würde des Lebens nicht froh werden. Aber eingeschränkt müssen diese doch auf die Bedingung des ersteren werden. Die Grazien gehören zum Spiel, sofern es um die erstere zu befördern guten Mut geben und stärken kann.

Personen, die am einigsten mit einander im Sinne sind, geraten oft in Zwiespalt dadurch, daß sie in Worten einander nicht verständlich sind. – Den Begriff der Pflicht abgesondert von aller Anmut, die dieser ihre Erfüllung begleiten mag, zum ersten Grunde der Moralität zu machen, soll nicht so viel heißen, als ihn von aller sie begleitenden Anmut trennen sondern nur auf die letztere gar nicht Rücksicht nehmen, wenn es auf Pflichtbestimmung ankommt. Denn anmutig zu sein ist gar keine Eigenschaft, die der Pflicht als einer solchen zukommen kann, und sie damit zu verbinden, um ihr Eingang zu verschaffen, ist der Gesetzgebung zuwider, die eine strenge Forderung ist und für sich geachtet sein will. »Der Mensch darf nicht nur, sondern er soll Lust und Pflicht in Verbindung bringen; er soll seiner Vernunft *mit Freuden* gehorchen« – »Dadurch schon daß sie ihn zum vernünftig-sinnlichen Wesen d. i. zum Menschen machte, kündigt ihm die Natur die Verpflichtung an, nicht zu trennen, was sie verbunden hat, auch in den reinsten Äußerungen seines göttlichen Teils den sinnlichen nicht hinter sich zu lassen und den Triumph des einen nicht auf Unterdrückung des andern zu gründen« – Ich habe immer darauf gehalten, Tugend und selbst Religion in fröhlicher Gemütsstimmung zu kultivieren und zu erhalten. Die mürrische kopfhängende gleich als unter einem tyranni-schen Joch ächzende kartäusermäßige Befolgung seiner Pflicht ist nicht Achtung, sondern knechtische Furcht und dadurch Haß des Gesetzes. Und der selbst, der diese Fröhlich-keit zur Pflicht machte, würde sie verscheuchen und nur die Grimasse davon übrig lassen – »Wäre die sinnliche Natur im Sittlichen immer nur die unterdrückte und nie die mitwir-kende Partei, wie könnte sie das ganze Feuer ihrer Gefühle zu einem Triumph hergeben, der über sie selbst gefeiert wird?«

– Es gibt ein Mittel. Die sinnliche Natur muß nicht als mitwir-kend, sondern unter der Despotie des kategorischen Impera-tivs gezügelt der Anarchie der Naturneigungen Widerstand leisten, deren Abschaffung allein auch ihre durchgängige Harmonie unter einander befördert.

Würden alle Menschen das moralische Gesetz gern und wil-lig befolgen, so wie es die Vernunft als die Regel enthält, so würde es gar keine Pflicht geben, so wie man dieses Gesetz, welches den Göttlichen Willen bestimmt, nicht als ihn ver-pflichtend denken kann. Wenn es also Pflichten gibt, wenn das Moralische Prinzip in uns Gebot für uns (kategorischer Imperativ) ist, so werden wir als dazu auch ohne Lust und unsere Neigung genötigt angesehen werden müssen. Pflicht etwas gern und aus Neigung zu tun ist Widerspruch.

Wenn die Einpfropfung dieses Begriffs auf unsere Gesinnung endlich geschehen ist, so kann es wohl geschehen, daß wir pflichtmäßige Handlungen mit Lust tun, aber nicht machen, daß wir sie mit Lust aus Pflicht tun, welches sich widerspricht, folglich auch nicht als zufolge einer Triebfeder der Sinnenlust, die den Mangel des Gehorsams gegen das Pflichtgesetz ergänzt. Denn eben darin besteht die Moralität der Hand-lung, daß das Gesetz der Pflicht nicht bloß die Regel (zu irgend einer Absicht), sondern unmittelbar Triebfeder sei. – Jenes ist parergon der Moral.

Das sittlich noch so weit über Menschen hervorragende Wesen muß die imperative Form des moralischen Gesetzes, das seine Vernunft ihm selbst gibt, nach aller seiner Strenge als moralischen Zwang erkennen. Denn als endliches Wesen ist es doch durch Bedürfnisse affiziert, die physisch sind, und den moralischen sich entgegensetzen können. Hierwider steht nun der kategorische Imperativ selbst bei allem Zutrauen zu sich selbst, weil es doch auf physische Bedin-gungen seiner Glückseligkeit eingeschränkt ist, damit diese ja nicht dem Moralgesetze widerstreiten. Selbst die Furcht kann sich verloren haben, das gebietende Ansehen bleibt.

Freiheit

Johann Heinrich Abicht
Über die Freiheit des Willens
(1789)

Die vielen Erklärungsversuche und Streitigkeiten, welche die Lehre von der menschlichen Freiheit, besonders in unsern Tagen, veranlaßt hat, geben zu erkennen, wie sehr man von der Wichtigkeit des Gegenstandes überzeugt ist. Zwar erscheint er den verschiedenen Parteien nicht von einerlei Seite wichtig. Die Deterministen, welche den Streit und die Mißhelligkeiten erregt haben, sehen den Glauben an Freiheit für eine Zauberbinde an, mit der sich der menschliche Verstand die Augen selbst verbinde, um sich mit dem süßen Wahne zu letzen, daß er, gleich einem jungen Gotte, sich selbst und den Lauf des Schicksals regieren könne. Einen solchen Verstand mit der Zauberbinde bemitleiden nun die Seher; das Glück, helle Augen zu haben, geht ihnen über alles; und es ist lauter Menschenfreundlichkeit, welche sie bewegt, das mühsame Geschäfte eines Verstandesoculisten über sich zu nehmen.

Die Freiheitsverfechter hingegen haben einen ganz andern Gesichtspunkt, aus dem ihnen dieser Gegenstand wichtig erscheint. Ihnen ist der Glaube an Freiheit ehrwürdig wegen seinem Einfluß auf die Sittlichkeit. Für den Menschen gilt kein Gesetz mehr, sagen sie, so bald es erwiesen ist, daß es nicht von ihm abhängt, sich zu entschließen, nach dem Gesetze zu handeln; so bald es nicht in seiner Kraft liegt, trotz allen Hindernissen sich selbst und seinen Entschlüssen zu folgen. – Es wäre lächerlich und vergebens, zu dem Gefangnen zu sagen: wandle auf Blumenwegen! – Unsre moralischen Gesetze müßten wir allenfalls in leidige Trostsprüche verwandeln; – und unser stolzer Mut, der seine ganze Energie von dem Glauben an Freiheit entlehnt, der stolze Mut, ohne den kein Emporstreben, keine Tugend, folglich auch keine Seligkeit derselben möglich ist, würde zu einer allgemeinen Kraftlosigkeit herabschwinden, die nur zuweilen, wie bei dem Tiere, durch die Bedürfnisse der Sinnlichkeit eine periodische Spannung erhalten möchte. Kurz, diese andre Partei stellt uns ein Gemälde von Folgen auf, vor dem wir zurückschauern müssen; und nach einigem Besinnen bleibt uns nichts anders übrig, als ihre Partei zu ergreifen und uns mit ihnen zum Streite zu rüsten.

Ich gestehe es, das Gemälde hat, je länger ich es betrachte, Wahrheit für mich; ich stelle an mir selbst eine Probe an, indem ich die Überzeugung in mir lebhaft erhalte, daß ich durch mich selbst nichts, gar nichts vermag; ich fühle die Pein, schon zittert das Knie, aller Mut sinkt, alle meine Hoffnungen schwinden, denn ich sehe – die Geschichte des Lebens und des menschlichen Herzens vor mir aufgeschlagen – tausend Zufälle auf mich einstürmen, und wie weiß ich, zu was sie mich ziehen werden? Ich selbst kann sie nicht lenken, ich bin nicht Herr über mich, nicht über sie und ihren Einfluß, ich muß ihnen still halten. – Verzeiht mir die unwillkürliche – Schwäche vielleicht, ihr glücklichen Seher! in die ich bei eurem Rate verfalle; – ich will meinen Glauben an Freiheit beibehalten, den mich meine Mutter Natur gelehrt hat; vielleicht hat die treue mich Wahrheit gelehrt; laßt sie uns darum fragen, und unsern Glauben in Überzeugung zu verwandeln suchen.[1]

Vor allen Dingen müssen wir uns zu dem Ende über den Begriff der Freiheit vereinigen. Nach dem gemeinen Sinne setzt man sie in ein gewisses *Vermögen der Wahl, die man, selbst unter gleichinteressanten Sachen, welche das Zünglein der Willenswaage senkrecht erhalten, anstellen könne.* Es ist leicht einzusehen, daß der so genannte gemeine Menschenverstand, der hier *philosophiert,* mit dem schwachraisonnierenden Verstande einerlei ist. Denn nach dieser Angabe wäre Freiheit ein Vermögen, das heißt ein Grund der Grundlosigkeit, nämlich der Wahl ohne Grund, oder welches nun einerlei ist: Nichts.

Wir müssen also wohl einen besseren Sinn des Worts aussuchen. – Mehr kann nun aber ein Gott nicht verlangen, als wenn wir ihm *das Vermögen* geben, *der alleinige Selbstgrund seines Wollens zu sein.*

»Also doch Grund, welcher nötigt? Die Freiheit soll moralische oder innre Notwendigkeit, innrer Zwang sein? Wenn sie das ist, so ist es gleichviel, ob man innre oder äußre Notwendigkeit annimmt, denn in beiden Fällen geht der Begriff der Freiheit verloren.«

Mit nichten! es liegt nur ein Mißverstand darunter. Du denkst dir, Freund! bei innrer, moralischer Notwendigkeit ein Leiden, wie bei der äußern Notwendigkeit, und das solltest du nicht; du trennst insgeheim das Prinzip der Tätigkeit und des Wollens von dem Prinzip, welches nötigt, und das ist wieder nicht wohlgetan; denn alsdann findest du allerdings ein tätiges und ein leidendes Etwas; das leidende ist in deinem Gedanken der Wille, und dieser das eigentliche Ich, das nötigende hat keine bestimmte Stelle der Subsistenz, – und nun fällt auch freilich zugleich aller Unterschied zwischen äußrer und innrer Notwendigkeit über den Haufen, denn nach deiner Vorstellung ist das nötigende Prinzip im Gegensatz des Wollenden in der Tat etwas äußeres. – Der oben bestimmte Begriff der Freiheit will, daß wir uns die Sache ungefähr so vorstellen: Das Ich will notwendig, weil es Selbst will; es verhält sich also nicht leidend bei dieser Selbstnötigung, oder besser Selbstbestimmung; denn die *innre Notwendigkeit* heißt: *das bestimmte Wesen des Dinges, seine an sich bestimmte Tätigkeit selbst;* in so fern wir uns aber, den Zuschauern, das selbsttätige Ding vorstellen und uns den Grund seines Handelns angeben wollen, so bleiben wir bei dem Dinge als Grund stehen und denken es einmal als Grund, ein andermal, und zwar sogleich darauf, als das durch den Grund genötigte; und jetzt wird es leidend in der zweiten Vorstellung; es ist also bloß täuschende Vorstellung, wenn wir an ein Leiden bei der innern Notwendigkeit denken; vielleicht täuscht das Wort: selbständige Tätigkeit des Dinges, am wenigsten.

Wenn nun aber auch die Seele der alleinige Selbstgrund ihres Wollens wirklich sein sollte, so wissen wir doch schon so viel, daß sich dieser Grund in keinem besondern Gefühle, in keiner eignen ins Bewußtsein abgeschickten Vorstellung, welche beide *ihn selbst* kennbar machen könnten, zu erkennen gibt; er ist transzendental, oder dem nach seinen Kennzeichen forschenden Verstande unerreichbar und verborgen. Wollen wir uns von dem *Dasein* dieses Selbstgrundes überzeugen, so müssen wir ungefähr so zu Werke gehn, wie wenn wir das Dasein der Substanzen im Raum, und ihr Verhältnis zu einander als Wechselgründe zu erweisen suchen. In diesem Falle nämlich lassen wir uns Erscheinungen *geben*, welchen wir notwendige

Gründe, nämlich Substanzen, unterlegen; wir lassen uns einen *Wechsel* der Erscheinungen geben, welchen wir alsdenn notwendige *Wechselgründe*, nämlich wechselseitig in einander wirkende Substanzen unterlegen.

Auf gleiche Weise müssen wir uns auch im Innern Erscheinungen ins Bewußtsein *geben* lassen, denen wir substantielle Gründe unterlegen können. Dabei müssen wir aber genau nachsehen, ob diese gegebenen Erscheinungen des Wollens so geartet und beschaffen sind, daß wir ihnen auch äußere substantielle Gründe, die von dem Prinzip des Ichs und von den substantiellen Gründen, die es in sich schließt, z. B. von dem substantiellen Grunde der Verstandeserscheinungen u. a. verschieden sind, drunter zu setzen genötigt werden? Auf diesem Wege wollen wir in gegenwärtiger Abhandlung fortgehen.

Die Erscheinungen des Wollens, die uns gegeben werden, sind innre Empfindungen mannigfaltiger Tätigkeiten, die wir bald Beifall, bald Entschließung, bald Neigung, Begierde, Affekt, Tugendbestreben usw. nennen. Wir legen ihnen allen einen *Grund der Tätigkeit*, Willenskraft, Tätigkeitskraft genannt, unter, den wir in aktuelle Äußerungen notwendig versetzt annehmen müssen, wenn nach gewissen Gesetzen andre Gründe als wirklich anzunehmen sind. Diese andren in den Gesetzen allgemein vorgestellten Gründe müssen notwendig auch wieder Erscheinungen sein, sie müssen dem innern Sinne gegeben und dem Bewußtsein mitgeteilt werden, sonst könnten wir sie nicht in Gesetzen vorstellen, welche nur ihr allgemeines, gemeinschaftlich eigentümliches ausdrükken.

Es entstehen also nun die Fragen: 1. welches sind diese vorauszusetzenden Gründe, auf welche, wenn sie da sind, die Willenskraft ihre Erscheinungen des Wollens gibt? 2. und da diese Gründe wieder Erscheinungen sind, was für substantielle, transzendentale, letzte Gründe werden wir ihnen unterlegen müssen? *innre*, bloß dem Ich zugehörige? oder *äußre*? Müssen wir auf *innre* antragen, so ist das Ich, als der Inbegriff aller innern substantiellen Gründe, der alleinige Selbstgrund des Wollens, der Wille ist frei im transzendenten Sinne; im entgegengesetzten Falle aber nicht.

An einem jeden Tätigkeitsgrunde, bei jeder Kraft sind nur zwei Hauptmomente zu betrachten möglich, einmal: die *Wirklichkeit* ihrer Äußerungen, und dann zweitens: die *bestimmte Richtung* derselben. Beide erfordern also auch wiederum zwei vorauszusetzende Gründe, aus denen diese Bestimmungen der Kraft möglich und gedenkbar sind, einen *Richtungsgrund* und einen *Treib-, Beweg-* oder *Nötigungsgrund.* Ohne uns bei einer weitläufigen Anwendung auf die Kräfte der Körperwelt aufzuhalten, wollen wir sogleich zu der uns hier eigentlich interessierenden Frage übergehen: *welches sind diese zwei namhaften Allgemeingründe für die Willenskraft.*

Es ist schon angemerkt worden, daß sie empirisch sein müssen, daß sie also müssen erfahren werden können, und zwar, weil sie bei jeder merklichen Äußerung der Willenskraft auch dem Bewußtsein merkbar werden, müssen sie in den mehrsten Willenserscheinungen vorkommen.

Erfahrungen

Es sind eben so allgemeine Bemerkungen, wie die der Schwere der Körper, 1. daß die Willenskraft durch *Vorstellungen gerichtet* und gelenkt werde, 2. und daß man sie nach dieser Richtung hin *wirklich bewege, treibe* und *nötige,* wenn man ein *Gefühl,* ein Interesse oder Vergnügen mit den richtenden Vorstellungen verbindet. Zuvor noch angemerkt, daß *allgemeine Vorstellungen* Maximen, Gesetze genannt werden; so folgern wir aus diesen Bemerkungen zwei Grundgesetze der Erfahrung für die Willenskraft, in welchen die vorangehenden Gründe ihrer Erscheinungen des Wollens *allgemein* und *vollständig* vorgestellt werden, nämlich

Erstes Grundgesetz:

Alle Erscheinungen des Wollens stehen unter *empirischen Vorstellungen,* als unter bestimmenden Gründen der Arten derselben;

Zweites Grundgesetz:

Alle Erscheinungen des Wollens stehen unter *empirischen Gefühlen,* als unter bestimmenden Gründen des Seins und der Wirklichkeit unsrer Willenserscheinungen.

Daß mit diesen zwei Gesetzen die empirischen Gründe aller Äußerungen der Willenskraft vollständig sind aufgezählt worden, erhellt außer dem oben angezogenen auch noch aus folgender Betrachtung: In unserm Bewußtsein kommen nur zwei Haupterscheinungen vor, erstlich: *Vorstellungen,* als Merkmale der Gegenstände; zweitens: *Gefühle,* als eine eigne und besondre Gattung der Modifikationen des Bewußtseins. Aber nur dasjenige, was im Bewußtsein vorkommt, kann erfahren werden; wenn wir also, nach unserm Vorsatz, die empirischen Gründe der Willenerscheinungen namhaft machen wollen, so können wir, der vorgelegten Betrachtung zu Folge, nicht mehr als die angegebenen zwei Hauptgattungen der empirischen Gründe erwarten; alles Suchen nach andern würde vergebens sein.

II. *Die substantiellen Gründe von den zwei angeführten empirischen sind innere*

Um zu unserm Erweise des angenommenen Freiheitbegriffs einen nähern Schritt zu tun, müssen wir den Beweis versuchen: daß diesen empirischen Gründen der Willenserscheinungen keine andren als innre substantielle Gründe unterliegen können. Ist uns dieser Versuch gelungen, so bleibt uns nichts mehr übrig, als noch darzutun, daß diese substantiellen Gründe in einem einzigen Prinzip vereinigt werden müssen, vielleicht weil jene empirischen auch zusammenfallen. Alsdann soll uns kein Zweifel mehr im Wege stehen, die erwünschte Freiheit als unser wirkliches Eigentum anzusehen.

1. Alle *Vorstellungen,* sie mögen Namen haben, wie sie wollen, sind ein leeres, totes Etwas, welches im Bewußtsein schwebt und schwimmt, bevor sie durch den Verstand nach seiner Manier sind geformt und gebildet worden. Diese Bildung, die ganz sein eignes Werk ist, macht die Vorstellungen erst zu dem, was sie sind, nämlich zu *bestimmten* Vorstellun-

gen, welche erkenntlich sind, mit denen jetzt die Seele etwas *gewisses* und *bestimmtes* vor sich hat.

Man wird mir nun leicht zugeben, *daß eine bestimmte Richtung der Willenskraft* auch nur durch *bestimmte* Vorstellungen geschehen könne. Wenn dies gelten muß, so ist das Spiel von dieser Seite schon gewonnen. Denn nunmehr darf nur erwiesen werden: *daß alle Bestimmungen der Vorstellungen,* alle ihre Bildungen, *durch die auf sie angewandten und mit den vorhin noch leeren Vorstellungen verknüpften Urbegriffe des Verstandes geschehen, daß diese die charakteristischen Bestimmungen an ihnen ausmachen, daß folglich nur diese Urbegriffe die bestimmten Richtungen der Willenskraft möglich machen.* Für diesen Beweis lasse ich die Kantische Deduktion dieser Begriffe und dessen Kritik des Erkenntnisvermögens sorgen, welche beide fest stehen. Aber eben diese Deduktion will nichts anders erzielen als zu beweisen, daß diesen bestimmenden Begriffen *keine äußren,* sondern notwendig *innre substantielle Gründe,* welche in dem einzigen substantiellen Grunde *Ich* zusammenlaufen, darunter liegen; sie sollen bloß etwas Innres ins Bewußtsein Gegebenes, mit nichten aber von äußern, dem Ich fremden, Ursachen bewirkt sein.

Einen Weg haben wir demnach glücklich zurückgelegt; er führt uns geradezu auf einen dem Selbst, dem Ich angehörigen substantiellen Grund, der die empirischen Richtungsgründe der Willenskraft möglich macht. Von Seiten der Richtungen ist also der Wille frei, und zwar kommt ihm eine transzendentale Freiheit zu, denn der letzte Richtungsgrund ist ein substantieller innrer Grund.

2. Auf gleiche Weise müssen wir nun einen zweiten Beweis versuchen; es ist nämlich noch übrig zu erweisen: daß dem zweiten empirischen Grunde der Willenserscheinungen, dem bestimmenden Grunde ihrer *Wirklichkeit,* ich meine den Gefühlen als Beweggründen, nicht minder ein *innrer* substantieller Grund darunter liege, und daß auch sie auf einen transzendentalen Selbstgrund führen.

Es ist unleugbar, daß die Gefühle noch weniger als die bestimmenden Urbegriffe des Verstandes ihren Ursprung von äußern Gründen ableiten; sie würden sonst zum wenigsten als Merkmale der äußern Gegenstände so wie die Urbegriffe zu gebrauchen sein. Aber nicht einmal von dieser Seite, woran wir hauptsächlich die äußern Gründe von den innern unterscheiden, kommen sie mit den bestimmenden Urbegriffen überein; sie geben also nicht einmal, so wie diese, eine so täuschende Veranlassung, äußre Dinge als hinreichende Gründe ihrer Möglichkeit zu vermuten und aufzusuchen; ob sie es gleich an Täuschung nicht ganz fehlen lassen. — Sie sind bloße innre Erscheinungen, die also auch nur allein *innre substantielle Gründe* voraussetzen, und höchstens, besonders im Anfange des Lebens, äußere Dinge nur abwarten, daß sie *veranlassende, Gelegenheitsgründe,* aber auf keine Weise *bestimmende* und *zureichende Gründe* von ihnen werden.

Führen uns also auch diese empirischen Gründe auf einen innern substantiellen Grund, deuten auch sie geradehin auf einen transzendentalen Selbstgrund der Willenserscheinungen, so sind wir auch von seiten der Beweggründe frei und ungebunden von äußern Nötigungen; so kann kein äußres Ding unsern Willen nötigen und bestimmen, wenn der innre Selbstgrund aller Triebfedern nicht dabei ist, wenn er nicht will. Auch von dieser Seite kommt uns also die transzendentale Freiheit zu, weil der substantielle Grund aller empirischen Nötigungsgründe ein innrer, transzendentaler, unserm erkennenden Verstande übrigens unerreichbarer und unerforschlicher Grund ist.

III. Diese Richtungs- und Nötigungsgründe fallen zusammen

Der geführte Erweis für die Freiheit des Willens würde noch sehr mangelhaft sein, wenn nicht auch zuletzt könnte dargetan werden: *daß die angeführten Gründe, um die Willenserscheinungen hervorzubringen, gemeinschaftlich wirken,* daß der echte innre Richtungsgrund auch notwendig mit einem Nötigungsgrunde verbunden sei. Denn angenommen, daß jeder für sich und von dem andern getrennt wirke, so würde keiner allein auch nur Eine Willenserscheinung erzielen; und wo sie dies nicht vermöchten, so wären sie augenscheinlich in der Tat *keine Gründe.* Wir müssen also wohl noch einen dritten Versuch machen, um auch dieser Forderung an den vollständigen Erweis der Willensfreiheit Genüge zu tun.

Wollten wir auch nur die *Erfahrung* unsre Lehrerin sein lassen, so würde schon sie uns glaubend machen können, daß mit dem Bewußtsein der Selbstrealität, welches am öftersten durch die körperlich tierischen Empfindungen veranlaßt wird, ferner mit den Vorstellungen des Großen und Erhabenen, des Starken und Mächtigen, des Besonnenen, Verständigen und Wahren, des Tiefsinnigen, Witzigen und Harmonischen jederzeit ein Grad des angenehmen Gefühls, des Interessanten und Vergnüglichen verbunden sei; und schon dies kann uns auf die Gedanken bringen, daß wohl die bestimmenden Vorstellungen als Richtungsgründe des Willens und die Gefühle als die Nötigungsgründe desselben aus einerlei Quelle entspringen, daß sie folglich jederzeit gemeinschaftlich und unzertrennlich wirken möchten.

Allein, wie es immer die Erfahrung zu halten pflegt, sie läßt es bei solchen Sachen bloß bei dem Oberflächlichen, bei bloßen Vermutungen bewenden; *sie reizt nur an* zu tieferer Untersuchung und tritt, wenn sie dieses ihr eignes Geschäfte und Amt erfüllt hat, so lange hinter die *Kritik* zurück, bis sie diese wieder zur Bestätigung und Anwendung ihrer esoterischen Arbeit herbeiruft. Wir werden uns diesen Tausch der Lehrerinnen auch in dieser Angelegenheit, die wir zu behandeln haben, gefallen lassen müssen, und nun, da uns die Erfahrung so weit geführt hat, uns zur Kritik wenden und diese befragen.

Die *Kritik,* die Erforscherin des Denk- und Gefühlvermögens, belehrt uns nun mit den triftigsten Gründen: daß alles Gefühl, alles was man unter Interesse und Vergnügen zusammenfaßt, *aus dem Bewußtsein oder Anschauen des Selbst, des Ichs, und seiner ursprünglichen Eigenheiten* entspringe; daß aber diese Eigenheiten keine andern sind, als die, welche der Verstand mit den *Urbegriffen sich selbst* vorstellig macht und auch nur machen kann; mit welchen *Urbegriffen* er aber auch *alle übrigen Vorstellungen* von Dingen, diese mögen übrigens Namen haben wie sie wollen, zu *bestimmten* Vorstellungen bildet, zu Vorstellungen, die durch diese von dem Verstande erlangte *Bestimmtheit* nur allein *fähig* sind, *Richtungsgründe* des Willens zu sein.

Dieser Kritik ist also das verständige Ich der einzige Grund aller Vorstellungen, sowohl der Vorstellungen, mit denen das

Ich sich selbst und seine Eigenheiten sich vorstellig macht, als der bestimmten Begriffe von allen übrigen Dingen und Gegenständen. Sind aber diese die Selbsteigenheiten bestimmenden Vorstellungen die einzige Quelle von allem Interesse und folglich auch von allen Nötigungsgründen, so ist es erwiesen, daß die Richtungs- und Nötigungsgründe überall zusammen wirken; ferner, daß die vorher getrennten innern substantiellen Gründe des empirischen Richtungs- und Nötigungsgrundes nur ein einziger innrer substantieller Selbstgrund sind, welcher die Quelle aller einzeln vorgestellten Richtungsgründe und Triebfedern und sonach auch die Quelle aller Willenserscheinungen ist.

Zum Behufe der bessern Einsicht dieser Kritik und ihrer Folgerungen wird es wohlgetan sein, wenn wir noch zum Schlusse untersuchen: *wie der Schein entstehen könne, daß äußere Gegenstände, durch ihre mitgeteilten Empfindungen und ihren Anteil an den Vorstellungen, Gründe der treibenden Gefühle seien.*

Es ist vorhin angeführt worden, daß der Verstand durch seine Urbegriffe allen Vorstellungen der Dinge die Bestimmung gebe, ohne welche die Vorstellungen nur ein unbedeutendes, empfundenes Etwas in unserm Bewußtsein sein würden. Aber eben diese Bestimmungen drücken auch die Eigentümlichkeiten unsers Ichs aus, und machen sie vorstellig. Es muß deswegen mit und in einer jeden bewußten Vorstellung von einem Außendinge auch zugleich das Ich sich einer oder mehrerer seiner Eigenheiten in einem gewissen Grade der Hellung bewußt werden, oder sie anschauen.

Da nun aber das Anschaun dieser Eigenheiten die Quelle der Gefühle ist, so ist es einleuchtend, wie mit dem Bewußtsein der bestimmten Vorstellungen von Außendingen jederzeit auch ein Grad von Gefühl und Interesse vergesellschaftet sein müsse.

Der Schein, als wenn die Außendinge, mit ihren mitgeteilten Vorstellungen, der Grund des Vergnügens oder des Mißbehagens seien, entsteht also eben daher, wo jener Schein in den Erkenntnissen seinen Ursprung hat, welchen Kant aufdeckte; nämlich: wir legen die Bestimmungen an unsern Vorstellungen den Außendingen selbst bei, so lange wir nicht den Ursprung dieser Bestimmungen durch die Kritik in dem Prinzip des Verstandes erforscht haben. Aber eben deswegen sehen wir auch die Außendinge als die Ursachen unsrer angenehmen und widrigen Gefühle an. Denn weil die Bestimmungen, die der Verstand mit seinen Urbegriffen zu den Vorstellungen der Außendinge tut, zugleich auch die Eigenheiten des Ichs ausdrücken und anschauen lassen, und weil in der Anschauung derselben der Grund aller Gefühle ist, so müssen notwendig auch die in den Bestimmungen vorgestellten Eigenheiten des *Ichs bloß als Bestimmungen der Außendinge, nicht aber als angeschaute Eigentümlichkeiten des Ichs* der Grund der Gefühle zu sein scheinen, obgleich diese Außendinge nur dadurch scheinbare Gründe der Gefühle werden können, daß sie in ihren Bestimmungen dem Ich seine Eigenheiten zum Anschauen vorhalten.

So ist es also erwiesen, daß in uns, in dem substantiellen Grunde, welchen wir dem Ich, und seinem Inbegriffe von Vermögenheiten, unterlegen, auch der transzendentale Grund der Willenserscheinungen liege, den wir Freiheit des Willens nennen. Wir kennen aber weiter nichts von ihm, als die Erscheinungen, nämlich die Vorstellungen und Gefühle, als *empirische* Gründe aller Willenserscheinungen, von welchen zusammengenommen der transzendentale, oder substantielle innre Grund, Ich, der letzte und zureichende ist.

Kennen wir diesen transzendentalen Selbstgrund aber nicht im mindesten, kennen wir seine Art der Wirksamkeit in keinem Falle, so können wir auch auf keine rechtmäßige Weise bestimmen wollen, was für Anteil die äußern Dinge durch gegebene Gelegenheiten und was der Selbstgrund bloß für sich allein zu den Erscheinungen des Wollens beitragen mögen, oder mit andern Worten, wir können das moralische Verdienst niemals mit Gewißheit bestimmen.

Allein demohngeachtet müssen alle sittlichen Gesetze für einen solchen Willen gelten, weil alle Handlungen, alles Bestreben von den empirischen Gründen der Willenserscheinungen und diese von dem Selbstgrunde abhängen, nicht aber von den äußern Dingen.

Noch glücklichere Aussichten sollen sich nach meiner Hoffnung aus dieser Erörterung für die Disziplin der Moral eröffnen; wovon an einem andern Orte genauer und vollständiger, als es hier im Hintergrunde in der Form aphoristischer Resultate geschehen könnte, soll gehandelt werden.

1 Man wird am Schlusse leicht wahrnehmen, daß diese Darstellung der Lehre von der Freiheit nichts anders ist, als eine etwas veränderte Erörterung der Kantischen Lehre über eben diesen Gegenstand; die transzendentale Kausalität bleibt die nämliche, nur der Weg, der auf ihr sicheres Dasein führt, soll, wo möglich, kenntlicher vorgezeichnet werden.

Carl Christian Erhard Schmid
Determinismus und Freiheit
(1790)

System und Folgen des Determinismus. Alle Handlungen meines Willens sind nichts anderes als Begebenheiten in der Natur und also den Naturgesetzen unterworfen, wonach jede Begebenheit in einer bestimmten Zeitreihe ihren gesamten Zeitverhältnissen gemäß notwendig und unausbleiblich erfolgt. Es ist also schlechterdings unmöglich, daß ich etwas anderes wolle oder tue als dasjenige, was der Inbegriff aller Zeitumstände mit sich bringt.

Um diesem Grundsatze in seiner ganzen Allgemeinheit treu zu bleiben, darf *der konsequente Determinist* die sogleich anzugebenden Folgerungen aus seinem Systeme nicht ableugnen. »Wenn es ein moralisches Gesetz gibt, so kann es nichts anderes sein, als eines von den Naturgesetzen, wonach alle Erfolge in der Welt bestimmt werden. Da deren mehrere sind, so kann dieses Eine nur einige Erfolge bestimmen. Die Gültigkeit eines Naturgesetzes ist auf die Fälle seiner Wirksamkeit eingeschränkt. Mithin ist auch das sogenannte Sittengesetz nur so weit gültig, als es befolgt wird, als es mit keinem andern physischen (psychologischen) Gesetze des Begehrungsvermögens in Kollision kommt. *Verbindlichkeit* (das Sollen) ist eine Art physischer Notwendigkeit der Wirkung gewisser Naturkräfte, die durch den Einfluß anderer Naturkräfte unter gewissen Zeitumständen aufgehoben wird, also nur da und zu der Zeit vorhanden ist, wo und wenn die Wirkung zu Stande kommt. *Pflicht* ist die Notwendigkeit, gewisse Naturgesetze des Begehrungsvermögens zu befolgen. *Verletzung der Pflicht* ist nur eine Befolgung anderer, eben so gültiger Naturgesetze, die aber nicht moralisch genannt werden, welche die Befolgung der moralischen unmöglich machte. Das *Pflichtmäßige* und das *Pflichtwidrige* ist eine gleich notwendige und unhintertreibliche Folge aus dem Verhältnis, worin unter den gesetzten Umständen alle Naturkräfte zu der meinigen standen. Die Vernunft kann die Übertretung eines moralischen Gesetzes *nicht tadeln*, ohne parteiisch ein gleichartiges Gesetz

dem andern, welches an seiner Stelle befolgt worden, vorzuziehen; ihre Beobachtung *nicht loben,* ohne Ein Gesetz einem
andern von gleicher Notwendigkeit vorzuziehen. Alle moralische Begriffe und Sätze sind physisch zu verstehn, oder chimärisch; alle Ausdrücke in der Sprache, die sie bezeichnen (als
Sollen, hätte sollen, es *war Pflicht* u. d. gl.), verlieren ihre
eigentliche Bedeutung, in welcher sie von dem Physischen
gänzlich unterschieden werden.«

Determinismus, Indeterminismus. Wird die Frage über Freiheit und Notwendigkeit des Willens also bestimmt: *Gibt es
Gesetze, wonach die Handlungen des Willens jedesmal auf
bestimmte Weise erfolgen, oder gibt es keine?* so entscheidet
die Vernunft, ihrer Natur gemäß, allgemein für Gesetze und
verwirft alle Gesetzlosigkeit. *Determinismus,* wenn man darunter eine Philosophie versteht, die jeden Zufall in der Natur
leugnet, und jede Erklärung einer Begebenheit aus dem Zufall
schlechthin verwirft, ist die einzige wahre und vernünftige
Philosophie, da im Gegenteil der *Indeterminismus* oder die
Behauptung von gesetzlosen Erfolgen in der Natur allen theoretischen und praktischen Vernunftgebrauch gänzlich aufhebt
und unmöglich macht.

Willkür, materieller Mechanismus. Betrifft die Frage nicht das
Dasein (die Form), sondern nur die Materie des Gesetzes,
wonach die Handlungen des Willens erfolgen, in so fern: *ob
die nächsten Gründe unserer Handlungen Vorstellungen oder
nur körperliche Bewegungen sind?* so entscheidet das unmittelbare psychologische Bewußtsein für die Gründe in dem
Subjekte und gegen diejenigen, welche außer demselben liegen, in Ansehung aller der Handlungen, die wir dem Willen
zuschreiben. Wir besitzen *Willkür* (arbitrium) oder *komparative Freiheit* von dem zwingenden Einfluß materieller Dinge, im Gegensatz des *materiellen Mechanismus.* [...]

  Tierische, freie sinnliche Willkür, oder praktische Freiheit.
Bestimmt man jene Frage näher in Absicht auf die Beschaffenheit der innern Gründe (§ 225.), wovon die Handlungen
abhängen; *ob lediglich die unmittelbaren Eindrücke der Vorstellung eines Objekts auf das sinnliche Begehrungsvermögen
(Instinkt) oder ob auch vernünftige Überlegungen und Bewegursachen Einfluß auf die menschlichen Handlungen haben?*
so entscheidet innere Erfahrung für das letztere. Wir besitzen

keine bloß *tierische Willkür* (arbitrium brutum), sondern *freie sinnliche Willkür* (arbitrium sensitivum liberum), *praktische Freiheit*, Unabhängigkeit von dem allgemeinzwingenden Einfluß tierischer Gefühle. [...]

Moralische Freiheit. Schränkt man die Frage noch genauer ein auf eine gewisse Beschaffenheit der Vernunftgründe, welche den Willen bestimmen: *ob nämlich lediglich und allein Gründe der empirischen Vernunft, d. i. der Vernunft, sofern sie von sinnlichen Erfahrungen im Schließen ausgeht und zu sinnlich bestimmten Zwecken Mittel und Entwürfe hergibt, unsern Willen bestimmen oder ob auch reine Vernunftideen ein Wollen hervorbringen oder doch dasselbe modifizieren können?* so lehrt zwar 1) unser empirisches Bewußtsein, daß wir größtenteils nur einen empirischen Einfluß der Vernunft ✓ auf die Wahl der Mittel erfahren, die uns zu Erreichung unsrer sinnlich erzeugten Absichten dienlich scheinen. Wir finden 2) daß zu jeder Handlung unsers Willens uns ein gewisser Stoff zur Behandlung durch die Sinnlichkeit gegeben werden und wir dadurch erst zur Tätigkeit überhaupt angereizt werden müssen. Aber 3) das Bewußtsein des moralischen Gesetzes, als einer Triebfeder unsers Willens, überzeugt uns dennoch, daß die Vernunft für sich selbst auch fähig sei, nach ihren eigenen reinen, nicht sinnlichen Ideen den Willen zu bestimmen, daß der Zweck einer vernünftigen Handlungsweise nur für sich selbst, ohne weitere Absicht auf sinnliche Vorteile, uns interessiere und das eigentliche Wollen seiner Form (Wesen) nach durch etwas bestimmt werde, was von allem sinnlichen Eindrucke und Objekte verschieden ist.

Wir haben also nicht nur überhaupt *praktische* (§ 226), sondern auch insonderheit *moralische Freiheit*, d. i. Bestimmbarkeit des Begehrens durch die reine Vernunft, und eine gewisse Unabhängigkeit des Wollens selbst von dem Zwecke empirischer Vernunftgründe. [...]

Überall Notwendigkeit. Wir mögen aus Antrieben des sinnlichen Begehrungsvermögens (§ 225 *willkürlich*) oder aus Beweggründen der sinnlich angewandten Vernunft (*praktischfrei*, aus vernünftig gedachten und verbundenen sinnlichen Antrieben § 226) oder endlich aus reinen Vernunftideen (*moralischfrei* § 227) handeln, so geht doch in allen diesen Fällen jedesmal vor dem Zustande der Handlung, *die wir wahrnehmen*, ein anderer Zustand unsres Gemüts und der veranlassenden Außendinge, wozu es in Verhältnissen steht, der Zeit nach voraus, auf welchen jener regelmäßig und gleichförmig erfolgt, so daß unter vollkommen denselben innern und äußern Umständen das Nichthandeln sowohl als jede andere von derjenigen, welche geschieht, verschiedene Handlung für bedingt unmöglich erkannt wird.

Diese Behauptung einer allgemeinen Naturnotwendigkeit einer jeden Handlung zu jeder bestimmten Zeit nach den unwandelbaren Naturgesetzen [...] stützt sich auf ein notwendiges Verstandesgesetz (der Kausalität), welches selbst aller Erfahrung als Bedingung ihrer Möglichkeit zum Grunde liegt. [...]

Folgerung. Aus dieser Vorstellungsart fließt unwidersprechlich die Folge, daß die wahrnehmbaren Gründe jeder Handlung eines sinnlich vernünftigen Wesens (des Menschen) zu der Zeit, da es handelt, *gänzlich außer seiner Gewalt stehen;* daß folglich alle seine Handlungen *jetzt und immerdar* nach einer unhintertreiblichen Notwendigkeit aus der Konkurrenz der Weltkräfte erfolgen, wo sich der Beitrag seiner eigenen Kraft wie das Unendlichkleine zu dem Unendlichgroßen der Summe aller übrigen wirkenden Kräfte verhalte. [...]

Die Folgen des *Determinismus* sind dieselben, wie bei dem *Fatalismus.* Diese beiden Systeme sind im Wesentlichen nicht unterschieden. Sie haben den Hauptgedanken unter sich gemein, daß die nötigenden und bestimmenden Gründe der Handlungen gänzlich außer der Gewalt des Handelnden stehen.

Absolute Freiheit. Die Frage: *hat ein vernünftiges Wesen,* hat der Mensch *absolute Freiheit,* d. i. ein Vermögen, aus reiner Selbstbestimmung (also *ohne bestimmt zu werden*) zu handeln, ein Vermögen, eine Handlung anzufangen? läßt sich nach den bisherigen Betrachtungen nicht anders als verneinen. Es ist keine Handlung, die in der Zeit geschieht, möglich, welche absolut anfinge und dem handelnden Wesen an sich selbst, unabhängig von andern Dingen und von seinen eigenen vorhergehenden Zuständen zugehörte. Eine solche Handlung würde sich in dieser Eigenschaft weder wahrnehmen, noch mit dem Verstande erkennen lassen. [...]

Unter dem Einfluß der Zeitumstände kann das vernünftige

sinnliche Wesen nicht zu jeder Zeit das (unbedingte) moralische Gesetz befolgen. Die Notwendigkeit seiner Befolgung könnte demnach nur auf diejenigen Fälle gehen, wo es geschieht. Es wäre Unsinn, sie auf diejenigen Fälle und Zeiten auszudehnen, wo das Gegenteil notwendig ist. Der Zwang der Sinnlichkeit wechselt nach Zeitumständen mit dem Zwange der Vernunft ab.

Ist nun dies die einzige Art, sich die Kausalität der Handlungen vorzustellen: so folgt, daß der Begriff von einem *unbedingten Sollen* (moralischer Notwendigkeit) ein ungültiger, durchaus unanwendbarer Begriff und alle Urteile, die sich darauf beziehen (z. B. des Selbsttadels über das Geschehene), leer und chimärisch, die eigentlich sittlichen Gefühle aber (z. B. der Scham vor mir selbst, der Reue) schwärmerisch und phantastisch sind.

Gleichwohl sind diese Begriffe und Urteile für sich selbst beständig und evident, keine zufälligen Erzeugnisse der Erziehung oder Gewöhnung und wie das moralische Gesetz selbst unmittelbar in unserm Bewußtsein von der Vernunft als notwendige Tatsache gegeben, so daß wir gänzlich unvermögend sind, sie irgend einer Spekulation aufzuopfern oder um ihretwillen abzuändern.

Der offenbare Widerstreit, worein hier die spekulative Vernunft mit der praktischen gerät, fordert zu Versuchen einer möglichen Vereinigung auf, die sich nur von einer genauen Bestimmung und Einschränkung des Inhalts und der Gültigkeit von den Grundsätzen der Vernunft in ihrem gedoppelten Gebrauche erwarten läßt.

Mögliche Vereinigung. Wenn nach dem Naturgesetze eine Handlung notwendig und durch Zeitumstände auf gewisse Weise bestimmt ist – *nach Aussage der spekulativen Vernunft;* wenn gleichwohl auch das Gegenteil von eben dieser Handlung moralisch notwendig und folglich auch möglich aller Zeitverhältnisse ungeachtet sein soll – *nach Aussage der praktischen Vernunft:* so kann dieser scheinbare Widerspruch nur dann gehoben werden, wenn sich zeigen läßt: 1) das Prädikat der Unabhängigkeit von Zeitumständen habe ein anderes logisches Subjekt als das Prädikat der notwendigen Abhängigkeit der Handlung von denselben. Nun beziehe ich aber in beiden Urteilen das Prädikat *auf mich selbst* als auf das

Subjekt. Es müßte also dieses *Ich* (oder *meine* Handlung) eine andere Bedeutung haben, wenn ich seine Handlungen in der Zeit einer notwendigen Bestimmung durch Zeitumstände unterwerfe, als es hat, wenn ich mir diese als davon unabhängig vorstelle. 2) man könne in jeder Handlung etwas unterscheiden, das von Zeitverhältnissen, und etwas anderes, welches nicht davon abhängt.

Ich, als Gegenstand der Erfahrung. Wenn ich meine Handlungen als Wirkungen in der Zeit und durch Ursachen in der Zeit bestimmt mir vorstelle, so betrachte ich mich so, wie ich mich selbst in meinem innern Sinne vorstelle, wo alle einzelne Erscheinungen von mir in Zeitverhältnissen regelmäßig auf einander folgen. Das Subjekt in dem Urteile, welches meine Handlungen von Zeitverhältnissen abhängig erklärt, bin *Ich* als ein Gegenstand der innern Erfahrung. Auf dieses sinnliche Subjekt muß das Verstandesgesetz der notwendigen Zeitfolge bezogen werden. Die Handlung dieses Ich erfolgt daher jedesmal dem bekannten wahrnehmbaren (empirischen) Charakter (der Gemüts- und Sinnesart) desselben und den äußeren Umständen gemäß.

Ich, als Ding an sich. Ich bin berechtigt, und sogar genötigt, die Erscheinung (sinnliche Vorstellung) von mir selbst auf ein unbekanntes *Ich* zu beziehen, das ihr (der Totalerscheinung von mir) und allen ihren Teilerscheinungen (einzelne Handlungen und Zustände), ja selbst der Zeit und dem Raume, worin ich mir alles Sinnliche vorstelle, zum Grunde liegt, wovon ich aber nur ein anschauungsloses, allgemeines Bewußtsein habe. Beziehe ich meine wahrgenommenen oder wahrnehmbaren Handlungen als Prädikate auf dieses Ich als ihr Subjekt, so sind und bleiben sie zwar Wirkungen in der Zeit, aber der Grund davon liegt doch nicht in der der Zeit nach vorhergehenden Erscheinung, sondern in Etwas, worin kein Zeitunterschied mehr stattfindet. Denn das Sein in einer gewissen Zeit ist ein Prädikat, das zwar allen Erscheinungen (sinnlich vorstellbaren und vorgestellten Dingen), nicht aber allen denkbaren Dingen überhaupt und an sich selbst, ohne auf sinnliche Vorstellungsart Rücksicht zu nehmen, zukommt.[1]

Eine Handlung dieses Ich an sich selbst fängt also nicht an; sie bezieht sich aber gleichwohl auf eine erscheinende Wirkung, welche anfängt, d. i. zu einer gewissen Zeit nach bestimmten vorausgehenden Umständen wahrgenommen wird. Die ganze Reihe dieser erscheinenden Handlungen hängt zwar unter sich als (sinnlich erkennbare) Ursache und Wirkung zusammen. Allein auf jenes Ich bezogen, ist dieses der Bestimmungsgrund der ganzen Reihe und dadurch auch jedes einzelnen Gliedes in derselben. Ich bestimme alles – bin der Grund der ganzen Reihe unter sich selbst notwendig in der Zeit verbundener erscheinender Handlungen; ich selbst aber werde nicht zu Hervorbringung des Einen Gliedes dieser Reihe (die ich im Ganzen begründe) durch ein vorhergehendes Glied bestimmt, welches ebenfalls in die durch mich bestimmte Reihe gehört.

Das Subjekt eines Urteils, welches meine Handlungen von dem Einflusse der vorhergehenden Zeitumstände unabhängig erklärt, kann nur Ich sein, als das denkbare, übersinnliche Substrat meines sinnlich wahrnehmbaren Charakters, und der diesem letzten gemäß an einander gereihten Handlungen.

Aus dieser notwendigen Unterscheidung ergibt sich 1) Daß es überhaupt nicht widersprechend ist, sich ein Vermögen der Wirksamkeit zu denken, dessen Effekt anfängt, ohne daß seine Wirksamkeit (Kausalität) anfange; dessen Effekt in eine bestimmte Zeitreihe fällt, ohne daß das Bestimmende darin liege – sich eine Handlung zu denken, die von dem Naturgesetze (der Bestimmung durch dasjenige, was der Zeit nach vorhergeht) unabhängig ist, obgleich ihre erscheinende Wirkung nach diesem Gesetze erfolgt. Ich darf nur das Subjekt dieser Handlung (das handelnde Ich) mir alsdann nicht als Erscheinung gedenken. 2) Daß ich meinem oder irgend einem Willen ein solches Vermögen ohne Widerspruch beilegen könne, sofern ich ihn (diesen Willen) als Prädikat eines Dings an sich in Beziehung auf seinen Effekt in der Erscheinung mir vorstelle.

Absolute Freiheit (§ 233) ist also nicht widersprechend und kann sogar etwas *Wirkliches* sein, wenn man sie als ein *metaphysisches* (nicht unmittelbar in der Erfahrung gegebenes) und *transzendentales* (durch die Beziehung dessen, was nicht Erscheinung ist, auf die Erscheinung denkbares) *Vermögen* vorstellt.

Diesen bloß problematischen, d. h. nicht unmöglichen Gedanken (§ 242) assertorisch zu denken, oder welches einerlei ist, Freiheit nicht bloß als ein nicht unmögliches, sondern auch als ein wirkliches Vermögen meines Willens und des Willens aller moralischen Wesen anzunehmen, findet sich 1) zwar kein Grund in der Erfahrung; denn a) bei mir selbst, als Erscheinung betrachtet, und meinen Handlungen, ebenfalls als Erscheinungen angesehen, fängt jede Wirkung und jede Wirksamkeit einer Ursache an, und es hängt alles nach dem notwendigen Naturgesetze an einander. § 228, 229; b) von Dingen an sich selbst und ihrer Wirkungsart haben wir keine anschauende Vorstellung, mithin auch keine Erfahrung. Wir können ihnen die Kausalverbindung nach ähnlichen Gesetzen, wie wir in der Sinnenwelt allgemein beobachtet finden, weder zuschreiben noch absprechen.

2) Aber das eben so notwendige als unbegreifliche Bewußtsein von dem moralischen Gesetze nötigt uns dazu. Denn da dieses Gesetz Handlungen (eine gewisse Art, Form zu handeln) schlechthin gebietet, mithin als allgemein und notwendig vorstellt, ohne Einschränkung durch Umstände der Zeit und des Ortes (je nachdem diese uns zur Moralität oder zum Gegenteil determinierten, moralisch oder unmoralisch zu handeln): so ist die Befolgung desselben nur dann möglich, wenn ich *unter der Idee* von absoluter Freiheit (§ 242) handle, oder wenn ich mich und das vernünftige Wesen überhaupt in seinen Handlungen als (gewissermaßen) unabhängig von der Bestimmung durch Zeitumstände mir vorstelle. Es ist also zwar eine dem Inhalte nach theoretische, aber dem Erkenntnisgrunde nach praktisch notwendige Voraussetzung, daß ich ein freies Willensvermögen besitze.

Es ist mir also moralisch notwendig, d. i. notwendig, weil ich das moralische Gesetz als ein Gesetz meines Willens ansehe, mich als ein absolut freies Wesen vorzustellen; da die Sache bloß theoretisch angesehen zwar nicht unmöglich, aber doch auf keine Art erweislich ist.

Das moralische Gesetz betrachte ich nun als ein wesentliches Gesetz meines übersinnlichen Ich (§ 240) oder meines Geistes so wie eines jeden vernünftigen Wesens. Dem Subjekte dieses Gesetzes kommt absolute Freiheit zu, sofern es durch diesen übersinnlichen Charakter, der von nichts in der Zeit befindlichem abhängt, die sinnlich wahrnehmbaren Gesinnungen und Handlungen in der Zeit bestimmt oder sich selbst, als Erscheinung betrachtet, Naturgesetze vorschreibt, wonach die wahrnehmbaren Handlungen in der Zeit erfolgen. [...]

Unbegreiflichkeiten. Die Allgemeingültigkeit des Sittengesetzes für alle Handlungen vernünftiger Wesen zu jeder Zeit ist ihrer Möglichkeit nach dadurch gerettet, daß wir die Vernunft als ein von allen Erscheinungen in der Zeit unabhängiges Vermögen zu handeln haben kennen lernen. Dies reicht in praktischer Absicht hin, wenn gleich zwei andere Fragen sich uns hier aufdringen, für die es in unserm Erkenntnisvermögen keine entscheidenden Antworten gibt. Nämlich 1) wie ist Vernunft und ihre Selbsttätigkeit möglich? wie bringt sie Erscheinungen und Naturgesetze derselben hervor? 2) Warum offenbart sich nicht in allen wahrnehmbaren Handlungen gleiche Vernunfttätigkeit, gleiche Moralität? warum äußert sich bald mehr das bestimmende, bald mehr das bestimmbare Vermögen des Willens? [...]

Dennoch überall Notwendigkeit. Wenn wir keinen (vernunftlosen) Zufall einräumen wollen, so bleibt nichts übrig als Notwendigkeit; denn es gibt schlechterdings keinen Mittelweg zwischen beiden. Es muß demnach etwas als vorhanden gedacht werden, was zugleich mit dem Dasein der Vernunft ihre Wirksamkeit auf Erscheinungen und den bestimmten jedesmaligen Grad derselben bestimmt. Dies ist freilich keine Erscheinung, denn eine Erscheinung kann kein Ding an sich selbst bestimmen. Wenn aber gleich die Sinnlichkeit, so wie sie selbst sinnlich vorgestellt und erkannt wird, die Vernunft an sich nicht bestimmen und einschränken kann: so folgt daraus keinesweges, daß dasjenige, *was der Sinnlichkeit* und allen ihren Erscheinungen *an sich zum Grunde liegt,* unvermögend sei, *die Wirkungen der Vernunft in der Erscheinung* einzuschränken. Und, wenn wir der Grundlosigkeit, d. i. der theoretischen Vernunftlosigkeit bei Erklärung der Immoralität entgehen wollen, so müssen wir diesen problematischen Gedanken assertorisch denken. Die Vernunft ist also frei in Absicht auf alles, was in der Zeit geschieht, aber eingeschränkt durch dasjenige, was die Begebenheiten in der Zeit bestimmt. Sie ist frei und hat keinen Einfluß empfangen in Absicht auf alles, was sie wirklich tut, so wie auf alle ihre Urteile der Form nach; aber abhängig und eingeschränkt in Absicht auf das, was sie nicht tut. Sie *konnte* für diesen Fall *nicht wirken.* Sie ist frei d. i. selbsttätig in Ansehung der vernünftigen Form ihrer Handlungen; gebunden an den Stoff, der ihr gegeben, an die Sphäre, die ihr angewiesen ist.

Transzendente Freiheit. Es ist also nicht nur kein vernünftiger Grund vorhanden, sondern es läuft sogar wider alle Gesetze unsers vernünftigen Denkens, *transzendente Freiheit*, d. i. Unabhängigkeit des intelligiblen Wirkens von intelligiblen Gründen, ein uneingeschränktes Vermögen der Vernunft, auf alle wahrnehmbare Handlungen eines endlichen vernünftigen Wesens einen bestimmenden Einfluß zu haben und sie dadurch moralisch zu machen – anzunehmen. Ohne diese Gründe zu kennen oder den Grad ihrer Wirkung und die Größe der die Vernunft einschränkenden Bedingungen bestimmen zu können, müssen wir doch, um dem Zufall auszuweichen, das Vorhandensein von dergleichen Gründen wegen der Beschaffenheit der entsprechenden Erscheinungen voraussetzen. [. . .]

Intelligibler Fatalismus. Der *intelligible Naturfatalismus*, d. i. die Behauptung der Naturnotwendigkeit aller Handlungen eines vernünftigen Wesens nach Gesetzen der Kausalität der Dinge an sich selbst, kann keinen Bestimmungsgrund dieser Handlungen oder ein Prinzip der Untätigkeit abgeben, weil nur dasjenige auf unsre Handlungen bestimmenden Einfluß haben kann, was wir kennen, die Grenzen aber, welche die vernünftige Wirksamkeit einschränken, für uns schlechterdings unbestimmbar sind. Zur Moralität ists genug zu wissen oder zu glauben, daß alles, was wir kennen, daß alle Zeitumstände uns nicht zwingen können, unvernünftig zu handeln, mithin auch nicht von der Verbindlichkeit lossagen, das moralische Gesetz überall zur Regel und Richtschnur unsrer Handlungen *zu machen,* ob es gleich, theoretisch betrachtet, nicht überall die wirklich bestimmende Regel für die Handlungen sein kann. Die Ausnahmen hängen nicht von unserm Willen ab, weil sie in etwas gegründet sind, was über die Grenzen unsrer möglichen Erkenntnis hinausliegt. [. . .]

Resultate über den Determinismus. Versteht man unter *Determinismus* [. . .] 6. Notwendigkeit und Gesetzmäßigkeit aller freien Handlungen in der Zeit – eine Vorstellung, von welcher alle psychologische Nachforschung ihrer Möglichkeit nach abhängt und die in der angewandten Moral von den wohltätigsten praktischen Folgen ist. Sie schließt nicht notwendig in sich den Gedanken, daß die letzten bestimmenden Gründe selbst Erscheinungen in der Zeit wären, von denen es entscheidend abhinge, ob wir sittlich oder unsittlich handelten.

7. Eine allgemeine Notwendigkeit nach Vernunftgesetzen, allgemeine Gesetzmäßigkeit überhaupt – ist ein notwendiger Gedanke der Vernunft, mit dem alles Interesse und alle Möglichkeit des Vernunftgebrauchs steht und fällt.

8. Notwendigkeit aller – sittlichen oder unsittlichen – Handlungen, zufolge irgend welcher denkbarer, wenn gleich nicht immer erkennbarer, in oder außerhalb der Sinnenwelt, in oder außer den sinnlich vernünftigen Wesen liegender Gründe, mithin auch die unausweichliche Notwendigkeit zuweilen unsittlich zu handeln – – wenn es unsittliche Handlungen gibt, wenn die Vernunft keinen Zufall duldet: so kann kein vernünftiges Wesen diese Notwendigkeit geradezu verwerfen oder auch nur vernünftig bezweifeln. Wenn Sittlichkeit mit diesem Gedanken nicht so, wie oben (§ 254 ff.) gezeigt worden, verträglich wäre: so müßte das vernünftige Wesen entweder Sittlichkeit für Chimäre erklären, oder um der Sittlichkeit willen, also aus *Vernunftgründen* (denn sittlich sollen wir durch Vernunft sein –) *der Vernunft,* ihren Grundsätzen und ihrem Gebrauche *gänzlich entsagen.* Eine unvernünftige Vernunft!

---

1 *Bewiesen* wird diese Behauptung in der Kritik der reinen Vernunft; hier wird sie nur *angewandt.*

Carl Leonhard Reinhold
Erörterung des Begriffs
von der Freiheit des Willens
(1792)

Freilich, lieber Freund, ist die *Freiheit* in demjenigen Begriffe vom Willen, über den Sie mit mir einig geworden sind, so notwendig und so ausdrücklich enthalten, daß sich derselbe ohne dieses Merkmal schlechterdings nicht denken läßt; und nicht mit Unrecht behaupten Sie, es müsse in den Augen des gesunden Verstandes zu keiner geringen Empfehlung dieses Begriffes gereichen, daß es sich schon aus ihm allein ergebe, nicht nur *daß*, sondern auch *in wie ferne* der Wille *frei* ist. Gleichwohl halte ich mich weder durch diesen Umstand noch auch durch alles, was ich in meinem letzten Briefe in einer andern Rücksicht von dem Charakter des Willens gesagt habe, des Versprechens entlediget, über den *Begriff der Freiheit,* dessen durchgängige Bestimmtheit in den Prämissen der Moral und des Naturrechts eine der ersten Bedingungen ist, eine besondere und ausführliche Eörterung aufzustellen. Die Aufgabe, die ich mir dadurch vorlege, ist diejenige, die sich unter allen, womit sich die philosophierende Vernunft bisher beschäftigt hat, in dem leidigsten Zustande befindet. Sie ist durch jede versuchte Auflösung mir noch mehr verwickelt, und ihre *Data* sind mit jedem Fortschritte der Metaphysik mehr verkannt und verunstaltet worden. Alle bisherigen philosophischen Systeme und alle metaphysischen Begriffe ohne Ausnahme stehen mit dem richtigen Begriffe von der Freiheit im geraden Widerspruche. Auch die *Kritik der reinen* und der *praktischen Vernunft* hat diesen Begriff nur angedeutet, keineswegs aber mit denjenigen Merkmalen aufgestellt, die seinen Gegenstand von *allen* andern unterscheiden. Sie hat noch keine *Erklärung* davon geben können, weil sie dieselbe nur erst möglich machen konnte und mußte; und der Übergang von dieser nun vorhandenen Möglichkeit zur Wirklichkeit ist durch die meisten hieher gehörigen Schriften der Freunde der kritischen Philosophie vielmehr erschwert als erleichtert worden. Die dem Bewußtsein so nahe, aber vielleicht eben darum der Spekulation bis jetzt so fern gelegene Unterscheidung zwischen der unwillkürlichen Forderung und der willkürlichen Befriedigung, die beim Wollen stattfindet, öffnet den Weg zu diesem Übergange, den ich bereits zurückgelegt zu haben glaube, wenn ich mir den Willen als das Vermögen der Person denke, *sich selbst* zur wirklichen Befriedigung oder Nichtbefriedigung einer Forderung des Begehrens zu bestimmen. So einfach und einleuchtend aber auch das Merkmal der Freiheit vor dem Blicke meines Geistes schwebt, wenn ich dasselbe mit diesem Begriffe vom Willen und den Tatsachen des sittlichen Bewußtseins vergleiche, so sehr verwickelt und verdunkelt sich dasselbe, indem ich es in seine einzelnen Bestandteile auflöse und diese im Zusammenhange mit gewissen noch ungeläuterten, aber gleichwohl sie betreffenden Überzeugungen zu denken suche. Ein finsterer Nebel, der sich aus der Unbestimmtheit verwandter und angrenzender Begriffe über meinen Begriff von der Freiheit zusammenzog, sollte zerstreut werden. Hier ist das Resultat meines Versuches.

Ist *Erstens* der Wille überhaupt: »das Vermögen der Person, sich selbst zur wirklichen Befriedigung oder Nichtbefriedigung einer Forderung des eigennützigen Triebes zu bestimmen«,[1] so läßt er sich nicht ohne *diejenige* Freiheit denken, *die in der Unabhängigkeit der Person von der Nötigung durch jene Forderung besteht.*

Dieses einzelne Merkmal der Freiheit kommt im Systeme der *Deterministen* vor, welche die *ganze* Freiheit in demselben bestehen ließen. Sie nannten den Willen das *vernünftige Begehren* und gestanden ihm, als dem Vermögen durch Vernunft *determiniert* zu werden, die Freiheit vom Zwange des Instinktes zu.

Allein, da sie unter der Handlung des Willens nichts weiter als die Äußerung des durch Denkkraft geleiteten Triebes nach Vergnügen gedacht wissen wollten, und da sie folglich den wesentlichen Unterschied zwischen dem Willen und dem unwillkürlichen durch Vernunft modifizierten Begehrungsvermögen verkannten: so war die von ihnen behauptete Freiheit nichts weiter als die aus der Denkkraft unvermeidlich erfolgende Beschränkung des Instinktes, in der eben so wenig als im unbeschränkten Instinkte sich eine Willkür denken läßt. Sie war die Unabhängigkeit des unwillkürlichen Triebes nach Vergnügen vom Zwang des gegenwärtigen Eindruckes, die bloße Folge der Abhängigkeit desselben von der Denkkraft, nicht Freiheit des Willens.

Außerdem wurde von den Deterministen vorausgesetzt, daß bei dem durch Vernunft geleiteten Begehren das Vergnügen den Grund enthielte, durch den die Person bestimmt würde, der Leitung der Vernunft zu folgen. Die von ihnen behauptete Abhängigkeit des Willens von der Vernunft war also nichts weniger als Unabhängigkeit vom Triebe nach Vergnügen, und der ganze Unterschied zwischen einer instinktartigen und einer freien Handlung bestand ihrem Systeme zufolge darin, daß die Person bei der letztern *mittelbar*, nämlich vermittelst der Denkkraft, bei der erstern aber *unmittelbar* von der Nötigung durch Lust und Unlust abhinge.

Endlich, da im Systeme der Deterministen die Vorstellungen der Sinnlichkeit von denen der Vernunft nur dadurch verschieden sind, daß durch diese die Dinge *wie sie an sich selbst sind*, durch jene aber *der bloße Schein* derselben vorgestellt würde, und da ferner das *vernünftige* Erkenntnisvermögen in dem Vermögen bestehen soll, sich des *Zusammenhangs der Dinge an sich bewußt zu werden:* so kann in diesem Systeme *durch Vernunft bestimmt werden* nichts anders heißen, als durch den von der Person ganz unabhängigen Zusammenhang der *Dinge an sich* bestimmt werden; folglich – durch Vernunft von der unvermeidlichen Naturnotwendigkeit abhängen. Die Wirkung des Begehrungsvermögens, die unmittelbar von einem sinnlichen Eindruck und von der Beschaffenheit der Organisation abhängt, heißt in diesem Systeme eine *unvermeidlich notwendige* Handlung des Instinkts; diejenige hingegen, die von dem unveränderlichen Zusammenhange der *Dinge an sich*, vermittelst des Vermögens sich desselben bewußt zu werden, abhängt, soll die freie Handlung des Willens sein! Noch nie dürfte wohl ein Resultat der philosophierenden Vernunft in einem härteren Widerspruche mit den Überzeugungen des gesunden Menschenverstandes gestanden haben.

Ist *Zweitens* der *sittliche* oder *reine* Wille: »das Vermögen der Person, sich selbst zur wirklichen Befriedigung oder Nichtbefriedigung einer Forderung des eigennützigen Triebes der Forderung des Uneigennützigen (oder dem praktischen Gesetze) gemäß zu bestimmen« so läßt sich die Freiheit des Willens nicht ohne die absolute Unabhängigkeit der Vernunft in ihrem praktischen Gesetze von Lust und Unlust, und folglich nur dadurch denken, daß das praktische Gesetz eine Vorschrift ist, die ihre gesetzliche Sanktion durch bloße Vernunft, und keineswegs durch den Trieb nach Vergnügen erhält.

Über *diese* Freiheit, die nichts als die Unabhängigkeit der praktischen Vernunft von allen Bestimmungsgründen durch Lust und Unlust ist, und welche zwar zur Freiheit des Willens gehört, aber keineswegs dieselbe allein ausmacht, habe ich in den meisten hieher gehörigen Schriften der *Freunde der Kantischen Philosophie* Äußerungen angetroffen, die mich nichts anderes vermuten lassen, als daß dieses einzelne Merkmal der Freiheit von diesen Schriftstellern für die ganze Freiheit gehalten wird.

Aus der Verwechslung der zwar selbsttätigen, aber nichts weniger als freien Handlung der praktischen Vernunft, – die nichts als das Gesetz gibt, – mit der Handlung des Willens, – der nur dadurch als der *Reine* handelt, daß er dieses Gesetz frei ergreift – muß nichts geringeres als die Unmöglichkeit der Freiheit für alle *unsittlichen* Handlungen erfolgen. Sobald einmal angenommen ist, daß die Freiheit des *reinen Wollens* lediglich in der Selbsttätigkeit der praktischen Vernunft besteht, so muß man auch zugeben, daß das *unreine Wollen*, welches nicht durch praktische Vernunft bewirkt wird, keineswegs frei sei. [...]

Ist *Drittens* die *Freiheit des Willens:* »das Vermögen der Person, sich selbst zur Befriedigung oder Nichtbefriedigung eines Begehrens entweder nach dem praktischen Gesetze oder gegen dasselbe zu bestimmen«, so besteht sie weder in der bloßen Unabhängigkeit des Willens vom Zwange durch den Instinkt und von der Nötigung durch unwillkürliches von der Vernunft modifiziertes Begehren, noch auch in der bloßen Unabhängigkeit der praktischen Vernunft von allem, was sie nicht selbst ist, noch auch in diesen beiden Arten von Unabhängigkeit zusammen genommen *allein,* sondern auch *in der*

Unabhängigkeit der Person von der Nötigung durch die prak- ✓
tische Vernunft selbst. Im *negativen* Sinne begreift sie diese
drei Arten der Unabhängigkeit, und im *positiven* Sinne ist sie
das Vermögen der Selbstbestimmung durch Willkür für oder
gegen das praktische Gesetz.

Der *reine* Wille sowohl als der *unreine* sind daher nichts
andres als die beiden gleich möglichen Handlungsweisen des
freien Willens; beide zusammen genommen gehören zur
Natur der Freiheit, die ohne die Eine von beiden denkbar zu
sein aufhört. Das reine Wollen ist nur darum frei, weil es
Äußerung desjenigen Vermögens ist, von dem es abhängt,
auch unrein zu wollen. Der schon reine Wille ist freilich an die
durchs Gesetz bestimmte, und der schon unreine an die durch
Lust oder Unlust gegen das Gesetz bestimmte Handlungsweise gebunden; aber sowohl bei dem einen als dem andern
bindet die Person sich selbst an eine dieser Handlungsweisen,
die ihr beide gleich möglich sind.

Absolute Freiheit kommt also dem Willen weder allein, in
wie ferne er als *reiner,* noch in wie ferne er als *unreiner* Wille
handelt, zu; sondern in wie ferne er in beiden Eigenschaften
handeln kann.

Reiner Wille kann daher keine besondere *Art,* sondern nur
eine der beiden möglichen besondern Äußerungen des *freien
Willens* bedeuten, diejenige nämlich, die dem praktischen
Gesetze gemäß ist, das *sittliche Wollen.* Dem reinen Willen
steht daher auch nur der *unreine,* d. h. der unsittliche Wille
entgegen, und wenn man unter *empirischem* Willen nicht bloß
den unsittlichen verstehen will, so kann man denselben keineswegs dem reinen entgegensetzen.

Empirischer Wille kann nicht die besondere *Art* eines von
der Erfahrung abhängigen Willens, verglichen mit einem
andern lediglich *a· priori* bestimmbaren bedeuten. Denn da
der Wille überhaupt das Vermögen ist, sich selbst zur Befriedigung oder Nichtbefriedigung einer Forderung des eigennützigen Triebes zu bestimmen, diese Forderungen aber mittelbar oder unmittelbar von der Erfahrung abhängen: so ist *alles
Wollen* in dieser Rücksicht empirisch.

Zum Behuf der Wissenschaft der Moral müssen freilich die
reinen Gesetze des Willens von den *empirischen,* die Forderungen des uneigennützigen Triebes, in wie ferne sie lediglich

a priori durch praktische Vernunft bestimmt sind, von ihren Anwendungen auf die nur *a posteriori* bestimmbaren Forderungen des eigennützigen Triebes unterschieden und abgesondert werden, wo dann der Wille in Rücksicht auf die einen der *reine*, in Rücksicht auf die anderen der *empirische* heißen kann. Allein in *diesem* Verstande ist dann der reine und empirische Wille *ein und eben derselbe* Wille nur aus verschiedenen Gesichtspunkten betrachtet, in seinem künstlich isolierten Verhältnisse zur bloßen praktischen Vernunft, und dann durch die Gesetze derselben zu den bloßen Forderungen des eigennützigen Triebes.

Da die Lust – oder Unlust – durch welche sich der Wille zur unsittlichen Handlung selbst bestimmt, immer von der Erfahrung, das praktische Gesetz aber, durch welches er sich zur sittlichen bestimmt, durchaus nicht von der Erfahrung abhängt; so ist nichts leichter als den unsittlichen Willen mit dem empirischen, und den sittlichen mit dem reinen, in wie ferne er dem empirischen entgegen steht, zu verwechseln. Es wäre daher zu wünschen, daß man entweder den Ausdruck *reiner Wille* nur für den *sittlichen*, oder nur für den *a priori* bestimmbaren gebrauchte, um die Sprachverwirrung in einer so wichtigen Angelegenheit zu vermeiden. Da der sittliche Wille nur in wie ferne er mit dem reinen praktischen Gesetze im Verhältnisse steht, *a priori*, in Rücksicht auf die Anwendung dieses Gesetzes aber in jedem gegebenen Falle, oder in Rücksicht auf die *Materie* des Gesetzes, die immer vom eigennützigen Triebe herbeigeschafft werden muß, *a posteriori* bestimmbar ist; da jedes *wirkliche* Wollen eine Befriedigung oder Nichtbefriedigung dieses Triebes betrifft, so werde ich unter dem *reinen* Willen immer nur den *sittlichen* verstehen, und unter dem *unreinen* nicht dem *empirischen*, sondern den *unsittlichen*, der, in wie ferne er Handlung gegen das praktische Gesetz ist, keineswegs von der *bloßen* Erfahrung abhängt.

Der Wille hört auf frei zu sein, wenn man denselben einseitig betrachtet, und seine Natur entweder allein in seinem Verhältnisse zum uneigennützigen, oder allein zum eigennützigen Triebe bestehen läßt, wenn man sich denselben entweder dem praktischen Gesetze oder dem Naturgesetze des Begehrens *unterworfen* denkt. Durch jedes von diesen beiden Gesetzen wird er von dem andern unabhängig, durch das Vermögen der Selbstbestimmung aber ist er von sich allein abhängig. Ohne das praktische Gesetz würde er von dem bloßen Naturgesetze des Begehrens abhängen, und nicht nur nicht frei, sondern nicht einmal ein *Wille*, sondern ein unwillkürliches Begehren sein, und ohne die Naturgesetze des Begehrens würde er von dem bloßen praktischen Gesetze abhängen, die bloße praktische Vernunft selbst, und folglich zwar selbsttätig, aber nicht frei, und kein *Wille*, kein Vermögen, sich zur Befriedigung oder Nichtbefriedigung eines Begehrens zu bestimmen, sein. In dieser Rücksicht ist die Behauptung der *Kritik der praktischen Vernunft:* »daß der Begriff der Freiheit seine Realität erst durch das Bewußtsein des Sittengesetzes erhalte,« unstreitig wahr. Die Person kann sich des Vermögens, sich selbst zu bestimmen, nur in so ferne bewußt werden, als sie sich des Vermögens, sich nach zwei verschiedenen Gesetzen zu bestimmen, und folglich als sie sich dieser verschiedenen Gesetze selbst bewußt ist. Aber eben darum kann auch die Freiheit keineswegs in dem Vermögen nur eines von beiden Gesetzen zu befolgen bestehen, und jene *Kantische* Behauptung kann keineswegs den Sinn haben: »daß die Realität der Freiheit von dem Bewußtsein des Sittengesetzes *allein* abhänge.«

Die Realität der Freiheit hängt vom Bewußtsein der Forderung sowohl des eigennützigen als des uneigennützigen Triebes, aber auch noch überdieses von dem Bewußtsein des Vermögens ab, die Befriedigungen und Nichtbefriedigungen des Eigennützigen entweder durch oder gegen die Forderung des uneigennützigen *selbst* zu bestimmen. Das eine ist das Bewußtsein der *veranlassenden* Gründe, das andere das Bewußtsein des *durch sich selbst bestimmenden* Grundes, der die veranlassenden zu bestimmenden erhebt; das eigentliche Bewußtsein *seines bloßen Selbstes*, als handelnden Wesens.

Das *klare*, aber keineswegs durch deutliche Begriffe unterstützte Bewußtsein dieses durch sich selbst bestimmenden Vermögens hat im Systeme der *Äquilibristen* diejenige Spur des richtigen Begriffes von der Freiheit angegeben, die, aus Mangel an bestimmten Begriffen von den übrigen Vermögen des Gemütes, weder von ihnen selbst gehörig benutzt, noch von ihren Gegnern verstanden wurde. Offenbar wollten sie durch die von ihnen behauptete *Gleichgültigkeit* des Willens gegen alle Beweggründe, und durch das sogenannte *Gleichgewicht,* in welchem sich der Wille in Rücksicht auf die Forderungen sowohl der Vernunft als der Sinnlichkeit befände, nichts als die Unabhängigkeit der Selbstbestimmung von allen objektiven Gründen, die Willkürlichkeit des Vernunftgebrauchs bei den Maximen andeuten. Allein, da sie in ihrem unbestimmten Begriffe vom Willen keineswegs den Sinn anzugeben vermochten, in welchem die Selbstbestimmung beim Wollen von der Sinnlichkeit und der Vernunft unabhängig sind: so mußten sie eine *solche* Unabhängigkeit des Willens teils wirklich behaupten, teils zu behaupten scheinen, die wirklich nicht stattfindet, die anderen Tatsachen des Bewußtseins widerspricht, ja die sogar den Begriff des Willens aufhebt.

Erstens war in ihrem Begriffe das Verhältnis des Willens zu den beiden Trieben der menschlichen Natur, das Verhältnis der *sich selbst bestimmenden Handlungsweise* zu den beiden als *bestimmt gegebenen*, das Verhältnis der willkürlichen Vorschrift zu den unwillkürlichen Forderungen des eigennützigen und des uneigennützigen Triebes keineswegs sichtbar. Sie verkannten daher die *Unentbehrlichkeit* beider Triebe, ihrer gegebenen Handlungsweise, und ihrer Forderungen bei jedem Wollen, und die *Abhängigkeit* des Willens von denselben, um überhaupt sich äußern zu können. Sie ließen daher auch:

Zweitens, die Freiheit keineswegs in dem Vermögen sittlich oder unsittlich zu handeln bestehen. Dadurch wurde ihr Begriff vom Willen bald zu eng bald zu weit. Zu *weit*, wenn sie dem Willen auch andere Objekte zuerkannten, als die entweder gesetzmäßige oder gesetzwidrige Befriedigung oder Nichtbefriedigung des eigennützigen Triebes – zu *enge*, wenn sie denselben mit dem bloßen Begehren verwechselten, wohin sie gewöhnlich geraten mußten, wenn sie ihn von der Denkkraft unterscheiden wollten. Wirklich hat mancher Äquilibrist, um sich die von allen objektiven Bestimmungsgründen unabhängige Handlung des Willens begreiflich zu machen, das *Vergnügen*, das aus der bloßen Willkürlichkeit der Handlung geschöpft würde, ausdrücklich als den subjektiven Bestimmungsgrund des Wollens angegeben, und auf diese Weise die behauptete Freiheit durch die Erklärung derselben wieder aufgehoben.

Drittens, wenn auch der Äquilibrist die Abhängigkeit des Willens von den veranlassenden objektiven Gründen nicht verkannt hätte: so würde er die Unentbehrlichkeit der Vernunft zum Akt der Selbstbestimmung, der in der *Maxime* (oder in der willkürlich gegebenen *Vorschrift* zur wirklichen Befriedigung oder Nichtbefriedigung entweder nach dem praktischen Gesetze oder gegen dasselbe) besteht, verkannt haben. In Rücksicht auf die Maximen hängt der Wille von dem Vermögen der Person, Vorschriften zu geben, oder von der *Vernunft,* nicht weniger als von der *Willkür* ab, die der Grund zu diesen Vorschriften bei den Maximen ist, die aber ohne den Gebrauch, den sie dabei von der Vernunft macht, sich nicht als Bestimmungsgrund der Willenshandlung, nicht als das durch den *Entschluß wirkende* denken ließe. Die Maxime ist ein Resultat der Willkür und der Vernunft, eine Vorschrift unter der Sanktion der Willkür, durch die entweder das praktische Gesetz, oder die demselben entgegengesetzten Reize der Lust oder Unlust in den Willen aufgenommen, und aus bloß veranlassenden zu bestimmenden Gründen der Handlung gemacht werden.

Dieser letztere Umstand ist die eigentliche Tatsache der Freiheit, und das Wahre, welches den *Äquilibristen* undeutlich vor dem Blicke des Geistes schwebte, den ihre Gegner mehr auf die übrigen Tatsachen des Bewußtseins beim Wollen gerichtet hatten.

Das Lächerliche, das der *Determinist* auf den *Äquilibristen* durch das Gleichnis von *Buridans Esel* zu bringen suchte, der zwischen zwei Bündeln Heu, die ihn entweder gar nicht oder gleich stark affizierten, verhungern müßte, fällt auf den *Determinismus* selbst zurück. Es ist freilich unleugbar, daß aus dem einmal angenommenen Gleichgewichte zwischen zwei entgegengesetzten objektiven Gründen des Wollens und aus der Gleichgültigkeit des Willens gegen beide keine Handlung erfolgen könne. Allein beim Willen ist außer der Unabhängigkeit von dem Bestimmtwerden durch die objektiven Gründe, worin bloß das *Negative* der Freiheit besteht, auch noch das Vermögen der Selbstbestimmung, das Vermögen, einen von den veranlassenden Gründen zum bestimmenden zu erheben, das *Positive* der Freiheit vorhanden, wodurch dieselbe zur Freiheit des *Willens* wird, und wodurch sich die Persönlichkeit, der unterscheidende Charakter des menschlichen Willens von dem bloß tierischen Begehren, ankündigt. Dieser Charakter wird von den Determinsten dem Menschen in so ferne abgesprochen, in wie ferne sie den bestimmenden Grund von allen seinen Handlungen *außer ihm* (von den sogenannten Willenshandlungen in der durch die *Dinge an sich* bestimmten Vernunft) aufsuchen, und den *Menschen* mit Buridans Esel dadurch wirklich in eine Klasse setzen, daß sie *beiden* nur in so ferne ein Vermögen zu handeln einräumen, als sie beide durch ein Übergewicht äußerer, von ihnen selbst ganz unabhängiger Gründe zum Handeln genötigt werden lassen, nur mit dem Unterschiede, daß der Mensch *mit*, der Esel *ohne* Bewußtsein jener Gründe genötigt wirkt.

Das *Positive* bei der Freiheit besteht in der Selbsttätigkeit der Person *beim Wollen*, einer ganz besondern Selbsttätigkeit, die von der Selbsttätigkeit der Vernunft oder durch Vernunft genau unterschieden werden muß, die von manchen Freunden der Kantischen Philosophie aber mit der Selbsttätigkeit der praktischen Vernunft, in der sie das Positive des freien Willens aufsuchten, verwechselt wurde. Ohne die Selbsttätigkeit der praktischen Vernunft, die das Gesetz, aber auch nur das Gesetz, dem Willen gibt, ließe sich keine Ausübung der Selbsttätigkeit des Willens denken, aber diese wird keineswegs *durch* jene gedacht. Durch die praktische Vernunft bestimmt die Person selbst, aber unwillkürlich, dem Willen sein Gesetz; durch die Selbsttätigkeit der Willkür hingegen handelt sie diesem Gesetze gemäß *oder* zuwider. *Diese* ist der einzige subjektive und durch sich selbst bestimmende Grund – *jene* gehört zugleich mit den Forderungen des Triebes nach Vergnügen zu den objektiven und an sich selbst bloß veranlassenden Gründen des Wollens.

Es kann daher nicht ohne Ungereimtheit nach dem objektiven, außer der Freiheit des Subjektes gelegenen Grunde der *freien* und *eigentümlichen* Handlung des Willens gefragt werden. Diese Frage würde eben so viel heißen, als: »Worin liegt der objektive Grund, durch welchen das Vermögen, von objektiven Gründen unabhängig zu handeln, bestimmt wird?« Es läßt sich kein objektiver Grund des Wollens denken, der nicht diesen Rang der Freiheit zu danken hätte. Die freie Handlung ist darum nichts weniger als *grundlos*. Ihr Grund ist die Freiheit selbst. Aber diese ist auch der letzte denkbare Grund jener Handlung. Sie ist die absolute, die erste Ursache ihrer Handlung, über welche sich nicht weiter hinausgehen läßt, weil sie wirklich von keiner andern abhängt. Fragen: Warum der freie Wille sich auf diese oder jene Art bestimmt habe, heißt fragen: Warum er frei ist? Voraussetzen, er bedürfe eines von ihm selbst verschiedenen Grundes, heißt ihm seine Freiheit absprechen.

Man hat *gegen* diesen Begriff der Freiheit das logische Gesetz des zureichenden Grundes aufgerufen, dem derselbe geradezu widersprechen sollte. Allein der Begriff der Freiheit widerspricht diesem Gesetze nicht mehr und nicht weniger, als demselben der Begriff einer *absoluten* und *ersten* Ursache, welche sich jene Gegner der Freiheit bei andern Gelegenheiten gar wohl denken können, widerspricht. Das logische Gesetz fordert keineswegs für alles, was *da ist,* eine von *diesem Dasein* verschiedene Ursache, sonst würde das Dasein Gottes, ja selbst jedes Dasein von Ewigkeit durch jenes Gesetz unmöglich sein, sondern es fordert, daß nichts ohne Grund *gedacht* werde. Die Vernunft hat aber einen sehr reellen Grund, die Freiheit als eine absolute Ursache zu denken; nämlich das *Selbstbewußtsein,* durch welches sich die Handlung dieses Vermögens als eine *Tatsache* ankündigt und *den gemeinen und gesunden Verstand* berechtigt, von ihrer Wirklichkeit auf ihre Möglichkeit zu schließen.

Dabei muß es auch die *philosophierende Vernunft* bewenden lassen, die durch genaue Entwicklung der verschiedenen beim Wollen beschäftigten Vermögen des Gemütes zwar völlig begreift, *daß* der Wille frei ist, aber *nicht, wie* diese Freiheit möglich ist. Sie begreift aber auch selbst durch diese Entwicklung, warum sich dieses *Wie?* nicht begreifen läßt. Es ergibt sich nämlich aus derselben, daß das Vermögen der Maximen, oder der willkürlichen Vorschriften ein von der praktischen Vernunft sowohl als von dem sinnlichen und durch theoretische Vernunft modifizierten unwillkürlichen Begehrungsvermögen ganz verschiedenes, mit beiden zwar im Zusammenhang sich äußerndes, aber in Rücksicht auf seine *eigentümliche Form* von beiden *unabhängiges Vermögen* des Gemütes, ein *Grundvermögen* sei, das sich als ein solches von keinem Andern ableiten und daher auch *aus keinem Andern begreifen und erklären läßt.* Die Freiheit des Willens ist daher um nichts unbegreiflicher als jedes andere Grundvermögen des Gemüts, als die Sinnlichkeit, der Verstand und die Vernunft, die sich dem Bewußtsein nur durch ihre Wirkungen offenbaren, in ihren Gründen aber in so ferne unbegreiflich sind, als sie selbst den letzten angeblichen Grund ihrer *Wirkungsarten* in sich enthalten.

Aus ihren Wirkungen, durch welche sie unter den Tatsachen des Bewußtseins vorkommt, ist mir die Freiheit völlig begreiflich; und in so ferne kein Gegenstand des *Glaubens,* sondern des eigentlichsten *Wissens* für mich. Ich weiß so gut, daß ich einen Willen habe und daß derselbe frei ist, als daß ich Sinnlichkeit, Verstand und Vernunft habe. Ich *weiß* auch aus den Wirkungen aller dieser Vermögen, worin sie bestehen. Aber ich weiß von keinem *woher* und *wodurch* sie entstehen, weil sie Grundvermögen sind, von denen sich zuletzt nichts weiter wissen läßt, als daß ihre Wirkungsarten in der ursprünglichen Einrichtung des menschlichen Geistes *gegeben* sind.

Es würde dieser Erörterung ein wesentlicher Bestandteil fehlen, wenn ich in derselben das Verhältnis des von mir aufgestellten Begriffes von dem freien Willen zu den *Resultaten der Kantischen Philosophie* mit Stillschweigen überginge. Jener Begriff ist durch diese Philosophie *vorbereitet* worden, und ist dem *Geiste* derselben so vollkommen angemessen, als er den *Buchstaben* einiger Äußerungen der *Kritik der praktischen Vernunft* nur dann widerspricht, wenn man dieselben für das, was sie nach der Absicht des Verfassers keineswegs sein sollen, für *logische Erklärungen* des freien Willens annimmt. *Kant* hat zu oft und zu ausdrücklich behauptet, daß er auch die unsittlichen Handlungen für freiwillig anerkenne, als daß man dafür halten könnte, er habe die Freiheit bloß auf den *reinen Willen* eingeschränkt, das Positive derselben in der praktischen Vernunft aufgesucht, und den Willen für nichts als die *Kausalität der Vernunft* beim Begehren angesehen wissen wollen.

Gleichwohl konnte und mußte er behaupten, daß sich die Freiheit des Willens (des unsittlichen wie des sittlichen) nicht nur nicht ohne das Bewußtsein des Sittengesetzes, sondern auch nur unter der Voraussetzung denken lasse, *daß die Vernunft bei der sittlichen Gesetzgebung praktisch sei.* Diese

Behauptung wird unrichtig und hebt alle Freiheit auf, wenn man ihr den Sinn unterlegt, daß die sittliche Handlung bloße Wirkung der praktischen Vernunft sei, daß die Freiheit des sittlichen Willens lediglich in der Selbsttätigkeit dieser Vernunft bestehe, und daß die praktische Vernunft nicht bloß das Gesetz gebe, sondern auch die demselben gemäße Handlung durch sich selbst hervorbringe. Sie wird hingegen völlig wahr, und enthält für die Lehre von der Freiheit des Willens die wichtigsten und wohltätigsten Aufschlüsse, wenn man sich bei derselben, nach dem Sinne ihres Urhebers, nichts anders denkt, als: daß der Wille nicht ohne das Praktische der Vernunft (keineswegs aber lediglich durch dieselbe) frei sein könne; daß die Selbsttätigkeit der Vernunft, ihre Unabhängigkeit von Lust und Unlust, bei der sittlichen Gesetzgebung eine der wesentlichen Bedingungen dieser Freiheit sei, und daß der Wille keineswegs das Vermögen haben würde, das Sittengesetz in seine Maxime aufzunehmen oder aus derselben auszuschließen, wenn ihm dieses Gesetz nicht lediglich durch *reine Vernunft* gegeben wäre. Die nähere Beleuchtung dieses Sinnes dürfte sowohl über die hieher gehörigen Resultate der Kantischen Philosophie als über meinen Begriff von der Freiheit, ein beiden nicht ganz entbehrliches Licht verbreiten. [...]

Kant nennt die Vernunft *praktisch,* nicht in wie ferne *sie selbst als Willen handelt,* oder was immer für eine ihrer Vorschriften beim Wollen ausführt, sondern weil und in wie ferne sie dem Willen eine Vorschrift lediglich durch sich selbst nur um der bloßen Vorschrift willen, gibt. Und in der Tat, wenn die Vernunft nichts anderes ist, als das Vermögen, Vorschriften zu geben, so kann eine Wirkung, die lediglich durch Vernunft und ohne allen fremden Einfluß, ohne Mitwirkung irgend eines andern von ihr selbst verschiedenen Grundes geschieht, nichts anders, als die bloß um ihrer selbst willen aufgestellte Vorschrift sein. So wie auf der andern Seite durch das Bewußtsein einer Vorschrift, die durch sich selbst Gesetz ist und die keinen andern Zweck hat, als die Vorschrift selbst, die eigentliche praktische Natur, der Charakter der reinen Selbsttätigkeit der Person durch bloße Vernunft angekündigt wird. Hieraus läßt sich nun die *Handlungsweise* bestimmen, an welche die *praktische* Vernunft gebunden ist und welche das Naturgesetz der Selbsttätigkeit der Person durch bloße Vernunft ausmacht. Sie besteht lediglich darin: *daß sich die Person durch dieses Vermögen keine andere Vorschrift geben kann, als um der Vorschrift selbst willen, und daß sie sich diese Vorschrift unwillkürlich gibt.* Nur eine solche Vorschrift der Vernunft kann *absolute*, das heißt von jeder andern Bedingung unabhängige Notwendigkeit und Allgemeinheit für die Vernunft haben. Folglich vorausgesetzt, daß das Sittengesetz eine *solche* Notwendigkeit und Allgemeinheit fordere, so kann demselben keine andere als eben diese Vorschrift zum Grunde liegen. Nur eine solche Vorschrift allein kann das *Objekt* des *uneigennützigen Vergnügens*, des Wohlgefallens an der Gesetzmäßigkeit um ihrer selbst willen sein; weil nur eine solche Vorschrift um ihrer selbst und nicht um des Vergnügens willen da ist. Folglich vorausgesetzt, daß das *sittliche* Vergnügen *uneigennützig* sei, so kann dem Sittengesetze nur diese Vorschrift zum Grunde liegen. Aber auch nur mit einer solchen Vorschrift, als dem einzigen eigentümlichen Gesetze des Willens, läßt sich die Freiheit des Willens überhaupt und des sittlichen sowohl als des unsittlichen vereinigen. Folglich vorausgesetzt, daß der Wille frei ist, so kann nur diese Vorschrift sein eigentümliches Gesetz sein. Ich habe also hier noch zu zeigen, daß sich die Eintracht der moralischen Notwendigkeit mit der Tatsache der natürlichen Freiheit nur in so ferne denken lasse, oder daß das Sittengesetz der Freiheit nur in so ferne nicht widerspreche, als die Vernunft in dem von *Kant* zuerst festgesetzten Sinne bei der sittlichen Gesetzgebung (aber nicht bei der Ausführung des Gesetzes, die nicht der Vernunft, sondern dem Willen zukommt) *praktisch* ist.

Die Person hat nur in soferne freien Willen, als sie sich zur wirklichen Befriedigung oder Nichtbefriedigung einer Forderung des eigennützigen Triebes *durch sich selbst* zu bestimmen vermag. Gäbe es nun für diese Befriedigung oder Nichtbefriedigung keine andere Vorschrift außer derjenigen, die für die Person durch die Sanktion von Lust und Unlust zum Gesetz wird: so wäre die Person an die bloße jedesmalige Forderung des eigennützigen Triebes gebunden, die als *Naturgesetz des Begehrens*, als die einzig mögliche Vorschrift, und unvermeidlich von ihr erfüllt werden müßte. Sie würde durch theoretische Vernunft durch die gedachten Objekte des Genusses vermittelst des Triebes nach Vergnügen bestimmt, ohne sich selbst bestimmen zu können; sie würde nur *unwillkürlich begehren*, nie *wollen* können. Die Befriedigung und Nichtbefriedigung würde nur einem *einzigen* Triebe, nämlich dem eigennützigen, untergeordnet werden können; folglich nur *um ihrer selbst willen* möglich sein. Die kleinere Lust würde unwillkürlich durch die größere und die größere Unlust durch die kleinere verdrängt werden; es würde der Person nichts als Befriedigung des Triebes nach Vergnügen, nichts als abgenötigte Wirkung nach einer und ebenderselben einzig möglichen Handlungsweise möglich sein. Es würde nur eine die Person bestimmende Triebfeder, nicht Selbstbestimmung der Person, die unter zwei gegebenen Triebfedern die eine derselben in Tätigkeit, die andere außer Tätigkeit setzt, möglich sein.

Sobald aber außer der Vorschrift, die ihre Sanktionen durch Lust und Unlust allein erhält, auch noch eine andere vorhanden ist, die unabhängig von dieser Sanktion lediglich durch sich selbst Gesetz ist: so ist die Person nicht mehr dem einseitigen Antriebe des Vergnügens unterworfen; so sind in ihr zwei verschiedene Antriebe, zwei gleich unwillkürliche, aber einander entgegengesetzte Forderungen vorhanden, die nur durch sie selbst, nur durch ihre Freiheit, und nur dadurch vereinigt werden können, daß durch die Person die eine der andern, oder die andere der einen untergeordnet, die Forderung des Eigennützigen auf Unkosten des Uneigennützigen, oder diese auf Unkosten von jener erfüllt wird. Die Wirklichkeit der Befriedigung des eigennützigen Triebes hängt nicht mehr von diesem Triebe allein ab; es ist nun auch in gewissen Fällen Nichtbefriedigung desselben im strengsten Sinne möglich, und es kommt auf die Person selbst an, welche von den beiden entgegengesetzten Forderungen die Triebfeder ihrer Handlung sein wird. Durch das *Naturgesetz des Begehrens* wird der Person angekündigt, was sie tun *muß*, vorausgesetzt, daß sie zur bloßen Befriedigung der Forderung des Begehrens bei *unfreiwilligen* Handlungen bestimmt werde oder aber bei den *freiwilligen* sich selbst bestimme. Durch das *praktische Gesetz des Willens* wird hier angekündigt, was sie tun *soll*, aber nur unter der Voraussetzung wirklich tun wird, daß sie sich zur Erfüllung der Forderung, welche sie unwillkürlich und durch bloße Vernunft an sich selbst tut und welche sie eben darum nicht durch Vernunft abweisen kann – durch ihre Freiheit selbst bestimme. Bei dem Bewußtsein dieses *Sollens*, das sie klar von allem *Müssen* unterscheidet, ist sie sich bewußt, daß sie den Forderungen des unwillkürlichen Gelüstens alle die Befriedigungen versagen *könne*, die dem *Sollen* widersprechen, und daß sie daher den verschiedenen Äußerungen des unwillkürlichen Begehrens, z. B. dem unwillkürlichen Streben nach Wollust, Ehre, Reichtum usw. bei ihren *Willenshandlungen* nur in so ferne unterworfen sei, als sie sich denselben selbst unterwerfen wolle. Daß diese moralische Unabhängigkeit der Person von den Neigungen und Leidenschaften, die sich durchs *sittliche Gefühl* von jeher angekündigt hat, worüber der gesunde Menschenverstand von jeher mit sich selbst einig war und welche nur durch die Unbestimmtheit der dieselbe betreffenden *Begriffe* unter den Philosophen streitig werden konnte, für keine *bloße Täuschung* angesehen werden könne, und daß die Philosophie, wenn sie sich anders durch Inkonsequenz nicht selbst widersprechen soll, nicht, wie bis jetzt der Fall war, die Freiheit des Willens für etwas Widersprechendes erklären müsse, dies hat die Menschheit dem großen Entdecker des Unterschiedes zwischen der theoretischen und der praktischen Vernunft zu verdanken.

Allein, und dieses kann den Freunden der *Kantischen Philosophie* nicht oft genug wiederholt werden, die praktische Vernunft ist kein Wille, ob sie gleich wesentlich zum Willen gehört und sich bei jedem eigentlichen Wollen äußert. Die Handlung der praktischen Vernunft ist bloß unwillkürlich. Die Handlung des Willens, sie mag der praktischen Vernunft gemäß oder zuwider sein, ist willkürlich. Beim sittlichen Wollen wirkt die praktische Vernunft an und für sich nicht mehr und nicht weniger als beim unsittlichen; sie stellt in beiden Fällen das Gesetz auf. Weder dieses Gesetz noch sie selbst durchs Gesetz bestimmt beim Wollen die Befriedigung oder Nichtbefriedigung des Begehrens, sondern die Freiheit durch oder wider das Gesetz. Die Person ist sich bewußt, daß es nicht auf sie ankomme zu *sollen* oder *nicht zu sollen*, wohl aber das, was sie soll oder nicht soll, zu *wollen* oder *nicht zu wollen*, daß sie nicht im Sollen und Nichtsollen, aber im

Wollen und Nichtwollen frei ist, nicht in dem, was der uneigennützige oder der eigennützige Trieb von ihr fordert, sondern in dem, was sie dem einen gewährt und dem andern versagt. Es ist zwar dieselbe Person, welche das Sittengesetz sich selbst gibt und befolgt, aber nicht dasselbe Vermögen in der Person. Das Gesetz gibt sie sich durch bloße Vernunft, und dieses ist daher unwillkürlich und unvermeidlich, und immer eben dasselbe. Die durchs Gesetz vorgeschriebene Handlung aber bringt sie durch Willkür hervor; folglich nicht unvermeidlich, und immer so, daß sie auch das Gegenteil davon hervorbringen kann und oft wirklich hervorbringt.

Diejenigen, welche bisher die *Notwendigkeit* der sittlichen Handlung des Willens mit der *Freiheit* derselben zu vereinigen suchten, haben zu diesem Behuf kein anderes Mittel gefunden, als diese Freiheit in der besondern Art von Notwendigkeit, die dem Sittengesetz eigen ist, in der *moralischen Notwendigkeit* selbst bestehen zu lassen. Sie wußten den Willen nicht anders von der Sklaverei des Instinktes zu retten, als dadurch, daß sie ihn zum Sklaven der Denkkraft machten. Sie dachten sich die Nötigung desselben durch die Sinnlichkeit nur dadurch vermeidlich, daß er durch Vernunft unvermeidlich genötiget würde. Wie sie dieses Vermögen der Person, durch Vernunft unvermeidlich genötigt zu werden, Freiheit nennen konnten, begreift sich nur daraus, daß sie unter diesem Namen nichts als die Unabhängigkeit dieses Vermögens vom Zwange des Instinktes verstanden wissen wollten. Sie konnten sich daher die Person bei der *sittlichen Handlung* nur in so ferne frei denken, als dieselbe durch ihre Vernunft und nicht durch Sinnlichkeit genötigt würde. Allein die *unsittliche* Handlung konnte nicht einmal in diesem Sinne frei heißen. Man konnte sich dieselbe nur als diejenige denken, bei welcher die Person nur durch den Instinkt, nicht durch Vernunft genötigt würde. Es ist nur durch die ungeheure Inkonsequenz, die bei der ungeheuren Unbestimmtheit aller hieher gehörigen Begriffe auch in den vorzüglichsten Selbstdenkern stattfinden konnte, begreiflich, wie irgend ein *Determinist* den Namen der Freiheit auch nur in irgend einem noch so eingeschränkten Sinne der *unsittlichen* Handlung beilegen konnte.

Das Mittel, wodurch einige Freunde der *kritischen* Philosophie sich die Eintracht der absoluten Notwendigkeit und der Freiheit bei den sittlichen Handlungen zu denken versucht haben, ist um nichts besser. Um den Willen von der Sklaverei des Instinktes und der *theoretischen* Vernunft zu retten, machen sie ihn zum Sklaven der *praktischen*, oder vielmehr sie vernichten denselben ganz, um an seiner Stelle bei dem sogenannten *reinen Wollen* lediglich die praktische Vernunft handeln zu lassen. Sie finden in dieser Vernunft die Notwendigkeit mit der Freiheit vereinigt; – die Notwendigkeit in dem Gesetze und die Freiheit in der Selbsttätigkeit der Vernunft. Die sittliche Handlung ist ihnen nur als bloße Wirkung dieser Vernunft zugleich notwendig und frei. Aber nur *Einer* unter ihnen ist konsequent genug gewesen, um die aus diesen Prämissen unvermeidliche Folge einzugestehen und aufzustellen: daß der Wille nur in Rücksicht auf die *sittlichen* Handlungen frei und der Grund der *unsittlichen* außer dem Willen in äußern Hindernissen und Schranken der Freiheit aufzusuchen sei. Allein dieses letztere vorausgesetzt, so würde auch der Grund der *sittlichen* Handlung keineswegs in der *bloßen* Selbsttätigkeit der praktischen Vernunft, sondern auch in der von dieser Vernunft ganz unabhängigen *Abwesenheit* jener Hindernisse aufgesucht werden müssen. Die ganze Freiheit dieser Vernunft, und durch dieselbe der Person, bestünde also lediglich in einer zufälligen, auf gewisse Fälle eingeschränkten Unabhängigkeit von äußerm Zwang, die keineswegs in der Gewalt der Person läge. Die sittliche Handlung erfolgte unvermeidlich durch eine ganz unwillkürliche Wirkung der praktischen Vernunft, *sobald kein Hindernis da wäre;* und allein der Anwesenheit oder Abwesenheit des letztern müßte also sowohl die sittliche als die unsittliche Handlung zugerechnet werden.

Die Freiheit der *unsittlichen* Handlung wird nur dadurch widersprechend, daß man sich die Freiheit der sittlichen durch unrichtige Begriffe denkt. Die dem praktischen Gesetze widersprechende Handlung muß jederzeit der Naturnotwendigkeit unterworfen werden, sobald man die dem Gesetze gemäße Handlung eben *derselben* Selbsttätigkeit zuschreibt, in der das Gesetz gegründet ist. Wenn man die sittliche Handlung nur in so ferne frei nennt, als sie nicht unsittlich ist, so kann man die unsittliche freilich nicht frei nennen, und wenn die Freiheit der einen ein leerer Name ist, so hat das ausdrückliche Geständnis der unvermeidlichen Notwendigkeit der andern nichts mehr, was den gesunden Menschenverstand empören könnte.

Allein die Freiheit der sittlichen Handlung ist kein leerer Name, sie ist mehr als die unwillkürliche Selbsttätigkeit der praktischen Vernunft, durch welche nichts als das bloße Gesetz gegeben wird, und keineswegs die Handlung, die demselben gemäß ist, zur Wirklichkeit kommt; sie ist die willkürliche von der praktischen Vernunft wesentlich verschiedene Selbsttätigkeit der Person, durch welche das Gesetz entweder ausgeführt oder übertreten wird. In der sittlichen Handlung ist *absolute praktische Notwendigkeit* und *Freiheit* in so ferne vereinigt, als das absolut notwendige Gesetz, die Wirkung der praktischen Vernunft, durch Willkür in einem gegebenen Falle ausgeführt und in so ferne zur Wirkung der Freiheit gemacht ist. In der unsittlichen Handlung ist die *Naturnotwendigkeit* und die *Freiheit* in so ferne vereinigt, als die bloß dem Naturgesetze des Begehrens gemäße aber dem praktischen Gesetze widersprechende Forderung des eigennützigen Triebes durch Willkür ausgeführt und in so ferne zur Wirkung der Freiheit erhoben ist. Der Wille unterwirft sich daher entweder der moralischen oder der Naturnotwendigkeit durch sich selbst; oder vielmehr er unterwirft sich einer von beiden und vereitelt dadurch den Erfolg der andern in Rücksicht auf die willkürliche Befriedigung oder Nichtbefriedigung des eigennützigen Triebes. [...]

Die Macht des willkürlichen Begehrens, des bloßen Willens, erstreckt sich immer nur auf *Befriedigungen* oder *Nichtbefriedigungen* des eigennützigen Triebes, nie auf diese Forderungen selbst, außer in wie ferne dieselben vorhergesehene Folgen der willkürlichen Befriedigungen sind. Auch kommt es keinesweges auf meinen *Willen* an, ob ich nach Glückseligkeit oder nach dem, was ich mir richtig oder unrichtig als Mittel zu derselben denke, streben soll oder nicht. Die Forderung des unwillkürlichen Begehrens, die beim Wollen als veranlassender Grund vorhanden sein muß, wird bei demselben vorausgesetzt und hängt daher von dem Wollen so wenig ab, als sie selbst ein Wollen ist. Es wäre daher ganz unbegreiflich, wie man je die willkürliche Befriedigung mit der unwillkürlichen

Forderung, das Wollen mit dem durch Vernunft modifizierten Begehren, die Selbstbestimmung mit dem Bestimmtwerden durch Denkkraft und Lust und Unlust verwechseln konnte, wenn nicht das Wollen und das unwillkürliche durch Vernunft modifizierte Begehren ein und ebendasselbe *Objekt* hätten, nämlich die *Befriedigung* oder *Nichtbefriedigung* des eigennützigen Triebes. Der Wille ist das Vermögen der Person, sich selbst zur Befriedigung oder Nichtbefriedigung einer Forderung dieses Triebes zu bestimmen; und das unwillkürliche durch Vernunft modifizierte Begehren, als Triebfeder einer wirklichen Handlung betrachtet, ist das Vermögen der Person, durch eine Forderung des eigennützigen Triebes entweder zur Befriedigung, oder, wenn jene Forderung mit einer andern gegenwärtigen aber schwächeren in Kollison ist, zur *Nichtbefriedigung* der *letztern* bestimmt zu werden. Wollen und willkürliches vernünftiges Begehren haben daher in so ferne einen und eben denselben Erfolg, und man verwechselte den Erfolg des Willens, der von der Selbstbestimmung durch Willkür – mit dem Erfolg des Begehrens, der vom Bestimmtwerden durch Lust und Unlust abhängt.

Der *Determinismus* der öfter erwähnten Freunde der Kantischen Philosophie unterscheidet zwar die moralische Notwendigkeit von der physischen mit größerer Bestimmtheit, indem er die eine in der *Selbsttätigkeit* der von Eindrücken und Vergnügen unabhängigen Vernunft, die andere aber in der Abhängigkeit des Instinktes von beiden aufsucht. Allein er zerstört diesen wesentlichen Unterschied durch die Erklärung wieder, die er von demselben in Rücksicht auf die sittlichen Handlungen gibt. Indem er die Ursache dieser Handlungen in der praktischen Vernunft allein aufsucht, so sind dieselben nicht weniger unvermeidlich notwendig als die Handlungen des Instinktes; und indem er den Grund, warum die praktische Vernunft nicht immer den Willen bestimmt, die Ursache der unsittlichen Handlungen außer der Willkür der Person in unvermeidlichen Hindernissen bestehen lassen muß, so hängt die ungehinderte Handlung der praktischen Vernunft von der Abwesenheit dieser Hindernisse, und in so ferne das sittliche sowohl als das unsittliche Wollen zuletzt von einer und eben derselben Naturnotwendigkeit ab. [...]

Die Macht des willkürlichen Begehrens, des eigentlichen

Wollens, erstreckt sich über die Forderungen des uneigennützigen Triebes so wenig als über die Forderungen des eigennützigen. Sie kann das Gesetz der praktischen Vernunft weder geben noch aufheben; aber die Erfüllung oder Nichterfüllung dieses Gesetzes hängt von der Willkür ab, und ist nur durch Freiheit möglich, indem ein Gesetz, das nicht die Forderungen, sondern nur die Befriedigungen des eigennützigen Triebes, und nur diejenigen betrifft, die von der Willkür abhangen, nur durch Willkür befolgt, und eben darum auch durch Willkür übertreten werden kann. Ein Gesetz, das auf die bloße Selbstbestimmung sich einschränkt, kann auch nur durch Selbstbestimmung angewendet, und dem Objekte derselben zum Grunde gelegt werden. Die Forderung der praktischen Vernunft, die beim sittlichen Wollen als veranlassender Grund vorhanden sein muß, wird bei demselben vorausgesetzt und hängt daher in so ferne von diesem Wollen so wenig ab, als sie dasselbe selbst sein kann. Als bestimmender Grund desselben hängt sie von dem durch sich selbst bestimmenden Grunde alles Wollens, der Freiheit (nicht der praktischen Vernunft, sondern) der Person ab, durch welche sie zum Charakter des bestimmenden erhoben wird. Es würde daher ganz unbegreiflich sein, wie man die unwillkürliche Forderung der praktischen Vernunft mit der willkürlichen Befriedigung derselben, das Bestimmtwerden durch das Gesetz mit der Selbstbestimmung nach demselben, die Forderung an den Willen mit der Handlung des Willens verwechseln konnte, wenn nicht das praktische Gesetz und der Wille, der sich nach demselben bestimmt, *ein und eben dasselbe Objekt* hätten, nämlich die Gesetzmäßigkeit der Befriedigung oder Nichtbefriedigung des eigennützigen Triebes. Allein dieser Erfolg ist, in wie ferne er von der bloßen praktischen Vernunft abhängt, bloß der *vorgeschriebene*, keineswegs der *wirkliche*, wozu er nicht durch Vernunft, sondern nur durch Willkür erhoben werden kann. In der einen Rücksicht ist er absolut notwendig, in der andern frei, und nur *hypothetisch*, das heißt nur unter der Voraussetzung notwendig, daß sich die Willkür dieser Notwendigkeit, die nur für die Vernunft *absolut* ist, unterwirft.

Der Determinismus, sowohl der ältere der *Leibnizianer*, als der neuere der *Kantianer*, hat die *Freiheit* in wie ferne sie ein besonderes *Grundvermögen* der Person ist, verkannt, und die Funktion derselben auf die Vernunft übergetragen; der Eine auf die *theoretische,* der Andere auf die *praktische;* der Eine auf die das unwillkürliche Begehren modifizierende Denkkraft, der Andere auf die unwillkürliche Handlung der selbsttätigen Vernunft, durch welche dieselbe für die willkürlichen Befriedigungen des Begehrens Gesetze aufstellt. Beide haben den willkürlichen Vernunftgebrauch mit dem unwillkürlichen, die freie Vorschrift beim Wollen mit einer notwendigen, die Maxime mit einem Gesetze verwechselt; der Eine mit der theoretischen Vorschrift, die durch den eigennützigen, der Andere mit der praktischen, die durch den uneigennützigen Trieb ihre Sanktion erhält; der Eine mit der hypothetisch, durch Lust und Unlust – der Andere mit der absolut, durch sich selbst, notwendigen Äußerung der Vernunft; der Eine mit dem Naturgesetz des Begehrens, der Andere mit dem Vernunftgesetz des Wollens. [...]

Beide deterministischen Vorstellungsarten sehen den *sittlichen Willen* für einen bloßen Trieb, und zwar für einen der beiden Triebe an, die wesentlich zum Willen gehören, aber denselben weder einzeln noch zusammen genommen ganz ausmachen; die Einen für den rein vernünftigen und uneigennützigen, die Andern für den vernünftig sinnlichen und eigennützigen. Die Einen sehen die bloße Forderung der praktischen Vernunft, die Andern die durch theoretische Vernunft geregelte Forderung des Triebes nach Vergnügen für die Handlung des Willens an, welche doch nur diese Forderungen voraussetzt, und lediglich in der Selbstbestimmung zur Befriedigung oder Nichtbefriedigung derselben besteht. [...]

Äußere Umstände, ... werden wohl öfters die Veranlassung, daß ein unwillkürliches, durch Denkkraft modifiziertes Begehren in eine äußere Handlung übergeht, bevor und ohne daß sich die praktische Vernunft durch die Ankündigung ihres Gesetzes für den gegebenen Fall geäußert und folglich ohne daß die Person über die Sittlichkeit der Befriedigung ihres unfreiwilligen Begehrens reflektiert hat. Allein in allen diesen Fällen hat auch kein Wille, hat nicht die Person als Person gehandelt. Bei jeder Selbstbestimmung der Person zur wirklichen Befriedigung oder Nichtbefriedigung eines Begehrens, (wofür ich den Namen Wollen ausschließend in Anspruch nehme) muß sich nicht nur die theoretische, sondern auch die praktische Vernunft geäußert haben, weil ohne Bewußtsein des Gesetzes, das durch sie dem Naturgesetz entgegengestellt wird, ohne Bewußtsein der zwei einander entgegengesetzten veranlassenden Gründe, als der zwei *möglichen* Handlungsweisen der Person, keine *Selbstbestimmung* nach einer derselben denkbar ist. Jede Willenshandlung ist daher auch sittlich oder unsittlich, und keine läßt sich in dem Sinne gleichgültig denken, als ob sie weder das Eine noch das Andere wäre.

Freiheit des Willens, Willkür und Moralität sind von einander unzertrennlich. Die Person kann sich nur in so ferne zur wirklichen Befriedigung oder Nichtbefriedigung der Forderung des eigennützigen Triebes durch sich selbst bestimmen, sie hat nur in so ferne Willen, als sie durch den uneigennützigen Trieb von den Forderungen des eigennützigen, und durch Willkür von den Forderungen beider unabhängig ist. In dieser zweifachen Unabhängigkeit besteht die negative, und in der Willkür, oder dem Vermögen, sich für eine der beiden Forderungen selbst zu bestimmen, die positive Freiheit des Willens, die sich eben darum nie ohne die Ankündigung beider Forderungen im Bewußtsein und folglich nie ohne Selbstbestimmung für oder gegen das praktische Gesetz, oder ohne *Moralität* denken läßt. [. . .]

1 [Mit diesen und den folgenden Zitaten bezieht sich Reinhold (nicht immer wörtlich) auf Begriffsbestimmungen, die er selbst in den beiden vorhergehenden Briefen vorgeschlagen hat. Vgl. a.a.O., 6. Brief, Versuch einer neuen Darstellung der Grundbegriffe und Grundsätze der Moral und des Naturrechts, S. 174-220; 7. Brief, Über den bisher verkannten Unterschied zwischen dem uneigennützigen und dem eigennützigen Triebe und zwischen diesen beiden Trieben und dem Willen, S. 220-261.]

Leonhard Creuzer
Skeptische Betrachtungen
über die Freiheit des Willens
(1793)

[...] Die andere Partei, die ich *transzendente Indifferenti-sten* genannt habe, räumt zwar die durchgängige Gültigkeit des Kausalgesetzes in der Sinnenwelt ein; leugnet aber die Anwendbarkeit desselben auf intelligible Wesen, und glaubt daher, diesen ein völlig gesetzloses Vermögen zu handeln bei-legen zu dürfen.

So erklärt Reinhold[1] die Freiheit des Menschen durch ein *Vermögen, willkürlich zwischen den Vorschriften der Ver-nunft und den Forderungen der Sinnlichkeit wählen zu kön-nen.* Nicht gezwungen durch die Gesetze der Vernunft kann der Mensch, wenn er will, der Sinnlichkeit – und nicht gezwungen durch Forderungen der Sinnlichkeit, kann er, wenn er will, der Vernunft den Vorzug geben. Er hat freie Wahl, entweder seinen Entschluß durch seine Vernunft *selbst zu bestimmen,* oder ihn durch die Objekte der Sinnlichkeit *bestimmen zu lassen.* [...]

Jede sittliche Tatsache und folglich auch die Freiheit des Willens, man mag sie als unmittelbares Faktum unsers Bewußtseins, oder als notwendiges Postulat der praktischen Vernunft betrachten, muß *vernünftig denkbar* sein, wenn wir sie nicht als *vernunftwidrig* verwerfen und für bloße Scheiner-fahrung halten sollen. Ist aber wohl eine Freiheit vernünftig denkbar, die ein und dasselbe Wesen *gleichvermögend* macht *für kontradiktorisch entgegengesetzte Handlungen?*

Ich wenigstens kann sie unmöglich dafür erkennen. Im Gegenteil scheint sie mir weder theoretisch noch praktisch befriedigend zu sein. Nicht praktisch befriedigend; denn wie kann bei einer solchen Freiheit, die gegen die Vorschriften der Vernunft und die Reize der Sinnlichkeit *absolut gleichgültig* ist, die sowohl vom sittlich Guten als auch vom sittlich Bösen den vollständigen Grund in sich enthält und wirksam macht, – *moralische Notwendigkeit,* allgemein gesetzmäßig und zweckmäßig zu handeln, noch ferner gedacht werden? – Ein gegen Gutes und Böses *indifferenter* Wille hebt ja offenbar alle Sittlichkeit auf. Ist das Sollen, welches die moralische Notwendigkeit ausdrückt, eine einzig mögliche (notwendige) Art zu wollen, wie kann dann neben diesem Sollen noch eine solche *indifferentistische Freiheit* bestehen? Entweder ich muß diese oder jenes aufgeben. Das letztere aber kann ich nicht aufgeben; folglich bleibt mir nur dieses Sollen und eine Freiheit übrig, die sich mit demselben vereinbaren läßt. Diese aber ist keine andere als die, welche in dem Sollen selbst enthalten ist und demselben zum Grunde liegt, d. i. die Autonomie des Willens, die von fremden Gesetzen ganz unabhängige, in den letzten Tiefen unseres Geistes gegründete, einzig mögliche (notwendige) Art zu wollen. Diese notwendige Art zu wollen wird nun natürlich ein *Müssen*, sobald keine stärkere Kraft derselben entgegenwirkt. Aber sollte wohl in diesem *Müssen*, in dieser notwendigen Abhängigkeit von meinem *eigenen* Gesetz nicht mehr wahre *eigentlich moralische Freiheit* liegen, als in jener vernunftwidrigen Abhängigkeit vom absoluten Zufall?

Noch unbefriedigender würde aber eine solche indifferentistische Freiheit in theoretischer Rücksicht sein. Wir erklären den Gesetzen unseres Denkens gemäß die Vorstellung des absoluten Zufalls für vernunftwidrig und gestehen ihr nur negative Brauchbarkeit zu. Allein wie will man bei jener indifferentistischen Freiheit dieser vernunftwidrigen und nur negativ brauchbaren Vorstellung ausweichen? Vielleicht durch einen Mittelweg zwischen Notwendigkeit und Zufall? Aber man stelle mir einen Begriff von Zufall auf, der etwas anderes als *Nichtnotwendigkeit* aussagt. Notwendigkeit und Nichtnotwendigkeit sind aber offenbar zwei kontradiktorisch entgegengesetzte Glieder, zwischen denen es nach einem logischen Gesetz kein drittes geben kann, folglich ist jeder Mittelweg hier völlig unmöglich.

Der Begriff der Notwendigkeit ist aber zweitens auch von dem *reinen Verstandesbegriff der Kausalität* unzertrennlich. Er erhält nämlich nicht erst seinen Sinn durch die Form der Zeit, wie einige behauptet haben, sondern nur einen *näher bestimmten Sinn*. Die Regel ist in diesem letztern Fall *bestimmt erkennbar*, im ersten nur *denkbar*. Ist also gleich das reine Gesetz der Kausalität unabhängig von der Form der Zeit, so führt es dennoch eben so gut Notwendigkeit mit sich als das durch diese Form näher bestimmte Gesetz derselben. Auch räumen dies selbst die Verteidiger des übersinnlichen Indifferentismus stillschweigend ein, indem sie das Gesetz der Kausalität auch auf die Verstandeswelt übertragen, welches sonst höchst inkonsequent sein würde. Denn gilt das Gesetz der Kausalität *nur in der Sinnenwelt*, so hat man schlechterdings keinen Grund, auch nur das Dasein von Noumenen, vielweniger von Dingen an sich zu behaupten.

Glaubt man das Dasein der Dinge an sich und behauptet man die Notwendigkeit der Noumene, so darf jener Glaube und diese Behauptung wenigstens den Gesetzen des Denkens nicht widersprechen. Dies ist aber allerdings der Fall, wenn man die Grund- und Gesetzlosigkeit der Freiheit verteidigt. Eine vernünftig denkbare Freiheit kann weder grund- noch gesetzlos sein. Positiv, d. h. als selbst bestimmendes Vermögen gedacht, begründet sie zureichend und notwendig alle aus ihr entspringenden Handlungen, die eben, weil sie durch sie begründet sind, den Namen freier Handlungen erhalten. Eine freie Handlung kann folglich keine solche Handlung sein, die von der Kraft einer Substanz gewirkt worden, ohne daß irgend ein Bestimmungsgrund die Kausalität dieser Kraft bestimmt hätte. Sie ist vielmehr eine solche Handlung, die von der Kraft einer Substanz gewirkt worden, insofern diese Kraft in ihrer Kausalität bestimmt ist bloß durch ihr *eigenes Gesetz,* d. h. durch die ihr notwendig inhärierende Eigenheit, vermöge welcher sie nur eine solche und keine andere Kraft überhaupt ist und welche ihre Kausalität immer und notwendig bestimmt, nur solche Handlungen zu erzeugen, überhaupt nur eine solche Art von Erscheinungen und keine andere mit sich in Zusammenhang zu bringen. Jede ihrer Handlungen also muß sowohl ihrer Fom als ihrer Materie nach bestimmt sein; *ihrer Materie nach;* denn wir müssen uns den Stoff oder die Sphäre ihrer Tätigkeit wenn gleich nicht von ihren eigenen, doch von fremden Gesetzen abhängig denken; aber auch *ihrer Form nach;* denn ihre Form ist eben ihr eigenes Gesetz, wodurch ihre Handlungen gesetzmäßig, d. h. nach Vernunftgesetzen denkbar werden.

Nur unter diesen Voraussetzungen ist absolute Freiheit als

ein Vermögen unbedingter Kausalität vernünftig denkbar, obgleich wie jedes unbedingte immer noch unerkennbar, d. h. unbegreiflich und unerklärbar. Allein *diese* Unbegreiflichkeit und Unerklärbarkeit macht die Freiheit nicht verdächtig; denn es wird dabei nichts Widersprechendes angenommen. Man verbindet den Verstandesbegriff von Kausalität mit der Vernunftidee des Unbedingten als Merkmale eines Begriffes, eine Vereinigung, die nichts innerlich Unmögliches, nichts Widersprechendes enthält, ob sie gleich ihren Gegenstand aus der Sphäre des Erkennbaren entrückt.

Nach allem diesem neigt sich also offenbar die Waagschale auf die Seite derjenigen, welche die Gesetzmäßigkeit der Freiheit verteidigen. Nur entsteht noch die Frage: ob sie bloß nach *Vernunftgesetzen* oder auch nach *andern Gesetzen* bestimmt sei? Daß sie ihrer Materie nach von andern Gesetzen abhänge, versteht sich von selbst; aber davon ist auch hier nicht die Rede. Die Frage ist vielmehr die: ob sie *ihrer Form nach* bloß durch die Vernunftgesetze bestimmt sei?

Der *Wille*, sagt Kant,[2] ist eine Art von Kausalität lebender Wesen so fern sie vernünftig sind, und *Freiheit* würde diejenige Eigenschaft dieser Kausalität sein, da sie unabhängig von *fremden* sie *bestimmenden* Ursachen wirkend sein kann; so wie *Naturnotwendigkeit* die Eigenschaft der Kausalität aller vernunftlosen Wesen, durch den Einfluß fremder Ursachen zur Tätigkeit bestimmt zu werden.

Die angeführte Erklärung der Freiheit, fährt er gleich darauf fort, ist negativ, und daher, um ihr Wesen einzusehen, unfruchtbar; allein es fließt aus ihr ein positiver Begriff derselben, der desto reichhaltiger und fruchtbarer ist. *Da der Begriff einer Kausalität den von Gesetzen bei sich führt, nach welchen durch etwas, was wir Ursache nennen, etwas anders, nämlich die Folge gesetzt werden muß: so ist die Freiheit, ob sie zwar nicht eine Eigenschaft des Willens nach Naturgesetzen ist, darum doch nicht gar gesetzlos, sondern muß vielmehr eine Kausalität nach unwandelbaren Gesetzen, aber von besonderer Art sein; denn sonst wäre ein freier Wille ein Unding.* Die Naturnotwendigkeit war eine *Heteronomie* der wirkenden Ursachen; denn jede Wirkung war nur nach dem Gesetze möglich, daß etwas anders die wirkende Ursache zur Kausalität bestimmte; was kann denn wohl die Freiheit des

Willens sonst sein, als *Autonomie*, d. i. die Eigenschaft des Willens, *sich selbst ein Gesetz zu sein?* Der Satz aber: der Wille ist in allen Handlungen sich selbst ein Gesetz, bezeichnet nur das Prinzip, nach keiner andern Maxime zu handeln, als die sich selbst auch als ein allgemeines Gesetz zum Gegenstand haben kann. Dies ist aber gerade die Formel des kategorischen Imperativs, und das Prinzip der Sittlichkeit: *also ist ein freier Wille und ein Wille unter sittlichen Gesetzen einerlei.*

In Ansehung der moralischen Freiheit wüßte ich nicht, was sich hiergegen einwenden ließe. Denn inwiefern wir uns unter moralischer Freiheit nichts anderes als den Grund der realen Möglichkeit *sittlicher* Handlungen denken, so folgt daraus von selbst, daß alle Handlungen, die wir als Wirkungen dieser Freiheit betrachten, die Form der reinen praktischen Vernunft an sich tragen und durch ihre Gesetze bestimmt sein müssen.

(Einige rechnen zu der *moralischen Freiheit* auch das *Vermögen, unsittlich zu handeln.* Dies widerspricht aber dem Begriffe von einem sittlichen Vermögen, und eine solche Freiheit wäre ein Vermögen zu kontradiktorisch entgegengesetzten Handlungen, welches auf einen Widerspruch hinausläuft. Ein solches in Absicht auf das, was er vermag, ganz und gar indifferentes Vermögen dünkt mich, ein nonsensikalisches Vermögen zu sein. Wir haben neben der moralischen Freiheit, d. i. neben dem Vermögen, sittlich zu handeln, auch ein anderes, aber sehr verschiedenes Vermögen, solche Handlungen auszuüben und solche Gesinnungen zu hegen, die dem Sittengesetz der Vernunft zuwider sind. Dies ist eine Folge der Einschränkung unserer Freiheit, also in Beziehung auf die Vernunft ihres Unvermögens, in Beziehung auf die übrigen Kräfte der menschlichen (überhaupt der eingeschränkten vernünftigen) Natur eine Folge von dem Verhältnis des bestimmbaren Vermögens der Sinnlichkeit zu andern Bestimmungen, die nicht von dem reinen Vernunftwillen hervorgebracht werden. [. . .])

Alle Handlungen also, können wir umgekehrt schließen, die diese Form nicht an sich tragen, kurz, alle nicht sittlichen und alle unsittlichen Handlungen des Menschen dürfen wir nicht als Wirkungen dieser Freiheit betrachten; sie müssen vielmehr in dem Mangel derselben gegründet sein. Aber woher dieser

Mangel? Der Verfasser war gerade in seiner Ausarbeitung bis an diese Frage gekommen, als ihm die Kantische Abhandlung: *Ueber das radikale Böse in der menschlichen Natur* im Aprilstück 1792. der Berlinischen Monatsschrift in die Hände fiel. Da diese Abhandlung nun die Antwort auf jene wichtige und schwere Frage nicht nur weit vollständiger, sondern auch ganz anders entwickelt, als man es aus der eben angeführten Stelle, wie überhaupt aus den frühern Schriften des großen Mannes hätte erwarten sollen, so wird es wahrscheinlich meinen Lesern nicht unangenehm sein, wenn ich das wesentlichste aus derselben hier anführe, und mit einigen Anmerkungen begleite.

»Man nennt, sagt Kant Seite 326, einen Menschen böse, nicht darum, weil er Handlungen ausübt, welche böse (gesetzwidrig) sind, sondern weil diese so beschaffen sind, daß sie auf böse Maximen in ihm schließen lassen. Nun kann man zwar gesetzwidrige Handlungen durch Erfahrungen bemerken, auch (wenigstens an sich selbst) daß sie mit Bewußtsein gesetzwidrig sind; aber die Maximen kann man nicht beobachten, sogar nicht allemal in sich selbst, mithin das Urteil, daß der Täter ein böser Mensch sei, nicht mit Sicherheit auf Erfahrung gründen. Also müßte sich aus einigen, ja aus einer einzigen mit Bewußtsein bösen Handlung a priori auf eine böse zum Grund liegende Maxime, und aus dieser auf einen in dem Subjekt allgemein liegenden Grund aller besondern moralisch bösen Maximen, der selbst wiederum Maxime ist, schließen lassen, um einen Menschen böse zu nennen. Dieser subjektive Grund (zur Annehmung einer solchen Maxime) muß aber immer wieder selbst ein Aktus der Freiheit sein, (denn sonst könnte der Gebrauch oder Mißbrauch von der Willkür des Menschen in Ansehung des sittlichen Gesetzes ihm nicht zugerechnet werden und das Gute und Böse in ihm nicht moralisch heißen). Mithin kann in keinem die Willkür durch Neigungen bestimmenden Objekt, in keinem Naturtriebe, sondern nur in einer Regel, die die Willkür sich selbst für den Gebrauch ihrer Freiheit macht, d. i. in einer Maxime der Grund des Bösen liegen.«[3]

Schon aus dieser einzigen Stelle erhellet deutlich, daß *Kant* am Ende ebenfalls wie *Reinhold* und *Heydenreich*[4] die Freiheit auf ein *absolutes Vermögen zu kontradiktorisch entge-*

gengesetzten Handlungen zurückführt. Fragt man, wodurch
Kant sich berechtigt glaubt, ein solches Vermögen anzunehmen, das er selbst (man s. Seite 117, 122 und 126[5]) für widersprechend erklärt, so erhält man hier die gewiß sehr unbefriedigende Antwort: »Von dieser Maxime muß nun nicht weiter
gefragt werden können, was der subjektive Grund ihrer
Annehmung, und nicht vielmehr der entgegengesetzten
Maxime im Menschen sei. Denn wenn dieser Grund zuletzt
selbst keine Maxime mehr, sondern ein bloßer Naturtrieb
wäre, so würde der Gebrauch der Freiheit ganz auf Bestimmung durch Naturursachen zurückgeführt werden können,
welches ihr aber widerspricht.«[6]

Gegen dies apagogische Argument lassen sich, dünkt mich,
mehrere sehr gegründete Erinnerungen machen: 1) Inwiefern
man unter Naturursachen nichts anders als in der Zeit
bestimmte Ursachen denkt, so können diese *in keinem Fall* auf
die intelligiblen Gründe unserer Handlungen bestimmenden
Einfluß haben. Mag also die Freiheit des Willens immerhin ein
gesetzmäßiges Vermögen sein, von eigentlichen Naturursachen bleibt sie demohngeachtet ganz unabhängig. 2) Kant sagt
selbst in der vorhin angeführten Stelle: Da der Begriff der
Kausalität den von Gesetzen bei sich führt, nach welchen
durch etwas, was wir Ursache nennen, etwas anderes, nämlich
die Folge gesetzt werden muß, *so ist die Freiheit, ob sie gleich
nicht eine Eigenschaft des Willens nach Naturgesetzen ist,
darum doch nicht gar gesetzlos, sondern muß vielmehr eine
Kausalität nach unwandelbaren Gesetzen, aber von besonderer Art sein, denn sonst wäre ein freier Wille ein Unding.*[7]
Dies letztere ist es hauptsächlich, was gegen ein solches *indif-
ferentistisches Vermögen* entscheidet. Es ist also nicht bloß die
Unerforschlichkeit, sondern (man sehe auch oben) ein wirklicher *Widerspruch,* was uns hierbei im Wege steht. Kant findet
nur die erste. Er sagt nämlich in einer Anmerkung S. 328:
»Daß der erste subjektive Grund der Annehmung moralischer
Maximen unerforschlich sei, ist schon daraus vorläufig zu
ersehen, daß, da diese Annehmung frei ist, der Grund derselben, (warum ich z. B. eine böse, und nicht vielmehr eine gute
Maxime angenommen habe,) in keiner Triebfeder der Natur,
sondern immer wieder in einer Maxime gesucht werden muß;
und da auch diese eben sowohl ihren Grund haben muß, außer

der Maxime aber kein *Bestimmungsgrund* der freien Willkür angeführt werden soll und kann, man in der Reihe der subjektiven Bestimmungsgründe ins Unendliche immer weiter zurückgewiesen wird, ohne auf den ersten Grund kommen zu können.«[8] Allein es scheint eben um deswillen, weil ein solcher Regressus, der ohne Zeitbegriffe gar nicht gedacht werden kann, im Intelligiblen nicht statt findet, nichts anders übrig zu sein, als bei dem ersten intelligiblen Grunde unserer moralischen Handlungen stehen zu bleiben, und sie dadurch nach den reinen Gesetzen unseres Denkens zureichend und notwendig begründet zu denken, in Ansehung der unmoralischen Handlungen aber anzunehmen, daß sie durch eine Einschränkung der Kraft jenes intelligiblen Grundes durch fremde Kräfte erzeugt worden sind. Ich kann nicht leugnen, daß dies Raisonnement auf einen intelligiblen Fatalismus hinführe, aber eben so wenig wird man mir leugnen können, daß eine Freiheit, die den zureichenden Grund für die Annehmung kontradiktorisch entgegengesetzter Maximen in sich enthält, sowohl mit den Forderungen der praktischen, als mit den Gesetzen der spekulativen Vernunft, im Widerspruch stehe.

Dies letztere scheint Kant selbst in unserer, den Indifferentismus der Freiheit so sehr begünstigenden, Abhandlung einzuräumen: »Wenn wir sagen: der Mensch ist von Natur gut oder böse, so bedeutet dies nur so viel, als er enthält einen *uns unerforschlichen ersten Grund* der Annehmung guter oder Annehmung böser (gesetzwidriger) Maximen, und zwar *allgemein als Mensch*, mithin so, daß er durch dieselbe zugleich *den Charakter seiner Gattung* ausdrückt.« Seite 327 u. 328.[9] Also gäbe es doch einen Grund für die Annehmung einer moralischen Maxime, und der Mensch könnte nicht nach einer völlig indifferentistischen Willkür eben so gut eine böse als eine gute Maxime wählen? Ist nämlich, wie sichs von selbst versteht, jener uns unerforschliche erste Grund zureichend, so bestimmt er seine Maxime notwendig, ohne daß deswegen [...] das Subjekt, dem diese Maxime angehört, der Naturnotwendigkeit unterworfen würde. [...]

In jedem Fall aber ist es höchst interessant, zu sehen, wie Kant sich aus dem Gewirre von Schwierigkeiten herauszuwinden sucht, die er durch seine Hypothese sich selbst erst geschaffen hatte. »Der Mensch, sagt er Seite 347[10], ist *von Natur* böse, heißt so viel als: dieses gilt von ihm in seiner Gattung betrachtet, nicht, als ob solche Qualität aus seinem Gattungsbegriffe (dem eines Menschen überhaupt) könne gefolgert werden. Denn alsdann wäre sie notwendig – sondern er kann nach dem, wie man ihn durch Erfahrung kennt, nicht anders beurteilt werden, oder man kann es als *subjektivnotwendig* in jedem, *auch dem besten Menschen, voraussetzen.*« Allein zugegeben, daß ein solcher Schluß durch Induktion hier gültig, zugegeben daß die Induktion selbst richtig sei, immer bleibt doch noch die Frage: *Woher* eine solche Übereinstimmung, eine solche Allgemeinheit in der Erfahrung? *woher* die wesentliche Gleichheit in dem erscheinenden Charakter der Menschen, der doch wesentlich verschieden sein *könnte,* weil ex hypothesi der ihm zum Grund liegende intelligible Charakter wesentlich verschieden sein kann? Wenigstens kann man das, was unmittelbar nach der angeführten Stelle folgt, nicht als Antwort auf diese Frage betrachten: »da dieser Hang, fährt Kant hier fort, selbst als moralisch böse, mithin nicht als Naturanlage, sondern als etwas, was dem Menschen zugerechnet werden kann, betrachtet werden, folglich in *gesetzwidrigen Maximen der Willkür* bestehen muß; diese aber der Freiheit wegen für sich als *zufällig* angesehen werden müssen, welches mit der Allgemeinheit dieses Bösen sich wiederum nicht zusammenreimen will, wenn nicht der subjektive oberste Grund aller Maximen mit der Menschheit selbst, es sei wodurch es wolle, verwebt und darin gleichsam gewurzelt ist; so werden wir diesen einen natürlichen Hang zum Bösen, und da er doch immer selbst verschuldet sein muß, ihn selbst ein radikales angebornes (nichts destoweniger aber von uns selbst zugezogenes) Böse in der menschlichen Natur nennen können.«[11]

Ich begreife in der Tat nicht, wie Kant, der (man sehe Seite 330)[12] der rigoristischen Denkungsart im Praktischen so sehr zugetan ist, hier im Spekulativen so wenig Rigorist sein könne. Der subjektive oberste Grund aller Maximen soll mit der Menschheit (nicht eines einzelnen Menschen sondern der ganzen Gattung) *verwebt,* und gleichsam *gewurzelt,* und dennoch auch durch *freie Willkür* von einem jeden einzelnen *angenommen* worden sein und zugerechnet werden können.

Fast scheint es hieraus, als ob Kant noch gern einen Mittelweg zwischen Notwendigkeit und Zufall einschlagen möchte. Allein ein solcher Mittelweg ist, wie ich schon oben gezeigt habe, mit den Gesetzen unsers Denkens durchaus unvereinbar. Wir haben also nur unter beiden zu wählen, aber auch diese Wahl ist aus dem Standpunkt der Spekulation bald entschieden. Denn die Begriffe von Grund und von Gesetz sind mit dem Begriff von Notwendigkeit unzertrennlich verknüpft. Sie sind insgesamt reine Verstandesbegriffe, die *zu allem Denkbaren* gehören, da wir im Gegenteil dem Begriff von Zufall, als einer widersprechenden vernunftlosen Vorstellung, nur negative Brauchbarkeit einräumen können. Sobald wir also die Dinge an sich oder vielmehr die Noumene denken wollen, müssen wir sie auch notwendig diesen Gesetzen gemäß denken, oder – wir dürfen sie gar nicht denken. Denn sie *wider* die Gesetze der reinen Vernunft denken zu wollen, wäre eine *Misologie*, die einen Philosophen entehren würde, und die auch gewiß dem großen Stifter der kritischen Philosophie nicht in den Sinn kam. Er sagt auch ausdrücklich Seite 351 der angeführten Abhandlung: »Sich als ein freihandelndes Wesen und doch von dem einem solchen angemessenen Gesetze (dem moralischen) entbunden denken, wäre so viel, als *eine ohne alle Gesetze wirkende Ursache denken* (denn die Bestimmung nach Naturgesetzen fällt der Freiheit halber weg): *welches sich widerspricht.*[13] [...]

Man sieht also, Freiheit als absolutes Vermögen zu kontradiktorisch entgegengesetzten Handlungen war bei Kant bloß eine durch praktische Vernunft ihm abgedrungene Voraussetzung. Er vergaß über der Bemühung, die praktische Vernunft mit der spekulativen wieder auszusöhnen, die Gesetze der letztern, oder glaubte wenigstens, sich hier von ihnen los sagen zu müssen, um eine Freiheit zu gründen, bei der *die Zurechnung* ungefährdet bliebe. Daher auch in der angeführten Abhandlung die spekulative Vernunft fast immer so wie Seite 327 mit den Worten zurückgewiesen wird: »Sonst könnte der Gebrauch oder Mißbrauch der Willkür des Menschen in Ansehung des sittlichen Gesetzes ihm nicht zugerechnet werden.«[14] [...] und noch stärker Seite 369 »Was der Mensch im moralischen Sinn ist oder werden soll, gut oder böse, dazu *muß* er *sich selbst* machen oder *gemacht haben.*

Beides *muß* eine Wirkung seiner *freien Willkür* sein, denn *sonst könnte es ihm nicht – zugerechnet werden.*«[15] Zurechnung wird also als ein Faktum, das gar keines Erweises bedarf, *vorausgesetzt,* und man sieht, es ist Kant recht eigentlich darum zu tun, dem Menschen alle Schuld aufzubürden. Die Behauptung, daß *Schuld,* und folglich auch *Zurechnung* sein *müsse,* steht da allenthalben wie ein Cherub mit flammendem Schwert, um alles weitere Vorwärtsdringen unmöglich zu machen und von aller fernern Untersuchung sogleich zurückzuschrecken. [...]

Aber zweitens ist jener Hang auch durchaus unbefriedigend für die praktische Vernunft, weil er als radikal, d. i. unvertilgbar angenommen wird. Ist er, wie Kant ausdrücklich sagt, *durch menschliche Kräfte nicht zu vertilgen,* so hat auch das moralische Gesetz, das *unbedingte Sollen,* für uns keine Kraft, keine Gültigkeit mehr. Wir können zwar legale, aber keine sittlichen Handlungen ausüben. Der empirische Charakter kann gut, aber der intelligible wird immer noch böse sein. [...]

Ueberhaupt aber glaube ich nun nach allem bisherigen sagen zu dürfen, daß wenigstens die Kantische Freiheitslehre nicht als eine erschöpfende, völlig befriedigende, die praktische und spekulative Vernunft mit sich aussöhnende Theorie betrachtet werden könne. – Allein sollten sich nicht vielleicht auf einem andern Wege die meisten jener die Kantische Freiheitslehre drückenden Schwierigkeiten vermeiden und eine Theorie aufstellen lassen, in der nicht nur moralische Notwendigkeit, sondern auch unmoralische Handlungen wenigstens auf eine *vernünftig denkbare* Weise mit der Freiheit vereinbar erscheinen? Diejenigen von meinen Lesern, denen der vortreffliche Versuch einer Moralphilosophie von Herrn Prof. Schmid in Gießen nicht bloß aus den Meßverzeichnissen bekannt ist, werden es gewiß schon erraten haben, was für einen andern Weg ich hier meine.[16] [...]

Ich habe moralische Freiheit durch das Vermögen definiert, nach *sittlichen Gesetzen* zu handeln, und behauptet, daß alle Handlungen, die die Form der praktischen Vernunft nicht an sich tragen, d. h. alle nicht sittlichen und alle unsittlichen Handlungen, nicht in der moralischen Freiheit, sondern vielmehr in dem Mangel derselben gegründet sein müssen. Aber woher dieser Mangel? Die Kantische Antwort auf diese Frage tat uns kein Genüge. Wir wollen sehen, ob die Schmidische befriedigender ist. Schmid sagt in seiner Moralphilosophie § 255: »*Wenn wir keinen (vernunftlosen) Zufall einräumen wollen, so bleibt nichts übrig als Notwendigkeit; denn es gibt schlechterdings keinen Mittelweg zwischen beiden.* Es muß demnach etwas als vorhanden gedacht werden, was zugleich mit dem Dasein der Vernunft ihre Wirksamkeit auf Erscheinungen und den bestimmten jedesmaligen Grad derselben bestimmt. Dies ist freilich keine Erscheinung, denn eine Erscheinung kann kein Ding an sich selbst bestimmen. Wenn aber gleich die Sinnlichkeit, so wie sie selbst sinnlich vorgestellt und erkannt wird, die Vernunft an sich nicht bestimmen und einschränken kann, so folgt daraus keineswegs, daß dasjenige, was der Sinnlichkeit und allen ihren Erscheinungen *an sich zum Grunde liegt,* unvermögend sei, die *Wirkungen der Vernunft in der Erscheinung* einzuschränken. Und *wenn wir der Grundlosigkeit, d. i. der theoretischen Vernunftlosigkeit, bei Erklärung der Immoralität entgehen wollen,* so müssen wir diesen *problematischen* Gedanken *assertorisch* denken. Die Vernunft ist also frei in Absicht auf alles, was in der Tat geschieht, aber eingeschränkt durch dasjenige, was die Begebenheiten in der Zeit bestimmt. Sie ist frei und hat keinen Einfluß empfangen in Absicht auf alles, was sie wirklich tut, so wie auf alle ihre Urteile *der Form nach*, aber abhängig und eingeschränkt in Absicht auf das, was sie *nicht* tut. *Sie konnte* für diesen Fall *nicht wirken.* Sie ist frei, d. i. selbsttätig in Ansehung der vernünftigen Form ihrer Handlungen, gebunden an den Stoff der ihr gegeben, an die Sphäre, die ihr angewiesen ist.«

In diesem Paragraphen ist der ganze intelligible Fatalismus des Verfassers, der bei dem philosophischen Publikum bisher so viel Widerspruch fand, enthalten. Man kann nicht leugnen, daß er, so wie er da liegt, der Vernunft in ihrem theoretischen Gebrauche sich weit mehr empfiehlt, als jede andre bisher angeführte Theorie über die Freiheit. Ja, ich darf kühn behaupten, daß unter allen möglichen Theorien über dieselbe *nur diese Theorie spekulativ befriedigend sein könne.* Denn schon der einzige Satz: zwischen Notwendigkeit und Nichtnotwendigkeit (Zufall) ist kein drittes möglich, entscheidet für diese Behauptung. Um mich nicht zu wiederholen, verweise ich auf das, was ich eben nicht nur für diesen Satz, sondern auch für die Gesetzmäßigkeit der Freiheit überhaupt gesagt habe, und gehe sogleich zu der wichtigen Frage über: ob nun diese in spekulativer Rücksicht so durchaus befriedigende Theorie auch praktisch befriedigend sei? eine Frage, die meiner Einsicht nach nicht anders als verneinend beantwortet werden kann. Denn wenn die moralische Freiheit sich nur auf das erstreckt, *was sie wirklich tut*, und wenn sie im Gegenteil eingeschränkt ist in Absicht auf alles, *was sie nicht tut,* so folgt daraus unwidersprechlich, daß jede unmoralische Handlung gänzlich außer unserer Gewalt liegt, indem sie durch etwas bewirkt oder veranlaßt wird, was wir nicht einmal kennen, durch etwas, das unserer Vernunft so wenig unterworfen ist, daß es dieselbe vielmehr in ihrer höchsten Wirksamkeit einzuschränken vermag. Folgt nun gleich hieraus nicht unmittelbar, daß jede Zurechnung einer unmoralischen Handlung, daß alle tadelnde Urteile und Gefühle, die sich darauf beziehen, leer, chimärisch und schwärmerisch sind; so folgt doch wenigstens soviel, daß es falsch ist, wenn ich mir, *so weit ich vernünftig bin*, das Vernunftlose als eine *positive Wirkung* zuschreibe, daß es falsch ist, wenn ich die *reale* Möglichkeit der nicht geschehenen Handlung zu der bestimmten Zeit annehme. Und dies ist schon mehr als hinlänglich, um weiter daraus zu folgern, daß zweitens nicht nur *alle Schuld* wegfällt, sondern daß auch drittens *wenn es Verdienst gibt,* dies Verdienst bei allen Menschen *gleich* sein müsse. Denn die Vernunft ist sich selbst gleich. Daß sie bei dem einen Menschen mehr sich äußert als beim andern, davon liegt der Grund nach dieser Theorie nicht *in ihr selbst* und in ihrer Freiheit, sondern in der größern oder geringern *Einschränkung* derselben durch das, was der Sinnlichkeit und ihren Erscheinungen zum Grunde liegt. Nimmt man alle diese Einschränkungen hinweg, so steht der Selbstbestimmung keine größre fremde Gegenbestimmung im Wege. Ich kann alsdenn nicht mehr sagen: Ich *soll* moralisch handeln, sondern ich *muß* moralisch handeln. Der Begriff von Verdienst verliert also eben so gut seine Gültigkeit, als der Begriff von Schuld, mit dem er ohnehin als ein notwendiges Korrelat steht oder fällt.

Aber wie, wird man mit Recht fragen, sind diese Forderungen mit den Forderungen der *praktischen Vernunft* vereinbar? Wird dadurch nicht *die unbedingte Gültigkeit des Sittengesetzes* eingeschränkt und aller *sittliche Wert* vernichtet? Der Begriff von einem *unbedingten* Sollen, ob wir gleich seine Entstehung sehr gut erklären können, erscheint er nicht im Grunde als ein ungültiger, durchaus unanwendbarer Begriff, und alle Urteile, die sich darauf beziehen, sind sie nicht, die Sache nach allen ihren Seiten erwogen, leer und chimärisch, und alle eigentlich sittlichen Gefühle schwärmerisch und phantastisch? [...]

Herr Prof. Schmid hat sich in der zweiten Ausgabe seiner Moral[17] besonders von Seite 384. u. f. nicht wenig Mühe gegeben, um die hier gemachten Folgerungen zu entkräften, allein ich zweifle sehr, ob er wirklich diese Absicht erreicht habe. Im Gegenteil glaube ich auch nach der sorgfältigsten Prüfung der angeführten Paragraphen, keine einzige jener Folgerungen und Behauptungen zurücknehmen zu müssen. Die Vereinigung der spekulativen und praktischen Vernunft ward in der ersten Ausgabe §. 238. auf folgende 2 Sätze gegründet. 1) Das Prädikat der Unabhängigkeit von Zeitumständen habe ein anderes logisches Subjekt als das Prädikat der notwendigen Abhängigkeit der Handlung von denselben. Nun beziehe ich aber in beiden Urteilen das Prädikat *auf mich selbst*, als auf das Subjekt. Es muß also dieses *Ich* (oder *meine* Handlung) eine andere Bedeutung haben, wenn ich seine Handlungen in der Zeit einer notwendigen Bestimmung durch Zeitumstände unterwerfe, als es hat, wenn ich mir diese als davon unabhängig vorstelle. 2) Man kann in jeder Handlung etwas unterscheiden, das von Zeitverhältnissen, und etwas andres, was nicht davon abhängt.

Zu diesen beiden Sätzen, die im wesentlichen noch die nämlichen sind, kommt nun in der zweiten Ausgabe noch ein dritter hinzu, worauf es uns hier hauptsächlich ankommt: 3) es ist ein wesentlicher Unterschied zwischen den Begriffen des *Praktischnotwendigen* und *Praktischmöglichen* und den Begriffen von dem, was Physischnotwendig und Physischmöglich ist; es lasse sich also das Praktischnotwendige mit dem Physischunmöglichen zusammen ohne Widerspruch gedenken. Ueber Notwendigkeit und Möglichkeit, sagt der Verf. Seite 387, urteilt und entscheidet jedesmal die Vernunft, aber anders die theoretische, anders die praktische, jede nach ihren eigenen Gesetzen. Notwendig nach theoretischen Vernunftgesetzen ist dasjenige, was nach theoretischen Begriffen von – sinnlicher oder übersinnlicher – Natur nicht anders möglich ist. Notwendig nach praktischen Gesetzen ist, was nach Begriffen der praktischen Vernunft von absoluter Einheit und Vollkommenheit des Willens, d. h. von höchster Zweckmäßigkeit im Handeln, nicht anders möglich ist. Die praktische oder moralische Notwendigkeit bleibt und besteht für sich und wird im Urteil der praktischen Vernunft nicht aufgehoben, gesetzt auch, daß dasjenige, was moralischnotwendig, d. h. einzigmöglich ist, als theoretisch oder physisch unmöglich nach Gesetzen einer sinnlichen oder intelligiblen Natur erkannt oder gedacht würde. Folglich wird eine Willensbestimmung und Handlung ohne Rücksicht auf theoretische Möglichkeit, Notwendigkeit oder Unmöglichkeit befohlen oder untersagt, gebilligt oder gemißbilligt, für verdienstlich oder nichtverdienstlich (schuldig) erklärt, und diese Urteile durch keine theoretische Rücksicht abgeändert. So scheinbar wichtig auch diese Unterscheidung sein mag, so bringt sie uns doch der wirklichen Vereinigung der spekulativen und praktischen Vernunft um keinen Schritt näher. Denn anstatt die Knoten zu lösen, schürzt sie dieselben noch fester, indem sie die Antinomie zwischen beiden in ein noch stärkeres Licht setzt. Eine und dieselbe Handlung soll moralisch notwendig und theoretisch oder physisch unmöglich sein. Wie kann unsere Vernunft bei einem solchen Widerspruch sich beruhigen? Sie muß nach einem höhern Grund sich umsehn, woher dieser Widerspruch fließt, und dieser höhere Grund kann kein anderer sein, als der: daß in jedem solchen Falle eine Kollision zwischen zwei Naturgesetzen statt finde, wo die Waagschale zuletzt sich notwendig auf die Seite des stärkern neigt. Denn nach der Schmidischen Freiheitstheorie ist auch das moralische Gesetz nichts anderes als ein *Naturgesetz*, das alle unsere moralischen Handlungen notwendig bestimmt, wofern es nicht durch eine fremde stärkere Kraft an dieser Bestimmung gehindert wird. In *diesem* Fall fällt notwendig die *reale* Möglichkeit einer moralischen Handlung weg. Ihre *logische* Möglichkeit – die Nichtübereinstimmung derselben mit meinem Gesetz – das Urteil der Verwerfung, sobald ich an dieses

Gesetz denke, dies alles mag bleiben; die Handlung war *physisch unmöglich*, und ich kann mich wegen ihrer Unterlassung *nicht tadeln*. Die geschehene unsittliche Handlung kann ich mißbilligen, muß sie mißbilligen, sobald ich an das reine heilige Sittengesetz denke, aber *mich selbst* kann ich nicht tadeln. Kann also gleich der intelligible Naturfatalismus, (wie der Verf. Seite 388 sagt), die praktische Allgemeinheit und Notwendigkeit des sittlichen Gesetzes nicht aufheben, so muß er doch wenigstens die Vorstellung und Ueberzeugung davon unwirksam machen, denn nach der ganzen Theorie bin ich weder im Stande, die meiner praktischen Vernunft zum Grunde liegende Kraft zu erhöhen, noch auch die fremden intelligiblen Kräfte zu schwächen, wodurch diese in ihrer Wirksamkeit eingeschränkt wird. Mithin bleibt zwar die Vorstellung von der Möglichkeit, jede angegebene Grenze der sittlichen Freiheit, die noch nicht überstiegen worden, auch nicht werden *konnte,* künftig zu übersteigen, aber es bleibt zugleich der Gedanke, daß unsere praktische Vernunft diese Grenze notwendig werde übersteigen *müssen,* wofern sie nicht durch fremde einschränkende Kräfte daran gehindert wird. Denn eine *wissentliche Verletzung* des Moralgesetzes in dem Sinne, wie sie § 263 genommen wird, ist nach der Theorie des Verf. völlig undenkbar, und es ist durchaus konsequent, wenn er hier sagt: *Kein vernünftiger Mensch kann* daher, insoweit er vernünftig und seiner Vernunft sich bewußt ist (und in andrer Rücksicht wird er ohnehin nicht moralisch handeln; der Fatalismus zerstört ja aber keineswegs die Vernunft oder das Bewußtsein derselben), durch den Gedanken, daß er wohl zuweilen mit unbezwinglichen Hindernissen des Erfolgs seiner moralischen Kraft zu kämpfen habe (weil er beschränkt ist), *bewogen werden, sein* unveränderliches *heiliges Gesetz wissentlich zu verletzen,* in welchem *freilich unmöglichen* Falle er wirkliche Schuld haben würde. Wenn der Verf. hierauf Seite 390 hinzusetzt: »Ebenso wenig kann er *darum mutlos in Erfüllung seiner Pflichten* werden, weil er nicht jederzeit alles moralisch besiegen kann; *denn der Wille selbst, nicht der Erfolg, entscheidet seinen Wert*«: so scheint mir dieser letztere Grund, mit der Theorie des Verf. unvereinbar zu sein, denn das innige Bestreben, durch die Kraft des Vernunftgesetzes alle übrigen Kräfte zu beherrschen, und sich diese unterzuordnen, oder mit einem

Wort, die moralische Gesinnung muß, insofern sie der Vernunft als Erscheinung angehört, als notwendige Folge der Vernunft, als Noumenon betrachtet werden. Da wir aber in der Vernunft als Noumenon keine Grade der moralischen Gesinnung annehmen dürfen, im Gegenteil sie uns beständig sich selbst gleich und als für sich unwandelbar denken müssen, so kann der Grund, warum die moralische Gesinnung bei dem einen mehr, bei dem andern weniger erscheint, nur in den Hindernissen liegen, wodurch die Wirksamkeit der Vernunft als Noumenon, bei dem einen mehr, bei dem andern weniger, eingeschränkt wird. Allein eben in diesen Einschränkungen liegt auch der Grund, warum der Mensch, weil er nicht jederzeit alles moralisch besiegen kann, nicht mutlos in der Erfüllung seiner Pflichten werden darf; denn, muß er zu sich selbst sagen, ich *konnte* nicht mehr tun: vielleicht werden die Hindernisse, die bisher mich einschränkten, künftig wegfallen. Geschieht dies wirklich und ist der Wille, sich trotz dem beschränkten sichtbaren Erfolge moralisch zu bearbeiten und zu bilden, nicht ganz erfolglos, oder mit andern Worten: werden die übrigen Erscheinungen durch die Erscheinung der Vernunft verdrängt, so kann sich zuletzt allerdings der Glaube an eine allbesiegende Kraft dieses Willens erzeugen; allein dieser Glaube ist alsdann, so wie unsere ganze Moralität, ein *notwendiges* Produkt unserer intelligiblen Vernunftkraft, die weniger bei uns, als bei andern, durch intelligible Hindernisse eingeschränkt wurde. Verdienst und Schuld, Selbstbilligung und Selbsttadel, können also im Grunde nur durch eine Täuschung für mehr als leere Begriffe und Urteile angesehen werden. Aus welcher Quelle aber diese Täuschung entspringt, hat der Verf. selbst Seite 385 angegeben. »Daß die Vernunft die Handlungen des Menschen, (des sinnlich affizierten Wesens überhaupt) sich zurechnet, d. h. auf ihre Tätigkeit oder Untätigkeit bezieht, obgleich die unmoralischen nicht von ihrer Wirksamkeit, sondern von der Tätigkeit anderer (nicht vernünftiger) Kräfte, und von ihrer eigenen Untätigkeit herrühren, kommt daher weil 1) das Bewußtsein der Persönlichkeit von der Vernunft abhängt und in dies Bewußtsein (nach einem unbegreiflichen Naturgesetz) alles aufgenommen wird, *was die Person tat,* wenn es auch nicht durch Vernunft, sondern durch andere mit ihr verbundene Kräfte und nach andern Gesetzen geschah, 2) weil die Vernunft sich des Vermögens bewußt ist, anstatt der erzwungenen Tätigkeit der niedern sinnlichen Kräfte , sich selbst tätig zu äußern. Das Bewußtsein also, daß *aller Zeitumstände ungeachtet* dem vernünftigen Wesen, welches fehlte, ein höherer Grad selbsttätiger Wirksamkeit der Vernunft möglich war, befördert hauptsächlich diese Täuschung. Frei von den Gesetzen der sinnlichen Natur glauben wir, unabhängig von allen Gesetzen überhaupt zu sein, ohne daran zu denken, daß die Zeitumstände, die uns manchmal einzuschränken scheinen, auf *etwas intelligibles* hinweisen, das *außer allen Zeitverhältnissen* zu betrachten ist und welches *die Erscheinung der Sittlichkeit zu einer bestimmten Zeit unmöglich macht.*

So gut nun auch durch dieses alles die Möglichkeit jener Täuschung erklärt sein mag, so kann sie doch unsere praktische Vernunft mit einer Erklärung nicht beruhigen, wodurch im Grunde aller moralische Unterschied zwischen sittlichen und unsittlichen Handlungen aufgehoben und die Begriffe von Zurechnung, von Verdienst und Schuld als völlig leere und unanwendbare Begriffe dargestellt werden. Unsere praktische Vernunft scheint daher nicht nur diese Erklärung, sondern auch die ganze bisher angeführte Theorie verwerfen zu müssen, die auf eine solche Erklärung und auf solche Resultate zuletzt notwendig hinführt. Das einzige, was *für* dieselbe in praktischer Rücksicht noch angeführt werden kann, ist das, was der Verf. Seite 391 sagt. »Endlich wäre es – ohne jene Theorie – unmöglich, *die unwandelbare Achtung für sich selbst und für jedes andre endliche Vernunftwesen* bei unseren *vielen und mannigfaltigen Vergehungen* zu erhalten, ohne welche keine Ausübung unserer Pflichten statt findet. Ungerechtigkeit in Beurteilung und Behandlung unserer Selbst, unserer Mitmenschen und des ganzen Reichs endlicher Geister, Leichtsinn und Verzweiflung – sind unvermeidlich, wenn nicht mit dem Bewußtsein unseres freien Willens das Bewußtsein der unverschuldeten und unvermeidlichen Einschränkung unserer Kraft und der unhintertreiblichen Notwendigkeit alles Geschehenen und alles dessen, was geschehen wird, unzertrennlich verbunden ist.«

Allein, welche Achtung bleibt mir für mich und jedes andre endliche Vernunftwesen übrig, wenn meine Freiheit im

Grunde nur Notwendigkeit ist? ohne auf die Folgen zu sehen, die aus dem intelligiblen Fatalismus eben so gut wie aus dem sinnlichen Determinismus für positive Gesetzgebung etc. hergeleitet werden können. –

Der Verf. scheint selbst das Unbefriedigende in der Rechtfertigung seiner Theorie gefühlt zu haben, als er zum vorhergehenden die Anmerkung niederschrieb: Will man diese Vereinigung der theoretischen und praktischen Vernunft nicht zureichend finden, will man durchaus auf der Behauptung bestehen, daß zu dem absoluten praktischen Sollen auch ein absolutes theoretisches oder physisches Können gehöre und daß das letztere schon in dem erstern enthalten sei: so bleibt mir – wenn ich auf die vorhandene Immoralität Rücksicht nehme, keine andere Ausflucht übrig, als – entweder alle *Immoralität* in der Erscheinung für *bloßen Schein* zu erklären oder alle praktische Notwendigkeit, d. h. alle Moralität für ein Unding zu halten. Jenes verbietet mein Verstand, dieses mein Wille. Also – ein dritter Ausweg?

Aber was soll dies für ein Ausweg sein? Nach unserer ganzen bisherigen Untersuchung sind nur zwei Wege für uns offen, entweder Indifferentismus oder Fatalismus. Der erste war eben so wenig mit den Gesetzen der theoretischen als mit den Forderungen der praktischen Vernunft vereinbar – der letzte hingegen ist zwar den erstern völlig gemäß, scheint aber den letztern durchaus zu widersprechen.

1 Versuch einer neuen Theorie des menschlichen Vorstellungsvermögens [Prag und Jena 1789], Erstes Buch, Seite 89-91, desgleichen drittes Buch, S. 571 u. f.

2 S. Grundlegung zur Metaphysik der Sitten, Seite 97 und 98 [AB 97 f.]

3 [Siehe Die Religion innerhalb der Grenzen der bloßen Vernunft, AA VI, S. 20 f.]

4 [Vgl. Karl Heinrich Heydenreich, Betrachtungen über die Philosophie der natürlichen Religion, 2 Bde., Leipzig 1790-91, 2 Bd. bes. S. 63 f.]

5 [Der Grundlegung zur Metaphysik der Sitten.]

6 [Die Religion innerhalb der Grenzen der bloßen Vernunft, AA VI S. 21.]

7 [Grundlegung zur Metaphysik der Sitten, AB 97 f.]
8 [Die Religion innerhalb der Grenzen der bloßen Vernunft, AA
   VI, S. 31 Anm.]
9 [A.a.O., S. 21.]
10 [A.a.O., S. 32.]
11 [A.a.O., S. 32.]
12 [A.a.O., S. 22 f.]
13 [A.a.O., S. 35.]
14 [A.a.O., S. 21.]
15 [A.a.O., S. 44.]
16 [Carl Christian Erhard Schmid, Versuch einer Moralphilosophie,
   1. Aufl. Jena 1790. Zum Folgenden vgl. den in diesem Bande oben
   S. 241-251 abgedruckten Text aus Schmids »Versuch . . .«]
17 [Ders., Versuch einer Moralphilosophie, 2. Auflage Jena 1792.
   Schmid hat in dieser 2. Auflage unter anderem den die Freiheitstheorie enthaltenden Abschnitt vollständig umgearbeitet, und sich
   dabei bemüht, die ihm vorgehaltenen Konsequenzen seines »intelligiblen Fatalismus« zu umgehen. Eine dritte, wiederum stark veränderte Auflage, in der Schmid seine ursprüngliche Position
   nahezu ganz preisgibt, erschien Jena 1795.]

Johann Gottlieb Fichte
Rezension von Creuzers
»Skeptische Betrachtungen
über die Freiheit des Willens«
(1793)

Wie es von jeher ergangen ist, ergeht es noch immer. Das
dogmatische Verkennen der Grenzen der Vernunft erregte
die Angriffe der Skeptiker auf dieses Vermögen selbst, und
nötigte dasselbe, sich einer Kritik zu unterwerfen.

Sowie diese Grenzen von neuem überschritten werden, regt
sich von neuem der Widerspruch der Skeptiker, und nötigt, –
zum Glück nicht, eine neue Kritik zu unternehmen, aber – an
die Resultate der ehemals unternommenen wieder zu erinnern. Herrn Creuzers freilich nur uneigentlich sogenannter
Skeptizismus – denn er nimmt mit der Kantischen Schule das
Dasein eines Sittengesetzes im Menschen als Tatsache des
Bewußtseins an – hat die Theorien über Freiheit zum Gegenstande; das Resultat seiner Untersuchungen ist, daß keine der
bisherigen den Streit zwischen dem Interesse der praktischen
Vernunft und dem der theoretischen befriedigend löse; und
ihr lobenswürdiger Zweck, zu Erfindung einer neuen und
genugtuendern die Veranlassung zu geben. Ohne von der
ganzen Schrift, welche teils über einen unrichtigen Grundriß
aufgeführt worden (eine Behauptung, die sich nur durch Vor-
legung des einzig richtigen dartun ließe, welches die Grenzen
einer Rezension überschreitet), daher nicht mit der strengsten
Ordnung geschrieben ist, jetzt sich wiederholt, jetzt Dinge in
ihren Plan aufnimmt, die nicht hineingehören, z. B. die
Widerlegung des Spinozistischen Pantheismus, des Egoismus
u. dergl. m.; teils gegen die vor-Kantischen Freiheitstheorien
nichts gesagt, was nicht schon ehemals gesagt worden, – ohne
von ihr einen Auszug zu geben, möchte Rez. die Untersuchung nur auf denjenigen Punkt lenken, der wenigstens für
die Darstellung der Wissenschaft wahren Gewinn verspricht.
– Es ist von mehreren Freunden der kritischen Philosophie
erinnert, und von Reinhold[1] einleuchtend gezeigt worden,

daß man zwischen *derjenigen* Äußerung der absoluten Selbsttätigkeit, durch welche die Vernunft praktisch ist und sich
selbst ein Gesetz gibt, und *derjenigen,* durch welche der
Mensch sich (in dieser Funktion seinen *Willen*) bestimmt, diesem Gesetze zu gehorchen oder nicht, sorgfältig zu unterscheiden habe. Daß Hr. Creuzer diese Unterscheidung bald
zu beobachten scheint, bald wieder vernachlässigt und mithin
in ihrer ganzen Bestimmtheit sie sicher nicht gedacht hat,
wollen wir nicht rügen. Aber er nimmt die durch Reinhold,
Heydenreich,[2] und zuletzt durch Kant selbst[3] gegebene, im
Wesentlichen einstimmige Definition der Freiheit des Willens,
daß dieselbe ein Vermögen sei, durch absolute Selbsttätigkeit
sich zum Gehorsam oder Ungehorsam gegen das Sittengesetz,
mithin zu kontradiktorisch entgegengesetzten Handlungen zu
bestimmen, als gegen das Gesetz des logischen Grundes streitend, in Anspruch. Reinhold – (denn da es Rez. weniger um
die Bestimmung des Verdienstes des Schriftstellers, als um die
Bestimmung des bis jetzt fortdauernden Wertes seiner Schrift
zu tun ist; so trägt er kein Bedenken, sich auf ein Buch zu
beziehen, von welchem ihm, da er den deutschen Mercur nicht
bei der Hand hat, unbekannt ist, ob Hr. Creuzer bei Abfassung des seinigen den Inhalt desselben habe benutzen können,
oder nicht) – Reinhold also hat diesen möglichen Einwurf
(S. 282 ff. 2. Bd. der Briefe über die Kantische Philosophie)
zwar schon im voraus gründlich widerlegt, aber nach Rez.
Überzeugung, die er mit voller Hochachtung gegen den großen Selbstdenker gesteht, den Grund des Mißverständnisses
weder gezeigt, noch gehoben. »Das logische Gesetz des zureichenden Grundes,« sagt Reinhold, »fordert keinesweges für
alles, was *da ist*, eine von diesem Dasein verschiedene Ursache« – – »sondern nur, daß nichts ohne Grund *gedacht* werde.
Die Vernunft hat aber einen sehr reellen Grund, die Freiheit
als eine absolute Ursache zu denken« – und tiefer unten – »als
ein *Grundvermögen,* das sich als ein solches von keinem
Anderen ableiten, und daher auch aus keinem Anderen
begreifen und erklären läßt.« Rez. ist mit dieser Erklärung
vollkommen einverstanden; nur scheint ihm der Fehler darin
zu liegen, daß man durch anderweitige Merkmale verleitet
wird, dieses Vermögen nicht als ein Grundvermögen zu denken. – Es ist nämlich zu unterscheiden zwischen dem *Bestim-*

men, als freier Handlung des intelligiblen Ich, und dem *Bestimmtsein,* als erscheinendem Zustande des empirischen Ich.

Die oben zuerst genannte Äußerung der absoluten Selbsttätigkeit des menschlichen Geistes erscheint in einer Tatsache: in dem Bestimmtsein des *oberen Begehrungsvermögens,* welches freilich mit dem Willen nicht verwechselt, aber ebensowenig in einer Theorie desselben übergangen werden muß; die Selbsttätigkeit gibt diesem Vermögen seine *bestimmte,* und nur auf *Eine Art bestimmbare Form,* welche als Sittengesetz erscheint. Die von jener zu unterscheidende Äußerung der absoluten Selbsttätigkeit im *Bestimmen des Willens* erscheint nicht, und kann nicht erscheinen, weil der Wille ursprünglich *formlos* ist; sie wird bloß als Postulat des durch jene Form des ursprünglichen Begehrungsvermögens dem Bewußtsein gegebenen Sittengesetzes angenommen, und ist demnach nicht Gegenstand des Wissens, sondern des Glaubens. Die *Neigung* (propensio überhaupt) als *Bestimmtsein* des (oberen oder niederen) *Begehrungsvermögens* erscheint; aber nicht das Erheben derselben zum wirklichen *Wollen.* Der Wille in der Erscheinung ist nie *bestimmend,* sondern *immer bestimmt,* die Bestimmung ist schon geschehen; wäre sie nicht geschehen, so erschiene er nicht als *Wille,* sondern als *Neigung.* Die scheinbare Empfindung des Selbstbestimmens ist keine Empfindung, sondern eine unvermerkte Folgerung aus der Nichtempfindung der bestimmenden Kraft. Insofern der Wille sich »selbstbestimmend« ist, ist er gar kein Sinnen-, sondern ein übersinnliches Vermögen. Aber das *Bestimmtsein* des Willens erscheint, und nun entsteht die Frage: ist jenes für die Möglichkeit der Zurechnung als Vernunftpostulat anzunehmendes Selbstbestimmen zu einer gewissen Befriedigung oder Nichtbefriedigung, *Ursache* der *Erscheinung* des Bestimmtseins zu derselben Befriedigung oder Nichtbefriedigung? Beantwortet man diese Frage mit Ja, wie sie Reinhold (S. 284 der angeführten Briefe) wirklich beantwortet (»aus ihren *Wirkungen,* durch welche sie unter den *Tatsachen* des Bewußtseins vorkommt, ist mir die Freiheit (des Willens) völlig begreiflich usw.«); so zieht man ein Intelligibles in die Reihe der *Naturursachen* herab, und verleitet dadurch, es auch in die Reihe der Naturwirkungen zu versetzen; ein

Intelligibles anzunehmen, das kein Intelligibles sei. Wenn man sagt: »wer sich zur Frage berechtigt glaubt, aus welchem *Grunde* die Freiheit sich zu A und nicht vielmehr zu Nicht-A bestimmt habe, beweist durch einen Zirkel die Nichtigkeit der Freiheit aus ihrer schon vorausgesetzten Nichtigkeit, und wenn er sich recht versteht, aus der Nichtigkeit eines Willens überhaupt« – so ist dies freilich sehr wahr erinnert; aber durch die Annahme, daß die Freiheit wenigstens Ursache in der Sinnenwelt sein könne, hat man ihn unvermerkt in diesen Zirkel hineingezogen. Nur durch die Rückkehr zu dem, was Rez. der wahre Geist der kritischen Philosophie scheint, ist die Quelle dieses Mißverständnisses zu verstopfen. Nämlich – auf das *Bestimmen* der absoluten Selbsttätigkeit durch sich selbst (zum Wollen) kann der Satz des zureichenden Grundes gar nicht angewendet werden; denn das ist Eine, und eine einfache, und eine völlig isolierte Handlung; das Bestimmen selbst ist zugleich das Bestimmtwerden, und das Bestimmende das Bestimmtwerdende. Für das *Bestimmtsein* als Erscheinung muß nach dem Gesetze der Naturkausalität ein wirklicher Realgrund in einer vorhergegangenen Erscheinung angenommen werden. Daß aber das Bestimmtsein durch die Kausalität der Natur, und das Bestimmen durch Freiheit *übereinstimme*, welches zum Behuf einer moralischen Weltordnung gleichfalls anzunehmen ist; davon läßt sich der Grund weder in der Natur, welche keine Kausalität auf die Freiheit, noch in der Freiheit, welche keine Kausalität in der Natur hat, sondern nur in einem höheren Gesetze, welches beide unter sich fasse und vereinige, annehmen: – gleichsam in einer vorherbestimmten Harmonie der Bestimmungen durch Freiheit mit denen durchs Naturgesetz. (Vergl. Kant, Über eine neue Entdeckung, nach der alle neue Kritik der reinen Vernunft durch eine ältere entbehrlich gemacht werden soll, S. 122 ff.[4]) Nicht darin, wie ein von dem Gesetze der Naturkausalität unabhängiges »Ding an sich« sich selbst bestimmen könne, noch darin, daß eine Erscheinung in der Sinnenwelt notwendig ihren Grund in einer vorhergegangenen Erscheinung haben müsse, sondern darin, wie beide gegenseitig von einander völlig unabhängige Gegenstände zusammenstimmen können, liegt das Unbegreifliche: das aber läßt sich begreifen, warum wirs nicht begreifen können, weil wir nämlich keine Einsicht in das

Gesetz haben, das beides verbindet. – Daß übrigens dies Kants wahre Meinung sei, und daß die in mehrern Stellen seiner Schriften vorkommende Äußerung, daß die Freiheit eine Kausalität in der Sinnenwelt haben müsse, nur ein vorläufig, und bis zur näheren Bestimmung aufgestellter Satz sei, scheint Rez. daraus zu erhellen, daß er zwischen einem empirischen und einem intelligiblen Charakter des Menschen unterscheidet; daß er behauptet, Niemand könne den wahren Grad seiner eigenen Moralität (als welcher sich auf seinen unerkennbaren intelligiblen Charakter gründet) wissen; daß er die Zweckmäßigkeit als Prinzip der, beide Gesetzgebungen verknüpfenden, reflektierenden Urteilskraft aufstellt (als welche Zweckmäßigkeit sich nur durch eine höhere, dritte Gesetzgebung möglich denken läßt). Vorzüglich aber scheint eben dieses in seiner Schrift vom radikalen Bösen (jetzt dem ersten Stücke der Religion innerhalb der Grenzen der bloßen Vernunft[5]) aus seinem Beweise für die Annehmbarkeit eines absolut freien Willens aus der *Notwendigkeit der Zurechnung*, und aus seiner Berufung auf *einen unerforschlichen höheren Beistand* (der nicht etwa unseren intelligiblen, bloß durch absolute Selbsttätigkeit zu bestimmenden Charakter statt unserer bestimme, sondern unsern erscheinenden empirischen mit jenen übereinstimmend mache, welches nur kraft jener höheren Gesetzgebung geschehen kann) hervorzugehen. Jene Beweisart und diese Berufung sind so innig mit dem Geiste der kritischen Philosophie verwebt, daß man wirklich sehr wenig mit ihm bekannt sein muß, um in dieser Philosophie dieselben so abenteuerlich, so wider den gesunden Menschenverstand streitend, und so lächerlich zu finden, als Herr Creuzer sie findet. Es würde ein Leichtes sein, ihm zu zeigen, daß er selbst zufolge der Prämissen, die er mit der Kantischen Schule annimmt, auch diese Sätze notwendig annehmen müsse.

Von Untersuchung dieser Theorie geht Herr Creuzer zur Prüfung des allen Lesern der A. L. Z.[6] sattsam bekannten Schmidschen intelligiblen Fatalismus[7] über. So sehr diese Theorie, von der spekulativen Seite angesehen, ihn befriediget, so klar und einleuchtend tut er dar, daß sie alle Moralität völlig aufhebe. Rez. ist über den zweiten Punkt völlig mit ihm einverstanden, und das, was Hr. Prof. Schmid selbst in der

Vorrede zu diesem Buche zu seiner Verteidigung hierüber sagt, hat ihm wenigstens noch ärger, als die Anklage geschienen. Zurechnung, Schuld und Verdienst fällt bei dieser Theorie, nach Hrn. Schmids eigenem Geständnisse, weg; nun wäre es an ihm, zu zeigen, wie man sich dabei noch ein für *jede* Handlung, die nach dem Gesetze beurteilt wird, *gültiges Gesetz* denken könne. Die Moralität, welche übrig bleiben soll, ist eben diejenige, welche in den ehemaligen Glückseligkeits- und Vollkommenheitstheorien übrig blieb: gut sein ist ein Glück, und böse sein ein Unglück. Über den ersteren Punkt hören wir Hrn. Schmid selbst. »Man kann den undenkbaren Gedanken, den Nichtgedanken (einer Notwendigkeit, die nicht Notwendigkeit ist, eines unbeschränkten Vermögens, das nicht alles vermag, eines Unvermögens, das doch das völligste Vermögen ist, eines notwendigen Grundes, der nicht notwendig begründet, eines Individualdinges, das sich wie ein abgezogenes Allgemeinding verhält, also bestimmt und auch unbestimmt ist, endlich einer Unabhängigkeit, die aus einer doppelten Abhängigkeit hervorgeht« [paßt denn diese Charakteristik auch auf die Reinholdsche Definition der Freiheit des Willens, oder etwa nur auf diejenige, welche praktische Vernunft und Willen verwechselt?], »der doch für einen Hauptgedanken gelten soll, von einer Stelle der Theorie an einen anderen Platz hinbringen; man kann ihn aus der Sinnenwelt in die Welt der Noumenen verpflanzen; man kann gewissen anstößigen, und wegen ihrer Bestimmtheit ein wenig unbequemen Formeln aus dem Wege gehen, und bequemere (ich meine lenksamere, unbestimmtere) dafür gebrauchen; man kann endlich neue Vermögen der Willkür erdichten, sie aus ihrer Naturverbindung herausreißen, und so als isolierte Unbestimmtheiten aufstellen« [ganz eigentlich das, wenn man die Ausdrücke nicht ganz genau nimmt, hat Rez. hier getan, und fragt: ob man das Dasein eines allgemeingültigen Sittengesetzes anerkennen und konsequent sein, und dennoch das auch nicht tun könne?] — — »aber der Widerspruch selbst bleibt, was er war; der Verstand kann nicht denken wider die Gesetze der Möglichkeit alles Denkens.«[8] Und jetzt entscheide das Publikum, ob hier noch ein Widerspruch, oder ob bloße Unbegreiflichkeit vorhanden sei? — Übrigens glaubt Rez., daß die Philosophie sich von Hrn.

Creuzer, sobald in seine ausgebreitete und mannigfaltige Belesenheit mehr Ordnung, und in seine Geistestätigkeit mehr Reife gekommen sein werde, viel Gutes zu versprechen habe. –

1 [Carl Leonhard Reinhold, Briefe über die Kantische Philosophie, 2. Band, Leipzig 1792. Vgl. den in diesem Band oben S. 252-274 abgedruckten 8. Brief.]
2 [Karl Heinrich Heydenreich, Betrachtungen über die Philosophie der natürlichen Religion, 2 Bände, Leipzig 1790-91. Vgl. hier bes. Band 2, S. 63 f.]
3 [Immanuel Kant, Über das radikal Böse in der menschlichen Natur, in: Berlinische Monatshefte, April 1792, S. 323-385, ders., Die Religion innerhalb der Grenzen der bloßen Vernunft, Königsberg 1793, Erstes Stück, AA VI, S. 19 ff. Creuzers Auseinandersetzung mit der a.a.O. entwickelten Position Kants findet sich in dem in diesem Band oben S. 275-294 ff. abgedruckten Textstück aus den ›Skeptischen Betrachtungen...‹ Siehe bes. oben S. 281 ff.]
4 [Vgl. AA VIII, S. 249 ff.]
5 [Vgl. Anm. 3.]
6 [Abk. für Allgemeine Literatur-Zeitung.]
7 [Carl Christian Erhard Schmid, Versuch einer Moralphilosophie, 1. Aufl. Jena 1790, 2. Aufl. Jena 1792. Zu Schmidts ›intelligiblem Fatalismus‹ vgl. das in diesem Band oben S. 241-251 abgedruckte Textstück aus der 1. Auflage seines ›Versuchs...‹, bes. S. 250. Creuzers Auseinandersetzung mit der Freiheitstheorie von Schmid findet sich in diesem Bande oben S. 285 ff.]
8 [Tenor und Zitierweise des Endes der Rezension hat Schmid zu einem scharfen Angriff auf den für ihn und das Publikum anonymen Rezensenten veranlaßt. Vgl. Schmids ›Erklärung‹ im Intelligenzblatt der Allgemeinen Literatur-Zeitung Nr. 14 vom 15. Februar 1794. Fichte hat diese ›Erklärung‹ mit einer ›Gegenerklärung‹ in demselben Blatt, Nr. 29, vom 26. März 1794 beantwortet, in der er sich als Rezensent zu erkennen gibt. Vgl. die Mitteilungen der Herausgeber von: J. G. Fichte-Gesamtausgabe, Werke Band 2, S. 3 ff. und S. 71 ff.]

Immanuel Kant
Aus der Einleitung in die
»Metaphysik der Sitten«
(1797)

I. Von dem Verhältnisse der Vermögen des menschlichen Gemüts zu den Sittengesetzen

Begehrungsvermögen ist das Vermögen, durch seine Vorstellungen Ursache der Gegenstände dieser Vorstellungen zu sein. Das Vermögen eines Wesens, seinen Vorstellungen gemäß zu handeln, heißt das *Leben*.

Mit dem Begehren oder Verabscheuen ist *erstlich* jederzeit *Lust* oder *Unlust*, deren Empfänglichkeit man *Gefühl* nennt, verbunden; aber nicht immer umgekehrt. Denn es kann eine Lust geben, welche mit gar keinem Begehren des Gegenstandes, sondern mit der bloßen Vorstellung, die man sich von einem Gegenstande macht (gleichgültig, ob das Objekt derselben existiere oder nicht), schon verknüpft ist. Auch geht *zweitens* nicht immer die Lust oder Unlust an dem Gegenstande des Begehrens vor dem Begehren vorher und darf nicht allemal als Ursache, sondern kann auch als Wirkung desselben angesehen werden.

Man nennt aber die Fähigkeit, Lust oder Unlust bei einer Vorstellung zu haben, darum *Gefühl*, weil beides das *bloß Subjektive* im Verhältnisse unserer Vorstellung und gar keine Beziehung auf ein Objekt zur möglichen Erkenntnis desselben[1] (nicht einmal der Erkenntnis unseres Zustandes) enthält; da sonst selbst Empfindungen außer der Qualität, die ihnen der Beschaffenheit des Subjekts wegen anhängt (z. B. des Roten, des Süßen usw.), doch auch als Erkenntnisstücke auf ein Objekt bezogen werden, die Lust oder Unlust aber (am Roten und Süßen) schlechterdings nichts am Objekte, sondern lediglich Beziehung aufs Subjekt ausdrückt. Näher können Lust und Unlust für sich, und zwar eben um des angeführten Grundes willen, nicht erklärt werden, sondern man kann allenfalls nur, was sie in gewissen Verhältnissen für

Folgen haben, anführen, um sie im Gebrauche kennbar zu machen.

Man kann die Lust, welche mit dem Begehren (des Gegenstandes, dessen Vorstellung das Gefühl so affiziert) notwendig verbunden ist, *praktische Lust* nennen, sie mag nun Ursache oder Wirkung vom Begehren sein. Dagegen würde man die Lust, die mit dem Begehren des Gegenstandes nicht notwendig verbunden ist, die also im Grunde nicht eine Lust an der Existenz des Objekts der Vorstellung ist, sondern bloß an der Vorstellung allein haftet, bloß kontemplative Lust oder *untätiges Wohlgefallen* nennen können. Das Gefühl der letzteren Art von Lust nennen wir *Geschmack*. Von diesem wird also in einer praktischen Philosophie nicht als von einem *einheimischen* Begriffe, sondern allenfalls nur *episodisch* die Rede sein. Was aber die praktische Lust betrifft, so wird die Bestimmung des Begehrungsvermögens, *vor welcher* diese Lust als Ursache notwendig vorhergehen muß, im engen Verstande *Begierde*, die habituelle Begierde aber *Neigung* heißen und, weil die Verbindung der Lust mit dem Begehrungsvermögen, sofern diese Verknüpfung durch den Verstand nach einer allgemeinen Regel (allenfalls auch nur für das Subjekt) gültig zu sein geurteilt wird, *Interesse* heißt: so wird die praktische Lust in diesem Falle ein Interesse der Neigung, dagegen, wenn die Lust nur auf eine vorhergehende Bestimmung des Begehrungsvermögens folgen kann, so wird sie eine intellektuelle Lust und das Interesse an dem Gegenstande ein Vernunftinteresse genannt werden müssen; denn wäre das Interesse sinnlich und nicht *bloß* auf reine Vernunftprinzipien gegründet, so müßte Empfindung mit Lust verbunden sein und so das Begehrungsvermögen bestimmen können. Obgleich, wo ein bloß reines Vernunftinteresse angenommen werden muß, ihm kein Interesse der Neigung untergeschoben werden kann, so können wir doch, um dem Sprachgebrauche gefällig zu sein, einer Neigung selbst zu dem, was nur Objekt einer intellektuellen Lust sein kann, ein habituelles Begehren aus reinem Vernunftinteresse einräumen, welche alsdann aber nicht die Ursache, sondern die Wirkung des letzteren Interesses sein würde, und die wir die *sinnenfreie Neigung (propensio intellectualis)* nennen könnten.

Noch ist die *Konkupiszenz* (das Gelüsten) von dem Begehren selbst, als Anreiz zur Bestimmung desselben, zu unterscheiden. Sie ist jederzeit eine sinnliche, aber noch zu keinem Akt des Begehrungsvermögens gediehene Gemütsbestimmung.

Das Begehrungsvermögen nach Begriffen, sofern der Bestimmungsgrund desselben zur Handlung in ihm selbst, nicht in dem Objekte angetroffen wird, heißt ein Vermögen, *nach Belieben zu tun oder zu lassen.* Sofern es mit dem Bewußtsein des Vermögens seiner Handlung zur Hervorbringung des Objekts verbunden ist, heißt es *Willkür;* ist es aber damit nicht verbunden, so heißt der Aktus derselben ein *Wunsch.* Das Begehrungsvermögen, dessen innerer Bestimmungsgrund, folglich selbst das Belieben in der Vernunft des Subjekts angetroffen wird, heißt der *Wille.* Der Wille ist also das Begehrungsvermögen, nicht sowohl (wie die Willkür) in Beziehung auf die Handlung, als vielmehr auf den Bestimmungsgrund der Willkür zur Handlung betrachtet, und hat selber für sich eigentlich keinen Bestimmungsgrund, sondern ist, sofern sie die Willkür bestimmen kann, die praktische Vernunft selbst.

Unter dem Willen kann die *Willkür,* aber auch der bloße *Wunsch* enthalten sein, sofern die Vernunft das Begehrungsvermögen überhaupt bestimmen kann; die Willkür, die durch *reine Vernunft* bestimmt werden kann, heißt die freie Willkür. Die, welche nur durch *Neigung* (sinnlichen Antrieb, *stimulus*) bestimmbar ist, würde tierische Willkür *(arbitrium brutum)* sein. Die menschliche Willkür ist dagegen eine solche, welche durch Antriebe zwar *affiziert,* aber nicht *bestimmt* wird, und ist also für sich (ohne erworbene Fertigkeit der Vernunft) nicht rein; kann aber doch zu Handlungen aus reinem Willen bestimmt werden. Die *Freiheit* der Willkür ist jene Unabhängigkeit ihrer *Bestimmung* durch sinnliche Antriebe; dies ist der negative Begriff derselben. Der positive ist: das Vermögen der reinen Vernunft, für sich selbst praktisch zu sein. Dieses ist aber nicht anders möglich als durch die Unterwerfung der Maxime einer jeden Handlung unter die Bedingung der Tauglichkeit der ersteren zum allgemeinen Gesetze. Denn als reine Vernunft auf die Willkür unangesehen dieser ihres Objekts angewandt, kann sie, als Vermögen der Prinzipien (und hier praktischer Prinzipien, mithin als gesetzgebendes Vermögen), da ihr die Materie des Gesetzes abgeht, nichts mehr als die Form der Tauglichkeit der Maxime der Willkür zum allgemeinen Gesetze selbst zum obersten Gesetze und Bestimmungsgrunde der Willkür machen und, da die Maximen des Menschen aus subjektiven Ursachen mit jenen objektiven nicht von selbst übereinstimmen, dieses Gesetz nur schlechthin als Imperativ des Verbots oder Gebots vorschreiben.

Diese Gesetze der Freiheit heißen zum Unterschiede von Naturgesetzen *moralisch*. Sofern sie nur auf bloße äußere Handlungen und deren Gesetzmäßigkeit gehen, heißen sie *juridisch*; fordern sie aber auch, daß sie (die Gesetze) selbst die Bestimmungsgründe der Handlungen sein sollen, so sind sie *ethisch*, und alsdann sagt man: die Übereinstimmung mit den ersteren ist die *Legalität*, die mit den zweiten die *Moralität* der Handlung. Die Freiheit, auf die sich die ersteren Gesetze beziehen, kann nur die Freiheit im äußeren Gebrauche; diejenige aber, auf die sich die letzteren beziehen, die Freiheit sowohl im äußeren als inneren Gebrauche der Willkür sein, sofern sie durch Vernunftgesetze bestimmt wird. So sagt man in der theoretischen Philosophie: Im Raume sind nur die Gegenstände äußerer Sinne, in der Zeit aber alle, sowohl die Gegenstände äußerer als des inneren Sinnes; weil die Vorstellungen beider doch Vorstellungen sind und sofern insgesamt zum inneren Sinne gehören. Ebenso, mag die Freiheit im äußeren oder inneren Gebrauche der Willkür betrachtet werden, so müssen doch ihre Gesetze, als reine praktische Vernunftgesetze für die freie Willkür überhaupt, zugleich innere Bestimmungsgründe derselben sein; obgleich sie nicht immer in dieser Beziehung betrachtet werden dürfen.

II. Vorbegriffe zur Metaphysik der Sitten
(Philosophia practica Universalis)

[...] Von dem Willen gehen die Gesetze aus; von der Willkür die Maximen. Die letztere ist im Menschen eine freie Willkür; der Wille, der auf nichts anderes als bloß aufs Gesetz geht, kann weder frei noch unfrei genannt werden, weil er nicht auf Handlungen, sondern unmittelbar auf die Gesetzgebung für die Maxime der Handlungen (also die praktische Vernunft selbst) geht, daher auch schlechterdings notwendig und selbst keiner Nötigung *fähig* ist. Nur die *Willkür* also kann *frei* genannt werden.

Die Freiheit der Willkür aber kann nicht durch das Vermögen der Wahl, für oder wider das Gesetz zu handeln *(libertas indifferentiae)*, definiert werden, wie es wohl einige versucht haben, obzwar die Willkür als *Phänomen* davon in der Erfahrung häufige Beispiele gibt. Denn die Freiheit (so wie sie uns durchs moralische Gesetz allererst kundbar wird) kennen wir nur als *negative* Eigenschaft in uns, nämlich durch keine sinnlichen Bestimmungsgründe zum Handeln *genötigt* zu werden. Als *Noumen* aber, d. i. nach dem Vermögen des Menschen bloß als Intelligenz betrachtet, wie sie in Ansehung der sinnlichen Willkür *nötigend* ist, mithin ihrer positiven Beschaffenheit nach können wir sie *theoretisch* gar nicht darstellen. Nur das können wir wohl einsehen: daß, obgleich der Mensch als *Sinnenwesen* der Erfahrung nach ein Vermögen zeigt, dem Gesetze nicht allein *gemäß*, sondern auch *zuwider* zu wählen, dadurch doch nicht seine Freiheit als *intelligibelen Wesens definiert* werden könne, weil Erscheinungen kein übersinnliches Objekt (dergleichen doch die freie Willkür ist) verständlich machen können; und daß die Freiheit nimmermehr darin gesetzt werden kann, daß das vernünftige Subjekt auch eine wider seine (gesetzgebende) Vernunft streitende Wahl treffen kann, wenngleich die Erfahrung oft genug beweist, daß es geschieht (wovon wir doch die Möglichkeit nicht begreifen können). – Denn ein anderes ist, einen Satz (der Erfahrung) einräumen, ein anderes, ihn zum *Erklärungsprinzip* (des Begriffs der freien Willkür) und allgemeinen Unterscheidungsmerkmal (vom *arbitrio bruto s. servo*) machen; weil das erstere nicht behauptet, daß das Merkmal *notwendig* zum Begriff gehöre, welches doch zum zweiten erforderlich ist. – Die Freiheit in Beziehung auf die innere Gesetzgebung der Vernunft ist eigentlich allein ein Vermögen; die Möglichkeit, von dieser abzuweichen, ein Unvermögen. Wie kann nun jenes aus diesem erklärt werden? Es ist eine Definition, die über den praktischen Begriff noch die *Ausübung* desselben, wie sie die Erfahrung lehrt, hinzutut, eine *Bastarderklärung (definitio hybrida)*, welche den Begriff im falschen Lichte darstellt. [...]

Man kann Sinnlichkeit durch das Subjektive unserer Vorstellungen überhaupt erklären; denn der Verstand bezieht allererst die Vorstellungen auf ein Objekt, d. i. er allein *denkt* sich etwas vermittelst derselben. Nun kann das Subjektive unserer Vorstellung entweder von der Art sein, daß es auch auf ein Objekt zur Erkenntnis desselben (der Form oder Materie nach, da es im ersteren Falle reine Anschauung, im zweiten Empfindung heißt) bezogen werden kann; in diesem Falle ist die Sinnlichkeit, als Empfänglichkeit der gedachten Vorstellung, der *Sinn*. Oder aber das Subjektive der Vorstellung kann gar kein *Erkenntnisstück* werden: weil es bloß die Beziehung derselben aufs *Subjekt* und nichts zur Erkenntnis des Objekts Brauchbares enthält; und alsdann heißt diese Empfänglichkeit der Vorstellung *Gefühl;* welches die Wirkung der Vorstellung (diese mag sinnlich oder intellektuell sein) aufs Subjekt enthält und zur Sinnlichkeit gehört, obgleich die Vorstellung selbst zum Verstande oder der Vernunft gehören mag.

Immanuel Kant
Aus den Vorarbeiten zur Einleitung in die
»Metaphysik der Sitten«
(vor 1797)

Der Wille des Menschen muß von der Willkür unterschieden werden. Nur die letztere kann frei genannt werden und geht bloß auf Erscheinungen, d. i. auf actus, die in der Sinnenwelt bestimmt sind. – Denn der Wille ist nicht unter dem Gesetz, sondern er ist selbst der Gesetzgeber für die Willkür und ist absolute praktische Spontaneität in Bestimmung der Willkür. Eben darum ist er auch in allen Menschen Gut und es gibt kein gesetzwidriges Wollen.

Die Maximen der Willkür aber, weil sie auf Handlungen als Erscheinungen in der Sinnenwelt gehen, können böse sein und die Willkür als Naturvermögen ist in Ansehung jener Gesetze (des Pflichtsbegriffes) frei, durch die sie eigentlich nicht unmittelbar bestimmbar ist, sondern nur vermittelst der Maximen sie jenem gemäß oder zuwider zu nehmen. Diese Freiheit aber kann nicht so erklärt werden, daß es die subjektive Möglichkeit sei, dem Gesetze gemäß oder zuwider, d. i. die Gesetzwidrigkeit der Handlungen überhaupt zu beschließen, denn das wäre so viel als ein böser Wille. – Das wäre ein Herüberziehen der Sinnlichkeit in das Feld des reinen Vernunftvermögens. Willkür ist das Vermögen unter gegebenen Gegenständen zu wählen. Ihre Entgegensetzung muß also ein Verhältnis nach Gesetzen der Sinnlichkeit betreffen. Dieses ist also selbst schon eine böse Willkür. Der Grund der Möglichkeit einer Willkür überhaupt in dem Begriff des Menschen als noumenon ist nur der der Freiheit (Unabhängigkeit von Bestimmungen durch Sinnlichkeit, mithin bloß negativ); als Vermögen können wir diese ihre Beschaffenheit nicht erkennen außer nach dem Gesetz, welches sie der Sinnlichkeit vorschreibt, und nicht nach einem Gesetz der Natur, von jenem abweichen zu können, denn das Abweichen vom Gesetz ist kein übersinnliches Vermögen.

Die Freiheit der Willkür in Ansehung der Handlungen des

Menschen als Phänomenon besteht allerdings in dem Vermögen, unter zwei entgegengesetzten (der gesetzmäßigen und gesetzwidrigen) zu wählen, und nach dieser betrachtet sich der Mensch selbst als Phänomen. – Der Mensch als Noumen ist sich selbst sowohl theoretisch als praktisch gesetzgebend für die Objekte der Willkür und sofern frei aber ohne Wahl.

Man muß die Willkür von dem Willen unterscheiden. Das erstere praktische Vermögen bezieht sich auf Gegenstände, die *gegeben* werden können, mithin Gegenstände der Sinnlichkeit sind; der Mensch betrachtet sich seiner Willkür nach selbst als Phänomen und steht so fern unter Gesetzen die Form d. i. die Maximen seiner Handlungen betreffend, worin er die Wahl hat. Diese Freiheit bedeutet nichts mehr als Spontaneität. Die Willkür ist also frei zu tun oder zu lassen, was das Gesetz befiehlt. Aber der Wille ist auf eine andere Art frei, weil er *gesetzgebend* nicht gehorchend ist, weder dem Naturgesetz noch einem andern, und sofern ist die Freiheit ein positives Vermögen, nicht etwa zu wählen, denn hier ist keine Wahl, sondern das Subjekt in Ansehung des sinnlichen der Handlung zu bestimmen. – Worauf es nun beruhe, daß dieses Vermögen nicht immer die Bestimmung der Willkür zum Guten zur Folge hat, sondern des guten Willens ungeachtet des bösen Handlungen und Maximen entspringen, kann als phaenomen nicht aus dem intelligibelen Substrat des freien Willens erklärt werden. Sowie, warum wir was außer uns ist, im Raum und was in uns ist, in der Zeit vorstellen und nicht vielmehr umgekehrt, kein Grund angegeben werden kann, denn das betrifft die sinnliche Form der Gegenstände, so ist es hier mit der der Handlungen, die wir, wenn sie böse sind, nur mechanisch, nie aber warum ein solcher Mechanism in uns angetroffen wird, uns erklären können. – Die Willkür und deren subjektives Gesetz muß nicht ins Übersinnliche gezogen werden.

Carl Leonhard Reinhold
Einige Bemerkungen über die in der Einleitung zu den »Metaphysischen Anfangsgründen der Rechtslehre« von I. Kant aufgestellten Begriffe von der Freiheit des Willens
(1797)

Wer durch die Reflexion über das moralische Selbstbewußt-sein (das *Gewissen*) sich überzeugt hält, daß die *Moralität* und die *Zurechnungsfähigkeit* der Handlungen zur *Schuld* und zum *Verdienst* nur Eines und Ebendasselbe sind und daß sich diese Zurechnungsfähigkeit nur unter der Voraussetzung einer *sowohl* von der Selbsttätigkeit der *Vernunft als* von dem Streben der *Begierde* verschiedenen *Freiheit* des *Willens* den-ken lasse – wer sich durch die Begriffe von *Dürfen* und *Sollen* im Gegensatz mit *Können* und *Müssen*, von *Recht* und *Unrecht* im Gegensatz mit *Glück* und *Unglück*, von *Moralität* (dem *Sittlichguten*) und *Immoralität* (dem Sittlichbösen) im Gegensatz mit *Nichtmoralität* (dem Nichtsittlichen) eine *sol-che* Freiheit anzunehmen genötigt glaubt – wer endlich diese und keine andere Freiheit durch die Lehren, daß der *Grund* des *Moralischbösen* »nicht in die Sinnlichkeit des Menschen und in die daraus entspringenden natürlichen Neigungen gesetzt werden könne, weil diese *uns* nicht zu *Urhebern* haben« – »daß der *Hang zu jenem Bösen* als uns *durch uns selbst zugezogen* und als *selbstverschuldet* zugerechnet wer-den müsse« – »daß die *Beschaffenheit* des Moralischbösen in einem wirklichen *Widerstreit* der *freien* Willkür, deren Begriff *nicht empirisch* ist, *gegen* das moralische Gesetz beste-he, und aus dem Begriffe des *Bösen a priori,* soferne es nach *Gesetzen der Freiheit* und der Zurechnungsfähigkeit möglich ist, abzuleiten sei« (s. *die Religion innerhalb der Grenzen der bloßen Vernunft aufgestellt von I. Kant*)[1] wirklich behauptet fand, – der dürfte sich wohl mit mir in demselben Falle befin-den, die in der *Einleitung* zu den soeben erschienenen *Meta-physischen Anfangsgründen der Rechtslehre*[2] vorkommenden Erörterungen über *Begehrungsvermögen, Willen, Willkür* und *Freiheit* entweder *unverständlich* oder *unhaltbar* zu finden. Es ist sehr möglich, daß der Grund, warum ich einen mir sonst sehr verständlichen Lehrer diesmal nicht verstehe – wenn ich ihn nicht verstehe – in mir selbst liegt. Allein es ist nicht weniger möglich, daß dieses bei vielen seiner und meiner Leser statt finde. Die gegenwärtige Bekanntmachung unsrer Verlegenheit dürfte diejenigen, die ihn besser verstanden haben, veranlassen, uns eines Besseren zu belehren.

So viel ist gewiß, daß das Wort *Wille* für mich eine völlig andere Bedeutung hat, als welche demselben in der erwähnten *Einleitung* beigelegt wird. [...] S. XXVI der Einleitung heißt es: »Von dem Willen gehen die Gesetze aus, von der Willkür die Maximen. Die letztere ist im Menschen eine freie Willkür; der Wille, der auf nichts anderes als bloß aufs Gesetz geht, kann weder frei noch unfrei genannt werden, weil er nicht auf Handlungen, sondern unmittelbar auf die Gesetzgebung für die Maxime der Handlungen (also die praktische Vernunft selbst) geht, daher auch schlechterdings notwendig, und selbst keiner Nötigung fähig ist. Nur die Willkür kann also frei genannt werden.«[3] Nach meinen Begriffen von *Vernunft* und *Willen* gehen die *Gesetze überhaupt* nur von der Vernunft, und geht das *moralische Gesetz* von der Vernunft in ihrem *Verhältnisse* zum Willen, der nicht *Vernunft* ist, die *Maximen* aber von dem *Willen* in seinem Verhältnisse zur Vernunft aus. Jenes *Gesetz* ist die Forderung der bloßen Vernunft *an* den Willen; die *Maximen* sind *durch* den Willen angenommene Maßregeln, die entweder mit der Forderung der Vernunft übereinstimmen oder derselben widersprechen. Sowohl das Gesetz als die Maximen setzen *im* Willen selbst *Willkür* voraus. *Eigentliche* Willkür ist, wie schon ihr Name andeutet, nur *in* einem Willen denkbar. Das Arbitrium brutum ist uneigentliche, *tropisch* sogenannte Willkür, die den *in Vorstellungen* gegründeten Handlungen der Tiere nur insofern beigelegt wird, als sich dabei ein *Analogon* des Willens äußert. Die menschliche Willkür ist das dem *Willen eigentümliche* Vermögen *zu wählen* (zu *küren*), welches sowohl von dem Vermögen zu wählen *überhaupt* als insbesondere von dem der *Vernunft eigentümlichen* Vermögen zu wählen unterschieden werden muß. So wie keine Willkür ohne Willen, so ist kein *menschlicher Wille* ohne Willkür denkbar. Ohne sie würde sich im Menschen nur ein zwar durch Raisonnement (theoretische Vernunft) modifiziertes, aber doch nur *bloßes Begehren*, kein *Wollen*, keine *freie Selbstbestimmung in Rücksicht auf ein Begehren* denken lassen. Sie findet im *göttlichen Willen* nur darum nicht statt, weil sich derselbe als kein Selbstbestimmen in *Rücksicht auf ein Begehren*, sondern nur als *absolute Selbsttätigkeit* und also nur als ein *Analogon* der menschlichen Freiheit denken läßt. Ich kann mir daher bei einem Willen, *von dem das Gesetz ausgeht* und der *auf nichts als aufs Gesetz geht*, nichts als eine metaphorische Bezeichnung der *reinen Vernunft* als der Quelle der Gesetze denken. Der *eigentliche Wille*, der menschliche, geht nur dann und nur insofern auf das Gesetz, wenn und inwiefern er (um mit Kant zu sprechen) *dasselbe in seine Maxime aufnimmt*. Dieses kann er aber nur insofern, inwiefern das Gesetz *keineswegs* an und für sich seine Maxime ist, folglich inwiefern es *nicht* von ihm *ausgeht*, er selbst eben sowohl *darauf gehen* als auch *nicht* darauf gehen kann, inwiefern er *Willkür* hat und *in* derselben und *durch* dieselbe *frei* ist. Er hört nicht auf, *Wille* zu sein, wenn er *nicht* aufs Gesetz geht, sondern beweiset sich eben *auch* dadurch als Wille.

Was wäre denn also die eigentliche Bedeutung des Wortes: *Wille*? (S. V. heißt es:) »Das *Begehrungsvermögen*, dessen *innerer* Bestimmungsgrund, folglich selbst das *Belieben* in der Vernunft des Subjektes angetroffen wird, heißt der *Wille*. Der Wille ist also das Begehrungsvermögen nicht sowohl, wie die Willkür, in Beziehung auf die Handlung als vielmehr auf den Bestimmungsgrund der Willkür zur Handlung betrachtet und hat selber vor sich eigentlich keinen Bestimmungsgrund, sondern ist, soferne er die Willkür bestimmen kann, die *praktische Vernunft* selbst.«[4] – Ich gestehe, daß ich den *Willen* weder für ein *Begehrungsvermögen* noch auch für *praktische Vernunft* gelten lassen kann. Nicht für ein Begehrungsvermögen: denn sowohl durch den bestimmten *Sprachgebrauch* als durch *Reflexion* über das *Selbstbewußtsein* wird das eigentliche *Wollen*, als das sich *entschließen*, von dem bloßen Begehren, das *mit* oder *ohne* Entschluß statt findet, unterschieden. *Begehren* ist ein durch *Lust* und *Unlust* (von was immer für einer Art) begründetes Streben, welches notwendig im Subjekte wirkt – *Wollen* ist *Selbstbestimmung* durch Freiheit, wobei das *Subjekt selbst* wirkt. Aber freilich ist kein Wollen *ohne Begehren* möglich, – denn *Wollen* ist Selbstbestimmung der Person *zur Befriedigung oder Nichtbefriedigung eines Begehrens,* und der Wille kann nichts beschließen, wenn nicht durch das Begehrungsvermögen Veranlassung und Stoff dazu gegeben ist. In der einmal beliebten *Einteilung* der Vermögen des Gemütes wird der *Wille* zum *Begehrungsvermögen* wie die *Denkkraft* zum *Erkenntnisvermögen* gezählt; und das mögen sie auch, vorausgesetzt, daß man den wesentlichen Unterschied zwischen *Wollen* und *Begehren,* – *Denken* und *Erkennen,* ohne welchen man auch ihren *Zusammenhang* nimmermehr zu kennen vermag, nicht aus dem Auge verliere. [...] – Fast noch mehr scheint sich *Sprachgebrauch* und *Selbstbewußtsein* dagegen zu erklären, daß der *Wille* in irgend einem Sinne *praktische Vernunft* sein könne. Er ist kein *Wille,* wenn er nicht *guter* und nicht *böser* Wille sein kann. Die Praktische Vernunft kann keines von beiden sein. Es ist *eine* und *dieselbe* Vernunft, die in ihrem Verhältnisse zum *Erkennen* und *durch* dasselbe auch zum *bloßen Begehren* die *theoretische,* in ihrem Verhältnisse zum *Wollen* aber die *praktische* heißt. Die Angemessenheit des Wollens (durch die bloße Freiheit desselben) zur *praktischen* Vernunft ist das *gute Wollen* – so wie die Angemessenheit des Begehrens zur *theoretischen* Vernunft das *vernünftige Begehren* ist. Die Praktische Vernunft als praktisch beim Wollen – d. h. als Gesetzgebend für die Freiheit des Willens – wird vom *guten* und vom *bösen* Willen *gemeinschaftlich* vorausgesetzt und kann daher kein Wille selbst sein. Wäre die praktische Vernunft der Wille, so müßte entweder der sittlichböse Mensch gar keinen Willen haben, oder seine Praktische Vernunft das Böse tun und der *Sittlichgute* könnte *nichts* wollen als das Gesetz. Der Wille, als Praktische Vernunft, kann nichts als das Gesetz und zwar er kann es nur in der Eigenschaft eines bloßen *Gesetzgebers* beschließen – er kann es nicht *befolgen,* nicht in der Anwendung geltend machen. Dafür, wird man sagen, wäre die *Willkür* da, die *Kant* von dem *Willen* unterscheidet und als *frei* erkennt. – Wir wollen *sehen,* was *diese* Willkür kann oder nicht kann.

Seite V. und VI. heißt es von derselben: »Die *Freiheit* der Willkür ist die Unabhängigkeit ihrer *Bestimmung* durch sinnliche Antriebe; dies ist der *negative* Begriff derselben. Der *positive* ist das Vermögen der reinen Vernunft, für sich selbst praktisch zu sein.«[5] Also auch die Willkür, die keineswegs das Gesetz *gibt*, sondern dasselbe *befolgen soll*, und nur, inwiefern sie *frei* ist, befolgen *kann*, wäre nur *insofern* frei, als sie nicht *Willkür*, sondern auch wieder – wie der Wille – die *Praktische Vernunft selbst* wäre! Die *reine Vernunft* gäbe das Gesetz und hieße *Wille;* sie gäbe es aber nur sich selbst und befolgte es auch nur selbst und hieße *freie Willkür!* Beides wäre *Ein* und *derselbe* Akt der bloßen Vernunft, der nicht einmal in der bloßen Reflexion durch irgend ein denkbares Merkmal, sondern durch bloße *Worte* unterschieden wäre! Die Willkür würde durch das, was sie frei machen soll, schlechterdings aufgehoben. Sie wäre nur *negativ* frei, inwiefern sie durch sinnlichen Antrieb nicht bestimmt würde, und sie würde erst dadurch *positiv frei*, daß es ihr schlechterdings unmöglich wäre, sich durch sinnlichen Antrieb bestimmen zu lassen, daß ihr das, was sie tut, oder vielmehr, was die Vernunft an ihrer Stelle tut, zum einzigmöglichen würde, daß sie nicht lassen könnte, was sie tut, daß sie aufhörte, Willkür zu sein. Und doch soll die Willkür etwas vom *Willen* Verschiedenes sein, weil von ihr die *Maximen*, von ihm die *Gesetze* ausgehen? Allein, wenn die Willkür keine andere Selbsttätigkeit hat als die der Praktischen Vernunft, so sind ja die *Maximen*, die von ihr ausgehen, nichts als *Gesetze?* Sie kann das Gesetz weder in ihre Maxime *aufnehmen* noch dasselbe davon ausschließen: denn sie hat keine Maxime, die nicht das Gesetz selbst wäre. Daher ist auch der sogenannte *kategorische Imperativ* (das *Sollen*) schlechterdings unmöglich, der sich nur unter der Voraussetzung denken läßt, daß die Maximen des Willens nicht notwendig mit dem Gesetze übereinstimmen. Ist diese Übereinstimmung nur dadurch möglich, daß *die durch sich selbst praktische* Vernunft *sowohl* das Gesetz als die Maxime aufstellt, so ist dieselbe, wo sie stattfindet, *schlechthin notwendig*, und wo sie nicht stattfindet, *unmöglich*. Das Gesetz, das durch Vernunft *gegeben und befolgt* wird, ist ein bloßes *Naturgesetz* und durchaus nicht das *Moralische*. Es ist nur gegeben, wenn es befolgt wird, wird dadurch befolgt, daß es gegeben ist; und wenn und inwiefern es gegeben ist, wird es *unvermeidlich* befolgt. Es *gilt* nur für die Fälle, bei welchen es befolgt wird, und kann daher nie übertreten werden. Seine *Nichtbefolgung* kann keine *Übertretung* sein. Aber sie ist eine notwendige Folge des Umstandes, daß die *menschliche Willkür* in gewissen Fällen *keine negative Freiheit*, keine Unabhängigkeit von sinnlichen Antrieben hat – keine *menschliche Willkür* ist, und daß die *positive Freiheit* in diesen Fällen nicht wirksam, die *praktische* Vernunft *nicht praktisch* ist.

»Die Willkür,« heißt es S. V. »welche durch Neigung (sinnlichen Antrieb, stimulus) bestimmbar ist, würde die tierische Willkür (arbitrium brutum) sein. Die *menschliche Willkür* ist dagegen eine solche, welche durch Antriebe zwar *affiziert*, aber nicht bestimmt wird, und ist also für sich ohne erworbene Fertigkeit der Vernunft nicht rein, kann aber doch zu Handlungen aus reinem Willen bestimmt werden.«[6] Die Handlung, bei welcher die menschliche Willkür zwar durch Antriebe *affiziert*, aber nur durch praktische Vernunft *bestimmt* wird, wäre sonach die *Moralischgute;* diejenige hingegen, bei welcher die menschliche Willkür durch Antriebe *nicht nur* affiziert, *sondern auch* bestimmt würde, wäre die *Moralischböse?* Nein! denn *die Willkür, welche durch sinnlichen Antrieb bestimmbar ist, ist die tierische; die menschliche wird nur dadurch affiziert, nicht bestimmt.* Der menschlichen Willkür als solcher sind nur *moralischgute,* keine *moralischbösen* Handlungen möglich; und da die *tierische Willkür* nur *nicht-moralische* Handlungen zuläßt: so sind die *Moralischbösen* überhaupt *unmöglich!* Nichtsdestoweniger wird behauptet, daß die menschliche Willkür *an und für sich und ohne erworbene Fertigkeit der Vernunft nicht rein* sei. Was heißt hier *nicht rein?* Oder vielmehr: was heißt hier *rein sein*, nichts *Empirisches* enthalten, nicht *affiziert* sein? Muß sie in diesem Sinne als *menschliche* Willkür nicht immer *nichtrein* bleiben? Und warum sollte sie es auch nicht, wenn sie nur nicht durch sinnliche Antriebe *bestimmt* wird? Und dagegen wäre ja durch die das Gesetz gebende und ausführende Vernunft gesorgt! Und wie soll sie durch erworbene *Fertigkeit der Vernunft* rein werden? Kann es die Vernunft dahin bringen, daß die menschliche Willkür das Affiziertwerden entbehren könne? Wird die Willkür *nur dann* erst durch Vernunft *bestimmt,* wenn sie nicht mehr durch sinnliche Antriebe affiziert wird? Was sind das für Handlungen, welche die Willkür in der Zwischenzeit ihrer Unreinheit und bis zur erworbenen Fertigkeit der Vernunft vornimmt? Sind diese Handlungen durch *Antriebe* bestimmt, so gehören sie nicht der menschlichen Willkür an, sind sie durch *praktische Vernunft* bestimmt, so gehören sie dem *reinen* Willen und der *reinen* Willkür an? Kann die *praktische* Vernunft eine *Fertigkeit* erwerben? Ist sie nicht *absolutes* Vermögen? Kann eine Fertigkeit, welche *moralisch* (Tugend) sein soll, durch eine Übung, die *nicht schon* moralisch ist, angenommen werden? – Ich gestehe, daß ich alle diese Fragen durch die *kantischen* Begriffe von *Willen* und *Willkür* eben so wenig abzuweisen als zu beantworten vermag. Aber freilich kann ich mir auch keine eigentliche *Willkür* denken, die durch etwas anderes als durch ihre eigene Freiheit bestimmt – keine die *affiziert* werden könnte. Das *Subjekt* der Willkür muß affiziert werden können und sogar wirklich affiziert sein – aber es muß auf das *Subjekt* ankommen, ob es sich durch das Affiziertsein oder durch die praktische Vernunft bestimmen lasse, oder eigentlicher, *selbst bestimme;* und nur insofern hat es Willkür und kann durch dieselbe das Gesetz beobachten und übertreten. *Nicht* die durch sinnlichen Antrieb *überhaupt* – sondern die *lediglich* durch sinnlichen Antrieb bestimmbare und eben dadurch auf ein *Einzigmögliches* beschränkte, eben darum nur *uneigentliche*, nur *tropisch sogenannte* Willkür – die *vernunftlose*, ist die *tierische*. Die *menschliche* ist zwar durch sinnlichen Antrieb, aber nicht einzig dadurch, sie ist auch durch praktische Vernunft *bestimmbar;* sie ist nie *vernunftlos* und *kann nie vernunftlos*, aber sie kann *vernunftmäßig* und *vernunftwidrig* handeln, weil sie sich sowohl durch Antrieb als durch Vernunft bestimmen kann. Sie kann beides, weil sie *Eines von beiden nur durch sich selbst* kann. Das *moralischgut* Handelnde in ihr ist nicht die Vernunft, sondern *sie* selbst *durch* Vernunft – das *moralischböse* Handelnde in ihr ist nicht der sinnliche Antrieb, sondern *sie* selbst *durch* denselben. Die Vernunft ist *durch sich selbst* praktisch, in wieferne sie unabhängig vom sinnlichen Antrieb ein *Gesetz vorschreibt*, das nur durch die von ihr und vom sinnlichen Antrieb unabhängige Willkür befolgt werden kann; sie ist *praktisch*, nicht in wieferne sie selbst tut, was sie gebietet, sondern in wieferne ihr Gebot der einzige Grund des Tuns und Lassens der Freiheit sein soll; sie ist *praktisch*, in wiefern sie lediglich durch sich selbst dem Willen vorschreibt, die Vernünftigkeit zum Bestimmungsgrund anzunehmen. Dieses ist ihre *ganze Praxis* – welche sie auch bei der *moralischbösen* Handlung ausübt, die ohne jene Praxis nur eine *nichtmoralische* Handlung wäre. Die Vorschriften der Vernunft gelten auch für das *bloße Begehren* (es gibt durch Vernunft modifizierte Begierden), aber sie sind fürs *Begehren* nur dadurch *Gesetze*, daß Lust und Unlust auf die Seite der Vorschriften tritt und ihnen die *Sanktion* der Gesetze gibt. Daher sind jene Vorschriften an sich bloß *theoretisch*. Ist die Willkür nichts als *Begierde*, – und das ist sie, wenn sie nicht *unabhängig* von der Vernunft *frei* ist, – so gibt es auch keine praktische Vernunft beim Wollen.

»Die Freiheit der Willkür,« heißt es S. XVII. »kann nicht durch das Vermögen der Wahl, für oder wider das Gesetz zu handeln (Libertas indifferentiae) *definiert* werden, wie es wohl Einige versucht haben; ob zwar die Willkür als *Phänomen* davon in der Erfahrung häufige Beispiele gibt.«[7] Ob dadurch, daß ich die Freiheit, die zu den moralischguten und moralischbösen Handlungen vorausgesetzt wird, von der praktischen Vernunft sowohl als vom Begehren unterscheide und sie daher das Vermögen des Willens, seinem Gesetze gemäß und zuwider zu handeln – das Vermögen *entweder* Lust und Unlust *oder* das Gesetz zum Bestimmungsgrund des Entschlusses zu wählen – nenne, die Freiheit *definiert* oder nur *exponiert* oder *expliziert* sei oder nicht, ob sich die Freiheit des Willens definieren lasse oder wie sie zu definieren sei, und ob die *Phänomene* oder nur das *Selbstbewußtsein* eine solche Freiheit bezeugen können, mag immer bei dieser Untersuchung dahin gestellt bleiben. Die Frage ist: Ob uns durch das *moralische Gesetz*, so wie wir dasselbe durch ein unmittelbares *Bewußtsein*, als *Faktum des Gewissens*, kennen, die Freiheit als ein *bloßes Vermögen der Vernunft* angekündigt werde oder nicht? Ob durch das moralische Gesetz lediglich demselben angemessene *moralischgute* oder auch demselben widersprechende, *moralischböse* Handlungen denkbar sind und denkbar sein müssen oder nicht? Ob eine *bloße Funktion* der Vernunft eine *moralischgute* Handlung sein und der lediglich durch sich selbst Praktischen Vernunft etwas zum *Verdienst* zugerechnet werden könne? Ob die Begierde, welche das Gesetz nie befolgen kann, dasselbe übertreten, ob dieselbe *moralischböse* handeln, ob ihr irgend etwas *zur Schuld* zugerechnet werden könne? Ob die *Freiheit,* welche das Wesen unsrer Persönlichkeit ausmacht, nichts weiter als eine bloße *Elastizität* des *Ichs* sei, durch welche bei gewissen (den sogenannten *moralischguten*) Handlungen das *Nichtich* zurückgedrängt wird, *wenn* und in *wiefern* dasselbe nicht stark genug ist, den Gegendruck des *Ichs* niederzuhalten; die aber bei den *nichtmoralischen* Handlungen (die mit den sogenannten moralischbösen völlig einerlei wären) nicht *aus-schnellen* kann, weil die *Fertigkeit dazu nicht erworben ist,* oder vielmehr, weil der Eindruck des *Nichtichs überwältigend ist?* – Ob uns das Gewissen täusche, indem es den Wert und den Unwert unsrer Willenshandlungen nicht in der Vernunft, sondern in dem Gebrauch und dem Mißbrauch aufsucht, den nicht die Vernunft für sich und von sich, sondern *wir* Selbst von der Vernunft machen? Ob uns das Gewissen entweder in dem Bewußtsein der *absoluten Notwendigkeit* des *moralischen Gesetzes* oder in dem Bewußtsein der *Möglichkeit dasselbe zu übertreten,* täusche? Ob jene *Notwendigkeit* und die ihr entgegengesetzte *Möglichkeit* sich nicht gerade widerspre-chen, wenn nicht nur das Gesetz an sich selbst durch Vernunft nowendig, sondern auch die Befolgung desselben durch Ver-nunft einzig möglich ist? Ob uns das Gewissen durch das Bewußtsein täusche, daß wir weder Vernunft noch Sinnlich-keit noch eine Zusammensetzung dieser (ohne Dazwischen-kunft eines Dritten unverträglicher) Vermögen sind, sondern daß wir Vernunft und Sinnlichkeit *haben, negativ frei* sind, inwiefern diese beiden Elemente unter sich selbst im ewigen Widerstreit sind, *positiv frei,* inwiefern wir bei diesem Wider-streit den Ausschlag geben können? Ob uns das Gewissen täusche, da es uns durch das moralische Gesetz nichts anderes ankündigt, als daß wir diesen Ausschlag lediglich zum Vorteil der bloßen Vernunft geben *sollen,* und daß wir denselben daher *sowohl zum Vorteil als zum Nachteil* der Vernunft geben *können?* Diese Fragen kann ich mir aus der kantischen Theorie der Freiheit entweder gar nicht oder nur nach den Prinzipien des *intelligiblen Fatalismus* beantworten.

»Die Freiheit, so wie sie uns durch das moralische Gesetz allererst kundbar wird, kennen wir nur als *negative* Eigenschaft in uns, nämlich durch keine sinnlichen Bestimmungsgründe zum Handeln *genötigt* zu werden. Als *Noumen* aber, d. i. nach dem Vermögen des Menschen bloß als Intelligenz betrachtet, wie sie in Ansehung der sinnlichen Willkür *nötigend* ist, können wir sie *theoretisch* gar nicht darstellen.«[8] Das hier als *negative* Eigenschaft behauptete Vermögen, durch keine sinnlichen Bestimmungsgründe genötigt zu werden, könnte wohl an sich einen *doppelten* Sinn zulassen. Es könnte dadurch *Erstens* das von der Vernunft *verschiedene* Vermögen des Entschlusses, *weder* durch Sinnlichkeit *noch auch* durch Vernunft genötigt zu werden – *Zweitens* das Vermögen der *Vernunft selbst* in seiner Unabhängigkeit von der Sinnlichkeit angedeutet sein. Daß hier nur die zweite Bedeutung gebraucht werde, ist aus der schon angeführten Behauptung klar: »Die Freiheit der Willkür ist die Unabhängigkeit ihrer Bestimmung durch sinnliche Antriebe, dies ist der *negative* Begriff derselben; der *positive* ist das *Vermögen der reinen Vernunft, für sich selbst praktisch zu sein.*«[9] Daß hier nicht von der bloßen *Gesetzgebung* (bei welcher freilich die Vernunft vom sinnlichen Antrieb unabhängig und für sich selbst praktisch ist), sondern von dem *Befolgen* des Gesetzes die Rede sei, ist dadurch einleuchtend, daß die Gesetzgebung der Vernunft nur als dem *Willen, von dem das Gesetz ausgeht, und der auf nichts als aufs Gesetz geht,* zugeschrieben ist, der weder *frei noch unfrei* sein soll; daß nur der *Willkür* Freiheit eingeräumt, *diese Freiheit* aber selbst wieder nach dem positiven Begriffe nur als das Vermögen *der reinen Vernunft, für sich selbst praktisch zu sein,* gedacht wird. Es wäre also in der Tat nur eine *Funktion* der reinen Vernunft, die den Akt der freien Willkür ausmachte; die Willkür wäre nur frei, inwiefern sie vom sinnlichen Antrieb unabhängig ist, und sie wäre nur insofern von diesem Antrieb unabhängig, als sie Akt der bloßen Vernunft ist. – Die durch Vernunft bestimmte *Notwendigkeit* hieße das *Gesetz,* die durch Vernunft bestimmte *Nötigung* der sogenannten *sinnlichen Willkür* die (freie) *Erfüllung* des Gesetzes; das Eine nichts als Vernunft, die da *Willen,* das Andere nichts als Vernunft, die da *Willkür* genannt wird – dieselbe Vernunft, die tut, was sie nicht lassen kann, aber eben darum auch lassen muß, was sie nicht tun kann, und doch absolutes Vermögen ist! Und was wäre diese

Theorie anderes als eine *theoretische Darstellung* der bloßen Selbsttätigkeit der bloßen Vernunft, was an der sogenannten Freiheit *Unbegreifliches*. Die unbegreifliche Freiheit ist nicht diejenige Selbsttätigkeit, die im *Begriffe* des praktischen Gesetzes als bloßen Gesetzes, wobei vom Willen abstrahiert wird, enthalten ist und durch *Zergliederung* desselben herausgebracht wird, sondern diejenige, die uns *durch* das Gesetz angekündigt und die durch den Begriff des Gesetzes als des *Moralischen vorausgesetzt* wird, die sich nur zum Behuf des Gesetzes annehmen, sich aus dem Gesetz nicht *begreifen* läßt, aber gedacht werden muß, weil sonst das durch sich selbst notwendige Gesetz als Moralisches nicht denkbar wäre. – Sie ist die Freiheit, die durch das Gesetz *postuliert* wird, die man nur dem Gesetze *glauben* kann. Daß die Selbsttätige Vernunft nicht durch sinnliche Antriebe genötigt wirke, und daß, wenn sie den Entschluß bestimmt, derselbe nicht durch jene Antriebe bestimmt werde, *ist sehr begreiflich;* und wenn *freisein* nichts anders als dieses heißt, so ist nichts begreiflicheres und nichts so sehr theoretisch darstellbar als die Freiheit. Die *theoretisch* unerklärbare, aber in *praktischer* Rücksicht notwendig denkbare Freiheit wird uns im *Sollen* durch ein Müssen, das kein˙ Müssen, im *Dürfen* durch ein bloßes Können, das kein bloßes Können ist, im *Nichtdürfen* durch ein Nichtkönnen, das ein Können ist, angekündigt, welches entweder nicht stattfinden oder die Vernunft mit sich selbst in Widerspruch setzen würde, wenn die *Notwendigkeit* und die *Freiheit*, die hier zugleich unterschieden und vereinigt werden müssen, nicht in *zwei verschiedene* Vermögen *Eines* und *desselben Subjektes* gesetzt würden.

»Nur das können wir einsehen, daß, obgleich der Mensch als *Sinnenwesen* der *Erfahrung nach* ein Vermögen zeigt, dem Gesetze nicht allein gemäß, sondern auch zuwider zu wählen, dadurch doch nicht seine Freiheit als *intelligiblen Wesens* definiert werden könne, weil Erscheinungen kein übersinnliches Objekt, dergleichen doch die Freiheit der Willkür ist, verständlich machen können, und daß die Freiheit nimmermehr darin gesetzt werden kann, daß das vernünftige Subjekt auch eine wider seine gesetzgebende Vernunft streitende Wahl treffen kann; obgleich die Erfahrung oft genug beweist, daß es geschieht, wovon wir doch die Möglichkeit nicht begreifen können.«[10] Mein Begriff von der Freiheit als einem Vermögen, nicht *was immer für einem Gesetze* der Vernunft, sondern dem *Moralischen* gemäß und zuwider, folglich nicht *Legal* und *Illegal,* sondern *Moralischgut* und *Moralischböse* zu handeln, ist durchaus nicht aus der *Erfahrung* geschöpft, von *Erscheinungen* hergeleitet, aus den *illegalen* Handlungen gezogen. Er ist wie der Begriff von der *moralischbösen* Handlung, den die *Religion innerhalb der Grenzen der bloßen Vernunft,* (wie sie sich ausdrückt) nach dem *bloßen Gesetze der Freiheit* aufstellt, lediglich aus dem Bewußtsein des moralischen Gesetzes selbst, aus dem *kategorischen Imperativ* allein geschöpft. Auch fällt mirs nicht ein, die Freiheit des Menschen als *intelligiblen* Wesens definieren zu wollen. Ich habe es nur mit der Freiheit des *menschlichen Willens* zu tun; der *Mensch* ist mir weder *intelligibles Wesen* noch *Sinnenwesen,* sondern *beides zugleich;* und ich halte ihn auch nur für frei, *weil* und in *wiefern* er beides zugleich ist, während Kant ihn nur, in wiefern er intelligibles Wesen ist, für frei zu halten scheint. Das *Subjekt* der transzendentalen Vermögen ist zugleich das Subjekt der empirischen, wenn jene Vermögen nicht *transzendent,* sondern *transzendental,* d. h. sich aufs Empirische a priori beziehend sein sollen. Daher kann unter jenem *Subjekte* keinesweges die bloße *reine Vernunft* verstanden werden, die als solche freilich weder *Freiheit des Willens hat* noch *praktische* Vernunft *ist.* Die reine Vernunft liegt der *theoretischen* und *praktischen* Vernunft gemeinschaftlich zum Grunde, aber sie ist *an sich* weder das Eine noch das Andere. Sie ist beides, nur in *verschiedener Beziehung* auf etwas, das *nicht Vernunft* ist. Die *Vernunft* ist im *moralischen Gesetze* praktisch, in wiefern sie von dem *Subjekte,* das sich durch Lust und Unlust bestimmen *kann,* fordert, sich selbst, inwiefern es nicht Vernunft ist, lediglich durch Vernünftigkeit zu bestimmen. Die praktische Vernunft erhält insofern nur vermittelst der von ihr verschiedenen Freiheit des Subjektes ihre *Anwendbarkeit* auf das Wollen, ihren Charakter als *moralisch* gesetzgebend, und das, was *Kant* ihren *Konstitutiven Gebrauch* nennt. Freilich kann die Freiheit nicht darin gesetzt werden, daß das *vernünftige* Subjekt *wider* die Vernunft handeln könne? Aber ist denn jenes Subjekt nichts als vernünftig? Oder vielmehr: *kann* es auch nur *Vernunft* haben, ohne nicht eben darum noch andere Vermögen zu haben, ohne welche sich die Vernunft nicht denken läßt. Endlich, was soll hier das Geständnis: »die Erfahrung beweise oft genug, daß das vernünftige Subjekt eine wider seine gesetzgebende Vernunft streitende Wahl treffe, wovon wir doch die Möglichkeit nicht begreifen können?«[11] Die *Erfahrung* bewiese das? Erscheinungen könnten also ein *übersinnliches Objekt, dergleichen doch die Wahl* des vernünftigen Subjektes ist, verständlich machen? Oder sollen lediglich die *illegalen* Handlungen, welche auch allein durch bloße Erfahrung bezeugt werden können, eingestanden sein? Was soll denn aber an einer bloß *illegalen* Handlung *unbegreifliches* sein? Die *Möglichkeit* einer illegalen Handlung, inwiefern sie keine Moralität hat, keiner Zurechnung fähig, mit einem Worte: nicht frei ist, springt in die Augen. Wird also von der Erfahrung, die uns über die *Moralität* der illegalen Handlung nichts sagen kann, weggesehen, und hält man sich an das *intelligible Wesen* und an diejenige Freiheit, in welcher Kant allein die Moralität aufgesucht wissen will: an das Vermögen der *reinen Vernunft, für sich selbst praktisch zu sein,* so *begreifen* wir nicht etwa nur *nicht,* wie das Subjekt *unmoralisch* handeln könne, sondern wir begreifen wirklich, daß es *nicht unmoralisch* handeln könne; die *moralischböse* Handlung wird nicht *unbegreiflich,* sondern schlechterdings *unmöglich.*

»Ein Anderes ist, einen Satz der Erfahrung einräumen, ein Anderes, ihn zum Erklärungsprinzip (des Begriffs der freien Willkür) und allgemeinen Unterscheidungsmerkmal (vom arbitrio bruto s. servo) machen, weil das Erste nicht behauptet, daß das Merkmal notwendig zum Begriff gehört, welches doch zum Zweiten erforderlich ist.«[12] Es braucht hier nicht mehr wiederholt zu werden, daß mein Begriff von der Freiheit jenen Erfahrungssatz ganz auf sich selbst beruhen läßt und von demselben schlechterdings keinen Gebrauch macht. Mein Erklärungsprinzip der Freiheit ist das *moralische Gesetz,* dessen *bestimmter* Begriff eine von der praktischen Vernunft verschiedene Freiheit *postuliert.* Aber sollte der Begriff, den die *Kritik der praktischen Vernunft,* den Kant überhaupt vom *moralischen Gesetze* aufstellt, schon *bestimmt* genug sein? Er hat unübertrefflich gezeigt, daß das *moralische Gesetz* in der *unabhängig* von sinnlichen Antrieben und *durch sich selbst gesetzgebenden* Vernunft gegründet sei. Aber sollte die Vernunft nur im *moralischen Gesetze praktisch* sein und heißen können? Sollte Sie nicht in Rücksicht auf alle diejenigen Funktionen *praktisch* sein, in welchen das, was nicht Vernunft ist, von ihr abhängt? Wie sie in Rücksicht auf diejenigen Funktionen *theoretisch* ist, in welchen sie selbst von etwas, das nicht Vernunft ist, abhängt? Sollte es keine *praktischen* Gesetze geben, die nicht das *moralische* sind? Ist die praktische Vernunft nur beim *Wollen tätig,* oder ist nicht vielmehr ihre Tätigkeit beim Wollen nur die *einleuchtendste,* und diejenige, an welcher *dieser* Charakter der Vernunft *zuerst* entdeckt wurde? Sollte Kant, dem diese große Entdeckung aufbehalten war, nicht den Begriff des *moralischen* Gesetzes zu *weit* gefaßt haben, da er demselben mit dem Gesetze der *praktischen* Vernunft einerlei Umfang gab? Sollte er nicht *dadurch* genötigt gewesen sein, den *Willen* für die praktische Vernunft selbst zu erklären und das Wollen auf die Tätigkeit durch praktische Vernunft zugleich einzuschränken und auszudehnen? Ist das *moralische* Gesetz nur das *praktische Gesetz* für den *Willen,* so läßt sich sein *unterscheidender* Charakter, ohne daß es dadurch den *höheren* eines *praktischen* und insofern von bloßer Vernunft abhängigen Gesetzes einbüßte, nur aus dem *Begriffe des Willens* ableiten. Es ist dann dasselbe die bestimmte Forderung der praktischen Vernunft *an den Willen,* nicht Lust und Unlust, sondern reine Vernünftigkeit zum Bestimmungsgrund seines Entschlusses zu machen. Diese Forderung setzt schlechterdings voraus, daß das Subjekt beim *Wollen* sich *sowohl* durch Vernünftigkeit *als* durch Lust und Unlust selbst bestimmen *könne.* – Wäre dem Subjekte nicht *beides* gleich möglich; könnte es nicht sich freiwillig durch das Gesetz beherrschen und freiwillig der Begierde dienen, so würde das Gesetz, das jenes *gebietet* und dieses *verbietet,* ganz überflüssig, ja sogar unmöglich sein. Wir dienten der Lust und Unlust oder der Vernunft, wenn und weil wir müßten, ohne daß ein *Nichtdürfen* oder ein *Sollen* stattfände – wenn anders unter dieser Voraussetzung von einem *Wir* und *Ich* die Rede sein könnte. Kündigt das moralische Gesetz keine andere Freiheit an als die in der Selbsttätigkeit der Vernunft besteht, so ist freilich das Vermögen, *unmoralisch* zu handeln, nicht nur ein *Unvermögen,* sondern –

unmöglich. Ist aber jene Freiheit das Vermögen der Person, sich ihre *Handlungsweise* beim *Wollen* durch Wahl zu bestimmen, so ist das Vermögen, *unmoralisch* zu handeln, *kein Unvermögen,* sondern dasselbe Vermögen, ohne welches sich kein *Moralischhandeln* denken läßt.

1 [Vgl. AA, VI, S. 34 f. Reinholds Zitierweise ist hier, wie häufig, ungenau. Sie nähert sich gelegentlich der Paraphrase.]

2 [Die ›Einleitung in die Metaphysik der Sitten‹ erschien zuerst im Januar 1797 in dem von Kant gesondert herausgegebenen 1. Teil der ›Metaphysik der Sitten‹, den ›Metaphysischen Anfangsgründen der Rechtslehre‹. Im August 1797 erschien ebenfalls gesondert der 2. Teil, die ›Metaphysischen Anfangsgründe der Tugendlehre‹. In demselben Jahr erschienen sodann beide Teile vereint unter dem Titel ›Die Metaphysik der Sitten‹. Reinhold lagen bei der Abfassung der hier abgedruckten Abhandlung nur die ›Metaphysischen Anfangsgründe der Rechtslehre‹ vor. Zum Folgenden vgl. den in diesem Band oben S. 302-307 abgedruckten Text aus Kants ›Einleitung . . .‹]

3 [AA, VI, S. 226, oben S. 305 f.]

4 [A.a.O., S. 213, oben S. 304.]

5 [A.a.O., S. 213 f., oben S. 304.]

6 [A.a.O., S. 213, oben S. 304.]

7 [A.a.O., S. 226, oben S. 306.]

8 [A.a.O., S. 226, oben S. 306.]

9 [A.a.O., S. 213 f., oben S. 304]

10 [A.a.O., S. 226, oben S. 306.]

11 [A.a.O., S. 225, oben S. 306.]

12 [A.a.O., S. 226 f., oben S. 306.]

Nachkantische Diskussion und Kritik der Kantischen Ethik

Georg Friedrich Wilhelm Hegel
Aus dem Naturrechtsaufsatz:
Kritik an Kants Moralprinzip
(1802)

Es ergibt sich sogleich, daß, da die reine Einheit das Wesen der
praktischen Vernunft ausmacht, von einem Systeme der Sittlichkeit so wenig die Rede sein kann, daß selbst nicht einmal
eine Mehrheit von Gesetzen möglich ist; indem, was über den
reinen Begriff, oder weil dieser, insofern er als negierend das
Viele, d. h. als praktisch gesetzt wird, die Pflicht ist, was über
den reinen Begriff der Pflicht und die Abstraktion eines
Gesetzes hinausgeht, nicht mehr dieser reinen Vernunft angehört; wie Kant, derjenige, der diese Abstraktion des Begriffs
in ihrer absoluten Reinheit dargestellt hat, sehr gut erkennt,
daß der praktischen Vernunft aller Stoff des Gesetzes abgehe
und daß sie nichts mehr als die *Form der Tauglichkeit* der
Maxime der Willkür zum obersten Gesetze machen könne.
Die Maxime der Willkür hat einen Inhalt und schließt eine
Bestimmtheit in sich; der reine Wille dagegen ist frei von
Bestimmtheiten; das absolute Gesetz der praktischen Vernunft ist, jene Bestimmtheit in die Form der reinen Einheit zu
erheben, und der Ausdruck dieser in die Form aufgenomme-
nen Bestimmtheit ist das Gesetz. Ist es möglich, daß die
Bestimmtheit in die Form des reinen Begriffs aufgenommen
wird, hebt sie sich durch diese Form nicht auf, so ist sie gerecht-
fertig und ist durch die negative Absolutheit selbst absolut geworden, Gesetz und Recht, oder Pflicht. Aber die
Materie der Maxime bleibt, was sie ist, eine Bestimmtheit oder
Einzelheit; und die Allgemeinheit, welche ihr die Aufnahme
in die Form erteilt, ist also eine schlechthin analytische
Einheit; und wenn die ihr erteilte Einheit rein als das, was sie
ist, in einem Satze ausgesprochen wird, so ist der Satz ein
analytischer und eine Tautologie. Und in der Produktion von
Tautologien besteht nach der Wahrheit das erhabene Vermögen der Autonomie der Gesetzgebung der reinen praktischen
Vernunft; die reine Identität des Verstandes, im theoretischen
als der Satz des Widerspruchs ausgedrückt, bleibt auf die

praktische Form gekehrt ebendasselbe. Wenn die Frage: was ist Wahrheit, an die Logik gemacht und von ihr beantwortet, Kanten den belachenswerten Anblick gibt, daß einer den Bock melkt, der andere ein Sieb unterhält, so ist die Frage: was ist Recht und Pflicht, an jene reine praktische Vernunft gemacht und von ihr beantwortet, in demselben Falle. Wenn Kant erkennt, daß ein allgemeines Kriterium der Wahrheit dasjenige sein würde, welches von allen Erkenntnissen ohne Unterschied ihrer Gegenstände gültig wäre; daß es aber klar sei, daß, da man bei demselben von allem Inhalt der Erkenntnis abstrahiert und Wahrheit gerade diesen Inhalt angeht, es ganz unmöglich und ungereimt sei, nach einem Merkmale der Wahrheit dieses Inhalts der Erkenntnisse, indem das Merkmal den Inhalt der Erkenntnisse zugleich nicht angehen soll, zu fragen, so spricht er eben damit das Urteil über das Prinzip der Pflicht und des Rechts, das durch die praktische Vernunft aufgestellt wird. Denn sie ist die absolute Abstraktion von aller Materie des Willens, durch einen Inhalt wird eine Heteronomie der Willkür gesetzt; nun ist es aber gerade das Interesse zu wissen, was denn Recht und Pflicht sei; es wird nach dem Inhalt des Sittengesetzes gefragt, und es ist allein um diesen Inhalt zu tun; aber das Wesen des reinen Willens und der reinen praktischen Vernunft ist, daß von allem Inhalt abstrahiert sei; und also ist es an sich widersprechend, eine Sittengesetzgebung, da sie einen Inhalt haben müßte, bei dieser absoluten praktischen Vernunft zu suchen, da ihr Wesen darin besteht, keinen Inhalt zu haben.

Daß also dieser Formalismus ein Gesetz aussprechen könne, dazu ist notwendig, daß irgend eine Materie, eine Bestimmtheit gesetzt werde, welche den Inhalt des Gesetzes ausmache; und die Form, welche zu dieser Bestimmtheit hinzukommt, ist die Einheit, oder Allgemeinheit; daß eine Maxime deines Willens zugleich als Prinzip einer allgemeinen Gesetzgebung gelten müsse, dieses Grundgesetz der reinen praktischen Vernunft drückt aus, daß irgend eine Bestimmtheit, welche den Inhalt der Maxime des besondern Willens ausmacht, als Begriff, als Allgemeines gesetzt werde. Aber jede Bestimmtheit ist fähig, in die Begriffsform aufgenommen und als eine Qualität gesetzt zu werden, und es gibt gar nichts, was nicht auf diese Weise zu einem sittlichen Gesetz gemacht werden könnte. Jede Bestimmtheit ist aber an sich selbst ein Besonderes und nicht ein Allgemeines; es steht ihr die entgegengesetzte Bestimmtheit gegenüber, und sie ist nur Bestimmtheit, insofern ihr eine solche gegenüber steht. Jede von beiden Bestimmtheiten ist gleichermaßen fähig, gedacht zu werden; welche von beiden es sein soll, welche in die Einheit aufgenommen oder gedacht, und von welcher abstrahiert werden soll, dies ist völlig unbestimmt und frei; wenn die eine fixiert ist, als an und für sich bestehend, so kann die andere freilich nicht gesetzt werden; aber diese andere kann ebensogut gedacht, und da diese Form des Denkens das Wesen ist, als ein absolutes Sittengesetz ausgesprochen werden. Daß der gemeinste Verstand ohne Unterweisung jene leichte Operation vornehmen und unterscheiden könne, welche Form in der Maxime sich zur allgemeinen Gesetzgebung schicke oder nicht, zeigt Kant an dem Beispiel, der Frage, ob die Maxime, mein Vermögen durch alle sichere Mittel zu vergrößern, – im Fall sich an einem Depositum ein solches Mittel zeigte, als ein allgemeines praktisches Gesetz gelten könne, welche also des Inhalts sein würde, daß jedermann ein Depositum, dessen Niederlegung ihm niemand beweisen kann, ableugnen dürfe; diese Frage entscheide sich von sich selbst, indem ein solches Prinzip als Gesetz sich selbst vernichten würde, weil es machen würde, daß es gar kein Depositum gäbe; – daß es aber gar kein Depositum gäbe, welcher Widerspruch läge darin? Daß kein Depositum sei, wird andern notwendigen Bestimmtheiten widersprechen; so wie, daß ein Depositum möglich sei, mit andern notwendigen Bestimmtheiten zusammenhängen, und dadurch selbst notwendig sein wird; aber nicht andere Zwecke und materiale Gründe sollen herbeigerufen werden, sondern die unmittelbare Form des Begriffs soll die Richtigkeit der ersten oder der zweiten Annahme entscheiden; aber für die Form ist die eine der entgegengesetzten Bestimmtheiten so gleichgültig als die andere; jede kann als Qualität begriffen, und dies Begreifen als Gesetz ausgesprochen werden. Wenn die Bestimmtheit des Eigentums überhaupt gesetzt ist, so läßt sich der tautologische Satz daraus machen: das Eigentum ist Eigentum und sonst nichts anders, und diese tautologische Produktion ist das Gesetzgeben dieser praktischen Vernunft: das Eigentum, wenn Eigentum ist, muß

Eigentum sein; aber ist die entgegengesetzte Bestimmtheit, Negation des Eigentums gesetzt, so ergibt sich durch die Gesetzgebung ebenderselben praktischen Vernunft die Tautologie: das Nichteigentum ist Nichteigentum; wenn kein Eigentum ist, so muß das, was Eigentum sein will, aufgehoben werden. Aber es ist gerade das Interesse, zu erweisen, daß Eigentum sein müsse; es geht allein auf dasjenige, was außerhalb des Vermögens dieses praktischen Gesetzgebens der reinen Vernunft liegt; nämlich zu entscheiden, welche von entgegengesetzten Bestimmtheiten gesetzt werden müsse; aber daß dies schon vorher geschehen und eine der entgegengesetzten Bestimmtheiten zum voraus gesetzt sei, fordert die reine Vernunft, und dann erst kann sie ihr nunmehr überflüssiges Gesetzgeben vollführen.

Aber die analytische Einheit und Tautologie der praktischen Vernunft ist nicht nur etwas Überflüssiges, sondern in der Wendung, welche sie erhält, etwas Falsches, und sie muß als das Prinzip der Unsittlichkeit erkannt werden. Durch die bloße Aufnahme einer Bestimmtheit in die Form der Einheit soll sich die Natur des Seins derselben verändern; und die Bestimmtheit, welche ihrer Natur nach eine andre Bestimmtheit gegen sich hat, deren eine die Negation der andern, und eben darum keine etwas absolutes ist, (und es ist für die Funktion der praktischen Vernunft gleichgültig, welche von beiden es ist, denn sie gibt bloß die leere Form,) soll durch diese Verbindung mit der Form der reinen Einheit, selbst zur absoluten, zum Gesetz und Pflicht gemacht sein; wo aber eine Bestimmtheit und Einzelheit zu einem Ansich erhoben wird, da ist Vernunftwidrigkeit, und in Beziehung aufs Sittliche, Unsittlichkeit gesetzt. – Diese Verwandlung des bedingten, unreellen in ein unbedingtes und absolutes ist leicht in ihrer Unrechtmäßigkeit zu erkennen, und auf ihrem Schleichwege aufzufinden. Die Bestimmtheit in die Form der reinen Einheit, oder der formellen Identität aufgenommen bringt, wenn der bestimmte Begriff als Satz ausgedrückt wird, die Tautologie des formellen Satzes: die Bestimmtheit A ist die Bestimmtheit A, hervor. Die Form, oder im Satze, die Identität des Subjekts und Prädikats ist etwas absolutes, aber nur ein negatives, oder formales, welches die Bestimmtheit A selbst nichts angeht; dieser Inhalt ist für die Form etwas durchaus hypothetisches. Die Absolutheit, die in dem Satz ist seiner Form nach, gewinnt aber in der praktischen Vernunft eine ganz andere Bedeutung; sie wird nämlich auch auf den Inhalt übergetragen, der seiner Natur nach ein bedingtes ist, und dieses nicht absolute, bedingte, wider sein Wesen zu einem absoluten durch jene Vermischung erhoben. Es ist nicht das praktische Interesse, eine Tautologie zu produzieren, und um dieser müßigen Form willen, die doch ihre einzige Kraft ist, würde nicht so viel Aufhebens von der praktischen Vernunft gemacht; durch Vermischung der absoluten Form aber mit der bedingten Materie wird unversehens dem unreellen, bedingten des Inhalts, die Absolutheit der Form untergeschoben, und in dieser Verkehrung und Taschenspielerei liegt der Nerv dieser praktischen Gesetzgebung der reinen Vernunft; dem Satze, das Eigentum ist Eigentum, wird an statt seiner wahrhaften Bedeutung: die Identität, welche dieser Satz in seiner Form ausdrückt, ist absolut, die Bedeutung untergeschoben: die Materie desselben, nämlich das Eigentum ist absolut, und sofort kann jede Bestimmtheit zur Pflicht gemacht werden. Die Willkür hat die Wahl unter entgegengesetzten Bestimmtheiten, und es wäre nur eine Ungeschicklichkeit, wenn zu irgend einer Handlung kein solcher Grund, der nicht mehr nur die Form eines probabeln Grundes, wie bei den Jesuiten, hat, sondern die Form von Recht und Pflicht erhält, aufgefunden werden könnte; und dieser moralische Formalismus geht nicht über die moralische Kunst der Jesuiten und die Prinzipien der Glückseligkeit, welche zusammenfallen, hinaus.

Es ist hierbei wohl zu merken, daß das Aufnehmen der Bestimmtheit in den Begriff so verstanden wird, daß diese Aufnahme etwas formelles ist, oder daß die Bestimmtheit bleiben soll, also Materie und Form sich widersprechen, deren jene bestimmt, diese unendlich ist. Würde aber der Inhalt, der Form, – die Bestimmtheit, der Einheit wahrhaft gleichgesetzt, so würde kein praktisches Gesetzgeben statt finden, sondern nur ein Vernichten der Bestimmtheit. So ist das Eigentum selbst unmittelbar der Allgemeinheit entgegengesetzt; ihr gleichgesetzt, ist es aufgehoben. – Unmittelbar fällt diese Vernichtung der Bestimmtheit durch die Aufnahme in die Unendlichkeit, Allgemeinheit, auch dem praktischen Gesetzgeben beschwerlich; denn wenn die Bestimmtheit von der Art ist, daß sie selbst das Aufheben einer Bestimmtheit ausdrückt, so wird durch die Erhebung des Aufhebens ins Allgemeine oder ins Aufgehobensein, sowohl die Bestimmtheit, die aufzuheben ist, als das Aufheben vernichtet; also wäre eine Maxime, die sich auf eine solche Bestimmtheit bezieht, die in der Allgemeinheit gedacht sich vernichtet, nicht fähig Prinzip einer allgemeinen Gesetzgebung zu werden, und also unmoralisch. Oder: der Inhalt der Maxime, welcher das Aufheben einer Bestimmtheit ist, in den Begriff erhoben widerspricht sich selbst; wird die Bestimmtheit als aufgehoben gedacht, so fällt das Aufheben derselben weg; oder aber diese Bestimmtheit soll bleiben, so ist wieder das in der Maxime gesetzte Aufheben nicht gesetzt; und die Bestimmtheit mag also bleiben oder nicht, so ist in keinem Falle ihr Aufheben möglich. Aber eine nach dem Prinzip, weil sie sich widerspricht, unmoralische Maxime ist, da sie die Aufhebung einer Bestimmtheit ausdrückt, absolut vernünftig, und also absolut moralisch; denn das Vernünftige ist von seiner negativen Seite die Indifferenz der Bestimmtheiten, das Aufgehobensein des Bedingten. So drückt die Bestimmtheit, den Armen zu helfen, aus die Aufhebung der Bestimmtheit, welche Armut ist; die Maxime, deren Inhalt jene Bestimmtheit ist, geprüft durch Erhebung derselben zum Prinzip einer allgemeinen Gesetzgebung, wird sich als falsch erweisen, denn sie vernichtet sich selbst. Wird es gedacht, daß den Armen allgemein geholfen werde, so gibt es entweder gar keine Armen mehr; oder lauter Arme, und da bleiben keine, die helfen können; und so fiele in beiden Fällen die Hilfe weg; die Maxime also als allgemein gedacht hebt sich selbst auf; sollte aber die Bestimmtheit, welche die Bedingung des Aufhebens ist, nämlich die Armut bleiben, so bleibt die Möglichkeit der Hilfe; aber als Möglichkeit, nicht als Wirklichkeit, wie die Maxime aussagt; wenn Armut bleiben soll, und damit die Pflicht, Armen zu helfen, ausgeübt werden könne, so wird durch jenes Bestehenlassen der Armut unmittelbar die Pflicht nicht erfüllt. So die Maxime, sein Vaterland gegen Feinde mit Ehre zu verteidigen und unendliche mehr heben sich als Prinzip einer allgemeinen Gesetzgebung gedacht auf; denn jene z. B. so erweitert, hebt sowohl die Bestimmtheit eines Vaterlandes, als der Feinde, und der Verteidigung auf.

Friedrich Eduard Beneke
Physik der Sitten
(1822)

Dritter Brief: Das Kantische Kriterium des Sittlichen, aus der Allgemeingültigkeit der ihm zum Grunde liegenden Maxime ist durchaus untauglich. Von aller Bestimmtheit entblößt, läßt es jedem Vorurteil freien Spielraum.

[...] Aber worin beruht denn die Notwendigkeit solcher allgemeinen Pflichtgebote? Könnte nicht das Wesen der Sittlichkeit gerade darin bestehn, daß sie bei dem Einen diese, bei dem Andern jene Gestalt annähme, so daß man von *keiner einzigen äußeren Handlung* sagen könnte, sie müsse in *jedem* Falle sittlich oder unsittlich sein?

Kaum irgendein anderer Satz, sagst Du, sei Dir so gewiß und anschaulich, als der, daß die *Allgemeinheit* des Gesetzes zugleich auch das *Wesen* der Sittlichkeit ausmache. Ich weiß nicht, soll ich Dir zu dieser Anschaulichkeit Glück wünschen, oder nicht. Mit rechter Freudigkeit kann ich es nicht, und Du wirst mir wohl mein Mißtrauen in die Wahrheit Deiner Aussage verzeihen, wenn ich Dir sage, daß es sich auf die feste Überzeugung gründet, *Kant selbst* habe, dem innersten Grunde nach, durchaus keine klare Anschauung von jener Behauptung gehabt. Du lächelst. Aber ich will den Beweis aus seinen eignen Schriften führen. S. 17. in meiner Ausgabe der Metaphysik der Sitten (1785)[1] antwortet er freilich auf die Frage, »was das wohl für ein Gesetz sein könne, dessen Vorstellung, auch ohne auf die daraus erwartete Wirkung Rücksicht zu nehmen, den Willen bestimmen müsse, damit dieser schlechterdings und ohne alle Einschränkung gut heißen könne«, ganz als verstände es sich von selbst: »Da ich den Willen aller Antriebe beraubt habe, die ihm aus der Befolgung irgend eines Gesetzes entspringen könnten; so bleibt nichts als die *allgemeine Gesetzmäßigkeit* der Handlungen überhaupt übrig, welche allein dem Willen zum Prinzip dienen soll, das ist, ich soll niemals anders verfahren, als so, daß *ich auch wollen könne, meine Maxime solle ein allgemeines Gesetz werden.*« »Hiemit«, fügt er dann weiter unten hinzu, »stimmt auch die gemeine Menschenvernunft in ihrer praktischen Beurteilung vollkommen überein, und hat das gedachte Prinzip *jederzeit* vor Augen.« – Wer sollte nicht nach dieser Stelle glauben, es müsse Kant durchaus klar gewesen sein, *wie die bloße allgemeine Gesetzmäßigkeit* der sittlichen Gebote ihre Herrschaft über den Willen ausübe. Denn so lange er dies nicht einsah, mußte es ja immer zweifelhaft bleiben, ob diese Wirksamkeit den von ihm aufgefundenen allgemeinen Gesetzen nicht vielmehr aus einem anderen Grunde beiwohne, als um ihrer Allgemeinheit willen, und diese also als eine in Bezug auf die Sittlichkeit zufällige, mit ihr in keiner Verbindung stehende Eigenschaft derselben zu betrachten sei. Nun aber höre, was er S. 124 desselben Werkes sagt: »Wie nun aber reine Vernunft, ohne alle Triebfedern, die irgend woher sonst genommen sein mögen, für sich selbst praktisch sein, d. h., wie das bloße Prinzip der Allgemeingültigkeit aller ihrer Maximen als Gesetze, ohne alle Materie (Gegenstand) des Wollens, woran man zum Voraus irgend ein Interesse nehmen dürfe, für sich selbst eine Triebfeder abgeben könne, das zu erklären, dazu ist *alle* menschliche Vernunft *gänzlich unvermögend*, und alle Mühe und Arbeit, hievon Erklärung zu suchen, ist verloren.« Du siehst also wohl, lieber Karl, die feste Zuversicht zu seinem Satze, welche Kant in jener ersten Stelle aussprach, ist, wenn wir es gerade heraus sagen wollen, nicht mehr und nicht weniger, als eine rhetorische Formel, welche die Lücke der gründlichen Erkenntnis ausfüllt, so gut es eben gehn will. Auch die Philosophen sind nicht verlegen um solche Formeln, wo sie nicht auf dem festen Wege einer klaren Wissenschaft fortgehn. Wie der Volksredner, wo ihm ein triftiger Grund fehlt, ins Allgemeine hin auf das Freiheitsgefühl, der Theologie auf den frommen Sinn und das gottergebne Herz seiner Zuhörer: so beruft sich der Philosoph nicht selten mit der größten Zuversicht auf *Notwendigkeit* eben da, wo er *keine* Notwendigkeit zu geben vermag. Bald mehr, bald weniger bewußt: denn bei Kant fand gewiß das Letztere statt, und er glaubte eben so fest an den notwendigen Zusammenhang der Sittlichkeit mit der bloßen Allgemeingültigkeit des Pflichtgebotes, als er seine Leser davon zu überreden suchte. Aber sage selbst, lieber Karl, wodurch sollte dieser Zusammenhang entstehn? Zu der Überzeugung von der Allgemeinheit des Gesetzes gelangen wir durch Sammlung der einzelnen Fälle, und sie wird dadurch befestigt, daß wir gegen unzählige Bestätigungen keine einzige Ausnahme finden. Denn *Notwendigkeit* müssen wir wohl von Allgemeinheit unterscheiden[2], und beide haben, so oft sie auch zusammen sein, und verwechselt werden mögen, an sich *nichts* mit einander gemein, da ja ein Gesetz mit der gleichen Notwendigkeit in einem kleineren, wie in einem größeren Kreise, ja selbst für einen Einzigen gelten kann, während alle Übrigen ihm nicht unterworfen sind. Wie sollte nun aber wohl durch jene Steigerung einzelner Beispiele zur vollendeten Allgemeinheit irgendwie *Notwendigkeit* entstehn, und das ein unverbrüchliches Gesetz werden, was es früher nicht war? Du siehst, in der Allgemeinheit an sich kann die Sittlichkeit auf keine Weise wurzeln, und sollten also beide dennoch stets verbunden sein: so könnten wir dies nur daraus erklären, daß es die Natur der Dinge einmal so mit sich brächte, eben wie mit jedem Metalle größere Schwere, als die des Wassers, verbunden ist, ohne daß diese gerade als Folge aus seinen übrigen metallischen Eigenschaften angesehn werden könnte. Die Eigentümlichkeit der menschlichen Seele also müßte so eingerichtet sein, daß jedes Sittengesetz für Alle zugleich gälte, jedem unsittlichen Triebe aber, nicht gerade um seiner Unsittlichkeit willen, sondern weil es nun einmal so wäre, diese Allgemeingültigkeit mangelte. Darauf laß uns nun die Kantische Regel näher prüfen.

»Handle nur,« schreibt sie vor, »nach denjenigen Maximen, die du zugleich als allgemeines Gesetz wollen kannst.«[3] Kant fragt hienach, ob es erlaubt sei, was sich doch so Mancher verstatte, wenn man im Gedränge ist, ein Versprechen zu tun, in der Absicht, es nicht zu halten. Er entscheidet, es sei nicht erlaubt, und in *keinem* Falle, weil es »doch als *allgemeines* Gesetz Niemand wollen wird.«[4] Denken wir es als solches: so würde es bald überhaupt kein Versprechen mehr geben können, weil jeder, in Rücksicht auf jenes Gesetz, jedem ihm gegebenen Versprechen mißtrauen, es also nicht annehmen würde. Dies aber ist ein zu großes Übel, als daß es irgend jemand im Ernst wollen könnte. – Nun laß dir folgenden Vorfall erzählen. Ich besuche einen meiner Freunde, einen ausgezeichnet trefflichen Mann, aber leicht reizbar, und zu

Aufwallungen des Zornes geneigt. Heut finde ich ihn ganz ungewöhnlich erregt; wilden, glühenden Blicks tritt er mir schon an der Schwelle entgegen, und ich kann ihn nur mit Mühe in sein Zimmer zurückführen. Da erzählt er mir dann, er werde von seinen Vorgesetzten auf das grausamste verfolgt und gekränkt, eine solche Behandlung könne er nicht länger ertragen; er wolle soeben zu ihnen, wolle ihnen ihre Ungerechtigkeit, ihre heimliche Tücke vorhalten, wolle endlich seinen Abschied fordern. Erstaunt und erschreckt — denn seine Vorgesetzten sind mir als redliche Männer bekannt, und mein Freund hat eine Familie zu versorgen, die er durch die Ausführung seines Entschlusses in die drückendste Not stürzen würde — frage ich ihn nach den Beweisen für die Wahrheit seiner Erzählung. Er gibt sie mir in den bittersten Ausdrücken gegen die Beschuldigten, zeigt Briefe und andere Papiere vor, und beruft sich auf die Erzählung glaubwürdiger Personen. Freilich spricht Vieles, wenigstens scheinbar, für seine Behauptungen; aber nach meiner sonstigen Kenntnis von dem Charakter seiner Vorgesetzten, muß ich ihm dennoch meinen Glauben versagen. Wie leicht können Irrtümer, Verleumdungen, Mißverständnisse dazwischen getreten sein, und an sich unbedeutende Vorfälle in ein sehr nachteiliges Licht gestellt haben; ja es lassen sich Umstände denken, welche allen, auch den geringsten, Verdacht hinwegräumten. Dies Alles setze ich meinem Freunde so beredt und eindringlich als möglich auseinander; aber er ist taub gegen meine Vorstellungen. In der ersten Aufwallung hat er die ganze Vergangenheit vor seiner Erinnerung vorübergeführt, und, von seiner trüben Stimmung umdüstert, in tausend Kleinigkeiten Spuren der gegen ihn geschmiedeten Ränke gefunden. Fest von derselben überzeugt, hält er jede Verzögerung ihrer Entlarvung für schimpflich, und nur mit Mühe kann ich von ihm erhalten, daß er, in dieser erbitterten Stimmung wenigstens, nicht selbst seinen Abschied verlange, wovon die Folgen Beleidigungen sein würden, die ihn ins Gefängnis brächten, und vielleicht für immer unglücklich machten. Endlich gesteht er meine Bitte zu. An der Scham, mit welcher seine Verfolger das Bewußtsein der entdeckten Kabale erfüllen muß, will er sich genügen lassen; aber nun soll ich, und zwar in diesem Augenblicke, von ihnen seinen Abschied verlangen, soll ihnen mit wenigen dürren, aber kräftigen Worten die Ursache aufdecken, mich aber auf keine Vermittelung einlassen, die, wie er meint, seine Ehre auf das Empfindlichste kränken würde. Das Alles soll ich ihm bei die Treue unserer Freundschaft versprechen.

Was würdest Du nun in diesem Falle tun? So fest, als er von der Wirklichkeit der gegen ihn gerichteten Verfolgungen, bin ich von ihrer Nichtigkeit überzeugt. Wenn er mich vierundzwanzig Stunden nach *meinen* Ansichten für sich handeln ließe: so würden, das weiß ich gewiß, die Verleumdungen aufgedeckt, die Mißverständnisse gehoben werden; und er könnte nicht nur ohne den geringsten Nachteil seiner Ehre in seinen Verhältnissen bleiben, sondern auch zu seiner eigenen Zufriedenheit: denn ich würde im Stande sein, ihm über den wahren Stand der Sache die überzeugendsten Zeugnisse vorzulegen. Aber alles dies hält er in seiner leidenschaftlichen Erregung für leere Einbildungen; ich soll unbedingt das geforderte Versprechen geben, und bei der geringsten Weigerung droht er, seinen frühern Entschluß sogleich auszuführen. Denke Dich lebhaft in diese Lage hinein. Gibst Du das Versprechen, in der Absicht, es nicht zu halten, und verschaffst so Dir selbst die geforderte Erlaubnis, für den Freund nach Deinen Ansichten zu handeln: so wird alle Not gehoben. Die Weigerung aber, das Versprechen zu geben, oder seine Erfüllung bringen unvermeidlich jahrelange Kümmernisse für Deinen Freund mit sich. Ja er würde Dir selbst, bei ruhiger Überlegung, über Deine pedantische Redlichkeit Vorwürfe machen müssen, während er Dich dafür segnen müßte, daß Du das in einer Art von Raserei Dir abgedrungene Versprechen nicht gehalten hast. Wofür würdest Du Dich entscheiden? – Ich würde ohne langes Bedenken ihn durch das Versprechen beruhigen, und doch das tun, was mir gut schiene. Und diesem Fall ähnlich, gibt es noch manche andere, in denen ein Versprechen, in der Absicht es nicht zu halten, nicht nur nicht mit der Sittlichkeit streitet, sondern sogar von einem bei der Sittlichkeit zugleich klugen und erfahrenen Manne gefordert werden muß, so daß also die von Kant aufgestellte Maxime keineswegs für *alle* Fälle gilt.

Ich will mir, lieber Karl, den Sieg nicht zu leicht machen, sondern ohne Zurückhaltung, und so bündig als möglich, die Einwendungen darstellen, welche man gegen ähnliche Beispiele anzuführen pflegt. »Bei einem glücklichen Ausgange«, möchte man zuerst einwenden, »kannst du vielleicht in diesem Beruhigung über den Treubruch gegen dein Versprechen finden. Aber setze den Fall, trotz aller Wahrscheinlichkeit, wären die Kabalen gegen deinen Freund dennoch gegründet, und durch deine für so weise gehaltenen Maßregeln litte seine Ehre Abbruch. Setze (was doch auch leicht gedacht werden kann), er entzöge dir deshalb seine Freundschaft. Würde dir auch dann nicht dein Gewissen Vorwürfe machen?« – Das Unglück meines Freundes würde mich bitter schmerzen, antworte ich, aber mein Gewissen? – nein, das würde sich ganz frei fühlen. Ich habe das Beste meines Freundes *gewollt*, und an allem Übel, welches daraus *zufällig* hervorgeht, bin ich sittlich unschuldig. Den Weg, auf dem ich sein Wohl zu erhalten suchte, hielt ich, so weit ich die Lage der Umstände kannte, für den zweckmäßigsten, ja für allein zweckmäßig, da ich auf allen anderen nur Trübsal und Bekümmernis ihn erwarten sah. Kann man aber wohl mehr verlangen, als daß wir uneigennützig und besonnen bei unseren Handlungen das Ratsamste auswählen, und, was sich als solches gezeigt, mit Entschlossenheit und ungeschreckt durch untergeordnete Rücksichten, ins Werk setzen? Soll der *Erfolg* über den *Charakter* Richter sein, und Mißlingen eben das dem Tadel preis geben, was gelungen lobenswürdig gewesen sein würde? Nirgend im Leben verlangt man ja mehr, als daß man mit sorgsamer Überlegung das *Wahrscheinlichste* wähle und befolge; und hier allein will man nur dem als *vollkommen gewiß* Erkannten auf unsere Handlungen Einfluß verstatten? Nein, wer mit Gefahr seines eignen Vorteils für des Freundes Wohl tätig ist, wird mit Recht edelmütig, großmütig genannt: und weit entfernt also, als unsittlich verworfen zu werden, muß die standhafte Selbstüberwindung bei der Gefahr, die Freundschaft des Freundes einzubüßen durch das Mißlingen *der* Pläne, ohne welche *ich* für ihn keine Rettung sehe, des Ruhms einer edelmütigen Aufopferung gerade um so mehr teilhaftig werden, je teurer mir diese Freundschaft selbst war. Bei klarer Überlegung könnte selbst der scheinbar beleidigte Freund seinen Beifall, seine Hochachtung ihr nicht versagen.

Ein andrer Einwand wird gewöhnlich von dem Einflusse hergenommen, den unser Beispiel auf Schwächere ausüben kann. Ist es nicht möglich, daß dieser oder jener in unserer anscheinenden Treulosigkeit bei sich selbst Entschuldigung finde, wenn irgendeine Begierde ihn treibt, ein gegebenes Versprechen zu brechen? Und kann es nicht auch geschehn, daß dieser oder jener, dadurch mißtrauisch gemacht, redliche Versprechungen als verdächtig von sich weist? – Allerdings verdient dieser Einfluß ernstliche Berücksichtigung. Wir sollen Ärgernis vermeiden, schreibt der Apostel mit Recht vor. Aber *jedes* in *jedem* Falle? Doch wohl nur, wenn diese Vermeidung mit *höheren* Zwecken zusammen bestehn kann? Denn sonst, was kann wohl nicht von Anderen mißverstanden und falsch aufgefaßt werden? und sollten wir also für alle solche Mißdeutungen einstehn, sollte ihre Nichtberücksichtigung in jedem Falle, selbst auch nur, wo wir dieselben voraussehn konnten, unerlaubt sein: so müßten wir in der Tat gar nichts tun. Nein, der schädliche Einfluß, den unsere gerechten Handlungen auf unsere Mitbrüder haben können, ist ein Übel, wie alle anderen Übel, dem wir also nicht eine *absolute* zurückhaltende Gewalt, sondern nur eine *bedingte* zugestehn können, indem er, als Übel, mit den übrigen Gütern und Übeln, welche eine Handlung oder ihre Unterlassung begleiten, muß in Rechnung gebracht werden. Und so würde also in dem angeführten Beispiele diese Rücksicht mich nicht abhalten, mein Versprechen zu geben, oder zu brechen, besonders, da die Lage der Dinge so einfach ist, daß kein ungetrübtes sittliches Gefühl über die wahren Triebfedern meiner Handlung zweifelhaft sein kann.

[...] Frage Dich nur selbst, lieber Karl, wenn Du, wie ich hoffe, zugegeben hast, in dem gegebenen Beispiele sei es nicht unsittlich, sein Versprechen nicht zu halten, ob Du nun noch *willst,* daß die Kantische Maxime *allgemeines* Gesetz werde. Gewiß nicht; sondern Du wirst wollen, daß man sich allerdings in Fällen dieser Art erlaube, sein Wort zu brechen. Denke nur Dich selbst in eine solche Lage hinein. Würde Dir nicht der Freund lieber sein, der Dich täuschte, als der Dich durch ein kleinliches Halten an dem in der Verlegenheit ihm Abgedrungenen ins Unglück stürzte? Wenn uns also jemand fragte, ob wir nicht mit dem allgemeinen Gesetze zufrieden wären, »daß die Verletzung eines Versprechens erlaubt sei für jeden Fall, wo das Beste dessen es verlangt, dem das Versprechen gegeben ist«, so würden wir uns, glaube ich, eben nicht lange besinnen, sondern die Erhebung dieser Regel zum Naturgesetz gern zugeben. Und so gibt uns also Kant selbst, nach demselben Prinzip, die Erlaubnis, von seinem Pflichtgebot abzuweichen.

»Da seht nur einmal den Sophisten!« wirst Du vielleicht ausrufen. »Zuerst hat er die Richtigkeit des Kantischen Kriteriums der Sittlichkeit einer Maxime aus ihrer Allgemeingültigkeit dadurch angegriffen, daß er eine Ausnahme gegen sie vorbrachte; nun bedient er sich zur Bestätigung dieser Ausnahme desselben Kriteriums, als sei es noch vollkommen unangefochten.«

Glaube nicht, teurer Freund, daß Du mich durch diesen Vorwurf in Verlegenheit gesetzt hast. Vielmehr stehn wir jetzt gerade auf dem Punkte, auf welchen ich Dich bringen wollte, und wohin verdeckt alle meine Bewegungen steuerten. Nicht mit der Frage haben wir zunächst zu tun; ob ein gegebenes Versprechen nicht zu halten sittlich verstattet sei, oder nicht, sondern mit der, ob Kants Kriterium der Pflichtgebote aus ihrer Allgemeingültigkeit, wirklich so untrüglich und leicht anwendbar sei, wie Kant überall versichert. Das aber können wir nun mit voller Bestimmtheit verneinen. Denn wenn wir mit *Kant* die Frage stellen: »Würde ich wohl zu mir sagen können, es mag jedermann ein unwahres Versprechen tun, wenn er sich in Verlegenheit befindet, daraus er sich auf andere Art nicht ziehn kann?« (a. ang. O. S. 19): so würden wir offenbar mit »Nein« antworten, das Nichthalten eines Versprechens also in jedem Falle für *unsittlich* erklären müssen, *weil es in eine allgemeine Gesetzgebung nicht paßt.* Stellen wir aber die Frage *nach unserer Weise*, »ob nicht das Abweichen von einem gegebenen Worte in dem Falle erlaubt ist, wenn seine Erfüllung dem selber Schaden bringen würde, dem wir es gegeben haben?«: so müssen wir diese Frage bejahen, und also das Nichthalten eines Versprechens für in einigen Fällen sittlich zulässig erklären, *weil es in eine allgemeine Gesetzgebung paßt.* So kommen wir demnach durch *Ein und dasselbe Prinzip* zu *widersprechenden* sittlichen Maximen, woraus denn wohl deutlich ist, daß jenes Prinzip nicht Prinzip für die Sittlichkeit sein kann.

Woher diese auffallende Erscheinung zu erklären ist, wird Dein Scharfsinn schon längst entdeckt haben. Kant, indem er die Frage als Prüfstein der sittlichen Zulässigkeit aufstellt, ob eine *gegebene Maxime* zum *allgemeinen* Gesetze tauge, setzt *durchaus nichts darüber fest, wie* denn die *Maximen* gegeben und gefaßt werden sollen. Dieser Mangel aber, der sich übrigens auf keine Weise ausfüllen läßt, macht die verlangte Beurteilung in jedem Betracht schwankend und widersprechend. Denn nun hängt es ja von jedem ab, *wie* er die Frage stellen will; und wer sich geschickt hiebei zu benehmen weiß, kann vollkommen sicher sein, nach Belieben eine bejahende oder verneinende Antwort zu erhalten. Laß uns z. B. fragen, ob es erlaubt sei, in irgend einem Falle *untätig zu sein.* Offenbar, wenn sich alle Menschen das zur Maxime machen wollten, untätig zu sein, wenn es Naturgesetz würde: so müßte die Welt bald in einen großen Kirchhof sich umwandeln. Untätigkeit paßt nicht für eine allgemeine Naturgesetzgebung, ist also unsittlich, und daher alles Ausruhn sittlich verboten. Aber nun fragen wir wieder, ob es sittlich erlaubt sei, sich *nie* auszuruhn, auch wenn die äußerste Ermattung uns dringend dazu antreibt. Wären wir damit, als allgemeinem Gesetze, zufrieden? Gewiß nicht: denn auch dies würde Allen, die es sich zur Maxime machten, den Tod bringen, und nur eine Art feineren Selbstmordes sein. Es ist also unsittlich, und Untätigkeit in manchen Fällen Pflicht. Und so will ich mich anheischig machen, lieber Karl, durch eine kluge Wahl in dem *Ausdruck* der Maxime, Dir für jeden kasuistischen Fall diejenige Entscheidung zu verschaffen, welche Deine Begierde verlangt. Wer würde die Regel als Naturgesetz wollen, daß man nach Belieben die Unwahrheit sagen könne! Unwahrheit ist also in jedem Falle unsittlich. Aber im Scherze, oder um durch Überraschung die Freude zu steigern, wird sich jeder eine kleine Abweichung von der Wahrheit erlauben, der nicht in einer verkehrten Pflichtenlehre festgefahren ist, und die Erlaubnis einer Unwahrheit für diese Fälle zum allgemeinen Gesetze zu erheben, dagegen wird kein wahrhaft Aufgeklärter etwas einzuwenden haben. Ein wenig Allgemeinheit mehr oder weniger also in dem *Ausdruck* der Maxime, und das Unverdächtigste *muß* mit Abscheu und Verachtung gebrandmarkt werden. Denn für *jede* Maxime muß sich ja wohl ein noch allgemeinerer Ausdruck finden lassen (es gibt hier *keine* Grenze), der mit ihr zugleich manches Unerlaubte und Lasterhafte umfaßt. [...]

Was Kants Prinzip einen Schein des Rechten gibt, ist weiter nichts, als die Allgemein-Verbreitetheit des sittlichen Gefühls, die es uns möglich macht, in bezug auf die Sittlichkeit oder Unsittlichkeit fast jeder Handlung auf das Bewußtsein jedes nur einigermaßen gebildeten Menschen uns zu berufen. Das sittlich Beurteilende also ist allgemein, die gesetzgebende Kraft; nicht aber braucht das als sittlich Beurteilte, nicht das vom Gesetze Gebilligte gerade auf alle Fälle und auf alle Menschen anwendbar zu sein. Hier kommt es eben allein auf den Grad der Abstraktheit an, den ich der Maxime des Handelnden gebe. *Vollkommen* der Richtigkeit meines Urteils *gewiß* kann ich aber nur dann sein, wenn ich ihr *gar keine* Abstraktheit gebe; wenn ich mich, ohne willkürlich von diesem oder jenem Triebe abzusehn, *ganz* in den Handelnden versetze, seine Gesinnung bis zu der kleinsten Regung in mir nachbilde. Dies ist freilich nicht überall möglich; aber so weit es nicht möglich ist, so weit muß auch meine Beurteilung schwankend bleiben, und der wahre Weise wird sie lieber bis zu einer vollständigeren Erkenntnis des zu Beurteilenden zurückhalten.

»Aber auf diese Weise erhalten wir ja nur *einzelne* Urteile, keine *Wissenschaft* des Sittlichen. Die Wissenschaft, auch wenn wir sie nur in ihrer untergeordnetsten Form betrachten, verlangt doch eine Zusammenstellung der einzelnen Beobachtungen zu allgemeinen Regeln. Jener Weg aber führt vielmehr vom Allgemeinen abwärts, und eine Sittenlehre als Wissenschaft scheint also unmöglich.«

Keineswegs, lieber Karl. Auch meine Sittenlehre wird *allgemeine* Regeln aufstellen. Nur ist die Zusammenstellung der einzelnen Fälle, und ihre Durchbildung zur Allgemeinheit, nicht, wie bei Kant, *willkürlich* und *ungeregelt*. Welche Regel dieselbe befolgt, darauf ist die Antwort leicht: denn jede Wissenschaft (und das ist das ganze Geheimnis, nach dem ihr Wert, als Wissenschaft, abgemessen wird) muß ja ihre Abstraktionen eben in bezug auf *dasjenige* bilden, wovon *sie* Wissenschaft ist. Der Psychologie und der Sittenlehre ist *ganz dasselbe* Gebiet der Erscheinungen, als Gegenstand des Wissens und Anordnens, gegeben, aber jede weiß und ordnet es auf ihre eigentümliche Weise an. Die Regel der Anordnung und der Abstraktion in der Sittenlehre aber ist natürlich eben das Sittliche mit seinen verschiedenen Gattungen, wie sie sich aus der Betrachtung desselben von selbst ergeben, und somit freilich, als Regeln des Sittlichen, mit dem Sittlichen zusammenfallen, und, als allgemeine Regeln, allgemein gelten müssen. Aber *nicht jede* Allgemeingültigkeit kann uns deswegen als Norm für die Beurteilung des Sittlichen dienen, und ein Surrogat für dieselbe in einer anderen leichteren Beurteilung erhalten wir auf diese Weise nicht. Das Sittliche kann *nur sittlich* gerichtet werden.

Kant glaubte ein solches Surrogat gefunden zu haben. »Nach einem allgemeinen Gesetz zu lügen«, sagt er, »würde es eigentlich gar kein Versprechen geben, weil es vergeblich wäre, meinen Willen in Ansehung meiner künftigen Handlungen Anderen vorzugeben, die diesem Vorgeben doch nicht glauben, oder wenn sie es übereilterweise täten, mich doch mit gleicher Münze bezahlen würden, mithin meine Maxime, sobald sie zum allgemeinen Gesetz gemacht würde, sich selbst zerstören müßte.«[5] Hier ist es also eine Art, man weiß nicht recht, ob *logischen* oder *bürgerlichen* Interesses, welches für unsere Entscheidung den Ausschlag gibt, nicht aber das *sittliche*, in *der* Reinheit gefaßt, wie Kant selbst an anderen Stellen verlangt. Auf gleiche Weise entscheidet nach ihm gegen den Selbstmord, »daß eine Natur, deren Gesetz es wäre, durch dieselbe Empfindung, deren Bestimmung es ist, zur Beförderung des Lebens anzutreiben, das Leben selbst zu zerstören, ihr selbst widersprechen, und also *nicht als Natur bestehn würde*«,[6] gegen die Erlaubnis, ohne Ausbildung seiner Naturanlagen dem Vergnügen nachzuhängen, »daß wir als vernünftige Wesen notwendig die Entwickelung aller Vermögen wollen, weil sie uns doch zu *allerlei möglichen Absichten* dienlich sind«;[7] für die Wohltätigkeit endlich, daß sich doch »manche Fälle ereignen können, wo wir Anderer Liebe und Teilnehmung bedürfen«.[8] Bald diese Rücksicht also, bald jene, mehr oder weniger rein und der sittlichen sich nähernd, *nirgend aber die sittliche selbst,* die doch allein ein würdiger Richter sein könnte, gibt über Tugend und Laster die Entscheidung. Gewiß, hätte Kant seine Formel schärfer betrachtet, so hätte es ihm kaum entgehen können, daß er durch sie die Reinheit seines Prinzips wieder verunreinigt, und den verworfenen materialen Bestimmungsgründen freien Eintritt in dasselbe verstattet. Aus dem zu beurteilenden Wollen der Maxime hat er jede Neigung (Materie des Wollens) ausgeschlossen, da soll nur ihre *formale* Beschaffenheit, die Tauglichkeit für eine *allgemeine* Gesetzgebung entscheiden. Aber was nun über diese Tauglichkeit? denn Tauglichkeit kann doch nur in bezug auf einen *anderen Zweck* gedacht werden, und *dieser* Zweck gibt doch eigentlich die *höchste* Entscheidung über das Sittliche. Wie Kant seine Formel anwendet: *gleich viel welches Wollen,* ohne alle nähere Begrenzung: Mögen also immerhin Selbstsucht und Eigennutz, mögen Begierden und Leidenschaften den Richtersitz einnehmen; der Zutritt ist ihnen geöffnet. Der Stärkste wird als Naturgesetz wollen, daß der Starke, der Listigste, daß der Listige die Welt einnehme, und der Unsittliche es höchst anstößig finden, wenn der Staat Belohnung und Ehre nach der Sittlichkeit abmessen wollte. Auch von dieser Seite also ist Kants Prinzip höchst unbestimmt, und die richtige Beurteilung wurde nur dadurch möglich, daß Kant, ohne daß es im Prinzip selbst ausgemacht wäre, dem Gefühle des Sittlichen bei der gemeinschaftlichen Beratung den Vorrang einräumte.

Aber freilich, weil sich Kant über *das* Wollen, welches zuletzt über die Tauglichkeit zur allgemeinen Gesetzgebung den Ausschlag geben sollte, nie recht offen Rechenschaft abgefordert hatte, so schlichen sich, außer der sittlichen Gesinnung, noch manche andere beurteilende Motive ein. Er war bei der Abfassung seiner sittlichen Gebote zu sehr Mann, zu sehr Greis, zu sehr Philosoph, und zu sehr ein Bürger des achtzehnten Jahrhunderts. Daher die vielfache *Heteronomie,* die sich, so sehr er es vermeiden wollte, in seiner Pflichtenlehre findet. Sie sollte *allgemeine* Gesetzgebung werden, und zu dieser hätte sie nur das allgemeine Gesetz der *Sittlichkeit* erheben können. Kant aber wollte die Sittlichkeit in einem leichter zu erkennenden Merkmal festhalten, das stets mit ihr verbunden wäre, so wie etwa der Chemiker der Eigenschaften eines Naturproduktes, welche sich nur aus schwierigeren Versuchen abnehmen lassen, durch offen liegendere gewiß wird, die mit jenen immer zugleich gefunden werden. Dies ist nun allerdings wissenschaftlich zulässig, nur müssen wir durch unendlich viele Beobachtungen dieser Verbindung selbst gewiß sein. Kant aber wollte a priori entscheiden, das heißt mit anderen Worten, er nahm die Sache ein wenig auf die leichte Schulter. Und so wurde dann sein berühmter kategorischer Imperativ zu einer sicheren Bestimmung des Sittlichen auf eine zweifache Weise untüchtig. Erstens nämlich läßt er das eigentlich *Beurteilende* ganz unbestimmt, und verstattet jedem Interesse, dem leidenschaftlich unreinen, wie dem sittlich reinen, dem individuellen auf gleiche Weise, wie dem allgemein-menschlichen, den geheiligten Dreifuß der Pythia einzunehmen, so daß also niemand sicher sein kann, ob ihm ein Geist des Himmels oder der Erde auf seine Fragen antworte. Und zweitens, gibt er eine gleiche Willkür den *Fragenden*, in bezug auf das, was sie der Beurteilung vorlegen wollen, und zwar so, daß, wer nur das heilige Kugelspiel kennt, aus welchem die Priesterin ihre Antworten gibt, in seiner Frage selbst sich dieselben nach Belieben bejahend oder verneinend zu prädestinieren vermag. [...]

Vierter Brief: Dem sogenannten Wissen a priori, auf welches sich die unmündige Wissenschaft beruft, muß die Sittenlehre entzogen werden. Widerlegung der Kantischen Gründe für jenes.

[...] Sage nur selbst, lieber Karl, was irgend gewinnst Du durch Kants Apriori der Sittenlehre? Gibt es bei einer schärferen Betrachtung, wohl mehr, als ein Bekenntnis der Unwissenheit; und ist es also, eben weil es doch mehr zu geben scheint, nicht vielmehr diesem nachzusetzen? Denn die Erkenntnis des Nichtwissens treibt uns doch zu einer lebendigen Tätigkeit für die Erwerbung des Wissens; jene eitle Einbildung aber, nicht nur, daß man etwas, sondern daß man *Alles,* und über jeden Zweifel erhaben aus einer Quelle, die nie täuschen kann, wisse, führt notwendig ein träges Ausruhen in der kläglichsten Unwissenheit mit sich. Was wird durch Kants Imperative erklärt, verdeutlicht, veranschaulicht? Gibt er uns die geringste Auskunft über die Art und Weise, wie die Sittengesetze vor dem Bewußtsein in uns liegen? Oder, wenn diese Frage vielleicht unbillig scheint, da das Apriori des Bewußtseins eben Unbewußtsein ist: auf welche Weise *erwachen* sie denn zum Bewußtsein? Als in *Worten* ausgedrückte

Urteile? Nach manchen Äußerungen möchte man fast diese ganz ungereimte Ansicht bei den Kantianern voraussetzen. Oder als Handlungen? Oder als Antriebe? Oder als Gefühle? Wäre eins von diesen letzten: so bliebe uns doch die wichtigste Frage unbeantwortet, wie denn nun diese bestimmte Handlung, oder Antrieb, oder Gefühl, aus der Reihe der übrigen heraustretend, als sittlich geboten oder verboten sich kund gibt. Hast Du darüber bei irgendeinem Anhänger des Apriori auch nur Ein genügendes Wort, ja ich kann wohl sagen, auch nur den Versuch zu einem solchen Worte gefunden? Der Satz also, daß dieses oder jenes Gesetz a priori in uns liege, heißt nicht mehr oder weniger, als: »Ich Kant, oder wer sonst, halte dieses Gesetz für ein sittliches, eine Begründung dafür aber weiß ich weiter nicht zu geben.« [...]

Aber Kant hat freilich, wie Du versicherst, unwiderleglich dargetan, daß eine Sittenlehre *aus der Erfahrung* auf keine Weise die Anforderungen erfüllen kann, welche wir an eine solche Wissenschaft zu machen berechtigt sind. Wären wir nicht recht übel daran, sagt er, wenn unsere Erkenntnis des Sittlichen nur aus der Erfahrung hervorgehn könnte? Wie sollten wir da nur zu Pflichtgeboten kommen, in denen sich die Hoheit desselben *rein* abspiegelt? Wir sind ja durchaus nicht im Stande, von irgendeiner Handlung in der Erfahrung nachzuweisen, daß sie wirklich ganz rein aus sittlichen Triebfedern hervorgegangen ist. Wie oft betreffen wir Andere, wie oft uns selbst auf einer Selbsttäuschung über unsere wahren Triebfedern! In die tiefsten Falten des menschlichen Herzens versteckt sich die Selbstsucht. Wäre also nur die Erfahrung uns gegeben für die Erkenntnis der Pflichtgebote: so müßte in diese die Unlauterkeit unserer Handlungen übergehn. Aber nein, vermag auch in seinen Handlungen der Mensch nie die Tugend vollkommen darzustellen: so erhält er doch aus einer anderen Quelle ihr unverfälschtes Bild. Hätte es gleich bis jetzt noch keinen redlichen Freund gegeben: das Pflichtgebot gebietet redliche Freundschaft mit derselben Notwendigkeit, und dies Gebot also muß durchaus von der Erfahrung unabhängig sein.

Ein scheinbar freilich gründlicher Beweis, und in den Du Dich, lieber Karl, recht verliebt zu haben scheinst. Aber laß mich gleich den Knoten zerhauen. Unrein apriori freilich müssen alle Gebote, die des Eigennutzes ebensowohl, als die Pflichtgebote sein, eben weil sie als Gebote, der gebotenen Handlung vorausgehn. Sie sind also ohne allen Zweifel vor der von *dieser* möglichen Erfahrung; brauchen aber nicht deshalb gerade vor *aller* Erfahrung zu sein. Aber sage mir, ist die Vorstellung eines Greifen eine Vorstellung a priori oder a posteriori? Ich setze voraus, es hat nie Greifen gegeben, auch nie jemand geglaubt, wirklich einen wahrzunehmen; in welchem Falle allerdings die Vorstellung desselben gewissermaßen aus der Erfahrung geschöpft heißen könnte. Sie sei reines Erzeugnis der dichtenden Einbildungskraft. Ist sie nun, als solches, a priori oder a posteriori? Du wirst mit Recht, lieber Karl, der Verlockung dieser Frage nicht folgen, sondern jede Antwort auf sie verweigern, da ja die Vorstellung eines Greifen ebensowenig a priori, als a posteriori der *zu ihr* gehörenden Erfahrung sei. Sie könne überhaupt nicht erfahren werden, da sie nichts in der Erfahrung ihr Entsprechendes habe, sondern eine leere Einbildung sei. Und so wäre denn Alles leere Einbildung, dem nichts in der Erfahrung entspricht? Nach diesem Grundsatze müßte es dann wohl die Sittlichkeit auch sein, von der ja Kant so gewiß versichert, daß in der Wirklichkeit nichts mit ihr übereinstimme, ein Enderkenntnis, mit dem er selbst eben nicht zufrieden sein möchte. Wie es sich nun aber auch damit verhalte: so viel ist wenigstens deutlich aus dem Gesagten, daß die Unmöglichkeit, in der Erfahrung etwas einer Vorstellung Entsprechendes nachzuweisen, für ihr Gegebensein vor aller Erfahrung nichts beweist. Sie kann zwar als Ganzes nicht aus der Erfahrung stammen, aber doch ihren Teilen nach, wie die einzelnen Glieder eines Greifen; und dann ist sie freilich nicht *nach der Erfahrung von ihr selbst* entstanden (denn eine solche sollte ja nach der Voraussetzung nicht möglich sein), aber doch, nachdem das *Erfahren überhaupt* für das menschliche Bewußtsein begonnen hat, und *aus* Erfahrungen. Es gibt ja ohne Zweifel auch für Handlungen, und für das, was ihnen zum Grunde liegt, eine schöpferische Einbildungskraft, das heißt, eine Trennung vereinigter, und Verknüpfung getrennter Vorstellungen, so wie es gerade das stets bewegte geistige Leben mit sich bringt. [...]

Noch einen andern Grund für das A priori der Sittengesetze

haben Kant, und vor und nach ihm viele Andere, darin zu finden gemeint, daß wir ja auch der vollkommensten Tugend erst gleichsam den Stempel des in uns liegenden Ideals aufdrucken müssen, um sie als solche anzuerkennen. Wenn wir kein von ihr unabhängiges Richtmaß für sie in uns trügen, und so auf ihre Prüfung verzichten müßten: so wären wir ja auch in Bezug auf das höchste Gut des Menschen einem regellosen Zufall preisgegeben, und könnten, durch äußeren Glanz getäuscht, das Laster als Tugend in uns aufnehmen, und umgekehrt. Aber auch dieser Grund läßt sich leicht als nichtig dartun. Als Tugend anerkennen müssen wir freilich jede Handlungsweise, ehe sie Tugendgesetz für uns werden kann, und insofern muß uns eine Fähigkeit zu dieser Prüfung schon vor ihr zukommen. Aber woher braucht der Maßstab, an dem wir die in Anderen uns gegebene Tugend messen, gerade ein höherer zu sein? Können wir sie nicht eben so wohl an dem Geringeren, an unserer Nicht-Tugend messen? Wäre die Tugend schon in uns: so könnte uns ja die Vorstellung, z. B. vom Heiligen des Evangelii, keine Steigerung geben: denn in dem a priori in uns liegenden Ideal müßte dieselbe Stufe des Sittlichen, oder vielleicht gar eine noch höhere, schon längst unser Eigentum gewesen sein. Wir würden nicht eine fremde Hoheit, wir würden unsere eigene in ihm fühlen müssen; dessen wir uns doch eben nicht bewußt sind, wenn man nicht das etwa Hoheit nennen will, daß wir auf Augenblicke, durch Vermittelung einer lebendigen Erzählung, Christi Tugendkraft zum Beispiel in uns nachbilden können. Eine Größe, die an sich äußerlich und schwankend, bei den meisten Menschen schnell genug verschwindet. Und doch wird sie von manchen Philosophen uns hoch genug angerechnet. Schon aus dieser Fähigkeit, das Ideal der Tugend vorzustellen, soll ihr A priori mit Notwendigkeit folgen. »Denn wie vermöchten wir das Höhere überhaupt in uns zu bilden, wenn es nicht auf irgend eine Weise schon in uns wäre? Soll das Innerlichste, das Geistigste durch die äußere Wahrnehmung in uns hineinkommen? Ein unbegreiflicherer Zauber als alle Annahmen des A priori!« – So unbegreiflich nicht, lieber Karl, selbst nicht für diese Anfangspunkte unserer Untersuchung. Sage nur selbst, ist die Antwort, welche ich Dir gebe, nicht auch etwas Geistiges, etwas *Innerliches*? Die *Gedanken* nämlich, aus denen sie besteht. Und doch erhältst Du durch diesen Brief zunächst weiter nichts, als die Gesichtswahrnehmungen zusammengestellter Buchstaben. Ist also meine Antwort, als Seelentätigkeit, als Gedanke, schon in Dir, noch eh Du sie erhältst? Du wirst mit Nein antworten müssen. Als Ganzes sind meine Gedanken vorher nicht in Dir, sondern nur *in ihren Bestandteilen.* Durch die Gesichtätigkeiten der Schriftzüge werden die ihnen verknüpften Gehörtätigkeiten der Worte, durch diese die diesen verknüpften einzelnen Vorstellungen und Begriffe hervorgerufen, und so setzt sich allmählich das Denken des ganzen Briefes zusammen. Wende dies, lieber Karl, auf die Pflichtgesetze an. Wie meine Antwort aus durch Worte erregungsfähigen Begriffen, so sind die Ideale der Sittlichkeit und die Pflichtgebote aus Vorstellungen von Begehrungen und Gefühlen zusammengesetzt, die auf gleiche Weise durch äußere Zeichen in uns erregt werden können. Die *Bestandteile* des steigernden Tugendbildes also mußt Du freilich erweckbar in Dir tragen, um überhaupt seiner Steigerung fähig zu sein; aber von *dieser* selbst enthalten jene Bestandteile *nichts*, eben so wenig, als irgend wie das *Ganze* meines Briefes in den zu seinem Verständnisse nötigen Begriffen schon in Dir vorgebildet ist. Dieselbe leicht begreifliche Bereicherung findet sich ja bei allem Lehren. Wie ist es nur möglich, hat man oft gefragt, daß ein Mensch dem Anderen *neue* Begriffe mitteile, da doch Begriffe, als etwas rein Innerliches, sich der Erweckung von Außen entziehn. Ja wenn es Anschauungen wären! – Nichts leichter. Veranlasse nur die Anschauungen, durch deren Ineinanderwirken die Begriffe entstehn: so wirst Du eben dadurch auch die *Begriffe* veranlassen. Nicht als wenn diese, als schon vorhanden, durch die Anschauungen, wie durch wundervolle Beschwörungsformeln, in das Bewußtsein emporgehoben würden, sondern, obgleich sie auf keine Weise als *Begriffe schon sind, werden* sie doch notwendig durch das Zusammensein der Anschauungen. Ganz eben so verhält es sich mit den Pflichtgesetzen. Ihren Bestandteilen nach sind sie allerdings in dem Kinde, welchem eine edle Handlung erzählt wird: denn die Gehörtätigkeiten, die durch das Sprechen des Erzählenden unmittelbar in jenes überfließen, können ihm dieselben freilich nicht geben. Aber diese einzelnen Glieder einer edlen Seele, deren

Bild sich vor ihm zusammensetzt, sind Begehrungen und Lustvorstellungen, wie alle anderen, und eben so wenig *selbst edel*, als die *einzelnen* Linien, aus denen ein Christusbild Raphaels besteht, schöner, als die Linien seiner Einfassung oder irgend andere. Wie also hieraus ein A priori der Sittengebote folgen solle, sehe ich durchaus nicht ein.

Aber ich sehe schon, lieber Karl, Dich hat das *praktische* Moment gefangen genommen, welches Kant der Entstehung a priori der Sittengesetze zuschreibt. Nicht bloß für die *Richtigkeit* der philosophischen *Erkenntnis,* sondern auch für die *Lauterkeit der Gesinnung* ist ihm die Herleitung aller moralischen Begriffe aus reiner Vernunft von der höchsten Wichtigkeit. Darin beruht nach ihm ihre Würde und Hoheit: denn so viel man Empirisches hinzutut: so viel entzieht man ihrem uneingeschränkten Werte und ihrem Einflusse auf die Gemüter der Menschen. – Lauter Behauptungen, aus denen man recht das Kindesalter der Wissenschaft und die unvollkommene Begriffbildung erkennt, welcher Kants Metaphysik der Sitten angehört und von der ich Dir schon früher Beispiele mitgeteilt habe. Sein Gedankengang mag dabei ungefähr folgender gewesen sein. Die empirische Wissenschaft von der Seele entspringt aus bewußten Tätigkeiten, also, wenn man mit Kant einen inneren Sinn annimmt, durch die Wahrnehmung derselben, oder aus dem *Sinnlichen.* Gäbe es nun eine Wissenschaft a priori: so würde diese, im Gegensatz mit jener, eine von aller sinnlichen Wahrnehmung unabhängige oder eine *nicht-sinnliche* sein. In dem Gebiete des Sittlichen aber haben wir einen ähnlichen Gegensatz. Denn Gefühle und Triebe werden eben so, wie Erkenntnisse, zunächst durch äußere Einflüsse geweckt und genährt, und sind also *sinnliche* Gefühle und Triebe. Zu diesen jedoch gehören offenbar die sittlichen nicht, können also mit Recht *nicht-sinnlich* heißen. Eine Gleichnamigkeit, die zu einer trefflichen Theorie verarbeitet werden kann! Denn wie sollte es nun nicht Jedem, der nur *hören* kann, deutlich sein, daß die *nicht-sinnlichen* Triebe und Gefühle nur *nicht-sinnlich* erkannt werden können; jede *sinnliche* Erkentnis von Begehrungen aber, oder jede, die sich aus bewußten Tätigkeiten entwickelt, zugleich die Verunreinigung der *sinnlichen* Begierde mit sich führen muß? Als wenn rot und blau deswegen stets beisammen, oder gar Eins sein müßten, weil sie doch beide »nicht weiß« sind! Nein, lieber Karl, so darf keine Wissenschaft schließen, die bis zur klaren Anschauung dessen vorgedrungen ist, was sie wissen soll. Warum kann das sittliche Wollen nicht eben so wohl als ein *einzelnes* in uns entstehn, und, als solches, wenn wir uns nun einmal dieses Ausdrucks bedienen wollen, durch den inneren *Sinn* wahrgenommen werden? *Diese* Sinnlichkeit der *Erkenntnis* hat mit *der* Sinnlichkeit, welche der Sittlichkeit gegenübersteht, nicht das Geringste gemein.

Aber ich kann Dir, lieber Karl, kein kräftigeres Gegenmittel gegen die Lehre vom Apriori geben, als die Stelle, welche mir hier bei'm Durchblättern von Kant's Metaphysik der Sitten in die Augen fällt, und die gleichsam die höchste Spitze, der Zielpunkt ihrer ganzen Untersuchung ist, die endliche Auflösung der Frage nämlich, wie reine Vernunft praktisch werden könne. Da heißt es dann S. 110: »Das vernünftige Wesen zählt sich als Intelligenz zur Verstandeswelt, und bloß als eine zu dieser gehörige wirkende Ursache nennt es seine Kausalität Willen. Von der anderen Seite ist es sich seiner doch als eines Stücks der Sinnenwelt bewußt, in welcher seine Handlungen, als bloße Erscheinungen jener Kausalität, angetroffen werden, deren Möglichkeit aber aus dieser, die wir nicht kennen, nicht eingesehn werden kann, sondern an deren Statt jene Handlungen als bestimmt durch andere Erscheinungen, nämlich Begierden und Neigungen, als zur Sinnenwelt gehörig, eingesehn werden müssen. Als bloßen Gliedes der Verstandeswelt würden also alle meine Handlungen dem Prinzip der Autonomie des reinen Willens vollkommen gemäß sein; als bloßen Stücks der Sinnenwelt würden sie gänzlich dem Naturgesetz der Begierden und Neigungen, mithin der Heteronomie der Natur gemäß genommen werden müssen. (Die ersteren würden auf dem obersten Prinzip der Sittlichkeit, die zweiten der Glückseligkeit beruhn). *Weil aber die Verstandeswelt den Grund der Sinnenwelt, mithin auch der Gesetze derselben,* enthält, also in Ansehung meines Willens (der ganz zur Verstandeswelt gehört) unmittelbar gesetzgebend ist, und also auch als solche gedacht werden muß, so werde ich mich als Intelligenz, obgleich andererseits wie ein zur Sinnenwelt gehöriges Wesen, dennoch dem Gesetze der ersteren, d. i. der Vernunft, die in der Idee der Freiheit das Gesetz derselben enthält, und also der Autonomie des Willens, unterworfen erkennen, folglich die Gesetze der Verstandeswelt für mich als Imperativen, und die diesem Prinzip gemäßen Handlungen als Pflichten ansehn müssen.« – Ich bin recht eigentlich ungeduldig geworden unter dem Abschreiben, und es überläuft mich ein Schauer, wenn ich bedenke, daß man diese Worte nun schon beinah vierzig Jahre lang in Deutschland nachgesprochen und nachgeschrieben hat, worunter doch ihr Urheber eben so wenig etwas Deutliches denken konnte, als Du und ich. Ja gewiß, nicht bloße Saumseligkeit und Gleichgültigkeit hat die Philosophen anderer Völker abgehalten, uns auf dem von Kant betretenen Pfade zu folgen, und wenn es unter uns Sitte geworden ist, sie deshalb zu bedauern: so muß ich mich, trotz aller Vaterlandsliebe, zu ihrer Partei schlagen, welche *uns* bedauern, daß wir den Weizen wahrer philosophischer Erkenntnis, welchen vielleicht kein Volk in reicherem Maße hervorzubringen geschickt ist, als das *Deutsche,* so freventlich ersticken unter der Saat des verderblichen Unkrauts. Welch ein Gewebe von Widersprüchen in jener Theorie! Schon daß Kant überhaupt von der *Verstandeswelt* etwas *wissen* will, könnte ihm zum Vorwurf gemacht werden: denn er sagt es ja überall, daß die Erkenntnis derselben rein unmöglich sei, indem die Kategorien immer *sinnliche* Formen oder Schemata der Einbildungskraft erforderten. Unter der Form der Zeit müßten wir ja Alles denken, was wir überhaupt denken sollen, und ein Verstand, der ohne dieselbe die Dinge anschaute, sei selbst problematisch. Aber was noch mehr ist, nicht allein denken sollen wir hier die Verstandeswelt, sondern auch als *Ursache* denken. Eine Ursache *außer der Zeit,* und von ihr unabhängig! Aber noch nicht genug; wie hier nicht ein einzelnes Glied der Verstandeswelt, sondern die ganze Verstandeswelt Ursache, also in die Sinnenwelt hineinversetzt wird: so wird auf der anderen Seite das Moralgesetz (denn dieses ist ja dasjenige, dessen Praktischsein untersucht wird), offenbar doch ein Glied der Sinnenwelt, zu einem Gliede der intelligiblen erhoben, und soll, als solches, für jene Gesetze geben! – Gewiß, auch Dir, teurer Freund, kann unmöglich wohl werden in dieser dichten Finsternis, welche man uns als Tageslicht aufdringen will. Einer spricht es dem Andern nach, daß er in ihr klar sehe, weil er fürchtet, man möchte ihn etwa für blind halten, wenn er die Wahrheit sagte. Laß uns nicht den Schwarm dieser Traumwachenden vermehren! Was mich betrifft, ich bekenne offen und frei, daß ich von allen jenen gepriesenen Herrlichkeiten nichts sehe – *gar nichts*, als Nacht und Dunkel. Schäme Dich nicht, wenn Du auch nichts siehst. Mögen jene träumen, *wir wollen wachen!*

1 [Beneke zitiert hier und im folgenden nicht aus der ›Metaphysik der Sitten‹, sondern aus der 1. Auflage der Originalausgabe der ›Grundlegung zur Metaphysik der Sitten‹.]

2 Vgl. *Erkenntnislehre* S. 21 u. folg. *Erfahrungsseelenlehre* S. 28 u. folg. [F. A. Beneke, Erkenntnislehre, nach dem Bewußtsein der reinen Vernunft in ihren Grundzügen dargelegt, Jena 1820; ders., Erfahrungsseelenlehre, als Grundlage alles Wissens in ihren Hauptzügen dargestellt, Berlin 1820.]

3 [Vgl. Grundlegung zur Metaphysik der Sitten, AB S. 52. Das Zitat ist ungenau.]

4 [Vgl. Grundlegung zur Metaphysik der Sitten, AB S. 53 f. Es handelt sich nicht um ein Zitat, sondern um eine in Zitatform auftretende Paraphrase.]

5 [Vgl. Grundlegung zur Metaphysik der Sitten, AB S. 19.]

6 [Vgl. Grundlegung zur Metaphysik der Sitten, AB S. 53.]

7 [Vgl. Grundlegung zur Metaphysik der Sitten, AB S. 56. Das Zitat ist ungenau.]

8 [Vgl. Grundlegung zur Metaphysik der Sitten, AB S. 56. Das Zitat ist ungenau.]

Arthur Schopenhauer
Kritik des von Kant
der Ethik gegebenen Fundaments
(1841 [1860])

Von der imperativen Form der Kantischen Ethik

Kants πρωτον ψευδος liegt in seinem Begriff von der Ethik selbst, den wir am deutlichsten ausgesprochen finden S. 62[1]. »In einer praktischen Philosophie ist es nicht darum zu tun, Gründe anzugeben von dem was geschieht, sondern Gesetze von dem was *geschehen soll, ob es gleich niemals geschieht.*« – Dies ist schon eine entschiedene Petitio principii. Wer sagt euch, daß es Gesetze gibt, denen unser Handeln sich unterwerfen *soll?* Wer sagt euch, daß *geschehen soll, was nie geschieht?* – Was berechtigt euch, dies vorweg anzunehmen und demnächst eine Ethik in legislatorisch-imperativer Form, als die allein mögliche, uns sofort aufzudringen? Ich sage, im Gegensatz zu Kant, daß der Ethiker wie der Philosoph überhaupt, sich begnügen muß mit der Erklärung und Deutung des Gegebenen, also des wirklich Seienden oder Geschehenden, um zu einem *Verständnis* desselben zu gelangen, und daß er hieran vollauf zu tun hat, viel mehr, als bis heute, nach abgelaufenen Jahrtausenden, getan ist. Obiger Kantischen *petitio principii* gemäß wird gleich in der, durchaus zur Sache gehörenden, Vorrede, vor aller Untersuchung angenommen, daß es rein *moralische Gesetze* gebe; welche Annahme nachher stehen bleibt und die tiefste Grundlage des ganzen Systems ist. Wir wollen aber doch zuvor den Begriff eines *Gesetzes* untersuchen. Die eigentliche und ursprüngliche Bedeutung desselben beschränkt sich auf das bürgerliche *Gesetz*, lex, νομος, eine menschliche Einrichtung, auf menschlicher Willkür beruhend. Eine zweite, abgeleitete, tropische, metaphorische Bedeutung hat der Begriff Gesetz in seiner Anwendung auf die Natur, deren teils a priori erkannte, teils ihr empirisch abgemerkte, sich stets gleichbleibende Verfahrungsweisen wir, metaphorisch, Naturgesetze nennen. Nur ein sehr kleiner

Teil dieser Naturgesetze ist es, der sich a priori einsehen läßt und Das ausmacht, was Kant scharfsinnig und vortrefflich ausgesondert und unter dem Namen Metaphysik der Natur zusammengestellt hat. Für den menschlichen Willen gibt es allerdings auch ein Gesetz, sofern der Mensch zur Natur gehört, und zwar ein streng nachweisbares, ein unverbrüchliches, ausnahmsloses, felsenfeststehendes, welches nicht, wie der kategorische Imperativ, *vel quasi*, sondern wirklich Notwendigkeit mit sich führt: es ist das Gesetz der Motivation, eine Form des Kausalitätsgesetzes, nämlich die durch das Erkennen vermittelte Kausalität. Dies ist das einzige nachweisbare Gesetz für den menschlichen Willen, dem dieser als solcher unterworfen ist. Es besagt, daß jede Handlung nur in Folge eines zureichenden Motivs eintreten kann. Es ist, wie das Gesetz der Kausalität überhaupt, ein Naturgesetz. Hingegen moralische Gesetze, unabhängig von menschlicher Satzung, Staatseinrichtung oder Religionslehre, dürfen ohne Beweis nicht als vorhanden angenommen werden: Kant begeht also durch diese Vorausnahme eine Petitio principii. Sie erscheint um so dreister, als er sogleich, S. VI der Vorrede[2], hinzufügt, daß ein moralisches Gesetz »absolute Notwendigkeit« bei sich führen soll. Eine solche aber hat überall zum Merkmal die Unausbleiblichkeit des Erfolgs: wie kann nun von absoluter Notwendigkeit die Rede sein bei diesen angeblichen moralischen Gesetzen; als ein Beispiel von welchen er »du sollst (sic) nicht lügen« anführt; da sie bekanntlich und wie er selbst eingesteht, meistens, ja, in der Regel, erfolglos bleiben? Um in der wissenschaftlichen Ethik, außer dem Gesetze der Motivation, noch andere, ursprüngliche und von aller Menschensatzung unabhängige Gesetze für den Willen anzunehmen, hat man sie ihrer ganzen Existenz nach zu beweisen und abzuleiten; wenn man darauf bedacht ist, in der Ethik die Redlichkeit nicht bloß anzuempfehlen, sondern auch zu üben. Bis jener Beweis geführt worden, erkenne ich für die Einführung des Begriffes Gesetz, Vorschrift, Soll in die Ethik keinen andern Ursprung an, als einen der Philosophie fremden, den Mosaischen Dekalog. Diesen Ursprung verrät sogar naiv, auch im obigen, dem ersten von Kant aufgestellten Beispiel eines moralischen Gesetzes, die Orthographie »du sollst«. Ein Begriff, der keinen andern, als solchen Ursprung aufzuweisen

hat, darf aber nicht so ohne Weiteres sich in die philosophische Ethik drängen, sondern wird hinausgewiesen, bis er
durch rechtmäßigen Beweis beglaubigt und eingeführt ist. Bei
Kant haben wir an ihm die erste Petitio principii, und sie ist
groß.

Wie nun, mittelst derselben, Kant, in der Vorrede, den
Begriff des Moralgesetzes ohne Weiteres als gegeben und
unbezweifelt vorhanden genommen hatte; ebenso macht er es
S. 8 mit dem jenem eng verwandten Begriff der Pflicht,
welcher, ohne weitere Prüfung zu bestehen, als in die Ethik
gehörig hineingelassen wird. Allein ich bin genötigt, hier
abermals Protest einzulegen. Dieser Begriff, samt seinen
Anverwandten, also dem des Gesetzes, Gebotes, Sollens u.
dergl. hat, in diesem unbedingten Sinn genommen, seinen
Ursprung in der theologischen Moral, und bleibt in der philosophischen so lange ein Fremdling, bis er eine gültige Beglau-
bigung aus dem Wesen der menschlichen Natur, oder dem der
objektiven Welt beigebracht hat. Bis dahin erkenne ich für ihn
und seine Anverwandten keinen andern Ursprung als den
Dekalog. Überhaupt hat, in den christlichen Jahrhunderten,
die philosophische Ethik ihre Form unbewußt von der theologischen genommen: da nun diese wesentlich eine gebietende
ist; so ist auch die philosophische in der Form von Vorschrift
und Pflichtenlehre aufgetreten, in aller Unschuld und ohne zu
ahnen, daß hierzu erst eine anderweitige Befugnis nötig sei;
vielmehr vermeinend, dies sei eben ihre eigene und natürliche
Gestalt. So unleugbar und von allen Völkern, Zeiten und
Glaubenslehren, auch von allen Philosophen (mit Ausnahme
der eigentlichen Materialisten) anerkannt, die metaphysische,
d. h. über dieses erscheinende Dasein hinaus sich erstreckende
und die Ewigkeit berührende ethische Bedeutsamkeit des
menschlichen Handelns ist; so wenig ist es dieser wesentlich,
in der Form des Gebietens und Gehorchens, des Gesetzes und
der Pflicht aufgefaßt zu werden. Getrennt von den theologischen Voraussetzungen, aus denen sie hervorgegangen, verlieren überdem diese Begriffe eigentlich alle Bedeutung, und
wenn man, wie Kant, jene dadurch zu ersetzen vermeint, daß
man von absolutem Sollen und unbedingter Pflicht redet; so
speist man den Leser mit Worten ab, ja gibt ihm eigentlich
eine Contradictio in adjecto zu verdauen. [...] Jedes Sollen

ist notwendig durch Strafe, oder Belohnung bedingt, mithin, in Kants Sprache zu reden, wesentlich und unausweichbar hypothetisch und niemals, wie er behauptet, kategorisch. [...] Eine gebietende Stimme, sie mag nun von Innen, oder von Außen kommen, ist es schlechterdings unmöglich, sich anders, als drohend, oder versprechend zu denken: dann aber wird der Gehorsam gegen sie zwar, nach Umständen, klug oder dumm, jedoch stets eigennützig, mithin ohne moralischen Wert sein. Die völlige Undenkbarkeit und Widersinnigkeit dieses der Ethik Kants zum Grunde liegenden Begriffs eines unbedingten Sollens tritt in seinem System selbst später, nämlich in der Kritik der praktischen Vernunft, hervor; wie ein verlarvtes Gift im Organismus nicht bleiben kann, sondern endlich hervorbrechen und sich Luft machen muß. Nämlich jenes so unbedingte Soll postuliert sich hinterher doch eine Bedingung, und sogar mehr als eine, nämlich eine Belohnung, dazu die Unsterblichkeit des zu Belohnenden und einen Belohner. Das ist freilich notwendig, wenn man einmal Pflicht und Soll zum Grundbegriff der Ethik gemacht hat; da diese Begriffe wesentlich relativ sind und alle Bedeutung nur haben durch angedrohte Strafe, oder verheißene Belohnung. Dieser Lohn, der für die Tugend, welche also nur scheinbar unentgeltlich arbeitete, hinterdrein postuliert wird, tritt aber anständig verschleiert auf, unter dem Namen des höchsten Guts, welches die Vereinigung der Tugend und Glückseligkeit ist. Dieses ist aber im Grunde nichts Anderes, als die auf Glückseligkeit ausgehende, folglich auf Eigennutz gestützte Moral, oder Eudämonismus, welche Kant als heteronomisch feierlich zur Haupttüre seines Systems hinausgeworfen hatte, und die sich nun unter dem Namen höchstes Gut zur Hintertüre wieder hereinschleicht. So rächt sich die einen Widerspruch verbergende Annahme des unbedingten, absoluten Sollens. Das bedingte Sollen andererseits kann freilich kein ethischer Grundbegriff sein, weil Alles, was mit Hinsicht auf Lohn oder Strafe geschieht, notwendig egoistisches Tun und als solches ohne rein moralischen Wert ist. – Aus allem Diesem wird ersichtlich, daß es einer großartigern und unbefangenern Auffassung der Ethik bedarf, wenn es Ernst damit ist, die sich über die Erscheinung hinaus erstreckende, ewige Bedeutsamkeit des menschlichen Handelns wirklich ergründen zu wollen.

Wie alles Sollen schlechterdings an eine Bedingung gebunden ist, so auch alle Pflicht. Denn beide Begriffe sind sich sehr nahe verwandt und beinahe identisch. Der einzige Unterschied zwischen ihnen möchte sein, daß Sollen überhaupt auch auf bloßem Zwange beruhen kann, Pflicht hingegen Verpflichtung, d. h. Übernahme der Pflicht, voraussetzt: eine solche hat Statt zwischen Herrn und Diener, Vorgesetztem und Untergebenen, Regierung und Untertanen. Eben weil Keiner eine Pflicht unentgeltlich übernimmt, gibt jede Pflicht auch ein Recht. Der Sklave hat keine Pflicht, weil er kein Recht hat; aber es gibt ein Soll für ihn, welches auf bloßem Zwange beruht. Im folgenden Teile werde ich die alleinige Bedeutung, welche der Begriff Pflicht in der Ethik hat, aufstellen.

Die Fassung der Ethik in einer imperativen Form, als Pflichtenlehre, und das Denken des moralischen Wertes oder Unwertes menschlicher Handlungen als Erfüllung oder Verletzung von Pflichten, stammt, mitsamt dem Sollen, unleugbar nur aus der theologischen Moral und demnächst aus dem Dekalog. Demgemäß beruht sie wesentlich auf der Voraussetzung der Abhängigkeit des Menschen von einem andern, ihm gebietenden und Belohnung oder Strafe ankündigenden Willen, und ist davon nicht zu trennen. So ausgemacht die Voraussetzung eines solchen in der Theologie ist; so wenig darf sie stillschweigend und ohne Weiteres in die philosophische Moral gezogen werden. Dann aber darf man auch nicht vorweg annehmen, daß in dieser die imperative Form, das Aufstellen von Geboten, Gesetzen und Pflichten, sich von selbst verstehe und ihr wesentlich sei; wobei es ein schlechter Notbehelf ist, die solchen Begriffen, ihrer Natur nach, wesentlich anhängende äußere Bedingung durch das Wort »absolut« oder »kategorisch« zu ersetzen, als wodurch, wie gesagt, eine Contradictio in adjecto entsteht.

Nachdem nun aber Kant diese imperative Form der Ethik, stillschweigend und unbesehens, von der theologischen Moral entlehnt hatte, deren Voraussetzungen, also die Theologie, derselben eigentlich zum Grunde liegen und in der Tat als Das, wodurch allein sie Bedeutung und Sinn hat, unzertrennlich von ihr, ja, implicite darin enthalten sind; da hatte er nachher leichtes Spiel, am Ende seiner Darstellung, aus seiner

Moral wieder eine Theologie zu entwickeln, die bekannte Moraltheologie. Denn da brauchte er nur die Begriffe, welche implicite durch das Soll gesetzt, seiner Moral versteckt zum Grunde lagen, ausdrücklich hervorzuholen und jetzt sie explicite als Postulate der praktischen Vernunft aufzustellen. So erschien denn, zur großen Erbauung der Welt, eine Theologie, die bloß auf Moral gestützt, ja, aus dieser hervorgegangen war. Das kam aber daher, daß diese Moral selbst auf versteckten theologischen Voraussetzungen beruht. Ich beabsichtige kein spöttisches Gleichnis: aber in der Form hat die Sache Analogie mit der Ueberraschung, die ein Künstler in der natürlichen Magie uns bereitet, indem er eine Sache uns da finden läßt, wohin er sie zuvor weislich praktiziert hatte. – In abstracto ausgesprochen ist Kants Verfahren dieses, daß er zum Resultat machte, was das Prinzip oder die Voraussetzung hätte sein müssen (die Theologie), und zur Voraussetzung nahm, was als Resultat hätte abgeleitet werden sollen (das Gebot). Nachdem er nun aber so das Ding auf den Kopf gestellt hatte, erkannte es Niemand, ja er selbst nicht, für Das was es war, nämlich die alte, wohlbekannte theologische Moral. [...]

Vom Fundament der Kantischen Ethik

An die im § 4. als petitio principii nachgewiesene imperative Form der Ethik knüpft sich unmittelbar eine Lieblingsvorstellung Kants, die zwar zu entschuldigen, aber nicht anzunehmen ist. – Wir sehen bisweilen einen Arzt, der ein Mittel mit glänzendem Erfolge angewandt hat, dasselbe fortan in fast allen Krankheiten geben: ihm vergleiche ich Kanten. Er hat, durch die Scheidung des a priori von dem a posteriori in der menschlichen Erkenntnis, die glänzendste und folgenreichste Entdeckung gemacht, deren die Metaphysik sich rühmen kann. Was Wunder, daß er nun diese Methode und Sonderung überall anzuwenden sucht? Auch die Ethik soll daher aus einem reinen, d. h. a priori erkennbaren und aus einem empirischen Teile bestehen. Letztern weist er, als für die Begründung der Ethik unzulässig, ab. Erstern aber herauszufinden und gesondert darzustellen, ist sein Vorhaben in der »Grundlegung der Metaphysik der Sitten«, welche demgemäß eine Wissenschaft rein a priori sein soll, in dem Sinne, wie die von ihm aufgestellten »Metaphysischen Anfangsgründe der Naturwissenschaft«. Sonach soll nun jenes, ohne Berechtigung und ohne Ableitung oder Beweis, als vorhanden zum voraus angenommene moralische Gesetz noch dazu ein a priori erkennbares, von aller innern wie äußern Erfahrung unabhängiges, »lediglich auf Begriffen der reinen Vernunft beruhendes, es soll ein synthetischer Satz a priori sein« (Kritik der praktischen Vernunft, S. 56 der vierten Auflage): hiermit hängt genau zusammen, daß dasselbe bloß formal sein muß, wie alles a priori Erkannte, mithin bloß auf die Form, nicht auf den Inhalt der Handlungen sich beziehen muß. – Man denke, was das sagen will! – Er fügt (S. VI der Vorrede zur Grundlegung[3]) ausdrücklich hinzu, daß es »nicht in der Natur des Menschen (dem Subjektiven), noch in den Umständen in der Welt (dem Objektiven) gesucht werden dürfe« und (ebendaselbst S. VII[4]), daß »nicht das Mindeste dabei entlehnt werden dürfe aus der Kenntnis des Menschen, d. i. der Anthropologie«. Er wiederholt noch (S. 59), »daß man sich ja nicht in den Sinn kommen lassen dürfe, die Realität seines Moralprinzips aus der besondern Beschaffenheit der menschlichen Natur ableiten zu wollen«; desgleichen (S. 60): daß »Alles, was aus einer besondern Naturanlage der Menschheit, aus gewissen Gefühlen und Hange, ja sogar, wo möglich, aus einer besondern Richtung, die der menschlichen Natur eigen wäre und nicht notwendig für den Willen jedes vernünftigen Wesens gelten müßte, abgeleitet wird«, keine Grundlage für das moralische Gesetz abgeben könne. Dies bezeugt unwidersprechlich, daß er das angebliche Moralgesetz nicht als eine Tatsache des Bewußtseins, ein empirisch Nachweisbares, aufstellt; – wofür die Philosophaster neuerer Zeit, samt und sonders, es ausgeben möchten. Wie alle innere, so weist er noch entschiedener alle äußere Erfahrung ab, indem er jede empirische Grundlage der Moral verwirft. Er gründet also, welches ich wohl zu merken bitte, sein Moralprinzip nicht auf irgend eine nachweisbare Tatsache des Bewußtseins, etwa eine innere Anlage; – so wenig wie auf irgend ein objektives Verhältnis der Dinge in der Außenwelt. Nein! Das wäre eine empirische Grundlage. Sondern reine Begriffe a priori, d. h.

Begriffe, die noch gar keinen Inhalt, aus der äußern oder innern Erfahrung, haben, also pure Schale ohne Kern sind, sollen die Grundlage der Moral sein. Man erwäge, wieviel das sagen will: das menschliche Bewußtsein sowohl, als die ganze Außenwelt, samt aller Erfahrung und Tatsachen in ihnen, ist unter unsern Füßen weggezogen. Wir haben nichts, worauf wir stehen. Woran aber sollen wir uns halten? An ein Paar ganz abstrakter, noch völlig stoffloser Begriffe, die ebenfalls gänzlich in der Luft schweben. Aus diesen, ja, eigentlich aus der bloßen Form ihrer Verbindung zu Urteilen, soll ein Gesetz hervorgehen, welches mit sogenannter absoluter Notwendigkeit gelten und die Kraft haben soll, dem Drange der Begierden, dem Sturm der Leidenschaft, der Riesengröße des Egoismus Zaum und Gebiß anzulegen. Das wollen wir denn doch sehen.

Mit diesem vorgefaßten Begriff von der unumgänglich nötigen Apriorität und Reinheit von allem Empirischen für die Grundlage der Moral, ist eine zweite Lieblingsvorstellung Kants eng verknüpft: nämlich, das aufzustellende Moralprinzip, da es ein synthetischer Satz a priori, von bloß formellem Inhalt, mithin ganz Sache der reinen Vernunft sein muß, soll als solches auch nicht für Menschen allein, sondern für alle möglichen vernünftigen Wesen und »allein darum«, also nebenbei und per accidens, auch für die Menschen gelten. Denn dafür ist es auf reine Vernunft (die nichts, als sich selbst und den Satz vom Widerspruch kennt) und nicht auf irgend ein Gefühl basiert. Diese reine Vernunft wird also hier nicht als eine Erkenntnis des Menschen, was sie doch allein ist, genommen; sondern als etwas für sich Bestehendes hypostasiert, ohne alle Befugnis und zu perniziosestem Beispiel und Vorgang; welches zu belegen unsere jetzige erbärmliche philosophische Zeitperiode dienen kann. Inzwischen ist diese Aufstellung der Moral nicht für Menschen als Menschen, sondern für alle vernünftigen Wesen als solche, Kanten eine so angelegte Hauptsache und Lieblingsvorstellung, daß er nicht müde wird, sie bei jeder Gelegenheit zu wiederholen. Ich sage dagegen, daß man nie zur Aufstellung eines Genus befugt ist, welches uns nur in einer einzigen Spezies gegeben ist, in dessen Begriff man daher schlechterdings nichts bringen könnte, als was man von dieser einen Spezies entnommen hätte, daher was man vom Genus aussagte, doch immer nur von der einen Spezies zu verstehen sein würde; während, indem man, um das Genus zu bilden, unbefugt weggedacht hätte, was dieser Spezies zukommt, man vielleicht gerade die Bedingung der Möglichkeit der übrig gelassenen und als Genus hypostasierten Eigenschaften aufgehoben hätte. Wie wir die Intelligenz überhaupt schlechterdings nur als eine Eigenschaft animalischer Wesen kennen und deshalb nimmermehr berechtigt sind, sie als außerdem und unabhängig von der animalischen Natur existierend zu denken; so kennen wir die Vernunft allein als Eigenschaft des menschlichen Geschlechts und sind schlechterdings nicht befugt, sie als außer diesem existierend zu denken und ein Genus »Vernünftige Wesen« aufzustellen, welches von seiner alleinigen Spezies »Mensch« verschieden wäre, noch weniger aber, für solche imaginäre vernünftige Wesen in abstracto Gesetze aufzustellen. Von vernünftigen Wesen außer dem Menschen zu reden, ist nicht anders, als wenn man von schweren Wesen außer den Körpern reden wollte. Man kann sich des Verdachts nicht erwehren, daß Kant dabei ein wenig an die lieben Engelein gedacht, oder doch auf deren Beistand in der Überzeugung des Lesers gezählt habe. Jedenfalls liegt darin eine stille Voraussetzung der anima rationalis, welche, von der anima sensitiva und anima vegetativa ganz verschieden, nach dem Tode übrig bliebe und dann weiter nichts wäre, als eben rationalis. Aber dieser völlig transzendenten Hypostase hat er doch selbst, in der Kritik der reinen Vernunft, ausdrücklich und ausführlich ein Ende gemacht. [...]

Indem also Kant die Methode, welche er mit so vielem Glück in der theoretischen Philosophie angewandt hatte, auf die praktische übertragen und demnach auch hier die reine Erkenntnis a priori von der empirischen a posteriori trennen wollte, nahm er an, daß, wie wir die Gesetze des Raums, der Zeit und der Kausalität a priori erkennen; so auch, oder doch auf analoge Weise, die moralische Richtschnur für unser Tun vor aller Erfahrung uns gegeben sei und sich äußere als kategorischer Imperativ, als absolutes Soll. Aber wie himmelweit ist der Unterschied zwischen jenen theoretischen Erkenntnissen a priori, welche darauf beruhen, daß sie die bloßen Formen, d. h. Funktionen, unsers Intellekts ausdrücken, mittelst deren allein wir eine objektive Welt aufzufassen fähig sind, in denen diese sich also darstellen muß, daher eben für dieselbe jene Formen absolut gesetzgebend sind, so daß alle Erfahrung jedes Mal ihnen genau entsprechen muß, wie Alles, was ich durch ein blaues Glas sehe, sich blau darstellen muß, – und jenem angeblichen Moralgesetze a priori, dem die Erfahrung bei jedem Schritte Hohn spricht, ja, nach Kanten selbst, es zweifelhaft läßt, ob sie sich auch nur ein einziges Mal wirklich nach demselben gerichtet habe. Welche ganz disparate Dinge werden hier unter den Begriff der Apriorität zusammengestellt! Zudem übersah Kant, daß, seiner eigenen Lehre zufolge, in der theoretischen Philosophie, gerade die Apriorität der erwähnten, von der Erfahrung unabhängigen Erkenntnisse sie auf die bloße Erscheinung, d. h. die Vorstellung der Welt in unserm Kopfe, beschränkt und ihnen alle Gültigkeit hinsichtlich auf das Wesen an sich der Dinge, d. h. das unabhängig von unserer Auffassung Vorhandene, völlig benimmt. Diesem entsprechend müßte, auch in der praktischen Philosophie, sein angebliches Moralgesetz, wenn es a priori in unserm Kopfe entsteht, gleichfalls nur eine Form der Erscheinung sein und das Wesen an sich der Dinge unberührt lassen. Allein diese Konsequenz würde im größten Widerspruche sowohl mit der Sache selbst, als mit Kants Ansichten derselben stehen; da er durchgängig (z. B. Kritik der praktischen Vernunft, S. 175) gerade das Moralische in uns als in der engsten Verbindung mit dem wahren Wesen an sich der Dinge, ja, als unmittelbar dieses treffend, darstellt; auch in der Kritik der reinen Vernunft, überall wo das geheimnisvolle Ding an sich irgend deutlicher hervortritt, es sich zu erkennen gibt als das Moralische in uns, als Wille. Aber darüber hat er sich hinweggesetzt. [...]

Seite 14 erhalten wir endlich die Definition des Grundbegriffs der ganzen Kantischen Ethik, der *Pflicht:* sie sei »*die Notwendigkeit einer Handlung, aus Achtung vor dem Gesetz*«. – Aber was *notwendig* ist, das geschieht und ist unausbleiblich; hingegen die Handlungen aus reiner Pflicht bleiben nicht nur meistens aus; sondern sogar gesteht Kant selbst, S. 25, daß man von der Gesinnung, aus reiner Pflicht zu handeln, *gar keine sichere Beispiele* habe; – und S. 26, »es sei schlechterdings unmöglich, durch Erfahrung *einen einzigen*

Fall mit Gewißheit auszumachen, wo eine pflichtmäßige Handlung lediglich auf der Vorstellung der Pflicht beruht habe«, und ebenso S. 28 und S. 49. In welchem Sinn kann denn einer solchen Handlung *Notwendigkeit* beigelegt werden? Da es billig ist, einen Autor stets auf das günstigste auszulegen, wollen wir sagen, daß seine Meinung dahin geht, eine pflichtmäßige Handlung sei *objektiv* notwendig, aber *subjektiv* zufällig. Allein gerade das ist nicht so leicht gedacht, wie gesagt: wo ist denn das *Objekt* dieser *objektiven* Notwendigkeit, deren Erfolg in der objektiven Realität meistens und vielleicht immer ausbleibt? Bei aller Billigkeit der Auslegung kann ich doch nicht umhin zu sagen, daß der Ausdruck der Definition »*Notwendigkeit einer Handlung*« nichts Anderes ist, als eine künstlich versteckte, sehr gezwungene Umschreibung des Wortes *Soll*. Diese Absicht wird uns noch deutlicher, wenn wir bemerken, daß in der selben Definition das Wort *Achtung* gebraucht ist, wo *Gehorsam* gemeint war. Nämlich in der Anmerkung, S. 16, heißt es: »*Achtung* bedeutet bloß die Unterordnung meines Willens unter einem Gesetz. Die unmittelbare Bestimmung durchs Gesetz und das Bewußtsein derselben heißt *Achtung*.« In welcher Sprache? Was hier angegeben ist, heißt auf Deutsch *Gehorsam*. Da aber das Wort *Achtung* nicht ohne Grund so unpassend an die Stelle des Wortes *Gehorsam* gesetzt sein kann; so muß es wohl irgendeiner Absicht dienen, und diese ist offenbar keine andere, als die Abstammung der imperativen Form und des Pflichtbegriffs aus der *theologischen* Moral zu verschleiern; wie wir vorhin sahen, daß der Ausdruck *Notwendigkeit einer Handlung*, der so sehr gezwungen und ungeschickt die Stelle des *Soll* vertritt, nur deshalb gewählt war, weil das *Soll* gerade die Sprache des *Dekalogs* ist. Obige Definition: „Pflicht ist die Notwendigkeit einer Handlung aus Achtung vor dem Gesetz«, würde also in ungezwungener und unverdeckter Sprache, d. h. ohne Maske, lauten: »*Pflicht* bedeutet eine Handlung, die aus *Gehorsam* gegen ein Gesetz geschehen *soll*.« – Dies ist »des Pudels Kern«.

Nun aber das Gesetz, dieser letzte Grundstein der Kantischen Ethik! *Was ist sein Inhalt? Und wo steht es geschrieben?* Dies ist die Hauptfrage. Ich bemerke zunächst, daß es *zwei* Fragen sind: Die eine geht auf das *Prinzip*, die andere auf das

Fundament der Ethik, zwei ganz verschiedene Dinge, obwohl sie meistens und bisweilen wohl absichtlich vermischt werden.

Das *Prinzip* oder der oberste *Grundsatz* einer Ethik ist der kürzeste und bündigste Ausdruck für die Handlungsweise, die sie vorschreibt, oder, wenn sie keine imperative Form hätte, die Handlungsweise, welcher sie eigentlichen moralischen Wert zuerkennt. Es ist mithin ihre, durch *einen* Satz ausgedrückte Anweisung zur Tugend überhaupt, also das ὅ, τι der Tugend. – Das *Fundament* einer Ethik hingegen ist das διότι der Tugend, der Grund jener Verpflichtung oder Anempfehlung oder Belobung, er mag nun in der Natur des Menschen, oder in äußeren Weltverhältnissen, oder worin sonst gesucht werden. Wie in *allen* Wissenschaften sollte man auch in der *Ethik* das ὅ, τι vom διότι deutlich unterscheiden. Die meisten Ethiker verwischen hingegen geflissentlich diesen Unterschied: wahrscheinlich weil das ὅ, τι so leicht, das διότι hingegen so entsetzlich schwer anzugeben ist; daher man gern die Armut auf der *einen* Seite durch den Reichtum auf der *andern* zu kompensieren und, mittelst Zusammenfassung beider in *einen* Satz, eine glückliche Vermählung der Πενία mit dem Πορος zu Stande zu bringen sucht. Meistens geschieht dies dadurch, daß man das Jedem wohlbekannte ὅ, τι nicht in seiner Einfachheit ausspricht, sondern es in eine künstliche Formel zwängt, aus der es erst als Konklusion gegebener Prämissen geschlossen werden muß; wobei dann dem Leser zu Mute wird, als hätte er nicht bloß die Sache, sondern auch den Grund der Sache erfahren. Hievon kann man sich an den meisten allbekannten Moralprinzipien leicht überzeugen. Da nun aber ich, im folgenden Teil, dergleichen Kunststücke nicht auch vorhabe, sondern ehrlich zu verfahren und nicht das *Prinzip* der Ethik zugleich als ihr *Fundament* geltend zu machen, vielmehr beide ganz deutlich zu sondern gedenke, so will ich jenes ὅ, τι, also das *Prinzip*, den *Grundsatz*, über dessen Inhalt alle Ethiker eigentlich einig sind, in so verschiedene Formen sie ihn auch kleiden, gleich hier auf den Ausdruck zurückführen, den ich für den allereinfachsten und reinsten halte: Neminem laede; imo omnes, quantum potes, juva. Dies ist eigentlich der Satz, welchen zu *begründen* alle Sittenlehrer sich abmühen, das gemeinsame Resultat ihrer so verschiedenartigen Deduktionen: es ist das $\acute{o}, \tau\iota,$ zu welchem das $\delta\iota\acute{o}\tau\iota$ noch immer gesucht wird, die Folge, zu der man den Grund verlangt, folglich selbst erst das Datum, zu welchem das Quaesitum das Problem jeder Ethik, wie auch der vorliegenden Preisfrage ist. Die Lösung dieses Problems wird das eigentliche *Fundament* der Ethik liefern, welches man, wie den Stein der Weisen, seit Jahrtausenden sucht. Daß aber das Datum, das $\acute{o}, \tau\iota,$ das Prinzip, wirklich seinen reinsten Ausdruck an obiger Formel hat, ist daraus ersichtlich, daß diese zu jedem andern Moralprinzip sich als Konklusion zu den Prämissen, also als das, wohin man eigentlich will, verhält; so daß jedes andere Moralprinzip als eine Umschreibung, ein indirekter oder verblümter Ausdruck, jenes einfachen Satzes anzusehen ist. Dies gilt z. B. selbst von dem für einfach gehaltenen, trivialen Grundsatz: Quod tibi fieri non vis, alteri ne feceris, dessen Mangel, daß er bloß die Rechts- und nicht die Tugendpflichten ausdrückt, durch eine Wiederholung ohne non und ne leicht abzuhelfen ist. Denn auch er will alsdann eigentlich sagen: Neminem laede, imo omnes, quantum potes, juva; führt aber auf einem Umweg dahin, und gewinnt dadurch das Ansehen, als hätte er auch den Realgrund, das $\delta\iota\acute{o}\tau\iota$ jener Vorschrift gegeben; was doch nicht der Fall ist, da daraus, daß ich nicht will, daß mir etwas geschehe, keineswegs folgt, daß ich es Andern nicht tun solle. Dasselbe gilt von jedem bisher aufgestellten Princip oder obersten *Grundsatz* der Moral.

Wenn wir jetzt zurückkehren zu unserer obigen Frage: wie lautet denn das *Gesetz*, in dessen Befolgung, nach *Kant*, die *Pflicht* besteht; und worauf ist es gegründet? – so werden wir finden, daß auch *Kant* das *Prinzip* der Moral mit dem *Fundament* derselben auf eine sehr künstliche Weise eng verknüpft hat. Ich erinnere nunmehr an die schon anfangs in Erwägung genommene Forderung *Kants*, daß das Moralprinzip rein a priori und rein formal, ja, ein synthetischer Satz a priori sein soll, und daher keinen materialen Inhalt haben und auf gar nichts Empirischem, d. h. weder auf etwas Objektivem in der Außenwelt, noch auf etwas Subjektivem im Bewußtsein, dergleichen irgend ein Gefühl, Neigung, Trieb wäre, beruhen darf. *Kant* war sich der Schwierigkeit dieser Aufgabe deutlich bewußt; da er S. 60 sagt: »Hier sehen wir nun die Philosophie in der Tat auf einen mißlichen Standpunkt gestellt, der fest sein soll, unerachtet er weder im Himmel noch auf Erden an Etwas hängt, oder woran gestützt wird.« Um so mehr müssen wir mit Spannung der Lösung der Aufgabe, die er sich selbst gestellt hat, entgegen sehen und begierig erwarten, wie nun Etwas aus Nichts werden, d. h. aus rein apriorischen Begriffen, ohne allen empirischen und materialen Inhalt, die Gesetze des materialen, menschlichen Handelns konkreszieren sollen. [...]

Da *Kant,* indem er alle empirischen Triebfedern des Willens verschmähte, alles Objektive und alles Subjektive, darauf ein Gesetz für denselben zu gründen wäre, als empirisch, zum voraus weggenommen hat; so bleibt ihm zum *Stoff* dieses *Gesetzes* nichts übrig, als dessen eigene *Form.* Diese nun ist eben nur die *Gesetzmäßigkeit. Die Gesetzmäßigkeit* aber besteht im Gelten für Alle, also in der *Allgemeingültigkeit.* Diese demnach wird zum *Stoff.* Folglich ist der Inhalt des Gesetzes nichts Anderes, als seine *Allgemeingültigkeit* selbst. Demzufolge wird es lauten: »Handle nur nach der Maxime, von der du zugleich wollen kannst, daß sie allgemeines Gesetz für alle vernünftige Wesen werde.« – Dieses also ist die so allgemein verkannte, eigentliche *Begründung des Moralprinzips Kants,* mithin das *Fundament* seiner ganzen Ethik. – Man vergleiche noch Kritik der praktischen Vernunft, S. 61, das Ende der Anmerkung 1. – Dem großen Scharfsinn, womit *Kant* das Kunststück ausgeführt hat, zolle ich meine aufrichtige Bewunderung, fahre aber in meiner ernsten Prüfung nach dem Maßstabe der Wahrheit fort. Ich bemerke nur noch, zum Behuf nachheriger Wiederaufnahme, daß die *Vernunft,* indem und insofern sie das eben dargelegte spezielle Räsonnement vollzieht, den Namen der *praktischen Vernunft* erhält. Der kategorische Imperativ der praktischen Vernunft ist aber das aus dem dargelegten Gedankenprozeß sich als Resultat ergebende Gesetz: also ist die praktische Vernunft keineswegs, wie die Meisten, und auch schon *Fichte,* es ansahen, ein nicht weiter zurückzuführendes besonderes Vermögen, eine qualitas occulta, eine Art Moralitäts-Instinkt, dem moral sense des Hutcheson ähnlich; sondern ist (wie auch *Kant* in der Vorrede, S. XII[5] und oft genug außerdem sagt) Eins und Dasselbe mit der *theoretischen Vernunft,* ist nämlich diese selbst, sofern sie den dargelegten Gedankenprozeß vollzieht. *Fichte* nämlich nennt den kategorischen Imperativ Kants ein *absolutes Postulat* (Grundlage der gesamten Wissenschaftslehre, Tübingen 1802, S. 240 Anmerkung). Dies ist der moderne, beschönigende Ausdruck für petitio principii, und so auch hat er selbst den kategorischen Imperativ durchgängig genommen, ist also im oben gerügten Irrtum mitbegriffen.

Der Einwand nun, welchem jene von *Kant* der Moral gegebene Grundlage zunächst und unmittelbar unterliegt, ist, daß dieser Ursprung eines Moralgesetzes in uns darum unmöglich ist, weil er voraussetzt, daß der Mensch ganz von selbst auf den Einfall käme, sich nach einem *Gesetz* für seinen Willen, dem dieser sich zu unterwerfen und zu fügen hätte, umzusehen und zu erkundigen. Dies aber kann ihm unmöglich von selbst in den Sinn kommen, sondern höchstens nur, nachdem schon eine andere positiv wirksame, reale und als solche sich von selbst ankündigende, ungerufen auf ihn einwirkende, ja eindringende, moralische Triebfeder den ersten Anstoß und Anlaß dazu gegeben hätte. So etwas aber würde der Annahme Kants widerstreiten, welcher zufolge der obige Gedankenprozeß *selbst* der Ursprung aller moralischen Begriffe, das punctum saliens der Moralität sein soll. So lange nun also Jenes *nicht* der Fall ist, indem es, ex hypothesi, keine andere moralische Triebfeder, als den dargelegten Gedankenprozeß gibt; so lange bleibt die Richtschnur des menschlichen Handelns allein der Egoismus, am Leitfaden des Gesetzes der Motivation, d. h. die jedesmaligen, ganz empirischen und egoistischen Motive bestimmen, in jedem einzelnen Fall, das Handeln des Menschen, allein und ungestört; da unter dieser Voraussetzung keine Aufforderung für ihn und gar kein Grund vorhanden ist, weswegen es ihm einfallen sollte, nach einem Gesetz zu fragen, welches sein Wollen beschränkte und dem er dieses zu unterwerfen hätte, geschweige nach einem solchen zu forschen und zu grübeln, wodurch es allererst möglich würde, daß er auf den sonderbaren Gedankengang der obigen Reflexion geriete. Hierbei ist es einerlei, welchen Grad der Deutlichkeit man dem Kantischen Reflexionsprozesse geben will, ob man ihn etwa herabstimmen möchte zu einer nur dunkel gefühlten Überlegung. Denn keine Änderung hierin ficht die Grundwahrheiten an, daß aus Nichts nichts wird, und daß eine Wirkung eine Ursache verlangt. Die moralische Triebfeder muß schlechterdings, wie jedes den Willen bewegende Motiv, eine sich von selbst ankündigende, deshalb positiv wirkende, folglich *reale* sein: und da für den Menschen nur das Empirische, oder doch als möglicherweise empirisch vorhanden Vorausgesetzte, Realität hat; so muß die moralische Triebfeder in der Tat eine *empirische* sein und als solche ungerufen sich ankündigen, an uns kommen, ohne auf unser Fragen danach zu warten, von selbst auf uns eindringen, und dies mit solcher Gewalt, daß sie die entgegenstehenden, riesenstarken, egoistischen Motive wenigstens möglicherweise überwinden kann. Denn die Moral hat es mit dem *wirklichen* Handeln des Menschen und nicht mit apriorischem Kartenhäuserbau zu tun, an dessen Ergebnisse sich im Ernste und Drange des Lebens kein Mensch kehren würde, deren Wirkung daher, dem Sturm der Leidenschaften gegenüber, so viel sein würde, wie die einer Klistierspritze bei einer Feuersbrunst. Ich habe schon oben erwähnt, daß *Kant* es als ein großes Verdienst seines Moralgesetzes betrachtet, daß es bloß auf abstrakte, reine Begriffe a priori, folglich auf *reine Vernunft* gegründet ist, als wodurch es nicht bloß für Menschen, sondern für alle vernünftige Wesen als solche gültig sei. Wir müssen um so mehr bedauern, daß reine, abstrakte Begriffe a priori, ohne realen Gehalt und ohne alle irgendwie empirische Grundlage, wenigstens *Menschen* nie in Bewegung setzen können: von andern vernünftigen Wesen kann ich nicht mitreden. Daher ist der zweite Fehler der Kantischen Grundlage der Moralität Mangel an realem Gehalt. Dieser ist bisher nicht bemerkt worden, weil das oben deutlich dargelegte eigentliche *Fundament* der Kantischen Moral wahrscheinlich den allerwenigsten von Denen, die es zelebriert und propagiert haben, von Grund aus deutlich gewesen ist. Der zweite Fehler also ist gänzlicher Mangel an Realität und dadurch an möglicher Wirksamkeit. Es schwebt in der Luft, als ein Spinnengewebe der subtilsten, inhaltsleersten Begriffe, ist auf nichts basiert, kann daher nichts tragen und nichts bewegen. Und dennoch hat *Kant* demselben eine Last von unendlicher Schwere aufgebürdet, nämlich die Voraussetzung der Freiheit des Willens. Trotz seiner wiederholt ausgesprochenen Überzeugung, daß Freiheit in den Handlungen des

Menschen schlechterdings nicht Statt haben kann, daß sie theoretisch nicht einmal ihrer Möglichkeit nach eingesehen werden kann (Kritik der praktischen Vernunft, S. 168), daß, wenn genaue Kenntnis des Charakters eines Menschen und aller auf ihn einwirkenden Motive gegeben wäre, das Handeln desselben sich so sicher und genau wie eine Mondfinsternis würde ausrechnen lassen (ebendaselbst, S. 177), wird dennoch, bloß auf den Kredit jenes so in der Luft schwebenden Fundaments der Moral, die *Freiheit*, wenn auch nur idealiter und als ein Postulat, angenommen, durch den berühmten Schluß: »Du kannst: denn Du sollst.« Aber wenn man einmal deutlich erkannt hat, daß eine Sache nicht ist und nicht *sein kann*, was hilft da alles Postulieren? Da wäre vielmehr das, worauf das Postulat sich gründet, zu verwerfen, weil es eine unmögliche Voraussetzung ist, nach der Regel a non posse ad non esse valet consequentia, und mittelst eines apagogischen Beweises, der also hier den kategorischen Imperativ umstieße. Statt dessen aber wird hier eine falsche Lehre auf die andere gebaut.

Der Unzulänglichkeit eines allein aus einem Paar ganz abstrakter und inhaltsleerer Begriffe bestehenden Fundaments der Moral muß *Kant* selbst im Stillen sich bewußt gewesen sein. Denn in der Kritik der praktischen Vernunft, wo er, wie gesagt, überhaupt schon weniger strenge und methodisch zu Werke geht, auch durch seinen nunmehr errungenen Ruhm kühner geworden ist, verändert ganz allmählich das Fundament der Ethik seine Natur, vergißt beinah, daß es ein bloßes Gewebe abstrakter Begriffskombinationen ist, und scheint substantieller werden zu wollen. So z. B. ist daselbst S. 81, »das moralische Gesetz *gleichsam ein Faktum der reinen Vernunft*«. Was soll man bei diesem seltsamen Ausdruck sich denken? Das Faktische wird sonst überall dem aus reiner Vernunft Erkennbaren entgegengesetzt. — Imgleichen ist ebendaselbst, S. 83, die Rede von »einer den Willen *unmittelbar* bestimmenden Vernunft« usf. — Dabei nun sei man eingedenk, daß er jede anthropologische Begründung, jede Nachweisung des kategorischen Imperativs als einer Tatsache des Bewußtseins in der *Grundlegung* ausdrücklich und wiederholt ablehnt, weil sie *empirisch* sein würde. [...]

Nachdem ich im vorigen Paragraph die eigentliche *Grundlage* der Kantischen Ethik geprüft habe, gehe ich jetzt zu dem auf diesem Fundament ruhenden, mit ihm aber genau verbundenen, ja, verwachsenen *obersten Grundsatz* der Moral. Wir erinnern uns, daß er lautete: »Handle nur nach der Maxime, von der du zugleich *wollen kannst,* daß sie als allgemeines Gesetz für alle vernünftige Wesen gelte.« – Sehen wir darüber hinweg, daß es ein sonderbares Verfahren ist, Dem, der angenommenermaßen ein Gesetz für sein Tum und Lassen sucht, den Bescheid zu erteilen, er solle gar erst eins für das Tun und Lassen aller möglichen vernünftigen Wesen suchen; und bleiben wir bei der Tatsache stehen, daß jene von *Kant* aufgestellte Grundregel offenbar noch nicht das Moralprinzip selbst ist, sondern erst eine heuristische Regel dazu, d. h. eine Anweisung, wo es zu suchen sei; also gleichsam zwar noch nicht bares Geld, aber eine sichere Anweisung. Wer nun ist es eigentlich, der diese realisieren soll? Die Wahrheit gleich heraus zu sagen: ein hier sehr unerwarteter Zahlmeister: – Niemand anders als der *Egoismus;* wie ich sogleich deutlich zeigen werde.

Also die Maxime selbst, von der ich *wollen kann,* daß nach ihr Alle handelten, wäre erst das wirkliche Moralprinzip. Mein *Wollen können* ist die Angel, um welche die gegebene Weisung sich dreht. Aber was *kann* ich denn eigentlich wollen, und was nicht? Offenbar bedarf ich, um zu bestimmen, was ich in der besagten Hinsicht wollen kann, wieder eines Regulativs: und an diesem hätte ich allererst den Schlüssel zu der, gleich einem versiegelten Befehl gegebenen Weisung. Wo ist nun dieses Regulativ zu suchen? – Unmöglich irgendwo anders, als in meinem Egoismus, dieser nächsten, stets bereiten, ursprünglichen und lebendigen Norm aller Willensakte, die vor jedem Moralprinzip wenigstens das jus primi occupantis voraus hat. – Die in *Kants* oberster Regel enthaltene Anweisung zur Auffindung des eigentlichen Moralprinzips beruht nämlich auf der stillschweigenden Voraussetzung, daß ich nur *Das* wollen kann, wobei ich mich am besten stehe. Da ich nun bei der Feststellung einer allgemein zu befolgenden Maxime, notwendig mich nicht bloß als den alle Mal aktiven, sondern auch als den eventualiter und zu Zeiten *passiven* Teil betrachten muß; so entscheidet, von diesem Standpunkt aus, mein *Egoismus* sich für Gerechtigkeit und Menschenliebe: nicht weil er sie zu *üben*, sondern weil er sie zu *erfahren* Lust hat, und im Sinne jenes Geizhalses, der, nach angehörter Predigt über Wohltätigkeit, ausruft:

»Wie gründlich ausgeführt, wie schön! –
– Fast möcht' ich betteln gehn.«

Diesen unentbehrlichen Schlüssel zu der Weisung, in welcher *Kants* oberster Grundsatz der Moral besteht, kann er nicht umhin, auch selbst hinzuzufügen: jedoch tut er dies nicht sogleich, bei Aufstellung desselben, als welches Anstoß geben könnte; sondern in anständiger Entfernung davon und tiefer im Text, damit es nicht in die Augen springe, daß hier, trotz den erhabenen Anstalten a priori eigentlich der Egoismus auf dem Richterstuhl sitzt und den Ausschlag gibt, und nachdem er, vom Gesichtspunkt der eventualiter *passiven* Seite aus, entschieden hat, dies für die *aktive* geltend gemacht wird. Also S. 19 heißt es: »daß ich ein allgemeines Gesetz, zu lügen, nicht *wollen könne*, weil man mir dann nicht mehr glauben, oder mich *mit gleicher Münze* bezahlen würde«. – S. 55: »Die Allgemeinheit eines Gesetzes, daß Jeder, was ihm einfällt, versprechen könne, mit dem Vorsatz, es nicht zu halten, würde das Versprechen und den Zweck, den man damit haben mag, selbst unmöglich machen; indem *Niemand glauben* würde.« – S. 56 heißt es in Beziehung auf die Maxime der *Lieblosigkeit:* »Ein Wille, der dieses beschlösse, würde sich selbst widersprechen, indem doch *Fälle sich ereignen können,* wo er Anderer Liebe und Teilnahme *bedarf* und wo er durch ein solches aus seinem eigenen Willen entsprungenes Naturgesetz, sich selbst alle *Hoffnung des Beistandes, den er sich wünscht,* rauben würde.« – Ebenfalls in der Kritik der praktischen Vernunft, T. I, Bd. 1, Hauptst. 2, S. 123: »Wenn Jeder Anderer Not mit völliger Gleichgültigkeit ansähe, und *Du gehörtest* mit zu einer solchen Ordnung der Dinge; würdest Du darin wohl mit Einstimmung Deines Willens sein?« – Quam temere in nosmet legem sancimus iniquam! wäre die Antwort. Diese Stellen erklären genugsam, in welchem Sinn das »*Wollen können*« in Kants Moralprinzip zu verstehen sei. Aber am allerdeutlichsten ist dieses wahre Bewandtnis des

Kantischen Moralprinzips ausgesprochen in den »Metaphysischen Anfangsgründen der Tugendlehre«, § 30: »*Denn* Jeder wünscht, daß *ihm geholfen werde*. Wenn er aber seine Maxime, Andern nicht helfen zu wollen, laut werden ließe; so würde Jeder *befugt sein,* ihm Beistand zu versagen. Also widerstreitet die eigennützige Maxime sich selbst.« *Befugt sein,* heißt es, *Befugt sein!* Also ist hier so deutlich, wie nur immer möglich, ausgesprochen, daß die moralische Verpflichtung ganz und gar auf vorausgesetzter *Reziprozität* beruhe, folglich schlechthin egoistisch ist und vom Egoismus ihre Auslegung erhält, als welcher, unter der Bedingung der *Reziprozität,* sich klüglich zu einem Kompromiß versteht. Zur Begründung des Prinzips des Staatsvereins wäre das tauglich, aber nicht zu der des Moralprinzips. Wenn daher in der »Grundlegung«, S. 81, gesagt wird: »Das Prinzip: Handle jederzeit nach der Maxime, deren Allgemeinheit als Gesetzes Du zugleich wollen kannst, – ist die einzige Bedingung, unter der ein Wille niemals mit sich selbst in Widerstreit sein kann;« – so ist die wahre Auslegung des Wortes *Widerstreit* diese, daß wenn ein Wille die Maxime der Ungerechtigkeit und Lieblosigkeit sanktioniert hätte, er nachmals, wenn er eventualiter der *leidende Teil* würde, sie revozieren und dadurch sich *widersprechen* würde.

Aus dieser Erklärung ist vollkommen klar, daß jene Kantische Grundregel nicht, wie er unablässig behauptet, ein *kategorischer,* sondern in der Tat ein *hypothetischer* Imperativ ist, indem demselben stillschweigend die *Bedingung* zum Grunde liegt, daß das für mein *Handeln* aufzustellende Gesetz, indem ich es zum *allgemeinen* erhebe, auch Gesetz für mein *Leiden* wird, und ich unter dieser Bedingung, als der eventualiter *passive* Teil, Ungerechtigkeit und Lieblosigkeit allerdings *nicht wollen kann.* Hebe ich aber diese Bedingung auf und denke mich, etwa im Vertrauen auf meine überlegenen Geistes- und Leibeskräfte, stets nur als den *aktiven* und nie als den *passiven* Teil, bei der zu erwählenden allgemein gültigen Maxime; so kann ich, vorausgesetzt daß es kein anderes Fundament der Moral, als das Kantische, gebe, sehr wohl Ungerechtigkeit und Lieblosigkeit als allgemeine Maxime wollen, und demnach die Welt regeln. [...]

Hierzu kommt nun ferner, daß er, bloß als Formel betrachtet, nur eine Umschreibung, Einkleidung, verblümter Ausdruck der allbekannten Regel quod tibi fieri non vis, alteri ne feceris ist, wenn man nämlich diese, indem man sie ohne non und ne wiederholt, von dem Makel befreit, allein die Rechts- und nicht die Liebespflichten zu enthalten. Denn offenbar ist dieses die Maxime, nach der ich (versteht sich mit Rücksicht auf meine möglicherweise *passive* Rolle, mithin auf meinen Egoismus) allein wollen kann, daß Alle handeln. Diese Regel quod tibi fieri etc. ist aber selbst wieder nur eine Umschreibung, oder, wenn man will, Prämisse, des von mir als der einfachste und reinste Ausdruck der von allen Moralsystemen einstimmig geforderten Handlungsweise, aufgestellten Satzes: Neminem laede, imo omnes, quantum potes, juva. Dieser ist und bleibt der wahre reine Inhalt aller Moral. Aber worauf er sich gründe? was es sei, das dieser Forderung Kraft erteilt? Dies ist das alte, schwere Problem, welches auch heute uns wieder vorliegt. Denn von der andern Seite schreiet mit lauter Stimme der Egoismus: Neminem juva, imo omnes, si forte conducit, laede: ja, die Bosheit gibt die Variante: Imo omnes, quantum potes, laede. Diesem Egoismus, und der Bosheit dazu, einen ihnen gewachsenen und sogar überlegenen Kämpen entgegen zu stellen, – das ist das Problem aller Ethik. Heic Rhodus, heic salta! –

Kant gedenkt, S. 57, sein aufgestelltes Moralprinzip noch dadurch zu bewähren, daß er die längst erkannte und allerdings im Wesen der Moralität gegründete Einteilung der Pflichten in Rechtspflichten (auch genannt vollkommene, unerläßliche, engere Pflichten) und in Tugendpflichten (auch genannt unvollkommene, weitere, verdienstliche, am besten aber Liebespflichten) daraus abzuleiten unternimmt. Allein der Versuch fällt so gezwungen und offenbar schlecht aus, daß er stark wider das aufgestellte oberste Prinzip zeugt. Da sollen nämlich die Rechtspflichten auf einer Maxime beruhen, deren Gegenteil, als allgemeines Naturgesetz genommen, gar nicht einmal ohne Widerspruch *gedacht werden könne*; die Tugendpflichten aber auf einer Maxime, deren Gegenteil man zwar als allgemeines Naturgesetz *denken*; aber unmöglich *wollen* könne. – Nun bitte ich den Leser zu bedenken, daß die Maxime der Ungerechtigkeit, das Herrschen der Gewalt statt des Rechts, welches demnach als Naturgesetz auch nur zu

denken unmöglich sein soll, eigentlich das wirklich und faktisch in der Natur herrschende Gesetz ist, nicht etwa nur in
der Tierwelt, sondern auch in der Menschenwelt: seinen nachteiligen Folgen hat man bei den zivilisierten Völkern durch
die Staatseinrichtung vorzubeugen gesucht: sobald aber diese,
wo und wie es sei, aufgehoben oder eludiert wird, tritt jenes
Naturgesetz gleich wieder ein. Fortwährend aber herrscht es
zwischen Volk und Volk: der zwischen diesen übliche
Gerechtigkeits-Jargon ist bekanntlich ein bloßer Kanzleistil
der Diplomatik: die rohe Gewalt entscheidet. Hingegen echte, d. i. unerzwungene Gerechtigkeit kommt zwar ganz gewiß,
jedoch stets nur als Ausnahme von jenem Naturgesetze vor.
Obendrein belegt *Kant,* in den Beispielen, die er jener Einteilung vorangeschickt hat, die Rechtspflichten zuerst (S. 53)
durch die sogenannte Pflicht gegen sich selbst, sein Leben
nicht freiwillig zu enden, wenn die Übel die Annehmlichkeiten überwiegen. Diese Maxime also soll als allgemeines
Naturgesetz auch nur *zu denken* unmöglich sein. Ich sage daß,
da hier die Staatsgewalt nicht ins Mittel treten kann, gerade
jene Maxime sich ungehindert als *wirklich bestehendes
Naturgesetz* erweist. Denn ganz gewiß ist es allgemeine
Regel, daß der Mensch wirklich zum Selbstmord greift, sobald
der angeborne riesenstarke Trieb zur Erhaltung des Lebens
von der Größe der Leiden entschieden überwältigt wird: dies
zeigt die tägliche Erfahrung. Daß es aber überhaupt irgend
einen Gedanken gebe, der ihn davon abhalten könne, nachdem die mit der Natur jedes Lebenden innig verknüpfte, so
mächtige Todesfurcht sich hiezu machtlos erwiesen, also einen
Gedanken, der noch stärker wäre, als diese, – ist eine gewagte
Voraussetzung, um so mehr, wenn man sieht, daß dieser
Gedanke so schwer herauszufinden ist, daß die Moralisten ihn
noch nicht bestimmt anzugeben wissen. Wenigstens haben
Argumente der Art, wie *Kant* sie bei dieser Gelegenheit S. 53
und auch S. 67 gegen den Selbstmord aufstellt, zuverlässig
noch keinen Lebensmüden auch nur einen Augenblick
zurückgehalten. Also ein unstreitig faktisch bestehendes und
täglich wirkendes Naturgesetz wird, zu Gunsten der Pflichten-
einteilung aus dem Kantischen Moralprinzip, für ohne
Widerspruch *auch nur zu denken* unmöglich erklärt! [...]

Von den abgeleiteten Formen des obersten Grundsatzes der Kantischen Ethik

Bekanntlich hat *Kant* den obersten Grundsatz seiner Ethik noch in einem zweiten, ganz andern Ausdruck aufgestellt, in welchem er nicht, wie im ersten, bloß indirekt, als Anweisung wie er zu suchen sei, sondern direkt ausgesprochen wird. Zu diesem bahnt er sich den Weg von S. 63 an, und zwar durch höchst seltsame, geschrobene, ja, verschrobene Definitionen der Begriffe *Zweck und Mittel*, welche sich doch viel einfacher und richtiger so definieren lassen: *Zweck* ist das direkte Motiv eines Willensaktes, *Mittel* das indirekte (simplex sigillum veri). Er aber schleicht durch seine wunderlichen Definitionen zu dem Satz: »Der Mensch, und überhaupt jedes vernünftige Wesen, existiert *als Zweck an sich selbst*.« – Allein ich muß geradezu sagen, daß *»als Zweck an sich selbst existieren«* ein Ungedanke, ein contradictio in adjecto ist. Zweck sein, bedeutet gewollt werden. Jeder Zweck ist es nur in Beziehung auf einen Willen, dessen Zweck, d. h., wie gesagt, dessen direktes Motiv er ist. Nur in dieser Relation hat der Begriff *Zweck* einen Sinn, und verliert diesen, sobald er aus ihr herausgerissen wird. Diese ihm wesentliche Relation schließt aber notwendig alles *»An sich«* aus. »Zweck an sich« ist gerade wie »Freund an sich« – Feind an sich, – Oheim an sich, – Nord oder Ost an sich, – Oben oder Unten an sich, u. dgl. m. Im Grunde aber hat es mit dem »Zweck an sich« dieselbe Bewandtnis wie mit dem »absoluten Soll«: beiden liegt heimlich, sogar unbewußt, derselbe Gedanke als Bedingung zum Grunde: der theologische. – Nicht besser steht es mit dem *»absoluten Wert«*, der solchem angeblichen, aber undenkbaren *Zweck an sich* zukommen soll. Denn auch diesen muß ich, ohne Gnade, als contradictio in adjecto stempeln. Jeder *Wert* ist eine Vergleichungsgröße, und sogar steht er notwendig in doppelter Relation: denn erstlich ist er *relativ*, indem er *für* Jemanden ist, und zweitens ist er *komparativ*, indem er im Vergleich mit etwas Anderem, wonach er geschätzt wird, ist. Aus diesen zwei Relationen hinausgesetzt, verliert der Begriff *Wert* allen Sinn und Bedeutung. Dies ist zu klar, als daß es noch einer weitern Auseinandersetzung bedürfte. [. . .]

Auf so holperichtem Wege, ja, per fas et nefas, gelangt dann Kant zum zweiten Ausdruck des Grundprinzips seiner Ethik: »Handle so, daß Du die Menschheit, sowohl in deiner Person, als in der Person eines jeden Andern, jederzeit zugleich als Zweck, niemals bloß als Mittel brauchest.« Auf sehr künstliche Weise und durch einen weiten Umweg ist hiemit gesagt: »Berücksichtige nicht Dich allein, sondern auch die Andern:« und dieses wiederum ist eine Umschreibung des Satzes quod tibi fieri non vis, alteri ne feceris [...]

Einzuwenden wäre übrigens gegen jene Formel, daß der hinzurichtende Verbrecher, und zwar mit Recht und Fug, allein als Mittel und nicht als Zweck behandelt wird, nämlich als unerläßliches Mittel, dem Gesetz, durch seine Erfüllung, die Kraft abzuschrecken zu erhalten, als worin dessen Zweck besteht. [...]

Die dritte und letzte Form, in der Kant sein Moralprinzip aufgestellt, ist die Autonomie des Willens: »Der Wille jedes vernünftigen Wesens ist allgemein gesetzgebend für alle vernünftigen Wesen.« Dies folgt freilich aus der ersten Form. Aus der gegenwärtigen soll nun aber (laut S. 71) hervorgehen, daß das spezifische Unterscheidungszeichen des kategorischen Imperativs dieses sei, daß beim Wollen aus Pflicht der Wille sich von allem Interesse lossage. Alle früheren Moralprinzipien wären deshalb verunglückt, »weil sie den Handlungen immer, sei es als Zwang oder Reiz, ein Interesse zum Grunde legten, dies mochte nun ein eigenes, oder ein fremdes Interesse sein« (S. 73) (auch ein fremdes, welches ich wohl zu merken bitte). »Hingegen ein allgemein gesetzgebender Wille schreibe Handlungen aus Pflicht vor, die sich auf gar kein Interesse gründen.« Jetzt aber bitte ich zu bedenken, was das eigentlich sagen will: in der Tat nichts Geringeres, als ein Wollen ohne Motiv, also eine Wirkung ohne Ursache. Interesse und Motiv sind Wechselbegriffe: heißt nicht Interesse quod mea interest, woran mir gelegen ist? Und ist dies nicht überhaupt Alles, was meinen Willen anregt und bewegt? Was ist folglich ein Interesse Anderes, als die Einwirkung eines Motivs auf den Willen? Wo also ein Motiv den Willen bewegt, da hat er ein Interesse: wo ihn aber kein Motiv bewegt, da kann er wahrlich so wenig handeln, als ein Stein ohne Stoß oder Zug von der Stelle kann. Dies werde ich gelehrten Lesern doch nicht erst zu demonstrieren brauchen. Hieraus aber folgt, daß jede Handlung, da sie notwendig ein Motiv haben muß, auch notwendig ein Interesse voraussetzt. Kant aber stellt eine zweite, ganz neue Art von Handlungen auf, welche ohne alles Interesse, d. h. ohne Motiv vor sich gehen. Und dies sollten die Handlungen der Gerechtigkeit und Menschenliebe sein! Zur Widerlegung dieser monstrosen Annahme bedurfte es nur der Zurückführung derselben auf ihren eigentlichen Sinn, der durch das Spiel mit dem Worte Interesse versteckt war. – Inzwischen feiert Kant (S. 74 ff.) den Triumph seiner Autonomie des Willens, in der Aufstellung eines moralischen Utopiens, unter dem Namen eines Reiches der Zwecke, welches bevölkert ist von lauter vernünftigen Wesen in abstracto, die samt und sonders beständig wollen, ohne irgend etwas zu wollen (d. i. ohne Interesse): nur dieses Eine wollen sie: daß Alle stets nach einer Maxime wollen (d. i. Autonomie). Difficile est, satiram non scribere.

Aber noch auf etwas Anderes, von beschwerlicheren Folgen, als dieses kleine unschuldige Reich der Zwecke, welches man, als vollkommen harmlos, ruhig liegen lassen kann, leitet Kanten seine Autonomie des Willens, nämlich auf den Begriff der Würde des Menschen. Diese nämlich beruht bloß auf dessen Autonomie, und besteht darin, daß das Gesetz, dem er folgen soll, von ihm selbst gegeben ist, – also er zu demselben in dem Verhältnis steht, wie die konstitutionellen Untertanen zu dem ihrigen. [...] – Kant (S. 79) definiert Würde als »einen unbedingten, unvergleichbaren Wert«. Dies ist eine Erklärung, die durch ihren erhabenen Klang dermaßen imponiert, daß nicht leicht Einer sich untersteht, heranzutreten, um sie in der Nähe zu untersuchen, wo er dann finden würde, daß eben auch sie nur eine hohle Hyperbel ist, in deren Innerem, als nagender Wurm, die contradictio in adjecto nistet. Jeder Wert ist die Schätzung einer Sache im Vergleich mit einer andern, also ein Vergleichungsbegriff, mithin relativ, und diese Relativität macht eben das Wesen des Begriffes Wert aus. [...] Ein unvergleichbarer, unbedingter, absoluter Wert, dergleichen die Würde sein soll, ist demnach, wie so Vieles in der Philosophie, die mit Worten gestellte Aufgabe zu einem Gedanken, der sich gar nicht denken läßt, so wenig wie die höchste Zahl, oder der größte Raum.

So war denn auch hier an der »Würde des Menschen« ein höchst willkommenes Wort auf die Bahn geworfen, an welchem nunmehr jede, durch alle Klassen der Pflichten und alle Fälle der Kasuistik ausgesponnene Moral ein breites Fundament fand, von welchem herab sie mit Behagen weiter predigen konnte.

Am Schlusse seiner Darstellung (S. 124) sagt Kant: »Wie nun aber reine Vernunft, ohne andere Triebfedern, die irgend woher sonst genommen sein mögen, für sich selbst praktisch sein, d. i. wie das bloße Prinzip der Allgemeingültigkeit aller ihrer Maximen als Gesetze, ohne allen Gegenstand des Willens, woran man zum voraus irgend ein Interesse nehmen dürfte, für sich selbst eine Triebfeder abgeben und ein Interesse, welches rein moralisch heißen würde, bewirken, oder, mit andern Worten, wie reine Vernunft praktisch sein könne? – Das zu erklären, ist alle menschliche Vernunft unvermögend und alle Mühe und Arbeit verloren.« – Nun sollte man denken, daß wenn etwas, dessen Dasein behauptet wird, nicht ein Mal seiner Möglichkeit nach begriffen werden kann, es doch faktisch in seiner Wirklichkeit nachgewiesen sein müsse: allein der kategorische Imperativ der praktischen Vernunft wird ausdrücklich nicht als eine Tatsache des Bewußtseins aufgestellt, oder sonst durch Erfahrung begründet. Vielmehr werden wir oft genug verwarnt, daß er nicht auf solchem anthropologisch-empirischen Wege zu suchen sei (z. B. S. VI der Vorrede[6] und S. 59, 60). Dazu noch wird uns wiederholt (z. B. S. 48) versichert, »daß durch kein Beispiel, mithin empirisch auszumachen sei, ob es überall einen dergleichen Imperativ gebe«. Und S. 49, »daß die Wirklichkeit des kategorischen Imperativs nicht in der Erfahrung gegeben sei«. – Wenn man das zusammenfaßt, so könnte man wirklich auf den Verdacht geraten, Kant habe seine Leser zum Besten. [...]

Kants Lehre vom intelligiblen und empirischen Charakter. – Theorie der Freiheit

Nachdem ich, im Dienste der Wahrheit, auf die Kantische Ethik Angriffe getan habe, welche nicht, wie die bisherigen, nur die Oberfläche treffen, sondern sie in ihrem tiefsten

Grunde unterwühlen, scheint mir die Gerechtigkeit zu fordern, daß ich nicht von ihr scheide, ohne Kants größtes und glänzendes Verdienst um die Ethik in Erinnerung gebracht zu haben. Dieses besteht in der Lehre vom Zusammenbestehen der Freiheit mit der Notwendigkeit, welche er zuerst in der Kritik der reinen Vernunft (S. 533-554 der ersten und S. 561-582 der fünften Auflage) vorträgt, jedoch eine noch deutlichere Darstellung davon in der Kritik der praktischen Vernunft (vierte Auflage, S. 169-179) gibt.

Hobbes zuerst, dann Spinoza, dann Hume, auch Holbach im Syst. d. la nat., und endlich am ausführlichsten und gründlichsten Priestley, hatten die vollkommene und strenge Notwendigkeit der Willensakte, bei eintretenden Motiven, so deutlich bewiesen und außer Zweifel gestellt, daß sie den vollkommen demonstrierten Wahrheiten beizuzählen ist: daher nur Unwissenheit und Rohheit von einer Freiheit in den einzelnen Handlungen des Menschen, einem libero arbitrio indifferentiae, zu reden fortfahren konnte. Auch Kant nahm, in Folge der unwiderleglichen Gründe dieser Vorgänger, die vollkommene Notwendigkeit der Willensakte als eine ausgemachte Sache, an welcher kein Zweifel mehr obwalten konnte; wie dies alle die Stellen beweisen, in welchen er allein vom theoretischen Gesichtspunkt aus von der Freiheit redet. Dabei bleibt es jedoch wahr, daß unsere Handlungen von einem Bewußtsein der Eigenmächtigkeit und Ursprünglichkeit begleitet sind, vermöge dessen wir sie als unser Werk erkennen und Jeder, mit untrüglicher Gewißheit, sich als den wirklichen Täter seiner Taten und für dieselben moralisch verantwortlich fühlt. Da nun aber die Verantwortlichkeit eine Möglichkeit anders gehandelt zu haben, mithin Freiheit, auf irgend eine Weise, voraussetzt; so liegt im Bewußtsein der Verantwortlichkeit mittelbar auch das der Freiheit. Zur Lösung dieses aus der Sache selbst hervorgehenden Widerspruches ward nun Kants tiefsinnige Unterscheidung zwischen Erscheinung und Ding an sich, welche der innerste Kern seiner ganzen Philosophie und eben deren Hauptverdienst ist, der endlich gefundene Schlüssel.

Das Individuum, bei seinem unveränderlichen, angeborenen Charakter, in allen seinen Äußerungen durch das Gesetz der Kausalität, die hier, als durch den Intellekt vermittelt, Motivation heißt, streng bestimmt, ist nur die Erscheinung. Das dieser zum Grunde liegende Ding an sich ist, als außer Raum und Zeit befindlich, frei von aller Sukzession und Vielheit der Akte, Eines und unveränderlich. Seine Beschaffenheit an sich ist der intelligible Charakter, welcher in allen Taten des Individui gleichmäßig gegenwärtig und in ihnen allen, wie das Petschaft in tausend Siegeln, ausgeprägt, den in der Zeit und Sukzession der Akte sich darstellenden, empirischen Charakter dieser Erscheinung bestimmt, die daher in allen ihren Äußerungen, welche von den Motiven hervorgerufen werden, die Konstanz eines Naturgesetzes zeigen muß; weshalb alle ihre Akte streng notwendig erfolgen. Hiedurch war nun auch jene Unveränderlichkeit, jene unbiegsame Starrheit des empirischen Charakters jedes Menschen, welche denkende Köpfe von jeher wahrgenommen hatten (während die übrigen meinten, durch vernünftige Vorstellungen und moralische Vermahnungen sei der Charakter eines Menschen umzugestalten), auf einen rationellen Grund zurückgeführt, mithin auch für die Philosophie festgestellt und diese dadurch mit der Erfahrung in Einklang gebracht. [...]

Diese Lehre Kants vom Zusammenbestehen der Freiheit mit der Notwendigkeit halte ich für die größte aller Leistungen des menschlichen Tiefsinns. Sie, nebst der transzendentalen Ästhetik, sind die zwei großen Diamanten in der Krone des Kantischen Ruhmes, der nie verhallen wird. [...]

Nun kann man aber diese Kantische Lehre und das Wesen der Freiheit überhaupt auch dadurch sich faßlicher machen, daß man sie mit einer allgemeinen Wahrheit in Verbindung setzt, als deren bündigsten Ausdruck ich einen von den Scholastikern öfter ausgesprochenen Satz ansehe: operari sequitur esse; d. h. jedes Ding in der Welt wirkt nach dem, wie es ist, nach seiner Beschaffenheit, in welcher daher alle seine Äußerungen schon potentia enthalten sind, actu aber eintreten, wann äußere Ursachen sie hervorrufen; wodurch denn eben jene Beschaffenheit selbst sich kundgibt. Diese ist der empirische Charakter, hingegen dessen innerer, der Erfahrung nicht zugängliche, letzte Grund ist der intelligible Charakter, d. h. das Wesen an sich dieses Dinges. Der Mensch macht hierin keine Ausnahme von der übrigen Natur: auch er hat seine feststehende Beschaffenheit, seinen unveränderlichen Charakter, der jedoch ganz individuell und bei Jedem ein anderer ist. Dieser ist eben empirisch für unsere Auffassung, aber eben deshalb nur Erscheinung: was er hingegen seinem Wesen an sich selbst nach sein mag, heißt der intelligible Charakter. Seine sämtlichen Handlungen, ihrer äußeren Beschaffenheit nach durch die Motive bestimmt, können nie anders als diesem unveränderlichen individuellen Charakter gemäß ausfallen: wie Einer ist, so muß er handeln. Daher ist dem gegebenen Individuo, in jedem gegebenen einzelnen Fall, schlechterdings nur eine Handlung möglich: operari sequitur esse. Die Freiheit gehört nicht dem empirischen, sondern allein dem intelligiblen Charakter an. Das operari eines gegebenen Menschen ist von Außen durch die Motive, von Innen durch seinen Charakter notwendig bestimmt: daher Alles, was er tut, notwendig eintritt. Aber in seinem Esse, da liegt die Freiheit. Er hätte ein anderer sein können: und in dem, was er ist, liegt Schuld und Verdienst. Denn Alles, was er tut, ergibt sich daraus von selbst, als ein bloßes Korollarium. – Durch Kants Theorie werden wir eigentlich von dem Grundirrtum zurückgebracht, der die Notwendigkeit ins Esse und die Freiheit ins Operari verlegte, und werden zu der Erkenntnis geführt, daß es sich gerade umgekehrt verhält. Deshalb betrifft die moralische Verantwortlichkeit des Menschen zwar zunächst und ostensibel Das, was er tut, im Grunde aber Das, was er ist; da, dieses vorausgesetzt, sein Tun, beim Eintritt der Motive, nie anders ausfallen konnte, als es ausgefallen ist. Aber so strenge auch die Notwendigkeit ist, mit welcher, bei gegebenem Charakter, die Taten von den Motiven hervorgerufen werden; so wird es dennoch Keinem, selbst dem nicht, der hievon überzeugt ist, je einfallen, sich dadurch diskulpieren und die Schuld auf die Motive wälzen zu wollen: denn er erkennt deutlich, daß hier, der Sache und den Anlässen nach, also objective, eine ganz andere, sogar eine entgegengesetzte Handlung sehr wohl möglich war, ja, eingetreten sein würde, wenn nur Er ein Anderer gewesen wäre. Daß aber er, wie es sich aus der Handlung ergibt, ein Solcher und kein Anderer ist, – das ist es, wofür er sich verantwortlich fühlt: hier, im Esse liegt die Stelle, welche der Stachel des Gewissens trifft. Denn das Gewissen ist eben nur die aus der eigenen Handlungsweise entstehende und immer intimer werdende

Bekanntschaft mit dem eigenen Selbst. Daher wird vom Gewissen, zwar auf Anlaß des Operari, doch eigentlich das Esse angeschuldigt. Da wir uns der Freiheit nur mittelst der Verantwortlichkeit bewußt sind; so muß, wo diese liegt, auch jene liegen: also im Esse. Das Operari fällt der Notwendigkeit anheim. Aber, wie die Andern, so lernen wir auch uns selbst nur empirisch kennen und haben von unserm Charakter keine Kenntnis a priori. Vielmehr hegen wir von diesem ursprünglich eine sehr hohe Meinung, indem das quisque praesumitur bonus, donec probetur contrarium, auch vor dem innern foro gilt.

1 [AB S. 62. Schopenhauers Kant-Zitate sind, wenn nicht anders angegeben, der »Grundlegung zur Metaphysik der Sitten« entnommen. Wo die Seitenzählung der von ihm benutzten dritten Auflage von derjenigen der beiden ersten Auflagen abweicht, wird in den Anmerkungen die Stelle nach der Zählung der früheren Auflagen angegeben. Schopenhauers zusätzliche Verweise auf die entsprechenden Seitenzahlen der Ausgabe von Rosenkranz wurden durchweg gestrichen. Die Seitenzahlen der von Schopenhauer zitierten vierten Auflage der »Kritik der praktischen Vernunft« stimmen mit denjenigen der ersten Auflage überein.]

2 [AB S. VIII.]
3 [AB S. VIII.]
4 [AB S. IX.]
5 [AB S. XIV.]
6 [AB S. VIII.]

Christfried Albert Thilo
Die Grundirrtümer des Idealismus in ihrer Entwicklung von Kant bis Hegel und Schleiermacher auf dem Gebiete der praktischen Philosophie
(1861)

Es wird zum unvergänglichen Ruhme Kants gereichen, daß er in einer moralisch schlaffen Zeit, in welcher sogar die Wächterin der Sittlichkeit, die christliche Kirche mit ihrer Lehre, im Eudämonismus versunken war, der Erste gewesen ist, welcher ohne Vorgänger, bloß von seinem eignen richtigen sittlichen Blicke geleitet, das ganze Gerede von der Glückseligkeit verworfen und eine Ethik von ganz entgegengesetzter Art wieder entdeckt hat. Wenn es ihm auch nicht gelungen ist, derselben sofort die wahre und vollendete wissenschaftliche Gestalt zu geben, so ist doch seine sittliche Tendenz der Art, daß sie allezeit wird eingehalten werden müssen, wenn der absolute Unterschied des Guten und des Bösen nicht wieder verdeckt, sondern die Reinheit und Würde der Gesinnung bewahrt werden soll. Und aus diesem Streben, alle Glückseligkeitslehre zu verbannen und dagegen eine Sittenlehre aufzustellen, d. h. die Lehre von einem Wollen, das an sich selbst, nicht wegen seines Objekts, noch wegen seines Erfolgs, absolut gelobt werden muß, daraus, nicht aus irgend welchen logischen oder theoretischen Gründen, ist seine Ethik entsprungen, und danach also auch ihrem Werte nach zu beurteilen.

Kant ist unermüdlich in dem Bestreben, den Eudämonismus zu widerlegen, von allen Seiten trägt er vernichtende Gegengründe herbei, und seine Beweisführung ist in dieser Hinsicht so glänzend, daß sie nicht allein ihm die begeisterte Verehrung seiner Zeitgenossen – und hoffentlich auch der Nachwelt – eingetragen, sondern auch keiner seiner bedeutenderen Nachfolger, so sehr sie auch von ihm abgewichen sind, gewagt hat, den Eudämonismus in der Wissenschaft offen wieder zu erneuern.

Er macht vorläufig darauf aufmerksam, daß zur Erlangung

der Glückseligkeit der Wille eines vernünftigen Wesens nicht notwendig sei, sondern dieser Zweck viel sicherer durch einen Instinkt hätte erreicht werden können; also könne der Wert des vernünftigen Wollens unmöglich in der Erreichung eines Zwecks bestehen, für welchen es nicht einmal das tauglichste Mittel sei[1]. Nachdem er hiermit angedeutet hat, daß der absolute Wert des Willens nach einem ganz anderen, disparaten, Gesichtspunkte zu beurteilen sei, beruft er sich dann energischer und bestimmter auf den absoluten Unterschied des Guten und des Bösen und auf die eigentümliche Schönheit der Tugend, indem er sagt, daß das Prinzip der eignen Glückseligkeit der Sittlichkeit Triebfedern unterlege, die ihre ganze Erhabenheit zernichten, indem sie die Bewegursachen zur Tugend mit denen zum Laster in *eine* Klasse stellen und nur den Kalkül besser ziehen lehren, den spezifischen Unterschied beider aber ganz und gar auslöschen. Selbst das sogenannte moralische Gefühl sage es der Tugend nur nicht geradezu ins Gesicht, daß es nicht ihre Schönheit, sondern nur der Vorteil sei, der uns an sie knüpfe[2]. Er benutzt weiter einzelne sittliche Ideen, um das Absurde des Eudämonismus in helles Licht zu setzen, z. B. die des Rechts und der gerechten Vergeltung, indem er nachweist, daß nach dem Prinzipe der Glückseligkeit nicht allgemeine Einstimmung sondern der ärgste Widerstreit erfolgen würde, da jeder ein anderes Objekt der Neigung zum Grunde lege und bald diese bald jene Neigung überwiege[3]; und daß nach demselben Prinzipe der Begriff des Verbrechens eigentlich der sein muß: seiner eigenen Glückseligkeit Abbruch tun, wonach also eine Handlung erst durch die Strafe zum Verbrechen werde[4].

Er weist ferner nach, daß der Begriff der Pflicht im Eudämonismus keinen Platz haben könne, da es töricht sei, das zu gebieten, wonach jeder von selbst strebe, und insbesondere, weil gar keine bestimmte Norm des Handelns aufgestellt werden könne, da Niemand nach irgend einem Grundsatze durchaus bestimmen könne, was ihn glücklich machen werde, indem hierzu Allwissenheit erforderlich sei[5]. Ja, er erhebt sich auf den allgemeinen, allein richtigen Standpunkt der Ethik und zeigt, daß nach jenem Prinzip das sittliche Urteil nicht den Willen selbst trifft, über den es doch ergehen soll, wenn er als ein guter oder böser charakterisiert wird. Er sagt nämlich, daß sowohl nach dem Prinzip der eignen Glückseligkeit als nach dem der Vollkommenheit der Wille sich niemals *unmittelbar durch die Vorstellung der Handlung* bestimmen, sondern nur durch die Triebfeder, welche die vorausgesehene Wirkung der Handlung auf den Willen habe[6].

In diesen und ähnlichen Argumenten sehen wir die letzten Gründe, von denen Kant sich in seiner ethischen Ansicht leiten läßt, und zwar solche, die den Beifall derer, die durch kein vorgefaßtes System verblendet sind, notwendig gewinnen müssen. Es gibt einen absoluten Unterschied zwischen Gut und Böse; das Gute hat einen absoluten Wert, welcher vom Erfolge des Wollens unabhängig ist, und wenn der Wille als gut charakterisiert wird, so muß seine eigne Vorstellung – also sein bloßes Bild – als gut gelobt werden. Daß diese Grundsätze es sind, welche Kants Gemüt erfüllten, sieht man aus den berühmten Anfangsworten seiner Grundlegung zu einer Metaphysik der Sitten: »Es ist überall nichts in der Welt, ja überhaupt auch außer derselben zu denken möglich, was ohne Einschränkung für gut könnte gehalten werden, als allein ein *guter Wille*.« Und etwas weiterhin: »der gute Wille ist nicht durch das, was er bewirkt oder ausrichtet, nicht durch seine Tauglichkeit zu Erreichung irgend eines vorgesetzten Zweckes, sondern allein durch das Wollen, d. i. an sich gut, und, für sich selbst betrachtet, ohne Vergleich weit höher zu schätzen, als Alles, was durch ihn zu Gunsten einer Neigung, ja wenn man will, der Summe aller Neigungen zu Stande gebracht werden könnte.«[7]

Mit dieser Verwerfung des Eudämonismus war nun zugleich der Satz gefunden, daß der Bestimmungsgrund des Willens, um dessentwillen dieser als ein guter gelobt ward, kein Objekt der Begehrung sein könne. Denn wäre das der Fall, so würde der Wille gelobt werden, weil er durch eine Lust am Objekte bestimmt wäre. Werden nun alle Objekte des Willens als (Beurteilungs-)Prinzipe des Guten verworfen, so bleibt nur die Annahme eines oder mehrer formellen Prinzipien übrig, oder mit andern Worten: der Satz, daß der Wille nur wegen einer Form desselben absolut gelobt werden könne. Kant verwirft daher alle materiale, oder, weil die Erfahrung keine andere, als solche, darbietet, alle empirische Prinzipien der Ethik, weil diese alle zum Eudämonismus gehören würden[8].

Hier aber mischt er sofort die psychologische Frage nach dem Ursprung der Erkenntnis des sittlichen Prinzips ein. Kann dasselbe nicht aus der Erfahrung gefunden werden, weil diese sowohl nur materiale Prinzipien darbietet, als auch aus ihr nie absolute Notwendigkeit und Allgemeinheit folgen kann, welche doch dem sittlichen Prinzipe, als einem für alle vernünftigen Wesen absolut gültigen zukommen muß, so kann das Prinzip nur a priori oder aus reiner Vernunft gefunden werden. Die reine Vernunft aber ist nach Kant das Vermögen der Ideen, und in ihr liegen die reinen, aus keiner Erfahrung gewonnenen Begriffe, als eine ursprüngliche Mitgift des Gemütes. Wenn er nun in seiner Kritik der reinen Vernunft gefunden zu haben glaubte, daß diese, indem sie die regulativen Prinzipien für den Verstand hergibt, die höchste Würde unter den Seelenvermögen besitze, so konnte es ihm nur als ein Beweis der Richtigkeit seines Verfahrens erscheinen, wenn er aus derselben reinen Vernunft auch das sittliche Prinzip finden mußte; denn die Erhabenheit dieses Ursprungs schien mit der absoluten Würde des Sittlichen vortrefflich zusammenzustimmen. Ja dieses Vorurteil von der reinen Vernunft hat so große Macht über Kant, daß er sich so weit verirrt, zu meinen, eben in der Reinigkeit des Ursprungs der sittlichen Begriffe liege ihre Würde, um uns zu obersten praktischen Prinzipien zu dienen[9]. Schon hier zeigt sich, wie das Einmischen theoretischer Meinungen ein bedenkliches Abgleiten von Kants eigner richtigen ethischen Einsicht veranlaßt. Denn anstatt die Würde, welche dem guten Willen an und für sich zukommt, absolut zu setzen, leitet er sie aus einer angeblichen Würde desjenigen Vermögens ab, aus welchem die sittliche Beurteilung entspringen soll.

Von dieser Verirrung abgesehen, hat Kant jedoch in der Verwerfung aller Objekte als sittlicher Bestimmungsgründe des Willens den für die Ethik unerläßlichen Satz gewonnen, daß die Prinzipien der Beurteilung des Wollens nicht aus der Erkenntnis der Objekte genommen werden können. Die Grundlegung der Ethik ist also von aller theoretischen Philosophie unabhängig, und die Art und Weise, wie die gegebene Welt empirisch oder spekulativ erkannt wird, darf auf die allgemeinen Grundbestimmungen des Guten oder Bösen keinen Einfluß haben. Daher verlangt Kant eine völlig isolierte

Metaphysik der Sitten, die mit keiner Anthropologie, mit keiner Theologie, mit keiner Physik oder Hyperphysik, noch weniger mit verborgenen Qualitäten vermischt sei[10].

Wird nämlich ein Wille als gut oder böse beurteilt, weil er irgend ein erkanntes oder geglaubtes Objekt begehrt, so wird sein Wert nach dem des Objekts gemessen, und die Beurteilung ergeht nicht über die Vorstellung oder das Bild des Willens. Der Wille wird also nicht an sich selbst geschätzt, sondern nur nach seiner Beziehung auf ein Objekt. Nun kann aber der Wert der Objekte nur nach ihrem Verhältnisse zu der auf sie gerichteten Begierde geschätzt werden; diese jedoch erteilt den Objekten nur insofern Wert, als sie durch dieselben befriedigt wird, oder, was dasselbe ist, gemäß der durch die Objekte erregten Lust oder Unlust. Jeder Versuch also, die Ethik auf diese Weise zu begründen, muß zuletzt offen oder versteckt wieder beim Eudämonismus anlangen.

Nachdem Kant den wahren Standpunkt der Ethik im Allgemeinen gewonnen hatte, kam es nun darauf an, zu bestimmen, *welcher denn der absolut lobenswerte Wille sei.* Um dasjenige aufzusuchen, was den eigentlichen Inhalt des als guter Wille zu Denkenden bildet, wäre das allein richtige Verfahren dies gewesen, innerhalb jenes formellen Begriffes zu bleiben und nicht auf einen andern überzuspringen. Hiernach hätte sich ungefähr folgender Gedankengang aufdringen müssen. Ist überhaupt bei der Beurteilung des Wollens von den Objekten desselben abzusehen, und kann auch nicht der Wert des Wollens in dem bloßen Begriffe des Wollens liegen, so bleibt nur übrig, denselben in einer oder in mehreren *Formen* des Willens zu suchen. Nun aber besteht jede Form aus Verhältnissen, folglich müssen diejenigen Willensverhältnisse, und zwar, wie sich von selbst versteht, die einfachsten aufgesucht werden, welche dann noch denkbar sind, wenn man von den Objekten des Willens absieht. Von diesen sind dann diejenigen, welche absolut gefallen oder mißfallen, hervorzuheben und als Prinzipien der Beurteilung aufzustellen.

Einen solchen Gedankengang aber findet man bei Kant nicht, vielmehr wendet er sich an den Begriff der *Pflicht;*[11] und zwar wie es scheint deshalb, um die absolute Verbindlichkeit des sittlichen Handelns, welche im Pflichtbegriffe ausgesprochen wird, desto mehr hervorzuheben; vielleicht auch war er durch die vorgefundene gangbare Form der Ethik unwillkürlich dazu veranlaßt. Durch dieses Ablenken auf den Begriff der Pflicht wird er aber offenbar seinen eignen Prämissen ungetreu. Denn wollte er bloß aus *reiner* Vernunft, d. h. wie er selbst sagt, bloß aus dem allgemeinen Begriffe des vernünftigen Wesens,[12] das sittliche Prinzip ableiten, so durfte er sich jenes Begriffs nicht bedienen. Er selbst macht nämlich oft genug die richtige Bemerkung, daß der Begriff der Pflicht nur auf ein solches vernünftiges Wesen Anwendung finde, dessen Willen mit dem praktischen Prinzipe nicht von selbst übereinstimme[13]. Dieses besondere Merkmal liegt nun aber offenbar nicht in dem allgemeinen Begriffe des vernünftigen Wesens überhaupt, also kann auch der Pflichtbegriff aus diesem allgemeinen Begriffe nicht abgeleitet werden.

Indessen hätte auch von hier aus der Rückweg in den richtigen Fortschritt der ethischen Grundlegung offen gestanden, wenn nicht Kant abermals einen neuen Sprung gemacht hätte. Die Pflicht als Verbindlichkeit bezieht sich nämlich auf das Gesetz, als das Verbindende. Kant erklärt daher zunächst zwar richtig, daß nach Verwerfung aller Neigung und jedes Gegenstandes des Willens, als Bestimmungsgrund für diesen, objektiv nur das Gesetz und subjektiv reine Achtung für dasselbe übrig bleibe[14]. Er hätte also einen solchen Inhalt des Gesetzes auffinden müssen, der als absolut verbindlich geachtet werden konnte; und dieser wäre bei richtigem Verfahren kein anderer als die oben erwähnten absolut löblichen Willensverhältnisse gewesen. Allein hier zeigt sich Kant in einer sonderbaren Verwechslung befangen. Er meint nämlich: »Da ich den Willen aller Antriebe beraubt habe, die ihm aus der Befolgung des Gesetzes entspringen können, so bleibt nichts als die allgemeine Gesetzmäßigkeit der Handlungen überhaupt übrig, welche allein dem Willen zum Prinzip dienen soll.«[15] Kant vertauscht hier offenbar die Formalität des Willens mit der des Gesetzes, d. h. anstatt eine oder mehrere absolut achtungswürdige Formen des Willens zu setzen, setzt er die bloße Form der Gesetzmäßigkeit. Das aber folgt gar nicht aus seinen Prämissen. Denn wenn er vorher alle Materie, d. h. alle Objekte, des Willens als ethischen Bestimmungsgrund verworfen hatte, so hieß das nur: Kein durch sein Objekt bestimmter Wille kann um deswillen als absolut gut geachtet werden, weil er dadurch bestimmt ist, folglich bleibt nur übrig, eine Form des Willens als Grund der absoluten Achtung zu setzen. Wollte er nun ein Gesetz für den Willen aufstellen, so mußte er nur den Inhalt desselben von aller Materie des Willens reinigen, d. h. das Gesetz durfte nicht gebieten, daß irgend ein äußeres Objekt gewollt werde, nicht aber durfte er das Gesetz von allem Inhalte reinigen. Jene »allgemeine Gesetzmäßigkeit der Handlungen überhaupt« aber heißt richtig interpretiert nichts anderes als: der Inhalt des Gesetzes ist nur der, daß die Handlungen gesetzmäßig sein sollen; und das heißt wiederum nur, von Jemandem fordern, er solle gesetzmäßig handeln, ohne ihm zu sagen, worin die Gesetzmäßigkeit besteht. Um daher einen Inhalt des Gesetzes zu gewinnen, interpretiert Kant seinen Satz anders: »d. i., sagt er, ich soll niemals anders verfahren, als so, daß ich auch wollen könne, meine Maxime solle ein allgemeines Gesetz werden.« Diese Interpretation aber beruht wiederum auf einem neuen Fehler, indem Kant dem logisch allgemeinen Gedanken der bloßen Gesetzmäßigkeit den eines allgemeinen, d. h. ohne Ausnahme geltenden Gesetzes unterschiebt. Diese ostensible Deduktion seines berühmten kategorischen Imperativs ist daher nur eine Erschleichung. Indessen ist sie nicht der wahre Grund desselben. Vielmehr folgte die mögliche Allgemeingültigkeit einer Maxime schon aus dem Umstande, daß das Sittengesetz aus dem bloßen Begriffe des vernünftigen Wesens abgeleitet werden sollte; das Gesetz mußte also für alle vernünftige Wesen ohne Ausnahme gelten können; außerdem aber auch aus der Bemerkung, daß alle unsittliche Maximen, wenn sie als allgemein gedacht werden, sich selbst widersprechen.

Kant hatte also höchstens den Satz gewonnen, daß jedes Gesetz, welches als ein sittliches auftreten will, als ein allgemeingültiges sich erproben lassen muß, und hierin allerdings ein *äußerliches* Kriterium des Sittlichen erreicht, aber nur ein solches, aus dem der Inhalt der sittlichen Maximen nicht zu finden war, da man mit ihm nur anderswoher entstandene Maximen sittlich prüfen konnte. Wenn aber ein wahrhaft sittliches Prinzip in sich selbst den Grund enthalten muß, weshalb die ihm gemäßen Handlungen gut, d. h. absolut löblich sind, so kann jener kategorische Imperativ auf die Würde eines solchen Prinzips keinen Anspruch machen; denn die bloße Allgemeingültigkeit eines Gesetzes kann unmöglich dem ihm gemäßen Handeln absolute Würde verleihen. Es erhebt sich hierbei eben wieder die Frage: was mich denn verpflichtet, nach einer allgemein gelten könnenden Maxime zu handeln? Ein sittliches Prinzip darf aber einer solchen Frage keinen Raum mehr lassen, da sie in ihm selbst schon ihre Antwort gefunden haben muß.

Außerdem aber ist auch die Art und Weise wie Kant selbst die Maximen des Handelns nach seinem allgemeinen Prinzipe prüft, nur geeignet, die Tauglichkeit desselben auch zu einer solchen äußerlichen Prüfung von nur geringem Werte erscheinen zu lassen. Denn der Nachweis, daß irgend eine Maxime sittlich oder unsittlich sei, läuft darauf hinaus, daß gezeigt wird, wie irgend ein Gut, also ein Gegenstand der Begehrung, nach derselben entweder allgemein möglich oder unmöglich sei. So soll der letzte Grund der Treue im Versprechen darin liegen, daß sonst Niemand einem Versprechen glauben werde; der des Wohlwollens, daß sich doch Fälle ereignen können, wo man der Liebe Anderer bedarf, auf die man sich aber durch eigne Lieblosigkeit alle Hoffnung rauben würde[16]. Wären diese und dergleichen Gründe die eigentlichen, um derentwillen eine Maxime angenommen und verworfen werden sollte, so würde offenbar die Prüfung derselben nur nach den Grundsätzen des mit so großem Eifer verworfenen Eudämonismus geschehen.

Kant scheint selbst gefühlt zu haben, daß in der bloßen Allgemeingültigkeit einer Maxime noch nichts Achtunggebietendes liegen könne[17]; er ergreift darum einen andern Gedanken, um aus demselben die Würde jenes darzutun. »Die vernünftige Natur, sagt er, existiert als Zweck an sich selbst.«[18] Daher darf Niemand das vernünftige Wesen weder in sich noch in Andern als bloßes Mittel zu einem Zwecke gebrauchen, weil er es sonst herabwürdigen würde. Es muß also die Vernunft in jedem Wesen als die oberste Bedingung seiner Zwecke gesetzt werden. Geschieht dies, so ist der vernünftige Wille eines jeden Wesens ein allgemeingesetzgebender Wille. Denn da die Vernunft in Allen nur Eine sein kann, so muß der vernünftige Wille eines Jeden mit dem Aller ein und derselbe sein; sein Wollen kann also als allgemeines

Gesetz angesehen werden.

Das Achtunggebietende des kategorischen Imperativs wird hier also daraus abgeleitet, daß er der Ausdruck des vernünftigen Wollens ist; das vernünftige Wesen aber hat als solches eine absolute Würde. – Hier findet sich wiederum die Ahnung des richtigen Sachverhältnisses. Mit dem Worte Vernunft verknüpft man gewohnter Weise ohne Weiteres die Vorstellung alles Wahren, Schönen und Guten, und schreibt ihr deshalb eine absolute Würde zu. Nun aber hätte es sich geziemt in bestimmten und inhaltlichen Begriffen den Inhalt dessen, was man in dem Worte Vernunft verworrener Weise zusammenfaßt; darzustellen, damit man eingesehen hätte, weshalb und in wie weit der Vernunft eine absolute Würde zukommt. Das aber konnte aus dem allgemeinen Begriffe der reinen Vernunft nicht gefunden werden; man hätte also doch wieder auf die Auffindung der besondern löblichen Willensverhältnisse zurückkommen müssen, um zu erkennen, welches der Inhalt der Vernunft sein müsse, wenn ihr eine absolute Würde zukommen sollte; und um nicht in den gang und gäben Irrtum zu verfallen, wonach man eben dem Menschen an sich, weil in ihm Vernunft möglich ist, schon absolute Würde beizulegen pflegt.

Anstatt aber hierauf näher einzugehen und einen Weg einzuschlagen, auf welchem bestimmt werden konnte, was für einen Inhalt die Vernunft haben müsse, wenn sie, als Prinzip des Wollens gedacht, diesem absoluten Wert verleihen solle, läßt sich Kant verleiten, das Prinzip *der Autonomie des Willens* aus dem obigen Satze zu gewinnen[19]. Der um seiner Vernünftigkeit willen zu einer allgemeinen Gesetzgebung taugliche Wille eines jeden vernünftigen Wesens ist eben dadurch ein allgemein gesetzgebender Wille, und deshalb nicht lediglich dem Gesetze *unterworfen*, sondern nur deshalb ihm verpflichtet, *weil er es sich selbst gegeben hat.* Hierin liegt Wahres und Falsches vermischt. Das sittlich Ansprechende dieses Gedankens ist darin enthalten, daß nach jener Idee kein Widerstreit des Willens gegen das Gesetz gedacht wird, was so lange unwillkürlich geschieht, als man den Willen in bloßer Unterwerfung unter ein Gesetz denkt. Insofern wird also durch jene Autonomie des Willens die Idee der innern Freiheit (die Uebereinstimmung oder Harmonie des Willens mit dem absoluten Urteile über denselben) ausgedrückt. Das Falsche aber liegt darin, daß der Wille nur um deswillen dem Gesetze unterworfen sein soll, weil er es sich selbst gegeben hat. Denn daraus folgt, daß das Gesetz nicht aus einem absolut löblichen Inhalte seine Würde empfängt, sondern aus seinem Ursprunge, daraus nämlich, daß es der Ausdruck eben des Willens ist, welcher es befolgt, sein Inhalt mag sein welcher er will. Nun hat Kant zwar diesen sich selbst das Gesetz gebenden Willen als den vernünftigen bestimmt, aber da er zu sagen unterlassen hat, worin die Vernunft desselben bestehe, so ist auch hiermit kein sicheres Kriterium des sittlichen Handelns gefunden und noch weniger der letzte Grund der Verpflichtung aufgedeckt. Denn es ist ein großer Unterschied zu sagen: ich bin an ein Gesetz gebunden, weil es vernünftig ist, oder aber: ich bin daran gebunden, weil ich es mir selbst gegeben habe. Daß aber Kant auf diesen letzten durchaus falschen Gedanken gerät, hat darin seine erste Veranlassung, daß er von dem Begriffe des guten Willens auf den der Pflicht und damit des Gesetzes abgleitend, das Sittliche nun ursprünglich als Ausdruck eines Willens auffaßt. Nun erscheint es unwürdig, einem fremden Willen unterworfen zu sein; daher soll die absolute Würde des sittlichen Wollens darin bestehen, daß der Wille nur einem von ihm selbst sich selbst gegebenen Gesetze gehorcht. Jene Unwürdigkeit aber, einem fremden Willen unterworfen zu sein, beruht wiederum auf einer falschen Überschätzung der äußeren Freiheit, durch welche Kant auch in seiner Rechtslehre zu dem Satz verleitet wird, daß die Bürger eines Staats nur unter der Bedingung den bürgerlichen Gesetzen rechtlich unterworfen sein sollen, wenn sie selbst die Gesetze mit gegeben haben.

Nachdem nun Kant die Würde der sittlichen Gesinnung darin gefunden zu haben glaubt, daß das vernünftige Wesen, indem alle seine Maximen zu einer allgemeinen Gesetzgebung taugen, dadurch Anteil an der allgemeinen Gesetzgebung erhält, weil es nur seinem eignen Gesetze unterworfen ist, und hierdurch zu einem Gliede eines möglichen Reiches der Zwecke tauglich wird, hält er sein Geschäft hinsichtlich der Aufstellung des sittlichen Prinzips noch nicht für vollendet. Denn er meint, Sittlichkeit sei nur dann kein Hirngespinst, wenn der kategorische Imperativ und mit ihm die

Autonomie des Willens als wahr und notwendig bewiesen sei[20]. Diesen Beweis aber findet er in *der Freiheit des menschlichen Willens*. Denn nur dann ist der Gedanke der Autonomie ein möglicher, wenn der Wille von der Kausalität der Naturnotwendigkeit unabhängig, also frei ist; würde er dagegen notwendig durch den Einfluß fremder Ursachen zur Tätigkeit bestimmt, so verfiele er der Heteronomie[21]. So führt das Sittengesetz auf die Freiheit des Willens, und es kommt nun darauf an, diese wenigstens als eine mögliche Idee nachzuweisen. Zu diesem Behufe verweist nun Kant auf seine Sätze aus der Kritik der reinen Vernunft, d. h. auf theoretische Philosopheme. Er beruft sich darauf, daß ein Unterschied zwischen Erscheinung und Ding an sich wie überhaupt, so auch in Beziehung auf das eigne Ich gemacht werden müsse; daß sich also der Mensch gleichsam in zwei Welten, hinsichtlich seines empirischen Wesens in die Sinnenwelt, »in Ansehung dessen aber, was in ihm reine Tätigkeit sein mag« in die intellektuelle Welt versetzen müsse. »Nun findet der Mensch aber auch,« fährt er fort, »in sich wirklich ein Vermögen, dadurch er sich von allen andern Dingen, ja von sich selbst, sofern er durch Gegenstände affiziert wird, unterscheidet, das ist die Vernunft, welche eine reine Selbsttätigkeit ist; denn man kann sich unmöglich eine Vernunft denken, die mit ihrem eignen Bewußtsein in Ansehung ihrer Urteile anderwärts her eine Lenkung empfinge, denn alsdann würde das Subjekt nicht seiner Vernunft, sondern einem Antriebe die Bestimmung der Urteilskraft zuschreiben. Sie muß sich selbst als Urheberin ihrer Prinzipien ansehen, unabhängig von fremden Einflüssen«[22]. Ist also in theoretischer Hinsicht die Annahme der Freiheit des Willens, vermöge der Unterscheidung zwischen sinnlicher und intellektueller Welt, möglich, so ist sie in praktischer Hinsicht notwendig, da sich das vernünftige Wesen seiner Kausalität durch Vernunft, folglich einer reinen Selbsttätigkeit bewußt ist[23]. Diese Freiheit bleibt aber nur eine Idee, deren objektive Realität niemals eingesehen werden kann, weil wir die Dinge an sich nicht erkennen können; ihre Unmöglichkeit kann aber ebensowenig, und zwar aus demselben Grunde unsrer Unwissenheit über die Intellektualwelt, jemals dargetan werden. Gleichwohl ist dies genug zu einem vernünftigen Glauben an die Freiheit, da wir uns als vernünftige Wesen nicht anders, als unter ihrer Idee als vernünftig handelnd denken können.

Mit dieser Anknüpfung des Sittengesetzes an die Idee der transzendentalen Freiheit des Willens überschreitet Kant, wie er selbst sagt, die Grenzen der Metaphysik der Sitten[24], d. h. das eigentliche Gebiet der Sittenlehre, und wir würden daher seine Meinung von jener Freiheit an gegenwärtigem Orte ganz auf sich beruhen lassen können, wenn nicht hier eben der Punkt wäre, wo ganz vorzüglich die Nachfolger Kants ihre Sittenlehre angesetzt haben. Er bedarf daher einer genauern Erläuterung.

Nachdem Kant die Objekte des Willens als sittlichen Bestimmungsgrund desselben verbannt und die bloße gesetzgebende Form der Maximen als solchen behalten hatte, mußte für ihn die Frage entstehen: wie der Wille beschaffen sein müsse, der durch diese letztere bestimmbar sei, und er konnte nicht anders antworten als: ein solcher Wille müsse frei sein[25]. Während nämlich der frühere Determinismus gelehrt hatte, der Wille werde nur durch die Vorstellung der Güter oder Übel, also durch seine Objekte, bestimmt, hatte Kant einen disparaten Bestimmungsgrund für den Willen gefunden. Er mußte also, wenn er die Möglichkeit der Sittlichkeit behaupten wollte, annehmen, daß der menschliche Wille die Fähigkeit habe, nicht bloß durch seine Objekte, sondern auch durch Gründe, welche bloß in der Vorstellung des Sittengesetzes und der absoluten Verpflichtung durch dasselbe liegen, bestimmt zu werden[26]. In dieser »Motivität des Willens« hätte die zur Sittlichkeit nötige aber auch hinlängliche psychologische Freiheit des Willens bestanden. Allein Kant begnügt sich hiermit nicht. Denn einmal hatte er schon in der Kritik der reinen Vernunft die transzendentale Freiheit, d. h. das Vermögen einen Zustand absolut anzufangen, hauptsächlich deswegen gefordert, weil er glaubte, daß sonst die Zurechnung der Handlungen unmöglich sei, sodann aber hatte er im gegenwärtigen Zusammenhange eine Autonomie des Willens selbst gesetzt, in welcher er die eigentliche Würde des sittlichen Wollens erblickte. Gibt sich nun der Wille selbst ein solches Gesetz, welches von allen Objekten des Willens unabhängig ist, so scheint er durch nichts anderes dazu bestimmt zu werden, als durch sich selbst. Er ist hierin frei von aller

Bestimmtheit durch etwas Anderes, was nicht er selbst ist; also frei von allem Kausalzusammenhange. Aus diesem Grunde also begnügte sich Kant nicht mit jener bloßen Motivität des Willens, sondern forderte die transzendentale Freiheit, die er nun, weil sie, wie er sehr deutlich einsah, nicht in der empirischen Welt zu finden ist, in die intelligible verlegen mußte.

Hier nun ist der Ort, wo wir den Fehler in der Anlage seines Systems aufdecken können, durch welchen er auf das Postulat einer solchen Freiheit getrieben wurde. Er liegt lediglich darin, daß er den Begriff der *Pflicht* und damit den des *Gesetzes* zum obersten gemacht hatte. Der gute Wille soll nicht bestimmt werden durch seine Objekte, sondern nur durch ein Gesetz, welches ihm bloß die Form seines Wollens vorschreibt. Dieses Gesetz aber bindet ihn nur dadurch, daß es sein eigner Ausdruck ist, oder dadurch, daß er es sich selbst gegeben hat. Denn hätte ein anderer Wille ihm dies Gesetz gegeben, so würde er nur durch irgend eine Neigung oder Abneigung bewogen werden, ihm zu gehorchen; der fremde Wille würde dann für ihn ein Objekt sein, durch welches er bestimmt wird. Indem also der Wille sich selbst ein solches Gesetz gibt, das durch kein Objekt des Willens bestimmt ist, muß er es sich selbst unabhängig von allem Kausalzusammenhange geben; er selbst muß also von einem solchen frei sein. So hängt also, wie Herbart schon längst bemerkt hat, die transzendentale Freiheit am kategorischen Imperativ[27]. Denn dadurch, daß Kant das oberste sittliche Prinzip als einen Imperativ, also als einen Ausdruck eines Willens auffaßte, machte er den Willen, der dieses Gesetz gab, selbst zum Prinzip des Sittlichen. Nun konnte er dazu keinen durch Objekte bestimmten Willen gebrauchen, folglich mußte er, da er weiter nichts vor Augen hatte, als entweder die Objekte oder den Willen, den reinen Willen, oder seine »reine Tätigkeit« aus der intelligiblen Welt herholen. Dazu kommt, daß ihn eine richtige Bemerkung durch ein psychologisches Vorurteil in seinem Irrtume bestärkt. Er sagt, die Vernunft könne mit ihrem eignen Bewußtsein in Ansehung ihrer Urteile nicht anderwärts her eine Lenkung empfangen, denn alsdann würde das Subjekt die Bestimmung der Urteilskraft nicht seiner Vernunft, sondern einem Antriebe zuschreiben. Das heißt aber doch nur, wenn vernünftig geurteilt wird, so darf das Urteil nicht durch einen fremdartigen Antrieb, etwa durch eine Begierde, bestimmt werden, sondern nur durch den Gegenstand, über welchen geurteilt wird. Weil nun aber für Kant die Vernunft ein wirkliches Seelenvermögen mit einem bestimmten Inhalt ist, so schließt er aus jenem richtigen Satze, daß sie sich selbst als Urheberin ihrer Prinzipien, unabhängig von fremden Einflüssen ansehen, folglich als praktische Vernunft, oder als Wille eines vernünftigen Wesens von ihr selbst als frei angesehen werden müsse. – Nun aber ist die Vernunft weder ein Vermögen, welches aus sich Prinzipien erzeugen kann; noch ist sie jemals ein Wille, sondern unter der wirklichen praktischen Vernunft kann nichts anders verstanden werden, als das Urteilen über die Willensverhältnisse, welches allerdings von allen fremden Einflüssen durchaus unabhängig oder frei sein, dagegen aber durch die jedesmaligen Willensverhältnisse durchaus bestimmt sein muß, mit der Freiheit des Wollens aber selbst nicht verwechselt werden darf. – Wäre Kant also, anstatt in diese Fehler zu fallen, den oben von uns angedeuteten richtigen Weg gegangen; hätte er, anstatt in eine bloß formale Gesetzgebung des Willens zu geraten, die absoluten Urteile über die formalen Willensverhältnisse gewonnen: so würde er in diesen den von allen Objekten freien Bestimmungsgrund für den Willen, und in dem diesen Urteilen allein folgenden Willen den wahren sittlich-freien Willen gefunden haben, der, obwohl von denselben determiniert, doch darum frei ist, weil er die Form der unfreien, von den Objekten gezogenen Begierde verloren hat. Jene transzendentale Freiheit aber aus der intelligiblen Welt, die sich ohne Grund ein Gesetz gibt, hätte er dann ruhig da lassen können, wohin sie gehört – in dem Reiche schwärmerischer Meinungen. –

Wie Kant nur durch Fehler zu der Annahme jener transzendentalen Freiheit verleitet ist, so verwickelt er sich nun weiter durch dieselbe, um seinen eignen Ausdruck zu gebrauchen, in ein ganzes Nest voll Widersprüche.

Zunächst ist offenbar, daß ein Ding an sich, welches als »reine Tätigkeit« gedacht werden soll, ein Unding ist. Denn in dem Begriffe des Tuns liegt, daß im Tätigen etwas geschieht, welches sonst nicht in ihm geschähe, daß also eine Bestimmung in ihm gesetzt wird, welche sonst nicht in ihm wäre, und also auch etwas in ihm negiert wird, welches sonst in ihm wäre. Das rein Tätige wird also durch sich selbst ohne Grund sich selbst ein Anderes. Das ist die Hegelsche absolute Negativität, welche das Wesen der Dinge ist.

 Sodann verlegt Kant in das intelligible Wesen des Menschen, welches von allem Kausalzusammenhange mit Anderm frei sein soll, solche Begriffe als Merkmale desselben, welche nur Abstraktionen aus dem erscheinenden, mit Anderem im Kausalzusammenhange stehenden, Wesen des Menschen sind, also nur in diesem Zusammenhange Sinn haben. Denn die reine Vernunft und der reine Wille, welche dem intelligiblen Ich beigelegt werden, sind doch nur Abstraktionen von den empirischen Tatsachen des vernünftigen Überlegens und des durch bewußte Gründe bestimmten Begehrens oder des Wollens. In einer Welt aber, wo kein Kausalnexus gedacht werden soll, muß alles Denken und Wollen negiert werden; denn diese Tätigkeiten beziehen sich offenbar auf ein Kausalverhältnis. Wie kann ferner das intelligible Wesen des Menschen sich selbst ein Gesetz geben, welches gar keinen Sinn hat, wenn es sich nicht auf empirische Verhältnisse bezieht? Denn der kategorische Imperativ soll doch eine Regel sein, wonach der empirische Wille sich richten soll? Wie kann ferner Kant sich berechtigt glauben, dem »An sich« des Ich, einem Dinge an sich, Intelligenz und Willen beizulegen, da er doch selbst behauptet, daß wir die Dinge an sich nicht erkennen? – Es ist aber nur der allgemeine Fehler aller falschen Spekulation, in welchen Kant hier verfallen ist, daß man Begriffe, die man aus dem Empirischen abstrahiert hat, in ihrer abstrakten oder reinen Gestalt dem Absoluten als Merkmal beilegt. Gesetzt endlich, die transzendentale Freiheit wäre dergestalt gefunden, wie Kant sie zur Grundlegung seiner Ethik gebraucht, daß sie als reine praktische Vernunft sich selbst ein Gesetz sei, und ein freier Wille und ein Wille unter sittlichen Gesetzen einerlei sei[28], so müßte für den empirischen Willen daraus folgen, daß er nur die Erscheinung dieses freien Willens und seines Gesetzes sei, d. h. das erscheinende Wollen müßte von selbst dem Sittengesetze entsprechen, und das ganze Leben nur Ein Phänomen der transzendentalen Freiheit sein. Woher dann aber das Böse? Kant antwortet: die Unterordnung des Sittengesetzes unter die Maxime der Selbstliebe – worin ihm das menschlich Böse besteht – entspringe aus freier Willkür und sei eine angeborne Schuld; der Ursprung des Bösen sei also ein intelligibler, eine Tat der intelligiblen Freiheit, folglich unerforschlich[29]. – Hier offenbart sich nun ein Widerspruch, nach dessen Lösung man vergeblich bei Kant suchen wird. Dieselbe transzendentale Freiheit, welche als die reine praktische Vernunft charakterisiert ist, ja von welcher gesagt wird, daß der freie Wille und ein Wille unter dem Sittengesetz einerlei ist; sie, deren eignes Gesetz das Sittengesetz ist, sie, die von Naturursachen gar nichts weiß, soll dennoch solche Triebfedern, die aus dem empirischen Kausalnexus der Naturforscher entspringen, ihrem eignen Gesetze überordnen! Das ist allerdings der Gipfel der Unbegreiflichkeit!

In alle diese Widersprüche und Unbegreiflichkeiten würde sich Kant nicht verwickelt haben, wenn er nicht von der Annahme realer Seelenvermögen ausgegangen wäre. Er setzt aber als das *reale* intelligible Wesen der Seele eben jene »reine Tätigkeit« oder transzendentale Freiheit, deren eignes Gesetz das Sittengesetz sein soll. Danach hat also der Mensch diese Freiheit, oder praktische Vernunft, ursprünglich als ein reales Vermögen in sich. Eben deshalb aber, weil diese Freiheit das eigentliche »An sich«, das intelligible Wesen des Menschen ist, sieht sich Kant späterhin genötigt, auch das Böse aus diesem intelligiblen Wesen abzuleiten. Wenn nun aber das Böse auch aus jener Freiheit entstammen soll, so bleibt diese offenbar nicht, was sie ursprünglich war, die reine praktische Vernunft, sondern sie sinkt zu jener albernen, indifferenten Willensfreiheit herab, die sich ohne Grund und ohne Ursache bestimmt. Denn weder ist ein Grund vorhanden, weshalb sie sich zum Guten oder zum Bösen bestimmt, noch ist eine Ursache zu finden, weshalb sie sich überhaupt bestimmt.

Nach dieser Darlegung der ethischen Grundlage bei Kant wird es nicht nötig sein, ihm weiter in die Ausführung seines Systems zu folgen, da sowohl seine Trennung der Ethik in Rechtslehre und Tugendlehre und deren Gründe außerhalb unserer gegenwärtigen Betrachtung liegen, als auch die Anlage der Tugendlehre Kants auf die weitere Entwicklung der Ethik von wenig Einfluß gewesen ist. Ebenso wenig können die praktischen Postulate, welche Kant seiner Ethik anhängt, in gegenwärtigem Zusammenhange besprochen werden, da sie den Übergang von der Ethik zur Religionsphilosophie bilden, deren Entwicklungsgang einer spätern Darstellung aufbewahrt bleiben muß.

Wir wollen nur noch kurz die Hauptpunkte der Kantischen Prinzipien auszeichnen, sowohl diejenigen, welche als die richtigen Leitsterne für die Ethik von seinen Nachfolgern hätten beobachtet werden sollen, als auch diejenigen, durch welche Kant selbst Veranlassung geworden ist, daß die Ethik später auf falsche Bahnen geriet.

1. Das erste und vornehmlichste Verdienst Kants ist *seine Besiegung der Glückseligkeitslehre.* Er hat nachgewiesen, daß das Handeln zum Zwecke der Glückseligkeit kein sittliches Handeln ist.

2. Damit hängt die Erkenntnis zusammen, *daß der Wille nicht um seiner Objekte willen, sondern nur durch seine Form gut sein kann;* daß also die Ethik ursprünglich nicht als Güterlehre auftreten darf. Wenn Schleiermacher allerdings der Güterlehre wieder den Vorzug gegeben hat, so ist es doch von ihm nicht in dem alten eudämonistischen Sinne geschehen, sondern er hat dabei, freilich nur versteckter Weise, solche Güter im Auge, nach denen ein schon sittlich bestimmter Wille strebt.

3. *Kant stützt das Fundament der Ethik nicht auf eine theoretische Wissenschaft,* weder Psychologie, noch Physik, noch Theologie, daher auch nicht auf eine allgemeine Metaphysik, welche deren Grundlage ist. Das Sittengesetz kann nach ihm nicht aus vorhergehenden Datis der Vernunft, z. B. dem Bewußtsein der Freiheit herausvernünftelt werden, sondern dringt sich für sich selbst als synthetischer Satz a priori auf, der auf keiner weder reinen noch empirischen Anschauung gegründet ist. Es ist das einzige Faktum der reinen Vernunft, die sich dadurch ursprünglich als gesetzgebend ankündigt.

Hauptsächlich aber ist in dem Satze, daß die Vernunft mit ihrem Bewußtsein nicht anderwärts her eine Leitung empfängt, sondern selbständig urteilt, die Unabhängigkeit der Philosophie überhaupt, wie auch die Selbständigkeit der Ethik ausgesprochen. Es liegt hierin zunächst die notwendige Unabhängigkeit der Philosophie von aller Autorität, sie sei welche sie wolle. Denn Alles, was sich für das Denken als eine Autorität ankündigt, muß von demselben selbst erst beurteilt werden, ehe es dafür anerkannt werden kann. Im Gegenfalle würde die Vernunft gar nicht urteilen, wenn ihr Urteil durch etwas anderes bestimmt würde, als durch den Inhalt des Gedachten, oder durch die Natur der Sache selbst. Insbesondere aber liegt darin die Unabhängigkeit der Ethik von aller Metaphysik samt den von dieser abhängenden Wissenschaften. Denn wenn Kant den Satz ausspricht, daß es sich in der Ethik nicht handle um das was geschieht, sondern was geschehen solle, wenn aber die Metaphysik nur nach dem fragt, was ist und geschieht, so sind die der Ethik und der Metaphysik vorgelegten Fragen durchaus disparater Natur; die praktische Vernunft würde also, indem sie das beurteilt was geschehen soll, einem fremdartigen Einflusse sich hingeben, wenn sie in diesen ihren Urteilen eine Leitung durch die Metaphysik annehmen wollte.

Neben diesen Grundwahrheiten aber liegen in der Kantischen Ansicht *Irrtümer*, welche auf die spätere Entwicklung der Ethik noch folgenreicher eingewirkt und jene Wahrheiten fast in den Hintergrund gedrängt haben:

1. *Die Annahme einer reinen Vernunft, als einer ursprünglich an sich seienden realen reinen Tätigkeit.*

Hierin liegt die Quelle des spätern absoluten Idealismus.

2. Wird die reine Vernunft als das reale »An sich« des Ich gesetzt, so sind die theoretische und praktische Vernunft nur zwei verschiedene Tätigkeiten ein und desselben Vermögens, und *die Erkenntnis dieses reinen An sich wird dann die aufzufindende Eine Quelle sowohl der Physik als der Ethik.* Daher spricht Kant selbst schon die Erwartung aus, daß die Einheit jener beiden Tätigkeiten erkannt und dadurch die Philosophie vollendet werde, da es eine Vernunftforderung sei, daß die philosophische Erkenntnis nur Ein Prinzip habe. Hiermit hob er selbst die prinzipielle Unabhängigkeit der praktischen und theoretischen Philosophie wieder auf, oder erklärte sie nur für vorläufig. Er hat hierin seinen Nachfolgern das Programm einer zukünftigen Philosophie geschrieben, nach welchem sie nur zu treu gearbeitet haben.

In eben dieser Ansicht von dem Einen Prinzipe für die ganze Philosophie liegt auch die Meinung, daß auch jede einzelne philosophische Disziplin Ein oberstes Prinzip (Satz) an der Spitze haben müsse, von dem alles Übrige in derselben abhänge. Daher stellt Kant *nur Ein oberstes Sittengesetz* auf, ohne auch nur die Frage aufzuwerfen, ob nicht mehrere, wenn auch nicht Sätze, doch Ideen oder Begriffe, die von einander unabhängig seien, die Grundlage der Ethik bildeten.

3. Die *Würde* des guten Willens lag bei Kant sowohl *in der Allgemeingültigkeit des Gesetzes*, welches er aus bloßer Achtung gegen dasselbe befolgt, als auch in der *Autonomie des Willens*, der nur deshalb an das Gesetz sich gebunden fühlt, weil er es selbst gegeben hat. Dazu hatte er von einem *Reiche der Zwecke* geredet, in welches der Mensch dadurch hineinpassen müsse, daß er nur solchen Maximen folgte, die als allgemein gesetzgebend gelten können. Hierin liegen im Keime die Gedanken, welche für seine Nachfolger zu leitenden Prinzipien in der Ethik wurden. [...]

1 Kant's Werke, Leipzig 1838, Band 4, S. 19. [Thilo verweist auf und zitiert nach der von Gustav Hartenstein besorgten Ausgabe von Immanuel Kant's Werken, sorgfältig revidierte Gesamtausgabe in zehn Bänden, Leipzig 1838-1839. Thilos Seitenangaben sind in den Anmerkungen die Originalpaginierungen der »Grundlegung zur Metaphysik der Sitten« (AB) und der »Kritik der praktischen Vernunft« (A) beigegeben. AB S. 15 f.]

2 A.a.O., S. 68 vgl. S. 139 [AB S. 90 f. vgl. A S. 65].

3 A.a.O., S. 127. [A S. 50 f.].

4 A.a.O., S. 140. [A S. 66].

5 A.a.O., S. 39. [AB S. 45 f.].

6 A.a.O., S. 70 [AB S 93 f.]

7 [AB S. 7].

8 A.a.O., S. 118 ff. [A S. 38 ff.].

9 A.a.O., S. 32. [AB S. 34].

10 A.a.O., S. 31. [AB S. 32 f.].

11 A.a.O., S. 14. [AB S. 8].

12 A.a.O., S. 32. [AB 35].

13 A.a.O., S. 132, 133. [A S. 57].

14 A.a.O., S. 19. [AB S. 15].

15 A.a.O., S. 20. [AB S. 17].

16 A.a.O., S. 45, 46. [AB 55, 56].

17 A.a.O., S. 77. [AB S. 103 f.].

18 A.a.O., S. 53. [AB S. 66].

19 A.a.O., S. 55 ff. [AB S. 69 ff.].

20 A.a.O., S. 72. [AB S. 96].

21 A.a.O., S. 73. [AB S. 98].

22 A.a.O., S. 75. [AB S. 101].

23 A.a.O., S. 90. [AB S. 124].

24 A.a.O., S. 71. [AB S. 95].

25 A.a.O., S. 128. [A S. 51].

26 Vgl. Hartenstein, Grundbegriffe der ethischen Wissenschaften, S. 68. [Gustav Hartenstein, Die Grundbegriffe der ethischen Wissenschaften, Leipzig 1844.].

27 Herbart's kleinere phil. Schriften. Bd. I. S. 508 [Leipzig 1842].

28 A.a.O., S. 74. [AB S. 98.]

29 Relig. i. d. G. d. b. V. S. 29, 43. [Die Religion innerhalb der Grenzen der bloßen Vernunft, AA, VI, S. 35, 43.]

Friedrich Adolf Trendelenburg
Der Widerstreit zwischen Kant und Aristoteles in der Ethik
(1867)

Über eine Differenz im ethischen Prinzip

Die Frage nach dem ethischen Prinzip, nach dem Grundgedanken, welcher das menschliche Wollen und Handeln bestimmen solle, ist fast so alt als die Philosophie überhaupt und immer wieder jung, da sie den eigensten Wert des Menschen angeht und die Selbstbesinnung eines jeden anregt.

In der neuern deutschen Philosophie ist die Frage nach den Prinzipien der Wissenschaften und insbesondere nach dem Prinzip der praktischen Philosophie am schärfsten und bedeutendsten in Kant hervorgetreten. Kant stellt die ganze Untersuchung seiner Kritik der reinen, der praktischen Vernunft und der Urteilskraft auf die Prinzipien der Erkenntnis und konzentriert darin die Kraft seines Geistes. Die folgenden Philosophen haben zum Teil diese analytische Behandlung der Prinzipien gegen synthetische Konstruktionen zurückgestellt; sie haben es fast sämtlich verschmäht, die Prinzipien so umsichtig zu betrachten und so sauber herauszuarbeiten und die Grundlage so zu sichern, wie Kant es tat, der darin und überhaupt in der Stellung des Problems ein dauerndes Vorbild ist. Daher wird man, wo es sich um die Prinzipien, die eigentliche Aufgabe der Philosophie, handelt, nie vor Kant vorbeigehen dürfen. Mag man in der Lösung des Problems von Kant abweichen müssen, man wird immer von Kant lernen, wie man es zunächst aufzufassen und anzufassen. In diesem Sinne wird jedes ethische Prinzip, ehe es das Vertrauen der Wissenschaft gewinnen kann, sich mit Kant aus einander setzen müssen, und in demselben Sinne wird es Interesse haben, eine Differenz zwischen Aristoteles und Kant zur Sprache zu bringen.

Wir nehmen zunächst unsern Standpunkt in Kant.

Seine »Grundlegung zur Metaphysik der Sitten« 1785 stellte

der Moral der Zeit, welche ihren Eudämonismus prinziplos aus allerhand Elementen zusammengelesen hatte, einen neuen Begriff in einleuchtender Einfachheit und durchschlagender Energie entgegen, den lautern Willen, der nur um des Gesetzes willen will. Er untersucht die Idee und die Prinzipien eines möglichen *reinen* Willens und beginnt seine Schrift mit den bezeichnenden Worten: »Es ist überall nichts in der Welt, ja überhaupt auch außer derselben zu denken möglich, was ohne Einschränkung für gut könnte gehalten werden, als allein ein *guter* Wille.«[1] Kant führt dies aus. Der gute Wille ist nur *der* Wille, welcher das durch seine Allgemeinheit unbedingte Gesetz zum Inhalt und dasselbe unbedingte Gesetz zur Triebfeder hat. *»Der Wille«*, sagt Kant (VIII. S. 67 nach Rosenkranz' Ausg.[2]), »ist schlechterdings gut, der nicht böse sein, mithin dessen Maxime, wenn sie zu einem allgemeinen Gesetze gemacht wird, sich selbst niemals widerstreiten kann. Dieses Prinzip ist also auch sein oberstes Gesetz: handle jederzeit nach derjenigen Maxime, deren Allgemeinheit als Gesetzes du zugleich wollen kannst; dieses ist die einzige Bedingung, unter der ein Wille niemals mit sich selbst im Widerstreite sein kann, und ein solcher Imperativ ist kategorisch. Weil die Gültigkeit des Willens, als eines allgemeinen Gesetzes für mögliche Handlungen, mit der allgemeinen Verknüpfung des Daseins der Dinge nach allgemeinen Gesetzen, die das Formale der Natur überhaupt ist, Analogie hat, so kann der kategorische Imperativ auch so ausgedrückt werden: handle nach Maximen, die sich selbst zugleich als allgemeine Naturgesetze zum Gegenstande haben können.« »So ist«, sagt Kant, »die Formel eines schlechterdings guten Willens beschaffen.«[3] Da die Maxime der subjektive Grundsatz ist, der Grundsatz, den ich mir bilde, das subjektive Prinzip des Wollens, so schließt sie den Beweggrund ein. Der gute Wille, dessen Gegenstand das Allgemeine und dessen Motiv das Allgemeine ist, wird dergestalt vom Allgemeinen geleitet und getrieben, daß er alles Selbstische abgetan hat, und statt aus pathologischen Affekten (Lust oder Unlust) aus der Vernunft heraus tätig ist. In dieser Läuterung wird die Sittlichkeit von aller Beimischung des Sinnlichen und allem unechten Schmuck des Lohns oder der Selbstliebe entkleidet (S. 53[4]). So muß der Wille seine Triebfedern reinigen und unabhängig von den Neigungen selbst den Neigungen widersprechen und widerstreben können. Wenn der Bestimmungsgrund des Handelns kein anderer sein darf, als die Vorstellung des Gesetzes, so erhellt daraus in Kants Sinne die Erhabenheit der Pflicht, welche die Notwendigkeit einer Handlung aus Achtung fürs Gesetz ist (VIII. S. 20[5]). Wo etwas anderes als die Vorstellung des Gesetzes, des vernünftig sittlichen, die Triebfeder des Handelns ist, z. B. die verhoffte Wirkung, die Neigung, da wird die Ethik empirisch, da verliert sie die Hoheit ihres Ursprungs, die Notwendigkeit der Vernunft, welche in sich selbst gegründet aus keiner Erfahrung stammt (vgl. VIII. S. 64, 66[6]). Das Wesen der Vernunft ist Allgemeinheit und durch diese Allgemeinheit gibt sie sich selbst das Gesetz. Daher zeigt sich in dem allgemeinen Gesetze, welches den Gegenstand, wie die Triebfeder des Willens bestimmt, die Autonomie des vernünftigen Willens (vgl. VIII. S. 71 ff.[7]).

In diesem Sinne ist das Prinzip des reinen Willens aller Empirie entgegengesetzt; und Kant, besorgt, dem großen Begriff des reinen Willens Abbruch zu tun, tut gegen allen empirischen Ursprung des Sittengesetzes die kräftigste Einsage. »Alles«, sagt er (VIII. S. 53[8]), »was empirisch ist, ist als Zutat zum Prinzip der Sittlichkeit, nicht allein dazu ganz untauglich, sondern der Lauterkeit der Sitten selbst höchst nachteilig, an welchen der eigentliche und über allen Preis erhabene Wert eines schlechterdings guten Willens eben darin besteht, daß das Prinzip der Handlung von allen Einflüssen zufälliger Gründe, die nur Erfahrung an die Hand geben kann, frei sei. Wider diese Nachlässigkeit oder gar niedrige Denkungsart in Aufsuchung des Prinzips unter empirischen Bewegursachen und Gesetzen kann man auch nicht zu viel und zu oft Warnungen ergehen lassen.«

Wenn nun in diesem Sinne Kants das Allgemeine von allem Inhalt der Erfahrung geschieden wird, so bleibt nichts als die Form des Allgemeinen, als das formal Allgemeine übrig. Kant besteht in der Tat darauf, daß dies formal Allgemeine und nichts weiter das Prinzip des Willens sei. Alle praktischen Prinzipien, sagt er (Kritik der praktischen Vernunft VIII. S. 128[9]), die ein *Objekt* (Materie) des Begehrungsvermögens, als Bestimmungsgrund des Willens, voraussetzen, sind insgesamt empirisch und können keine praktischen Gesetze abgeben, weil es einem solchen Prinzip an objektiver Notwendigkeit, die a priori erkannt werden muß, mangelt.

Bei der Absicht zu einem praktischen Gesetz zu gelangen, welches schlechterdings und ohne alle Triebfeder für sich gebiete und dessen Befolgung Pflicht sei, führt Kant an einem andern Orte aus (Metaphysik der Sitten S. 52[10]), »ist es von der äußersten Wichtigkeit, sich dieses zur Warnung dienen zu lassen, daß man es sich ja nicht in den Sinn kommen lasse, die Realität dieses Prinzips aus der *besondern Eigenschaft der menschlichen Natur* ableiten zu wollen. Denn Pflicht soll praktisch unbedingte Notwendigkeit der Handlung sein; sie muß also für alle vernünftigen Wesen (auf die nur überall ein Imperativ treffen kann) gelten, und *allein darum* auch für allen menschlichen Willen ein Gesetz sein. Was dagegen aus der besondern Naturanlage der Menschheit, was aus gewissen Gefühlen und Hange, ja sogar, wo möglich, aus einer besondern Richtung, welche der menschlichen Natur eigen wäre und nicht notwendig für den Willen eines jeden vernünftigen Wesens gelten müßte, abgeleitet wird, das kann zwar eine Maxime für uns, aber kein Gesetz abgeben, ein subjektives Prinzip, nach welchem wir handeln zu dürfen Hang und Neigung haben, aber nicht ein objektives, nach welchem wir *angewiesen* wären zu handeln, wenn gleich aller unser Hang, Neigung und Natureinrichtung dawider wäre, so gar, daß es um desto mehr die Erhabenheit und innere Würde des Gebots in einer Pflicht beweist, je weniger die subjektiven Ursachen dafür, je mehr sie dagegen seien, ohne doch deswegen die Nötigung durchs Gesetz nur im Mindesten zu schwächen und seiner Gültigkeit etwas zu benehmen.« »Hier soll die Philosophie ihre Lauterkeit beweisen, als Selbsthalterin ihrer Gesetze, nicht als Herold derjenigen, welche ihr ein eingepflanzter Sinn, oder wer weiß welche vormundschaftliche Natur einflüstert, die insgesamt, sie mögen immer besser sein als gar nichts, doch niemals Grundsätze abgeben können, die die Vernunft diktiert.«[11]

In diesen Worten verbietet Kant das ethische Prinzip aus der besondern Eigenschaft der menschlichen Natur abzuleiten. Er greift höher; denn die besondere Eigenschaft der menschlichen Natur wird nur durch Erfahrung erkannt, von der sich das Prinzip vielmehr lossagen soll; er will ein Prinzip, das nur darum für den Menschen gelte, weil es für *alle* vernünftigen Wesen gilt. Soll sich das Allgemeine so hoch erheben, daß es nicht mehr das Allgemeine der menschlichen Natur ist, sondern ein Allgemeines über dieses hinaus, jedes vernünftige Wesen befassend: so ist klar, daß ein solches Allgemeines, in Wesen hineingreifend, welche wir nicht kennen, sich zum formal Allgemeinen aushöhlen muß. [...]

Wir fragen, gegen wen richtet Kant das Verbot, das er dringend einschärft, die Realität des praktischen Prinzips aus der besondern Eigenschaft der menschlichen Natur ableiten zu wollen.

Für diese zunächst historische Frage tun wir einen Blick auf die übersichtliche Tafel der praktischen materialen Bestimmungsgründe im Prinzip der Sittlichkeit, welche er der Kritik der praktischen Vernunft eingefügt hat (VIII. S. 154[12]). Die praktischen materialen Bestimmungsgründe im Prinzip der Sittlichkeit sind darnach entweder subjektive oder objektive; und beide sind entweder äußere oder innere. Die äußern subjektiven Bestimmungsgründe sind teils die Erziehung nach Montaigne, teils die bürgerliche Verfassung nach Mandeville. Die innern subjektiven Bestimmungsgründe sind teils das physische Gefühl nach Epikur, teils das moralische Gefühl nach Hutcheson. Der innere objektive Bestimmungsgrund ist die Vollkommenheit (nach Wolff und den Stoikern) und der äußere objektive ist der Wille Gottes (nach Crusius und andern theologischen Moralisten). Mit dieser Einteilung meint Kant alle möglichen Bestimmungsgründe des Willens erschöpft zu haben.

Wo findet sich nun unter diesen Vertretern die besondere Eigenschaft der menschlichen Natur, welche Kant an jener Stelle nicht als Prinzip zuläßt? Die menschliche Natur in ihrem ganzen eigentümlichen Wesen ist unter den Prinzipien nirgends verzeichnet. Das physische Gefühl Epikurs und das moralische Gefühl Hutchesons sind einzelne Seiten des menschlichen Wesens, aber nicht seine ganze Eigentümlichkeit. Einseitig, wie sie sind, werden sie sich auch nicht eignen, das ganze sittliche Wesen des Menschen an den Tag zu bringen, ja sie werden es vielleicht, wie Lust und Selbstliebe, verzerren. Man wird am ehesten berechtigt sein, »die besondere Eigenschaft der menschlichen Natur«, welche Kant in der angeführten Stelle aus dem Inhalt des Prinzips heraus-schafft, unter dem Gesichtspunkt des innern objektiven Bestimmungsgrundes, unter der Vollkommenheit nach Wolff und den Stoikern zu suchen. Denn in der Tat beschäftigten sich die Stoiker, welche den Grundsatz, der Natur gemäß zu leben, an die Spitze stellten, für die Ethik mit einer psychologischen Basis. Indessen was Kant über die Vollkommenheit in der Tafel der materialen Bestimmungsgründe hinzusetzt, gestattet uns nicht die Meinung, daß er unter diesem Gesichtspunkt das eigentümliche Wesen des Menschen als Prinzip der Ethik wirklich erwogen habe. »Der Begriff der Vollkommenheit«, sagt er (VIII. S. 155[13]), »in *praktischer* Bedeutung ist die Tauglichkeit oder Zulänglichkeit eines Dinges zu allerlei Zwecken. Diese Vollkommenheit als Beschaffenheit des Menschen, folglich innerliche, ist nichts anderes, als *Talent,* und was dieses stärkt oder ergänzt, *Geschicklichkeit.*« Wenn Kant nichts anderes aus der Vollkommenheit herausliest, so hat er in der Tat nur den äußern Nutzen (die Tauglichkeit zu allerlei Zwecken, die Geschicklichkeit) nicht den innern Zweck, nicht die Vollendung der mit den eigenen innern Zwecken einstimmigen menschlichen Natur, welche ihr Maß in sich selbst, in der Idee ihres Wesens hat, vor Augen.

Wirft man ferner auf die von Kant angeführten historischen Repräsentanten der praktischen materialen Bestimmungsgründe einen Blick, so muß es auffallen, daß zwar Montaigne und Mandeville und Hutcheson genannt sind, Männer zweiter und dritter Ordnung in der Geschichte der Ethik, aber die Klassiker der Ethik Plato und Aristoteles mit keinem Worte. Es läßt sich auch sonst aus Kants Schriften schließen, daß er beide nur aus abgeleiteten Notizen und nicht in ihrem ursprünglichen Wesen aus eigenem Studium kannte.[14] Es ist kaum zu denken, daß in einer Tafel der ethischen Prinzipien, welche sich für vollständig hält, das Prinzip des Aristoteles, des Ethikers im eminenten Sinne, mangele; die Lücke ist groß.

Noch mehr. Kant richtet in der Metaphysik der Sitten seinen Scharfsinn gegen diejenigen, welche das ethische Prinzip aus der besondern Beschaffenheit der menschlichen Natur ableiten wollen, – und übergeht *dies* Prinzip in der Tafel der materialen Bestimmungsgründe, oder wenigstens denjenigen, welcher diesen Grundgedanken am bedeutendsten vertritt, mit Stillschweigen.

So kann man von einer Differenz zwischen Kant und Aristoteles reden und auch nicht reden. Man muß davon reden, wenn man die Prinzipien gegen einander hält und dem konkret Allgemeinen, das Aristoteles in dem eigentümlichen Wesen der menschlichen Natur suchte, das formal Allgemeine Kants, das Allgemeine, mächtig zwar durch die Form, aber leer an Inhalt, gegenübersieht; aber man kann nicht in dem Sinne von einer Differenz beider reden, als ob die Geister gleichsam persönlich auf einander geplatzt wären. Kant geht an Aristoteles still vorüber. Die letzten Gestalten der modernen Philosophie, der deutschen, französischen und englischen, bewegen seine Kritik; aber die Auffassungen des Altertums, in schöpferischer Einfachheit groß, liegen ihm im Grabe der Vergangenheit und er läßt sie ruhen.

Um die Differenz des Prinzips anschaulich zu machen, wird es nötig an das Prinzip der aristotelischen Ethik in einigen Zügen zu erinnern.

Wenn jede Kunst und jede Erkenntnis, sagt Aristoteles eth. Nicom. I., jede Tat und jeder Vorsatz nach einem Guten zu streben scheinen, so heißt dasjenige, wornach Alle streben, mit Recht das Gute überhaupt. Die Menge und die Gebildeten nennen dieses Leben *Glückseligkeit* (εὐδαιμονία), aber im Namen einig verstehen sie darunter Verschiedenes, die einen das genießende Leben, die andern das erwerbende, das Leben der Reichen, die dritten das im Staate tätige, das Leben der Ehre, die vierten das betrachtende, das Leben der Erkenntnis. Sie alle fassen das Gute einseitig; die meisten machen darin das Gute von einem Fremden abhängig. Das vollendete Gute muß in sich selbst zulänglich sein, sowohl für den einzelnen Menschen, als auch für die menschliche Gemeinschaft; denn der Mensch führt kein Einsiedlerleben, sondern ist ein für den Staat bestimmtes Wesen (ein ζῷον πολιτικόν). Was nun dies Zulängliche sei, das um seiner selbst willen begehrt wird und keines andern weiter bedürftig ist, kann sich für den Menschen nur aus der Betrachtung des dem Menschen eigensten Wesens ergeben.

Zu dem Ende muß man, sagt Aristoteles, die eigentümliche Verrichtung des Menschen, das dem Menschen und nur dem

Menschen angehörende Werk betrachten (eth. Nicom. I. 6. II, 5. τὸ ἑαυτοῦ ἔργον, ferner τὸ ἴδιον, τὸ οἰκεῖον). Denn wie einem Flötenspieler und einem Bildhauer und jedem Künstler und überhaupt allen, welche eine Verrichtung und Handlung zu eigen haben, in diesem Werke das Gute und Vollkommene zu liegen scheint: so muß es auch mit dem Menschen überhaupt sein, wenn er anders ein eigenes Werk hat. Hätte er es nicht, so wäre es ein Widerspruch, daß Handwerker und Künstler Werke hätten, aber der Mensch keins, sondern von Natur zwecklos wäre; es wäre unglaublich, daß Auge und Hand und Fuß und überhaupt jedes Glied augenscheinlich eine eigene Verrichtung hätten, aber der Mensch als Ganzes, der Mensch überhaupt außer diesen einzelnen keine. Welche ist nun diese dem Menschen eigentümliche Tätigkeit?

Für die Beantwortung dieser Frage geht Aristoteles, wenn auch nur mit kurzen Andeutungen, in die Psychologie zurück. Wenn das Eigentümliche gesucht wird, so wird das gesucht, was den Menschen von den übrigen Geschöpfen unterscheidet. Daher wird zunächst das vegetative Leben abgesetzt; denn zu leben, sich zu ernähren und zu wachsen, ist dem Menschen selbst mit den Pflanzen gemein. Auf der zweiten Stufe folgt das empfindende Leben; aber dieses teilt der Mensch mit den Tieren. Als das Eigentümliche bleibt also nur ein gewisses tätiges Leben des der Vernunft teilhaftigen Vermögens. Dieses vernünftige Vermögen hat einen doppelten Teil, der eine folgt der Vernunft, der andere besitzt sie und ist das Denkende. Hierin liegt das eigentümliche Werk des Menschen, und zwar nicht wenn das Vermögen ruht, sondern wenn es tätig ist. Wie wir nun die Verrichtung des Flötenspielers überhaupt in der Verrichtung des vollendeten Flötenspielers anschauen, so fällt das eigentümliche Werk des Menschen überhaupt mit dem in der Vollendung gedachten zusammen. Wenn also die dem Menschen eigentümliche Tätigkeit in der ihr eigenen Vortrefflichkeit (ἀρετή), ausgeführt wird, so entsteht das menschliche Gut als die Tätigkeit der Seele nach der Tugend hin.

Wie nun aus jener doppelten Funktion des Vernünftigen die ethischen und dianoetischen Tugenden (die *virtutes morales* und *intellectuales*) hervorgehen, die ethischen aus dem Teil, welcher der Vernunft nur folgt, aus der vernünftigen Vollendung der Tätigkeiten, welche sich auf dem Gebiet der Triebe bewegen, die dianoetischen aus dem sich vollendenden denkenden Teil selbst, inwiefern er die menschlichen Tätigkeiten des Betrachtens, des Handelns und des Bildens bestimmt; ferner wie im Menschen an den eigentümlichen Tätigkeiten eine eigentümliche Lust entspringt, eine Lust, welche insofern selbst ein Kennzeichen und ein Erfordernis der Tugend ist, weil ohne eine solche Lust an ihr der Handelnde noch einen Rückstand in seinem Innern birgt, der ihr widerstrebt und in sie nicht aufgeht: dies und Anderes soll hier auf sich beruhen, weil das Obige genügt, um einzusehen, daß Aristoteles in der Ableitung des Guten bewußt getan, was Kant als eine Trübung des Prinzips, als eine Gefährdung des reinen Willens verbietet.

Es fragt sich nun, auf welcher Seite das Recht sei, ob Kant, ob Aristoteles das Richtigere getroffen habe.

Zu der aus der Metaphysik der Sitten[15] angeführten Stelle, in welcher Kant darum die besondere Eigenschaft der menschlichen Natur als Prinzip des Sittlichen verwirft und darum das Allgemeine für *alle* vernünftigen Wesen erstrebt, weil er das Gesetz in seiner unbedingten Notwendigkeit als über Hang und Neigung und Natureinrichtung erhaben gründen will, fügen wir zunächst noch einen Lehrsatz aus der Kritik der praktischen Vernunft, um Kants Gedanken ganz zu haben, wenn er darauf geht, die materialen praktischen Prinzipien samt und sonders auszuschließen und das Allgemeine so hoch zu fassen, daß es, alles Inhalts ledig, nur in der Form seine Macht hat. »Alle materialen praktischen Prinzipien«, sagt Kant im zweiten Lehrsatz (Kritik der praktischen Vernunft, VIII. S. 129[16]), »sind, als solche, insgesamt von einer und derselben Art, und gehören unter das allgemeine Prinzip der Selbstliebe oder eigenen Glückseligkeit.« Kant beweist dies mit folgenden Worten: »Die Lust aus der Vorstellung der Existenz einer Sache, sofern sie ein Bestimmungsgrund des Begehrens dieser Sache sein soll, gründet sich auf die *Empfänglichkeit* des Subjekts, weil es von dem Dasein eines Gegenstandes *abhängt;* mithin gehört sie dem Sinne (Gefühl) und nicht dem Verstande an, der eine Beziehung der Vorstellung *auf ein Objekt* nach Begriffen, aber nicht auf das Subjekt nach Gefühlen ausdrückt. Sie ist also nur so ferne praktisch, als die Empfindung der Annehmlichkeit, die das Subjekt von der Wirklichkeit des Gegenstandes erwartet, das Begehrungsvermögen bestimmt. Nun ist aber das Bewußtsein eines vernünftigen Wesens von der Annehmlichkeit des Lebens, die ununterbrochen sein ganzes Dasein begleitet, die *Glückseligkeit*, und das Prinzip, diese sich zum höchsten Bestimmungsgrunde der Willkür zu machen, das Prinzip der Selbstliebe. Also sind alle materialen Prinzipien, die den Bestimmungsgrund der Willkür in der aus irgend eines Gegenstandes Wirklichkeit zu empfindenden Lust oder Unlust setzen, so ferne gänzlich von einerlei Art, daß sie insgesamt zum Prinzip der Selbstliebe oder eigenen Glückseligkeit gehören.«[17]

Wäre dieser Lehrsatz richtig und bewiese dieser Beweis den Lehrsatz, so wäre damit allerdings Aristoteles gerichtet. Denn daß sein Prinzip, dem eigentümlichen Zweck der Menschennatur entnommen, einen Inhalt hat, und in diesem Sinn ein materiales praktisches Prinzip ist, kann Niemand leugnen.

Aber, fragen wir, wie verhält es sich mit diesem Beweis?

Es muß zugegeben werden, daß die Lust aus der Vorstellung der Existenz einer Sache auf Empfänglichkeit eines Subjekts beruht und daher sinnlicher, nicht verständiger Natur ist; es muß zugegeben werden, daß in ihr die Empfindung der Annehmlichkeit das Begehren bestimmt und das Bewußtsein von der Annehmlichkeit des Lebens sich zur Glückseligkeit erweitert; es muß zugegeben werden, daß das Prinzip, diese sich zum höchsten Bestimmungsgrunde der Willkür zu machen, das Prinzip der Selbstliebe ist. Aber es kann nicht zugegeben werden, daß alle materialen praktischen Prinzipien dieser Art sind, und daß sie notwendig von der Lust ausgehen und nur durch die Lust den Willen in Bewegung setzen; es kann daher nicht zugegeben werden, daß bewiesen sei, was zu beweisen unternommen wurde. Es ist nur bewiesen, daß »alle materialen Prinzipien, die den Bestimmungsgrund der Willkür in der aus irgend eines Gegenstandes Wirklichkeit zu empfindenden Lust oder Unlust setzen, *so ferne* gänzlich von *einerlei Art* sind, daß sie insgesamt zum Prinzip der Selbstliebe oder eigenen Glückseligkeit gehören.«[18] Mehr ist nicht bewiesen; aber der Lehrsatz lautete ohne Beschränkung, daß alle materialen praktischen Prinzipien *als solche* insgesamt von einer und derselben Art sind und unter das allgemeine Prinzip der Selbstliebe oder eigenen Glückseligkeit gehören. Zwischen jener Beschränkung, daß alle materialen Prinzipien, die den Bestimmungsgrund der Willkür in die aus irgend eines Gegenstandes Wirklichkeit zu empfindende Lust oder Unlust setzen, zur Selbstliebe gehören, und dieser unbeschränkten allgemeinen Behauptung, daß alle materialen praktischen Prinzipien *als solche* unter das allgemeine Prinzip der Selbstliebe fallen, liegt sehr viel mitten inne, das der Beweis nicht mit einem Worte berührt.

Es ist also nicht bewiesen, was Kant beweisen wollte, was er gegen Alle beweisen mußte, welche, wie Aristoteles, das innere Wesen des Menschen und in dem innern Zweck das, was etwa die Idee des Menschen heißen mag, zum Prinzip der Ethik nehmen. In Kant's Sinne ist es ein materiales Prinzip, das Wort im Gegensatz gegen die *Form* des Allgemeinen genommen, welche keinen Inhalt hat noch haben will, und lediglich durch den Stempel des Gesetzes, dem sich der Inhalt fügen muß, sich mächtig glaubt. Es ist in diesem Sinne ein materiales Prinzip, aber mitnichten ein solches, welches auf Selbstliebe zurückginge. Wo in dem innern Wesen und Zweck des Menschen das Prinzip für das Wollen und Handeln liegt, wo dies Wesen dergestalt in der ganzen Tiefe und Hoheit gefaßt ist, daß der Mensch sich in seiner Vernunft vollendet, teils indem er die Tugenden des Erkennens in sich ausbildet, teils indem er seine blinden Triebe dem denkenden Teile zu folgen lehrt, wo die Lust nicht um ihrer selbst willen gesucht, sondern nur als eine vollendende Folge betrachtet wird, aus der an und für sich gesuchten naturgemäßen Tätigkeit entspringend: da ist ein solches materiales, praktisches Prinzip von dem Prinzip der Selbstliebe und der eigenen Glückseligkeit weit entfernt. So hat Kant den Aristoteles und alle die Auffassungen nicht widerlegt, welche überhaupt die Idee des Menschen, also das Unbedingte in seinem Wesen, den Willen im Grunde seines Daseins, zum Prinzip des Ethischen machen. Sie alle gehen von einem über des Menschen Selbstliebe erhabenen Prinzip aus, in welchem sich sein selbstischer Wille läutern soll. Sie alle trifft der in dem Argumente Kant's enthaltene Vorwurf nicht, daß bei ihnen der Wille im Selbstischen stecken bleibe. Daher geschah es denn, daß z. B. ein Ethiker, wie Schleiermacher, sich durch Kant's Argumentatio-

nen unbehindert fand und in universellem Sinne die Grundtä-
tigkeiten des menschlichen Wesens, die organisierende und
symbolisierende und beide sowohl unter dem Charakter des
Allgemeinen als des Individuellen zu dem Prinzip erhob, aus
welchem er in symmetrischer Konstruktion die ganze Welt des
Ethischen zu entwerfen und zu begreifen unternahm.

Wenn Kants Beweis an dieser Stelle eine Lücke läßt, durch
welche ruhig und unbeirrt diejenigen hindurchgehen, die er
ausschließen wollte: so kehren wir nun zu seiner ersten
Ausführung in der Metaphysik der Sitten zurück, in welcher
er dringend warnte, die Realität des Prinzips aus der *besondern Eigenschaft der menschlichen Natur* ableiten zu wollen,
– was, wie wir sahen, Aristoteles tat, wenn Kant auch Aristoteles nicht näher bezeichnete. Die unbedingte Notwendigkeit
der Handlung, meint Kant, muß für *alle* vernünftigen Wesen
gelten, auf die nur überall ein Imperativ treffen kann, und
allein darum auch für allen menschlichen Willen ein Gesetz
sein. Es ist nicht einzusehen, warum Kant hier über den
Menschen hinausgreift und mit seinem Imperativ nicht bloß
den Menschen, sondern die vernünftigen Wesen überhaupt
treffen wollte. Wir kennen nur den Menschen und es ist eine
das Ziel überfliegende Aufgabe, das ethische Prinzip für die
vernünftigen Wesen überhaupt zu finden. Und warum greift
Kant so hoch, Kant, der sonst vor solchen Allgemeinheiten der
Metaphysik warnt? Kant fürchtet das Empirische, das da nicht
zu vermeiden ist, wo die besondere Eigenheit der menschlichen Natur erkannt werden soll. Kant fürchtet, daß ein
solches Empirisches als Zutat zum Prinzip der Sittlichkeit der
Lauterkeit des Willens und der Sitten nachteilig sei. Mit dem
Empirischen verbindet sich für Kant die Vorstellung des
Zufälligen; und darum fürchtet er, daß die Empirie der besondern menschlichen Natur jene Erhabenheit des Gebots
gefährde, nach welcher es *gelte,* wenn auch all' unser Hang,
alle unsere Neigung, die Einrichtung unserer Natur, welche
wir empirisch erkennen, dawider wären. Kant unterscheidet
hier nicht. Das Notwendige, als der Begriff der Vernunft,
stammt nicht aus der Erfahrung, aber unterwirft sich die
Erfahrung und tut darin das Zufällige ab. Das Unbedingte der
Idee stammt nicht aus der Erfahrung, welche als solche uns
nur Bedingtes und Stückwerk zeigt; aber sie vollzieht sich in

der Erfahrung, wo das Bildungsgesetz aus dem Grunde des innern Zweckes erkannt wird; sie vollzieht sich als ein Erzeugnis der Vernunft auch in dem menschlichen Willen. Wer, im Sinne des Aristoteles, das Eigentümliche des menschlichen Wesens zum Prinzip macht, sucht dieses in seiner Notwendigkeit zu erkennen, damit sich zu diesem Notwendigen und Unbedingten der Wille erhebe und, indem er dieses will und nichts anderes, läutere. Kants Allgemeines ist eine wesentliche Seite des richtigen ethischen Prinzips; und Aristoteles hat es in demselben Zusammenhange nicht hervorgehoben und überhaupt sein Prinzip nicht so ausgearbeitet, daß alles herausträte, was darin liegt. Aber die Seite des Allgemeinen ist ohne Frage in einem Prinzip enthalten, in welchem nicht die empirische zufällige Natur dieses oder jenes Menschen, sondern, was nach innerer Bestimmung der menschlichen Natur notwendig ist, an die Spitze tritt; sie ist in einem Prinzip enthalten, in welchem mit dem Denken, das in sich tätig über die blinden Triebe des Menschen Macht gewinnen und den Menschen vollenden soll, eben das Allgemeine zur Herrschaft gelangt. In einem solchen Prinzip ist der lautere Wille, welcher in seinem Gehorsam gegen das Allgemeine entsteht, nicht gefährdet, sondern gewahrt. Der reine Wille wird da nicht getrübt, wo, konsequent mit dem Prinzip, der Beweggrund des Begehrens aus dem Selbstischen in das menschlich Notwendige und Allgemeine zu verlegen ist. So läßt sich, was Kant vor allem in der Ethik aufhellte, die Idee des reinen Willens in der Ausbildung des aristotelischen Prinzips nicht nur bergen, sondern es liegt schon in ihm, wenn auch nur potentiell.

Beim Aristoteles ist der Begriff des guten Willens als solcher nicht eigentlich erörtert, und am wenigsten mit der Schärfe und Tiefe, welche der Behandlung Kants eigen ist. Aber es ist, wie gezeigt wurde, ein Irrtum Kants, daß dieser Begriff nur durch jenes formal Allgemeine, auf welchem Kant besteht, seine Geltung und bei einem Prinzip keinen Bestand habe, welches die besondere Eigenschaft der menschlichen Natur, das menschlich Eigentümliche, zum Grunde legt.

Schwerlich hat Kant in der andern Formel seines Imperativs: handle so, daß du die Menschheit sowohl in deiner Person als in der Person eines jeden andern jederzeit zugleich als Zweck, niemals bloß als Mittel brauchst, da er die Menschheit dachte, bloß die abgezogene Form des Allgemeinen vor Augen gehabt (VIII. S. 57[19]). Wenigstens wird sich dem Leser bei diesem Begriff eine erfülltere und tiefere Vorstellung der Menschheit von selbst unterschieben. Wirklich erkennt man bei Kant diesen ihm selbst nötigen vollern Begriff da, wo er in den metaphysischen Anfangsgründen der Tugendlehre (IX. S. 230 ff., S. 237 ff.[20]) die Zwecke, die zugleich Pflichten sind, als eigene Vollkommenheit und fremde Glückseligkeit, welche doch nur aus der eigentümlichen Natur des Menschen zu verstehen sind, bestimmt und ausführt.

Aristoteles würde gegen Kants Verlangen, den Imperativ nicht für den Menschen, sondern für alle vernünftigen Wesen überhaupt zu finden, dasselbe geltend machen, was er bisweilen gegen andere Philosophen, namentlich gegen Plato, aufbringt. Es ist seine Ansicht, daß man die Erkenntnis des notwendigen Grundes verfehlt, wenn man das Allgemeine so hoch greift, daß der artbildende Unterschied versäumt wird. Wenn die Definition die Basis der notwendigen Erkenntnis ist, aber die Definition aus dem Allgemeinen und Spezifischen in der Einigung besteht: so kommt alles auf die Zusammenfassung beider Elemente, auf die Aufnahme des Eigentümlichen in das höhere Allgemeine an. Die Bestimmtheit der Erkenntnis und die Erkenntnis des Eigentümlichen im Allgemeinen gehen Hand in Hand.

Hat denn Kant in seinem ethischen Prinzip wirklich ungestraft das formal Allgemeine statt des spezifisch Allgemeinen, das Vernünftige überhaupt statt des menschlich Vernünftigen nehmen können? Oder wie erreicht denn Kant das menschlich Vernünftige von seiner Höhe der Allgemeinheit, von der Höhe des Vernünftigen überhaupt, das nur in der *Form* der Allgemeinheit gedacht ist?

Es ist der Zwiespalt bekannt, den Kant in seiner Ethik sogar ausbildet, um ihn durch das Postulat Gottes, das er zur Versöhnung herbeiruft, hinterher zu heilen. Da Kant das höchste Gut zu entwerfen unternimmt, kann er sein Auge vor dem nicht verschließen, was in der besondern Beschaffenheit der menschlichen Natur liegt; er nimmt nun auf, was in dem formal Allgemeinen leer ausgeht. Die Vernunft, sagt er, die allewege das Unbedingte sucht, sucht zu dem praktisch

Bedingten, zu dem, was auf Neigungen und Naturbedürfnissen beruht, ebenfalls das Unbedingte, zwar nicht als Bestimmungsgrund des Willens, aber als die unbedingte Totalität des Gegenstandes, als höchstes Gut. Wenn nun das praktisch Bedingte auf Glückseligkeit führt, aber das moralische Gesetz das Bestimmende bleiben muß: so ergibt sich, wie Kant zeigt, als die oberste Bedingung alles dessen, was uns nur wünschenswert erscheinen mag, Tugend als die Würdigkeit glücklich zu sein, oder in einem andern Ausdruck: Glückseligkeit unter der Bedingung der Tugend d. h. in Proportion der Sittlichkeit als Wert der Person oder deren Würdigkeit glücklich zu sein. Es ist notwendig dies höchste Gut durch die Freiheit des Willens hervorzubringen; aber wie ist dieses möglich? Zwischen jenem formal Allgemeinen, welches das unbedingte Gesetz ist, und dieser Glückseligkeit, dem praktisch Bedingten, ist nach der Anlage des Gedankenganges, nach den Prämissen der ganzen Auffassung kein kausaler Zusammenhang. Das höchste Gut wird unmöglich, wenn es in der Sinnenwelt bestehen soll. Da es nun möglich sein muß, so weist es auf eine intelligibele Welt hin. Kant sucht daher in dem Dasein Gottes, einer von der Welt verschiedenen Welturssache, die eine der moralischen Gesinnung entsprechende Kausalität hat, die Vermittelung des sonst Unvermittelten, die Notwendigkeit der sonst unmöglichen Übereinstimmung.

Daß Kant auf diese Weise die besondre Beschaffenheit des Menschen, die von ihm zuerst verstoßene Natur, welche auf Glückseligkeit hinweist, hinterher wieder einführt, zwar nicht als Bestimmungsgrund, jedoch als proportionales Element, und diese Proportion nur durch eine künstliche Veranstaltung hervorzubringen und nur durch eine praktische Voraussetzung zu wahren weiß: das ist ein offener Schaden des Systems, der auf eine nötige Berichtigung des Prinzips hinweist, eine notwendige Folge, aber eine solche, welche gegen den Ursprung zeugt.

Mit der Besorgnis Kants, durch all und jedes Empirische, das den Willen bestimmt, die Lauterkeit zu gefährden, und mit seinem Grundgedanken, daß das moralische Gesetz, allein als allgemeine Form der Maxime aufgefaßt, von allem Objekte des Wollens losgelöst, der ausschließende Bestimmungsgrund des reinen Willens sein müsse, hängt noch ein anderer Mangel seiner Ethik zusammen. Die Lehre von den ethischen Gütern, wie von der Familie, von den Berufskreisen, vom Staat, bleibt zurück, an welchen doch eigentlich als an objektiven Gestaltungen des ethischen Lebens, als an erziehenden Mächten, der Wille sich reinigt. Kant scheint zu fürchten, daß in dem ethischen Gut, das als ein Daseiendes den Willen bestimmt, etwas anderes als die Vorstellung des vernünftigen Gesetzes die Triebfeder des Handelns werde und der Wille seine Reinheit einbüße, an Gegebenes sich entäußernd; er fürchtet allenthalben, daß die Ethik empirisch werde und der Hoheit ihres notwendigen Ursprungs verlustig gehe.

In Kants Ethik herrscht der Begriff der Pflicht, die Notwendigkeit einer Handlung aus Achtung für das Gesetz. Indem er die Pflicht um der Pflicht willen einschärft, indem er jede empirische Neigung zurückweist, um allein das Gesetz als Triebfeder zuzulassen: nimmt er sogar an einer Stelle in die Erklärung der Pflicht die Nötigung zu einem *»ungern«* übernommenen Zweck auf.[21] Daher Schiller sagen konnte, daß Kant die Idee der Pflicht mit einer Härte vorgetragen, die alle Grazie davon zurückschrecke. Kant habe gegen die Laxität die Rigidität des Gesetzes, wie ein Drakon seiner Zeit geltend gemacht, aber die Moral dürfe doch die Neigung nicht gegen sich haben. Und der Mangel bei Kant ist wohl noch mehr als dies. Wenn in die Pflicht, wie Kant tat, das Merkmal hineingelegt wird, daß sie ungern gewollt sei, so fragt sich, soll überhaupt die Lust gegen die Pflicht stehen? So lange dies der Fall ist, so lange die Pflicht zwar aus Achtung für das das Gesetz getan, aber nur ungern gewollt ist: wirkt dies »Ungern« wie ein Widerstand und mindert die Kraft der Tätigkeit, während es nötig ist, daß die ganze Triebkraft des Menschen in die Pflicht eingehe.

Wenn Kant statt des formal Allgemeinen vielmehr das menschlich Allgemeine, die Idee des menschlichen Wesens zum Prinzip gemacht hätte, — wohin offenbar Aristoteles will —: so würde er das Gesetz des menschlichen Wesens da gefunden haben, wo das Denken, das nur durch das Allgemeine denken ist, das Empfinden und Begehren bestimmt oder durchdringt, — und jener Zwiespalt wäre von vornherein vermieden.

In der Tat kann dem Menschen keine andere Aufgabe

gegeben sein, als die Idee seines Wesens zu erfüllen; der Mensch kann keine andere fassen und keine andere anerkennen, als eine solche, welche mit den innern Zwecken seines Wesens übereinstimmt. Jede andere Aufgabe bliebe ihm unverständlich oder schlüge, wenn sie der Bestimmung widerspräche, ins Böse aus.[22]

Hiernach wird nur in einer Psychologie, welche die Idee des Menschen ins Licht setzt, die Allen verständliche, Allen zugängliche Basis der Ethik, und in derselben Psychologie, welche den Menschen in seiner realen Natur kennen lehrt, die Anwendbarkeit des Prinzips liegen können.

Kant stieß dies psychologische Element von sich, indem er allein den reinen Willen, den Leitstern seiner Ethik, vor Augen hatte; Aristoteles ging von der psychologischen Betrachtung aus, da er den leitenden Gedanken des menschlichen Lebens suchte.

Aristoteles hat den Zusammenhang richtig angelegt, und eine begründete Ethik wird auf diesem Wege zu erstreben sein.

1 [AB 1. In den Anmerkungen ist den Seitenzahlen des von Trendelenburg zitierten VIII. Bandes der von Karl Rosenkranz und Friedrich Wilhelm Schubert besorgten Ausgabe von Immanuel Kants Sämmtlichen Werken (Leipzig 1838) die Originalpaginierung der ›Grundlegung zur Metaphysik der Sitten‹ (AB) und der ›Kritik der praktischen Vernunft‹ (A) beigegeben. Trendelenburgs Zitate aus der Metaphysik der Sitten (Bd. IX der Rosenkranzschen Ausgabe) sind durch die Paginierung der Akademie-Ausgabe von Kants gesammelten Schriften ergänzt (AA, VI). Einige Stellennachweise sind von den Herausgebern ergänzt.]

2 [AB S. 81.]

3 [AB S. 82.]

4 [AB S. 62 Anm.]

5 [AB S. 14.]

6 [AB S. 76, 79 f.]

7 [AB S. 87 ff.]

8 [AB S. 60 f.]

9 [A S. 38 f.]

10 [AB 59 f. Trendelenburg zitiert hier nicht aus der Metaphysik der Sitten, sondern aus der Grundlegung.]

11 [AB S. 60.]

12 [A S. 69.]

13 [A S. 70.]

14 Vgl. *J. Heidemann*, Platonis de ideis doctrinam quomodo Kantius et intellexerit et excoluerit, Berol. 1863, S. 13.

15 [Vgl. Anm. 10.]

16 [A S. 40.]

17 [A S. 40 f.]

18 [A S. 41.]

19 [AB S. 66 f.]

20 [AA, VI, S. 385 ff., 391 ff.]

21 Metaphysische Anfangsgründe der Tugendlehre (IX, S. 230): »die Pflicht ist eine Nötigung zu einem ungern genommenen Zweck.« [AA, VI, S. 386] vgl. Metaphysik der Sitten. VIII S. 16 ff. [= Grundlegung zur Metaphysik der Sitten, AB S. 8 f.], Kritik der praktischen Vernunft. VIII S. 206, S. 214 [A S. 142 f., 154].

22 Naturrecht auf dem Grunde der Ethik [von F. A. Trendelenburg, Leipzig] 1860, § 34 ff.

Hermann Cohen
Kants Begründung der Ethik
(1910 [1877])

Von der Möglichkeit der Ethik als einer synthetischen
Erkenntnis a priori

[...] Die Ethik handelt von dem praktischen Vernunftge-
brauche, von einer zu bestimmenden Nötigung am Wollen; sie
sucht eine allgemeine Bestimmung dieses Wollens festzusetzen. Das Wollen, der praktische Vernunftgebrauch, ist die
bewegende Vorstellung eines wirklich zu machenden Begriffes, eines hervorzubringenden Gegenstandes. Also hat es mit
solchem praktischen Wollen die Ethik zu tun, und nicht mit
jenen dunkeln Regungen, die in der leblosen Materie walten
mögen, noch auch an sich mit den vitalen Bewegungen des
tierischen Organismus, die ohne die Messung mit einer hervorbringenden Kraft vonstatten gehen. Damit ist der Bezirk
der ethischen Beziehung vor unmethodischer Ausdehnung
über das Gebiet der *Naturbewegungen* bewahrt, wie eine solche der Zeit des ersten Erscheinens dieses Buches auf Grund
von Schopenhauers vergiftendem Einfluß bei *Zöllner* zu
beklagen war. Das, wie das Problem lautet, menschliche Wollen, der praktische *Vernunft*gebrauch, das hervorbringende
Denken ist dasjenige problematische Material, an welchem
und mit Rücksicht auf welches die Bestimmung eines Seienden, einer Erkenntnisgeltung von transzendentalem Wert
getroffen werden soll.
   Dies bedeutet uns also *zunächst* jenes Sollen: die *Notwen-*
digkeit eines vom Begehren unterschiedenen Wollens. Diese
Notwendigkeit nun muß, sofern sie ein Seiendes bezeichnen
kann, eine strenge, nicht der Erfahrung entlehnte sein. Die
Allgemeinheit ferner, welche das Sollen dem praktischen Ver-
nunftgebrauche zudiktiert, muß eine unbeschränkte sein. Ein
eingeschränktes Sollen wäre eine lückenhafte Notwendigkeit
des Wollens. Wenn anders, wie wir definieren, die Ethik ein
Sollen lehrt, so suchen wir in der Ethik ein *a priori* des praktischen Vernunftgebrauchs. Und wenn anders diese Ethik kri-

tisch begründet ist, so darf dieses *a priori* eine Ethik ermöglichen. So lauten die methodologischen Voraussetzungen einer kritisch zu begründenden Ethik.

Betrachten wir diese Voraussetzungen nun aber genauer, so scheinen sie Widersprüche zu enthalten, an denen der Begriff der Ethik scheitern könnte. Indem der Ethik die Aufgabe gestellt wird, apriorische Bestimmungen des praktischen Vernunftgebrauchs festzusetzen, so begreift man wohl, daß damit der Anspruch aufgegeben wird, zu erklären, was die Welt im Innersten zusammenhält; jene famose *höhere Einheit* herzustellen, welche die Motive des Polypen mit der Kunst des Genius verbindet. Man begreift wohl, daß eine solche Ethik nicht darauf ausgehen kann, *nach dem Gleichnis mechanischer Prinzipien* das Leben und Weben der Gemüter beschreiben zu wollen, und in die gleißenden Formeln von Gesetzen zu kleiden. Man begreift wohl, daß eine solche Ethik darauf verzichten wird, darauf auszugehen, und vorab *davon* auszugehen, daß sie den Urgrund des Lebendigen enthülle mit seinem Sonnenschein und mit allem Elend der Kreaturen. Denn alle diese Rätsel bleiben, sofern sie als selbständige Probleme gedacht werden, und nicht im abhängigen Zusammenhange mit der methodischen Ethik, der Dichter fruchtbares Eigentum, das nur unkritische Metaphysiker ihnen neiden.

Womit aber positiv hat es sonach die Ethik zu tun? An welchem Willensmaterial trifft sie ihre geforderten Bestimmungen? Offenbar ausschließlich an dem menschlichen Wollen; also an dem Wollen des empirischen Menschen. Und doch sollen die Bestimmungen *a priori* gelten, als der Erfahrung nicht entlehnte, streng notwendige und unbeschränkt allgemeine. Sollen sie dadurch dem Gebiete des Menschlichen wieder entrückt werden?

Ferner: Das *theoretische a priori* bedeutet ein Gesetz der Erfahrungslehre. Gesetze der Erfahrungs*lehre* aber gründen sich, so unkantisch nach der einen Wendung seines Sprachgebrauchs bezüglich der Erfahrung dies auch klingen mag, auf Gesetzen der Erfahrung, nämlich der Erfahrung, als mathematischer Naturwissenschaft. Wären nicht mathematische Sätze vorhanden, so würde die reine Anschauung nicht *a priori* sein. Hätte man für die sogenannte Natur nicht Gesetze gefunden, so würden auch keine synthetischen Grundsätze vorhanden sein, die in jenen Gesetzen die Einheit der Erfahrung stiften. Wo aber sind in einer vermeintlich ethischen Erfahrung die Gesetze, deren Sein, deren Begründung die Ethik deduzieren könnte aus der Möglichkeit ihrer selbst? Hat die Geschichte, hat die Staatslehre, hat selbst die Ökonomie solche Gesetze, in denen die Ethik transzendentale Bedingungen aufsuchen könnte?

Das sind die Fragen, welche das Verständnis einer solchermaßen definierten Ethik erschweren, wenn nicht den Begriff derselben vernichten. Die *erstere* dieser beiden Schwierigkeiten kann man beziehen auf die Möglichkeit der Ethik als einer *synthetischen* Erkenntnis. Denn wenn nicht, nachdem alles Andere ausgeschlossen ist, vom menschlichen Wollen Gesetze abstrahiert werden sollen, auf *welche* Gegenstände der Erfahrung könnte alsdann das gesuchte *a priori* Anwendung gewinnen? Und wenn die Erfahrung versperrt wäre, wie könnte eine synthetische Erkenntnis, wie somit eine Erkenntnis für diese Ethik möglich werden?

Das *andere* Bedenken geht auf die Möglichkeit des *a priori*. Das theoretische *a priori* muß im transzendentalen Sinne *Fakten* von Wissenschaft voraussetzen, in denen Gesetze enthalten sind, welche jene Fakten von Wissenschaft begründen: wenn es keine Gesetze des Wollens gibt, kann es freilich auch keine Wissenschaft bezüglich des Willens geben; kann es daher aber auch keine Bedingungen dieser Gesetze, kein transzendental-*a priori* des praktischen Vernunftgebrauchs geben.

Wir lassen vorerst das letztere Bedenken auf sich beruhen, um zunächst das erste zu beseitigen. Es kann, behaupten wir, ein *a priori* des praktischen Vernunftgebrauchs gedacht werden, eine allgemeine und notwendige Bestimmung des Wollens, ohne daß dieselbe von dem Wollen des empirischen Menschen abstrahiert sein müßte; und dennoch braucht jenes *a priori* darum der synthetischen Anwendbarkeit, auf die Alles ankommt, nicht zu ermangeln.

Erinnern wir uns, daß wir auf eine noumenale Grenze für den menschlichen Anteil an den kosmischen Begebenheiten gestoßen waren. Es ist mithin, in einer bestimmten Bedeutung, ein *homo noumenon*. Die gesuchte apriorische Bestimmung könnte sonach auf diesen Anwendung erwarten; und wir würden in diesem Falle nicht mehr sagen dürfen, daß es sich um analytische Witze handelt. Denn jener problematische Grenzbegriff des *homo noumenon* hat ja eine *regulative* Bedeutung zu gewärtigen; und hat er diese gefunden, so würde er seinen Grad von Realität darstellen; einen schwächern Grad vielleicht, aber immer doch eine Stufe des Bedingens, einen Geltungswert. Wenn sonach das *a priori* der Ethik, gemäß der Bedeutung des *a priori* für die Erfahrungslehre, vom empirischen Wollen nicht abstrahiert werden darf, so könnte demselben nicht nur trotzdem, sondern gerade lediglich deshalb der weiteste und fruchtbarste Einfluß auf alles menschliche Wollen eröffnet werden, – sofern nur dem *homo noumenon* solcher Einfluß offen steht.

Wenn wir daher von dem anderen Bedenken einstweilen noch absehen, so behauptet sich *dem* Einwande gegenüber, daß das *a priori*, um synthetisch gelten zu können, vom Empirischen abgeleitet sein müsse, unsere Definition des praktischen *a priori*. Es soll nicht abstrahiert werden vom erfahrungsmäßigen Wollen, und dennoch, und deshalb die, wenn auch nur, regulative Geltung eines Gesetzes wert sein.

Lassen wir nun die Art dieser apriorischen, sowie auch dieser synthetischen Geltung zunächst auf sich beruhen, so folgt aus der methodologischen Weisung, von dem Empirischen dieselbe nicht abzuleiten, ein wichtiges negatives Ergebnis. Die Ethik darf in ihrer Methodik nicht von dem Problem, noch auch nur von dem Interesse an dem Problem über den *Grund und Wert des menschlichen Lebens und Schicksals* ausgehen. Die Fragen des Optimismus und des Pessimismus, der Theodizee selbst, dürfen nicht als methodische Prinzipienfragen der reinen Ethik betrachtet und behandelt werden.

Die menschlichen Handlungen geschehen in der Erfahrung, haben demnach in dieser ihre Gründe und Ursachen. Das Sollen aber ist schlechterdings unabhängig von aller Erfahrung methodisch zu entdecken. Der Wert des Menschenlebens liegt entweder in der Erfahrung der Menschengeschichte, oder etwa jenseits alles Daseins und aller Zeitlichkeit: in beiden Fällen darf das Sollen seine Würde nicht von jenen Werten borgen. Mögen immerhin die Menschen der Erfahrung einander lieben, weil es ihnen ein Schöpfer in die Seele geblasen, oder weil sie einander zwar hassen, sich selbst aber ein jeder im Grunde seines Wesens liebt, und daher sogar auch im Spiegelbilde desselben; mögen sie einander wohltun, weil im Leide des andern ein jeder sich selbst angesprochen fühlt, sei es positiv zum Mitleid, sei es sogar auch negativ zum Rachegefühl. Wir mögen den Tiefsinn solcher Entzifferungen der Zeichensprache des Gemütes bewundern, oder dieselben als wohlfeile Halbwahrheiten einseitiger Menschenkunde taxieren; mag selbst anerkannt werden, daß solche Zergliederungen unserer sittlichen Vorstellungen und Geschehnisse ihren Nutzen haben für die Aufklärung der moralischen Urteile, ja sogar in eingeschränkter Weise für die Auffassung der politischen Geschichte. Nennen wir indessen solche Betrachtungen und Untersuchungen *Psychologie* oder *Anthropologie;* nur nicht – Ethik.

Indem wir hier auf diesen Satz unserer Einleitung zurückkommen, gilt es, dem Verdacht der Paradoxie, welchem derselbe begegnen muß, getrost ins Auge zu blicken. Der Auffassung des *Aristoteles* von der Ethik steht sonach die hier zu begründende schnurstracks gegenüber; und damit derjenigen unter seinen modernen Anhängern. »In der Tat kann dem Menschen keine andere Aufgabe gegeben sein, als die *Idee seines Wesens* zu erfüllen; der Mensch kann keine andere fassen, und keine andere anerkennen, als eine solche, welche mit den inneren Zwecken seines Wesens übereinstimmt... Hiernach wird *nur* in einer *Psychologie,* welche die Idee des Menschen ins Licht setzt, die allen verständliche, allen zugängliche Basis der Ethik, und in *derselben* Psychologie, welche den Menschen in seiner *realen Natur* kennen lehrt, die *Anwendbarkeit* des Prinzips liegen können.«[1] So urteilt *Trendelenburg* für Aristoteles gegen Kant.

Genauer aber hätte *Trendelenburg* sagen müssen, daß nicht nur »in derselben Psychologie« die Basis *und* die Anwendbarkeit des Prinzips jener Ethik liege, sondern: daß die Basis selbst in der Anwendbarkeit liege. Die aristotelische Psychologie der Ethik soll praktische Philosophie im Gegensatz zur Theorie sein. Nicht um zu erkennen, was das Gute sei, behandelt er die Ethik; sondern »auf daß wir Gute werden«, stützt er auf die Psychologie denjenigen Teil der Politik, welchen er, als Lehre von den menschlichen Fertigkeiten, Ethik nennt.

Die Ausdrücke, »die Idee«, und »die inneren Zwecke seines Wesens« sollen uns nicht irre machen; dieser Aufgaben hoffen auch wir nicht zu entraten. Es ist jedoch die Frage: ob jene Idee, ob jene inneren Zwecke aus der Psychologie sich ableiten lassen. Wer diese Meinung hat, wer eine andere Aufgabe, das will sagen, eine andere Formulierung des Problems »nicht fassen« kann, der sollte nur anerkennen, daß seine Ethik, und hätte ihr selbst Aristoteles diesen Sondernamen gegeben, keinen andern Inhalt habe, als welchen die Psychologie mit ihren weiten Fangarmen faßt, und somit der umfassenden Aufgabe dieser Disziplin zugehöre; er sollte anerkennen, daß die sogenannte Ethik, sofern sie keine der Psychologie fremden, dem aus derselben erkundbaren Wesen des Menschen entlegenen Begriffe bearbeiten darf, folgeweise mit der Psychologie zusammenfalle. [...]

Eine ganz andere Richtung, ein ganz anderes Ziel verfolgt dahingegen die transzendentale Methode, sofern sie darauf ausgeht, die Art und den Grad einer Realität des Sittlichen abzuschätzen und festzusetzen. [...]

[...] *die ethische Realität sollte nicht abgeleitet werden aus der Anthropologie, damit das für die Menschheit* Notwendige *nicht abstrahiert werde aus unseren Vorstellungen über das dem Menschengeschlechte* Mögliche, *das will sagen, über das in der bisherigen Menschengeschichte* Wirkliche.

Wenn sonach die Absonderung der Ethik von der Psychologie um den Realismus der Moral besorgt machen konnte, so zeigt sich, ohne alle genauere Beschreibung des Inhalts der ethischen Realität, dies doch schon zur Genüge: daß die gesuchte Realität am Ende ein Ansehen und eine Ausdehnung gewinnen könnte, welche manchermanns ethischen Horizont übersteigen dürfte. Und so bekommt man denn, angesichts dieser Deutung, einen Vorgeschmack von der gediegenen Realität, welche diese apriorische Abstraktion bedeuten möchte. Es soll das *a priori* des praktischen Vernunftgebrauchs, gleichwie das des theoretischen, nicht von der Erfahrung abgelesen sein: auf daß es, wenngleich nicht konstitutive Geltung, wie für die Wissenschaft der Erfahrung, so doch für eine sittliche Erfahrung regulative Bedeutung erlange; damit in der Entdeckung desselben »die *pöbelhafte* Berufung auf *angeblich widerstreitende Erfahrung*«[2] uns nicht desorientiere; *von dem Ziel der Ethik, den Begriff der tierischen Mensch-heit durch die praktische Vernunft zu erhöhen, uns nicht abwendig mache.* Dazu erdenkt der Kritizismus Noumena: damit in denselben die Phänomene sich begrenzen, um sich in diesen Grenzideen zu erweitern und zu erhöhen.

Man kann demnach den Grund dieser Unterscheidung des natürlich Menschlichen von dem vernünftigen Wesen auch bezeichnen als gefordert durch die fundamentale Unterscheidung von Kategorie und Idee, und mit derselben zusammenfallend. Damit aber ist zugleich, von aller praktisch eingreifenden Bedeutung des Regulativen abgesehen, für die transzendentale Begründung des Sittlichen aus den Grundbedingungen des Erkennens eine tiefe Einsicht erschlossen.

Indem nämlich das *a priori* des praktischen Vernunftgebrauchs nicht aus der menschlichen Natur begründet wird, sondern aus dem Begriffe des vernünftigen Wesens, so ist mit dieser Formulierung das ethische Problem aus dem Gesichtskreis aller empirischen *Psychologie* so erheblich gerückt: daß das Sittliche, höhergestellt über alles Menschliche, sogleich als *eine eigene Art* problematischer Realität erscheint. Das Sittliche ist ein Problem der Realität, nicht lediglich am Menschen, sondern einer Realität des Vernunftwesens.

Es führt uns dieser Ausdruck leicht auf den Gedanken: *daß, wenn Menschen nicht wären, doch das Sittliche sein müßte;* gleichwie – wenn nicht gar in höherem Grade – *Sein* von uns für den Fall selbst gedacht werden muß, daß Menschen nicht da wären, die es anschauten und dächten – wenngleich ein solches Sein nach der transzendentalen Methode als unerkennbar gedacht werden muß.

Die dogmatischen Metaphysiker phantasieren zwar von einer Einheit von Subjekt und Objekt dergestalt, daß ohne das Subjekt das Objekt auch nicht denkbar bliebe. Solchen Wahnwitz, den Wahnwitz solcher *Fragestellung* kann nur die klare Einsicht in den transzendentalen Gedanken heilen. Eben weil Dasein, weil Realität Kategorien sind, denken wir sie, und können sie als Etwas von dem Inbegriff der Kategorien, wie der inneren Anschauungen gleichsam Unabhängiges denselben gegenüberstellen; – als ob nicht diese selbst, die Kategorien und die Anschauungsformen, in jenem Dasein enthalten wären, das sie erzeugt, wie es hinwiederum von ihnen ausgestattet wird. Das Dasein also muß gedacht werden, auch wenn Menschen nicht da wären; nur denkende Subjekte müssen freilich vorausgesetzt werden. Also der Fall, daß denkende Subjekte und sofern man diese nur als Menschen zu denken vermag, daß Menschen nicht da wären, – dieser Fall darf nicht gedacht werden innerhalb des transzendentalen Geleises, das nur gelegt ist, um erfahrbares Sein, ein Sein der auf Anschauung und Denken beruhenden Erfahrung zu bestimmen und zu begrenzen.

Darin allein zeigt sich schon eine, wie es der empirischen Eingeschränktheit erscheinen mag, *höhere Rangstufe des Sittlichen:* daß die gleiche Annahme in bezug auf das Sittliche *nicht widersinnig* dünkt. Wenn Menschen nicht da wären, so müßte das All der Dinge dennoch einen *Endzweck* haben. Dieses Gedankens können wir uns schlechterdings nicht entschlagen, da ja die Zweckeinheit unser Erbteil bleibt, auch wenn wir des Besitztitels der Kausalität verlustig gehen. Und bestände selbst dieser teleologische Mechanismus unseres Denkens nicht; *so sei dies behauptet:* das Sittliche ist als eine Realität solcher Art zu denken, daß es bestehen müßte; daß sein *Sein* sein müßte, auch wenn es kein *Dasein* gäbe, für das es gälte. Die Beziehung auf das Dasein, die freilich immer unausweichlich ist, müßte alsdann eine andere Richtung einschlagen; wie etwa von aller Gegenwart und Vergangenheit auf die Zukunft. Aber selbst wenn alle Realität der Erfahrung, wenn alles sinnliche Dasein vernichtet würde: die Grenzen desselbigen im Noumenon würden und müßten bleiben. Wenn alle Natur zerginge, die Idee der Freiheit bliebe. Wenn alle Erfahrung abbräche: die ethische Realität *soll* bleiben. [...]

Auf welches *Faktum* synthetischer Apriorität kann sich die transzendentale Begründung des Sittengesetzes berufen? In welchen Fakten von Wissenschaft, von Erkenntnisinhalten kann sie dasjenige *a priori*, diejenige Allgemeingültigkeit voraussetzen und annehmen, deren Möglichkeit sie erklären, sie begründen will? Welches Gesetz für das Gebiet des Sittlichen könnte man herbeiziehen, welches in *angenommener* apriorischer Geltung mit den Gesetzen von der Konstanz der Materie, von der Kausalität, mit den mathematischen Sätzen sich vergleichen ließe? Daher ist dort die transzendentale Deduktion möglich, die Entdeckung der Gesetzlichkeit jener

Gesetze aus den Bedingungen des Erkennens; und das anfängliche Absehen von dem Inhalte der Erfahrung sollte nur um so tiefer und sicherer zu dem Grunde, zu dem Ursprung, zu dem unaufhörlichen Quell der Erfahrung zurückführen. Welches mit jenen Gesetzen vergleichbare Faktum synthetischer Apriorität wäre dagegen für die Begründung eines Sittengesetzes gegeben?

Hier ist das Gesetz selbst erst zu finden; und die Begründung besteht in der Entdeckung.

Anstatt Entdeckung sagt Kant »Festsetzung«, und anstatt Begründung »Erklärung«. »Wir werden also die Möglichkeit eines kategorischen Imperativs a priori zu untersuchen haben, da uns hier der Vorteil nicht zu statten kommt, daß die *Wirklichkeit* desselben in der Erfahrung gegeben, und also die *Möglichkeit* nicht zur Festsetzung, sondern bloß zur *Erklärung* nötig wäre.«[3] [...]

Man achte auch auf den Unterschied in der Frage. Wir fragen nicht: auf welchen *Gegenstand* der Erfahrung bezieht sich jenes zu suchende Gesetz? Sondern: auf welches *Gesetz* der Erfahrung beruft sich die Begründung der Sittenlehre? Da das Gesetz selbst zu entdecken ist, so fehlt dem Gesetze, nicht etwa nur seiner Anwendung, die synthetische, die in der Erfahrung gegebene Grundlage. In diesem schwierigen, bedrohlichen Sinne erscheint somit die synthetische Apriorität des zu entdeckenden Sittengesetzes zum mindesten als zweifelhaft.

Hier gibt es keinen Ausweg. *Entweder* man gibt den transzendentalen Charakter des *a priori* auf; *oder* man hält denselben aufrecht, verneint aber für die synthetische Geltung des praktischen *a priori* die gleiche Bedeutung, wie bei der Gesetzlichkeit der Erfahrung. Nur wo ein *Gesetz* gilt, kann ein *Grundsatz*, ein synthetischer Grundsatz gelten. Hier aber muß der Grundsatz selbst das Gesetz sein. Die transzendentale Deduktion des theoretischen *a priori* gibt den Axiomen selbst ihren Grundsatz; die Deduktion des Sittengesetzes aber – *woher, woraus sie deduziert*, werden wir später sehen – für ihre methodische Bedeutung gilt es hier, dies ins Auge zu fassen: daß sie gegebene Gesetze aus deren Zusammenhang in dem Kontext einer Erfahrung als Grundsätze derselben *nicht* deduziert.

Über die Entscheidung dieser Alternative kann kein Zweifel bestehen. Das *a priori* hat für uns nur transzendentale Bedeutung. Nur aus den Bedingungen des Erkennens kann die Notwendigkeit des Seins abgeleitet werden. *Mithin muß sich die synthetische Bedeutung ändern.* Während im Theoretischen die Bedingungen des Erkennens *die* Beziehung auf die gegebene wissenschaftliche Erfahrung haben, daß sie dieselbe ermöglichen, bleibt eine solche Beziehung dem praktischen *a priori* versagt: die Bedingungen des Erkennens können daher nur die Beziehung auf die *Begrenzung* der Erfahrung haben. Mit dieser Änderung der synthetischen Geltung ändert sich aber auch der Begriff der *Deduktion.* [...]

Die Formulierung des Sittengesetzes

Der Begriff des reinen Willens und der Inhalt der ethischen Realität

In der Vorrede zur Kritik der praktischen Vernunft sagt Kant über die Grundlegung zur Metaphysik der Sitten: »Ein Rezensent, der etwas zum Tadel dieser Schrift sagen wollte, hat es besser getroffen, als er wohl selbst gemeint haben mag, indem er sagt: daß darin kein neues *Prinzip* der Moralität, sondern nur eine *neue Formel* aufgestellt worden. Wer wollte aber auch einen neuen Grundsatz aller Sittlichkeit einführen, und diese gleichsam zuerst *erfinden*? Gleich als ob vor ihm die Welt in dem, was Pflicht sei, unwissend oder in durchgängigem Irrtum gewesen wäre. Wer aber weiß, was dem Mathematiker eine Formel bedeutet, die das, was zu tun sei, um eine Aufgabe zu befolgen, ganz genau bestimmt und nicht verfehlen läßt, wird eine Formel, welche dieses in Ansehung aller Pflicht *überhaupt* tut, nicht für etwas Unbedeutendes und Entbehrliches halten.«[4] Durch diese Erklärung rechtfertigt sich die obige Überschrift.

Das praktische *a priori* kann nicht deduziert werden aus Gesetzen, welche der transzendentalen Erörterung vorlägen. Die Stelle der Deduktion vertritt hier die Entdeckung selbst. Also gibt es im strengen Sinne keine Deduktion des moralischen *a priori*. Und die Entdeckung wird wahrlich nicht etwa eine Erfindung des Gehalts der sittlichen Vorstellungen bedeuten sollen. Sie kann also nur die Feststellung der Formel bedeuten, nach welcher die Mannigfaltigkeit derselben bestimmt werden kann. Aus demselben Grunde unterscheidet Kant zwischen Deduktion und *Exposition*[5], welche letztere allein dem moralischen Gesetze zukomme.

Frage ist jetzt: *woraus* exponiert die auf die Entdeckung eines *a priori* für die praktische Vernunft ausgehende Untersuchung dasselbe? Wäre die Aufgabe, aus den Erfahrungen ein solches Gesetz abzuleiten, so wäre das Material für die Exposition gegeben; aber das *a priori* wäre fallen gelassen. Da nun aber das moralische *a priori* ebenso wenig eine Verallgemeinerung der sittlichen Induktionen sein soll, als das theoretische eine solche der physischen sein durfte, so entsteht die Schwierigkeit: wo und wie die Formel gefunden werden könne. [...]

Das Gegebene, das wir vermissen, kann, wie man einsieht, nur als *Problem* gegeben sein. Denn das geforderte Material könnte nur in Gesetzen bestehen, und diese fehlen. Die Einschränkung auf die Exposition muß sonach bestehen bleiben; aber der Gedanke des Problems führt in das transzendentale Geleise zurück. [...]

In der Fassung des Problems könnte die Entdeckung des Sittengesetzes vorgezeichnet sein, ebenso wie das theoretische *a priori* mit der Aufstellung des Problems der Erfahrung – und nicht bloß des Wissens, der Erkenntnis schlechthin und unterschiedlos – als Bedingung der Erfahrung gegeben war.

Nur muß man unter dem *Sollen* nicht lediglich die Pflicht verstehen; sondern *eine dem Problem des a priori gemäße Notwendigkeit* des Wollens, des Hervorbringungs-Vorstellens. Also nicht durch induktive Verallgemeinerung dessen, was gewollt und geschafft wird, nicht durch Stimmbefragung, auch nicht der Bücher und Zeiten, kann jene Notwendigkeit, die im echten apriorischen Sinne den systematischen Zusammenhang der moralischen Erkenntnisse zu bedingen vermag, gefunden werden.

Man bedenke auch, daß wir nicht ins Blaue hinaus suchen; daß die Erfahrungslehre selbst den Weg uns anweist. Die Bedingungen wurden stetig zu Begrenzungen. So das Kausalitätsgesetz zum Freiheitsgrenzbegriff. Also gibt es die *Idee* von einem Wollen und Handeln, welches seinen Anfang in sich hat. Und diese Idee würde ihre volle Art der Geltung behaupten, wenn ihre regulative Bedeutung nachgewiesen würde. Vielleicht ergibt sich eine solche innerhalb eines systematischen Zusammenhangs der moralischen Erkenntnisse. *Vielleicht organisiert gerade jene Idee selbst diesen systematischen Zusammenhang.*

Was verstehen wir denn unter einem systematischen Zusammenhang von Erkenntnissen? Eine solche Verfassung derselben, in welcher die Idee des Ganzen den Teilen *in der Methode* voraufgeht. Nach der transzendentalen Methode also soll ein Ganzes von solcher Art gedacht werden, daß seine Teile Glieder sind. So suchen wir denn ein Ganzes der moralischen Erkenntnisse, in welchem die Idee des Ganzen nach der transzendentalen Anweisung vorangeht.

Betrachten wir nun das sogenannte sittliche Treiben in dem Zusammenhang der *Welterfahrung,* so ist dieser Zusammenhang durch das Kausalgesetz gefügt, dem zufolge die kausal bedingten Teile dem Ganzen vorangehen. Es führt jedoch nur bis zur Grenze. Gerade an dieser Grenze, vor dem Abgrund der intelligibeln Zufälligkeit, entspringt das Problem des Sittlichen. Also muß eine eigene, von dem Erfahrungsganzen unterschiedene Idee eines Ganzen das System des Moralischen ausmachen und hervorbringen. *Eine eigene Ordnung,* eine eigene noumenale Gesetzmäßigkeit muß da walten, wo das Sittliche anhebt. Würde die Grenzgesetzgebung in den Umfang der Erfahrungsgesetzmäßigkeit fallen, so gäbe es das Problem der ethischen Realität überhaupt nicht, so wäre dieselbe in der sinnlichen Welt beschlossen. Wenn es einen sittlichen Zusammenhang, wenn es ein Reich des Sollens geben soll, so muß es in diesem eine *eigene Gesetzmäßigkeit* geben, auf Grund deren jenes Reich besteht; eine eigene Gesetzmäßigkeit, die als die Idee des Ganzen den systematischen Zusammenhang der zugehörigen Erkenntnisse ordnet und hervorbringt.

Damit ist der Begriff vorgeschrieben, der die exponierende Deduktion des Sittengesetzes zu leisten hat. Beim Erkennen handelte es sich um das Zusammenwirken von Anschauung und Denken. Da aber die Bedingung alles Erkennens zu finden war, so war damit gegeben der Begriff des *Reinen.* Als

433

reine Anschauung erwies sich die geometrische, die Raumgebilde erzeugende Anschauung; die gesetzmäßige Anschauungsweise – diese nennt Kant die *reine* – ward als Bedingung
der Erfahrung erkannt. Und in gleicher Weise bewährt sich
der Begriff des Reinen bei der Urteilssynthese, beim Denken.
Die reine Kausalität der Energie konnte die Zweifel lösen,
welche die populäre Kausalität der Billardkugeln *Hume* verursachte. Die reine Substanz, die Kausalität der Dynamik,
konnte die Definition zunichte machen, die im scholastischen
Spinozismus eine so bestrickende Geltung sich anmaßt. Die
reine Möglichkeit kann jene *aristotelischen* Irrtümer aufklären, vor welchen der Menschenverstand in seiner zu konservierenden Gesundheit an sich selber irre wird. In dem
Problem des systematischen Zusammenhangs der moralischen
Erkenntnisse handelt es sich nun von der praktischen Vernunft, von dem hervorbringenden Vorstellen, von dem Wollen: folgen wir daher nur dem Begriff der Erfahrungslehre,
und versuchen wir den Begriff des *reinen Wollens*. [...]

Es ist [...] festzuhalten, daß dieser Begriff, obzwar ein
methodisch notwendiger, an sich aber ein *analytischer* Begriff
ist. Er ist so notwendig, wie der Begriff eines moralischen
Systems; nicht notwendiger als dieses. Das will sagen: der
Begriff des reinen Willens ist nicht eine sogenannte *Tatsache
des Bewußtseins*, so daß wir unter diesem Namen doch nur
wieder den moralischen Sinn vorbrächten. Auf eine solche
metaphysische Deduktion tun wir Verzicht; was zu einer solchen veranlaßt und antreibt, wird hinterher in seinen Gründen und Rechten ersichtlich werden. Auch der Kantische Ausdruck dieses Gedankens wird geprüft werden. Zur Begründung gehört derselbe nicht; von dem Wege der Begründung
lenkt er vielmehr ab. Nach der transzendentalen Methode
gehen wir daher von dem *analytischen* Begriffe des reinen
Willens aus, und entfalten dessen Inhalt in bezug auf die
Herstellung eines systematischen Zusammenhangs derjenigen
Erkenntnisse, welche eine Notwendigkeit des praktischen
Vernunftgebrauchs betreffen. *Aus dem analytischen Begriffe
des reinen Willens ist abzuleiten die Formulierung des Sittengesetzes.*

Indem wir nun die *Analyse* des Begriffs eines reinen Wollens
beginnen, erhebt sich zu allererst der Gegensatz zum Empiri-

schen; damit aber die alte Frage: wie kann man sich des erfahrungsmäßigen Wollens entledigen? Zugegeben, das *reine* Wollen drücke eine *Gesetzmäßigkeit* des Willens aus, so geben wir damit doch nur die Möglichkeit einer Bezeichnungsweise zu, einen Titel; aber keinen Rechtstitel. Indessen ist es ja auch gar nicht so gemeint, daß wir uns einbilden sollten, wir hätten aller unserer Kenntnis vom Wollen in dem reinen Willen uns begeben. [...]

Nicht von aller Willenserfahrung werden wir Abstand nehmen sollen; aber *Materie und Form* werden wir auch am Wollen unterscheiden müssen. Auf diesem Unterschiede beruht, diesen Unterschied besagt der Begriff des *reinen* Willens.

Die Materie des Willens wird nun aber nicht homolog gedacht werden können der Materie der Erscheinung. Alle Erkenntnis ist auf Gegenstände bezogen; das Problem der Erkenntnis ist das Problem der Realität der Dinge. Wenn daher die kopernikanische Fragestellung auf die Erkenntnisse gerichtet wurde, so sollte doch nur auf diesem Wege um so sicherer der Gegenstand erreicht werden, von dem es sonst unverständlich bleiben müßte, wie seine Beschaffenheit in meine Erkenntnis hinüberwandern könnte. Es war mithin von vornherein der Gegenstand, die Erscheinung, an welcher Materie und Form geschieden wurden. Die Ableitung des Sittengesetzes hingegen hat es nicht ursprünglich, nicht der Sache nach zusammenfallend mit *Gegenständen* zu tun.

Allerdings muß das Wollen, insofern es ein Hervorbringungs-Vorstellen ist, auf einen Gegenstand bezogen sein, welcher als der hervorzubringende vorgestellt wird; es muß also »freilich unleugbar«[6] alles Wollen seinen Gegenstand haben; aber zunächst handelt es sich nicht um diesen, sondern in erster Linie um den Willen selbst. Und während bei dem theoretischen *a priori* die Frage war, worin die Notwendigkeit des Erkennens d. i. der Dinge bestehe, so ist hier die Frage, worein die Notwendigkeit des Willens selbst gesetzt werden könne. Nicht um die in der Willensvorstellung als hervorzubringende gedachten Gegenstände dreht sich die Frage in ihrem Angelpunkte, noch um deren Gesetzlichkeit, um deren Realität; sondern darauf geht die Grundfrage: ob für den Willen selbst, ob für dieses praktische Vorstellen eine *Gesetzmäßigkeit* bestimmbar werde; und ob diese Bestimmbarkeit nicht bedingt wird durch die Gegenstände, auf welche sich jenes Vorstellen freilich beziehen muß.

In diesem methodischen Sinne der Gesetzmäßigkeit des reinen Willens wird daher in erster Instanz *die Unabhängigkeit von den gewollten Gegenständen gefordert.* Die Reinheit des Willens ist es, welche diesen Gegensatz zu den Gegenständen fordert, als ob diese und sie allein den Bewegungsgrund des Willens enhalten müßten. Jene Gesetzmäßigkeit soll eine streng gültige Apriorität bedeuten. Wie könnten wir da von den Gegenständen, auf welche das Wollen sich bezieht, die Notwendigkeit, die Apriorität des letztern abhängig machen wollen? Müßte doch vielmehr umgekehrt von der Gesetzmäßigkeit, wie dort des Erkennens, so hier des Wollens, die Realität, die Gültigkeit der Gegenstände abhängig gemacht werden. Dort freilich ist die Frage nach der Apriorität des Erkennens identisch mit der der Gegenstände. Statt zu fragen: welche Erkenntnis ist apriorisch? kann man auch fragen: welche Gegenstände sind erkennbar, *und welche nicht?* Deshalb wird dort die Unterscheidung zwischen Materie und Form am *Gegenstande* gemacht. Hier aber, wo die Gesetzmäßigkeit fraglich ist am Willen selber; wo von der in jedem Wollen gegebenen Beziehung auf den in der Willensvorstellung schwebenden Gegenstand prinzipiell abgesehen wird; wo gefragt wird, ob es eine Notwendigkeit des Wollens gebe, *gleichviel,* auf welche Gegenstände dieselbe bezogen werden mag; wo also nicht gefragt wird, ob es etwa Gegenstände gebe, welche nicht zu wollende wären, weil diese Frage das Problem der Realität des Sittlichen nur durch eine schwächliche, präjudizierende Wendung ausdrücken würde: hier kann demzufolge *nicht an dem Gegenstande* die Materie von der Form unterschieden werden.

Eine etwas tiefergehende Betrachtung wird nun aber ferner davon überzeugen, daß auch an dem *Wollen* selbst jene methodische Unterscheidung nicht angestellt werden kann. [...]

Nicht an dem Wollen selbst, so wenig wie an dem Gegenstande desselben, ist die geforderte Unterscheidung zu machen; sondern an der Notwendigkeit, *an der Gesetzlichkeit des Wollens.*

Was bliebe denn übrig, wenn wir von den Gegenständen, die gewollt werden, abstrahierten? so pflegt man gegen den Begriff der Reinheit einzuwenden. Der psychische Zustand, die psychische Bewegung selbst, in welcher das Wollen prozediert, also die *Begehrung* bliebe übrig. Kommt es uns denn aber auf diese an? Wollen wir denn etwa diese als Form des Willens herausbringen? Soll uns etwa das Begehren in seiner psychologischen Zuständlichkeit jene Gesetzmäßigkeit bedeuten, welche wir an dem Wollen suchen? Soll nicht vielmehr gerade das Wollen, im Unterschiede von der bloßen psychischen Bewegung des Begehrens; das durch die Vorstellung hervorzubringender Gegenstände oder Zustände charakterisierte Wollen auf seine Gesetzmäßigkeit, auf seine Apriorität geprüft werden? Also darf nicht an dem Wollen schlechthin die Abstraktion vorgenommen werden, sondern allein an demjenigen Wollen, welches in seiner fraglichen Gesetzmäßigkeit gedacht wird.

Man glaube ja nicht, es würde hier eine Tautologie, wenn nicht gar eine *petitio principii* begangen. Um die Apriorität zu entdecken, sei jene Unterscheidung notwendig; und zugleich soll sie an jener als Problem gedachten Apriorität selbst vollzogen werden. Denn genau das ist der Sinn alles *a priori* nach der transzendentalen Methode. Wie bei dem Problem der Erfahrung an dieser selbst die Form von der Materie unterschieden wurde, so daß als das gesuchte *a priori* die Form übrig blieb, so auch stellen wir hier das Problem: für den aufgestellten Begriff eines systematischen Zusammenhangs der moralischen Erkenntnisse soll derjenige Begriff bestimmt werden, welcher die Gesetzmäßigkeit des Wollens bezeichnet. Das ist der *reine* Wille; *das* ist die *Form* des Wollens. Also an dem Problem des moralischen Systems, an dem Problem der Apriorität des praktischen Vernunftgebrauchs ist der Begriff des reinen Willens, ist die Abstraktion der Form des Wollens entstanden.

Indessen ist damit nur die terminologische Anweisung gegeben, *worin* das *a priori*, worin die Form allein gesucht, bestimmt werden könne. Was aber ist der *Inhalt* jener Form? Was ist der Inhalt jenes *a priori*, des gesuchten Sollens? So wenig ist die Koinzidenz des *a priori* und der Form eine Tautologie, daß man nach strenger Erfassung jener Distinktion diese Frage noch stellen kann und muß. Der rechte Inhalt des praktischen *a priori* kann erst, kann nur durch diese Unterscheidung bestimmt werden. Als Form muß jene *in thesi* stehende Gesetzmäßigkeit des Wollens gedacht werden, wenn sie, wenn das praktische *a priori*, wenn das Sollen in seinem Inhalte erkannt werden soll. So wird denn hiernach deutlich geworden sein, daß nur von der Gesetzmäßigkeit des Wollens selbst, als Problem gedacht, die Form abstrahiert werden kann, als dasjenige, worin jene Gesetzmäßigkeit besteht, worin die Auflösung des Problems jene Gesetzmäßigkeit statuiert. Und da die Auflösung *nicht auf Grund gegebener Gesetze* erfolgen, sondern lediglich in der Inhaltsentfaltung des analytischen Begriffs vom reinen Willen bestehen kann, so muß dieser Begriff negativ den Gegensatz zur Materie, und positiv den Inhalt der Form, und damit den Inhalt des Sollens bezeichnen. [...]

Wir verlassen nunmehr die Erörterung der negativen Bedeutung jenes grundlegenden Unterschiedes, und wenden uns zu dem positiven Inhalt des praktischen *a priori*, welcher in der *Form*, als dem alleinigen Bestimmungsgrunde des sittlichen Wollens, bezeichnet ist.

Es ist zuvörderst zu beachten, wie nachdrücklich der »*Lehrsatz III*«, welcher die Form als den alleingültigen Ausdruck des Gesetzes bezeichnet, den *analytischen* Begriff dieser Gesetze betont.

»Wenn ein vernünftiges Wesen sich seine Maximen als praktische allgemeine Gesetze *denken soll*, so kann es sich dieselben nur als solche Prinzipien *denken*, die nicht der Materie, sondern *bloß der Form nach*, den Bestimmungsgrund enthalten.«[7]

Der Begriff des moralischen Gesetzes ist analytisch zu zergliedern; er ist nicht synthetisch in vorhandenen Gesetzen gegeben, welche etwa nur transzendental zu begründen wären. Daher muß es heißen: wenn man ein solches Gesetz soll denken können.

Und aus welchem denkbaren Material kann denn nun dieser analytische Begriff des reinen Willens, des allgemeinen Gesetzes abgezogen werden, da er doch wohl nicht willkürlich erdichtet ist? Lediglich aus derjenigen Annäherung an ein Gesetz, welche die subjektive *Maxime* besagt. Andere Gesetzesunterlagen oder -anlagen sind für das praktische *a priori* nicht zu erdenken. Aber an einer als Problem gedachten Gesetzesform, Gesetzesvorlage, muß die moralische Form entdeckt werden; *nicht von dem Wollen selbst ist sie zu abstrahieren.* Diese Notwendigkeit hat sich in den früheren Erwägungen aus dem Geiste der transzendentalen Methode herausgestellt. [...]

»Nun bleibt *von einem Gesetze,* wenn man alle Materie, d. i. jeden Gegenstand des Willens (als Bestimmungsgrund) *davon* absondert, nichts übrig, als *die bloße Form einer allgemeinen Gesetzgebung.*«[8] *Die Form einer allgemeinen Gesetzgebung ist mithin die Form,* in welcher wir das praktische *a priori* zu erkennen haben.

Was bedeutet nun aber jene Form einer allgemeinen Gesetzgebung? welchen Inhalt, als Inhalt des Sollens, haben wir in dieser Form, in diesem positiven Begriffe des reinen Willens zu erkennen?

Die Form, das könnten wir von *Herbart* lernen, wenn wir es nicht von der Synthesis Kants gelernt hätten, setzt »*Zusammenfassung*« voraus. So lange das Wollen als ein einzeln stehendes betrachtet wird, hat es nur in seinem Gegenstande Wert; wenn es unangesehen seines Gegenstandes, in seiner Form Wert erlangen soll, so darf es nicht als ein einzeln stehendes, sondern es muß mit anderem Wollen zusammengefaßt in Betracht gezogen werden. Aber diese Zusammenfassung sehen wir nun nicht in jenen ästhetischen Verhältnissen, welche doch immer nur vereinzelte Willensakte zu Gliedern eines Verhältnisses zusammenfassen; sondern die Form bedeutet die *allgemeine Zusammenfassung,* vor welcher, wie alle Gegenstände, so alle *Maximen* als subjektive, als vereinzelte verschwinden; in welcher alle Bestimmungsgründe eines einzelnen Wollens hinfällig und widerstandslos und eitel werden; in welcher alle Einzelwillen untergehen in die allumfassende Allgemeinheit Eines Herzens und Eines Geistes.

Das ist die erhabene Zusammenfassung, welche in der »bloßen Form einer allgemeinen Gesetzgebung« enthalten ist. Das ist der positive Inhalt des reinen Willens. Das ist die Bedeutung des Reinen für die Ethik. Eine solche Notwendigkeit, eine solche Allgemeinheit haben wir gesucht, in welcher streng und unbeschränkt[9] der praktische Vernunftgebrauch sein Gesetz empfange. Dieses Sollen ist nun gefunden: *in der bloßen Form einer allgemeinen Gesetzgebung,* welche unabhängig gänzlich von Gegenständen, die gewollt werden, wie von deren Verhältnissen zu Lust und Unlust fühlenden Subjekten, abgelöst von allen Reizungen der Selbstliebe, an und durch sich selbst notwendiger Bestimmungsgrund des Willens ist.

Und nun überschaue man diesen Inhalt; besser, schaue man empor zu der erhabenen Aussicht, welche ein solches Sittengesetz eröffnet. Das allein also könne das Wollen bestimmen, so lautet dieses Gesetz; das allein dürfe das *a priori* der Ethik sein: *daß wir die Gesetzmäßigkeit einer allgemeinen Gesetzgebung denken.* Dieser Gedanke selbst sei der alleinige Beweggrund des praktischen Vernunftgebrauchs. Sonst gibt es kein Gesetz. Wenn es ein Gesetz für die Willen geben soll; wenn ein Vernunftwesen ein solches Gesetz soll denken können, so kann es dasselbe nur in der Form einer allgemeinen Gesetzgebung denken.

Zweierlei ist somit aus dieser Analysis gefolgert:

Erstens. Es gibt eine allgemeine Gesetzgebung. Zuerst war der Begriff des Gesetzes ein analytischer. In demselben ist aber enthalten das Merkmal der *allgemeinen* Gesetzgebung; eines Gesetzes, das als Vernunftbedingung gedacht werden muß; nicht bloß in sinnlicher Einschränkung, für wechselnde Zeitverhältnisse, noch für eine ablösbare Anzahl von Individuen geltend: der Vernunftidee einer noumenalen Begrenzung aller Erfahrung, auf den praktischen Vernunftgebrauch bezogen, muß diese Gesetzgebung entsprechen als eine allgemeine. Sie muß gelten, unangesehen der Personen, der Dinge und der Gefühle, als eine allgemeine; das will sagen: weil sie eine allgemeine ist, weil sie bloß der Form nach gedacht ist, darum ist sie das rechte, das richtige *a priori.*

Die Form der allgemeinen Gesetzgebung ist somit der Ausdruck der ethischen Realität. Das Sittliche hat *eine* Art von Realität; das heißt: es gibt eine allgemeine Gesetzgebung. Das Sittliche ist nicht dem Ohngefähr der Maximen, noch den Naturgewalten preisgegeben. Es gibt eine allgemeine Gesetzgebung; es gibt ein Sollen.

Zweitens. Diese allgemeine Gesetzgebung ist der Bestimmungsgrund des Willens. Wenn der analytische Begriff des

Sittengesetzes gedacht wird, so ist damit gegeben die allgemeine Gesetzgebung als der Bestimmungsgrund. Denn die Form bedeutet auch hier das Reine, das will sagen: das Erzeugende, das Gesetzgebende. Es besteht eine allgemeine Gesetzgebung; aber daß diese selbst, abgesehen von dem etwaigen schönen *Inhalt* ihrer Gesetze, bloß an und durch sich selbst, bloß dadurch, daß sie als allgemeine Gesetzgebung sich ankündigt, Bestimmungsgrund und allein der Bestimmungsgrund sei, das ist die *positive* Bedeutung der Form. Die bloße Form einer allgemeinen Gesetzgebung bedeutet: das praktische *a priori* muß gedacht werden als eine allgemeine Gesetzgebung, welche, *als solche,* den gesetzmäßigen Willen erzeugt.

Das ist der erste Gedanke, den wir von der Erhabenheit dieses *formalen* Sittengesetzes fassen. Es ist *allgemein;* das heißt: es ist himmelweit verschieden von der Durchgängigkeit einer Maxime. Alle Maximen werden eitel Torheit gegenüber der Allgemeinheit, welche hier, von allen Bedingungen der Zeitlichkeit abgelöst, sich erhebt; zu welcher hier alle Individualwillen zusammengefaßt werden. Es ist ferner *Form;* das heißt: die Gesetzgebung selbst ist das Gesetz der *Erzeugung* des Willens. Es gibt einen Bestimmungsgrund solcher Art; der reine Wille enthält in seinem analytischen Begriffe das Merkmal eines solchen Wollens, welches lediglich *kraft des Gesetzes* von statten geht. Die Vorstellung jener allgemeinen Gesetzgebung hat die Gewalt, daß sie, und zwar sie allein, ein Wollen zu bestimmen vermag.

Aus diesem Gedanken ergeben sich nun aber fernere Bestimmungen dieses so gedachten Wollens, welche den weitern Inhalt des Begriffs vom reinen Willen beschreiben. In diesen Bestimmungen sind teils Formulierungen des Sittengesetzes gegeben, teils sogar Bedingungen und Voraussetzungen für den *synthetisch* gedachten Gebrauch desselben. Diese letzteren werden erst in dem folgenden Abschnitt zur Darstellung kommen. Diejenigen Merkmale des reinen Willens jedoch, welche als Arten der Formulierung des Sittengesetzes angesehen werden können, müssen wir nunmehr in nähere Erörterung ziehen. Und zu dem genauern und lebendigern Verständnis des Zusammenhangs dieser Merkmale und der systematischen Bedeutung derselben ist es erforderlich, den Unterschied zu beachten, der zwischen der »*Grundlegung zur*

441

Metaphysik der Sitten« (1785) und der *»Kritik der prakti-schen Vernunft«* (1788) in der Entwicklung dieser Gedanken besteht.

Die Grundlegung geht in dem »Übergang von der gemei-nen sittlichen Vernunfterkenntnis zur philosophischen« von dem Begriffe des *»guten Willens«* aus. Dieser sei im Unter-schiede von den Talenten des Geistes, den Eigenschaften des Temperamentes und allen Glücksgaben dadurch ausgezeich-net, daß er nicht durch das, was er »ausrichtet, nicht durch seine Tauglichkeit zu Erreichung irgendeines vorgesetzten *Zweckes,* sondern allein durch das *Wollen«* gut sei. Die Nütz-lichkeit oder Fruchtlosigkeit kann den Wert dieses »Juwels« nicht verändern, sondern allenfalls der »Einfassung« dessel-ben vergleichbar sein, die ihn nur besser handbar macht. Darin liegt nun freilich etwas »Befremdliches«; dieser angeb-liche absolute Wert erregt den Verdacht »hochfliegender Phantasterei«, die den natürlichen Zweck der Willenserschei-nung übersieht. Indessen können wir doch schlechterdings in der etwaigen Leitung des Willens durch etwas anderes als sinnliche Motive keinen andern natürlichen Zweck denken, als diesen absonderlichen Willen von absolutem Werte. Denn wäre etwa Glückseligkeit der Zweck der praktischen Ver-nunft, so würde »Instinkt denselben genauer und sicherer erreichen lassen, als es der Vernunft gelingen kann, in die Naturabsicht zu pfuschern«. Es würde dann besser keine praktische Vernunft geben, sondern allein den *Instinkt* des Praktischen, der die Mittel und Mittelchen viel gründlicher auszuklügeln und auszufinden vermöchte als alle Vernunft. Diese muß daher, selbst nach unserer gewöhnlichen Vorstel-lung von der zweckmäßigen Einrichtung der Naturanlagen zu etwas anderem da sein, als um Mittel zu erdenken. Der Wille, der, richtiger, als welchen praktische Vernunft sich hervor-bringen soll, muß daher nicht in anderer Absicht als *Mittel,* sondern *an sich selbst guter* Wille sein.

Um nun diesen Begriff weiter zu entwickeln, sagt die Grund-legung[10]: »wollen wir nun *den Begriff der Pflicht* vor uns nehmen«. Und so ist dies denn der *erste* Unterschied, den wir zwischen beiden Darstellungen zu bemerken haben. Die Grundlegung führt den Begriff des guten Willens in den der *Pflicht* über.

Die Pflicht wird zunächst unterschieden von der *Neigung*, welche letztere zwar eine pflichtmäßige Handlung, aber nicht eine solche *aus* Pflicht erzeugen könne. Auch Wohlwollen und »schmelzende Teilnehmung« machen die Handlung nur »liebenswürdig«. Wo die Pflicht die Sympathie ersetzt, »grade da hebt der Wert des Charakters an«. Dieser neue Begriff vereinigt sich nun mit dem des guten Willens darin, daß auch die Pflicht keiner Absicht dient, sondern von dem Gegenstande und seiner Wirklichkeit unabhängig, lediglich von sich selbst, als einem Prinzip des Wollens, bestimmt wird. Hierin also ist die Grundlegung durchaus im Einklang mit der Kritik: die »Vorstellung des Gesetzes« allein gilt als Bestimmungsgrund; nur wird die *Form des Wollens hier als Pflicht gedacht.*

Und mit diesem auf die psychologische Anwendung abzielenden Ausdruck des sittlichen Motivs – während doch offenbar die Form ein methodisch-kritischer Terminus ist – wird sodann auch ein anderer, gleichfalls der psychologischen Anwendung zugehöriger Ausdruck verbunden: die Pflicht wird auf *»reine Achtung«* begründet. Es ist charakteristisch, daß Kant hierbei sich gegen den Vorwurf zu verteidigen für nützlich hält, als ob er zu einem »dunkeln Gefühle« seine Zuflucht *nähme*, anstatt durch einen Begriff klare Auskunft zu geben. Indem daher in der Kritik der Ausgang nicht gemacht wird von dem Begriffe der Pflicht, wird überhaupt *zweitens* die Vermischung mit *psychologischen* Erklärungen vermieden.

Dieser Unterschied hat bis in das Einzelne hinein seine wichtigen Folgen. Indem nämlich die Grundlegung fragt: wie man ein solches Gesetz sich denken könne, dessen *Vorstellung* allein Bestimmungsgrund des Willens soll sein können, so weist die *erste* Ableitung, die aus der *gemeinen Vernunfterkenntnis*, auf das Prinzip der allgemeinen Gesetzmäßigkeit hin: »ich soll niemals anders verfahren, als so, daß ich auch *wollen könne*, meine Maxime solle ein allgemeines Gesetz werden.« Und dieses Prinzip sei in der allgemeinen Menschenvernunft, obzwar sie es »freilich nicht so in einer allgemeinen Form abgesondert denke«, dennoch mit Sicherheit gegeben. Indessen bleibt doch selbst das gemeine moralische Urteil nicht von einer »natürlichen Dialektik« frei, welche eine Metaphysik der Sitten nötig mache. Daraus scheint hervorzugehen, daß das Sittengesetz doch wohl nicht ein einfaches *Faktum* sein möchte, auf das man im eigenen Wollen die Probe machen könne.

Die *zweite* Ableitung, aus der *populären sittlichen Weltweisheit*, beginnt daher mit der Warnung: daß man den Begriff des Sittlichen nicht als einen *Erfahrungsbegriff* behandele. Dadurch werde denen in die Hände gearbeitet, die alle Sittlichkeit zum »Hirngespinst einer durch Eigendünkel sich selbst übersteigenden menschlichen Einbildung« machen. Und wenn man selbst, ohne »Feind der Tugend« zu sein, bloß als »kaltblütiger Beobachter« in gewissen Augenblicken zweifelhaft wird, »ob auch wirklich in der Welt irgend wahre Tugend angetroffen werde«, so rette allein die Besinnung auf das, was ein praktisches *a priori* bedeute. Dasselbe bedarf nicht nur der Belege aus der Erfahrung nicht; sondern es verwirft dieselben. Das alleinige Urbild des Guten ist die Idee. *»Nachahmung findet im Sittlichen gar nicht statt.«* Daher soll die Sittenlehre den »ekelhaften Mischmasch von zusammengestoppelten Beobachtungen und halb vernünftelnden Prinzipien« verschmähen. Auch als »Triebfeder« wird das Gesetz selbst besser wirken als alle Beispiele.

Indem nun aber die zweite Ableitung von der populären Weltweisheit zur Metaphysik aufsteigt, entwickelt sie, obschon die Beispiele verwerfend, dennoch an dem *Bewußtsein der Pflicht* den Begriff des Sittengesetzes. Der Wille, das Vermögen, nach der Vorstellung der Gesetze zu handeln, kann nämlich entweder unausbleiblich von der Vernunft bestimmt werden, oder nicht hinlänglich. In dem letzteren Falle befindet sich der menschliche Wille, dessen Handlungen daher »subjektiv zufällig« sind. Die Bestimmung eines solchen Willens ist, gegenüber den subjektiven Triebfedern, Nötigung. Die Vorstellung eines objektiven, nötigenden Prinzips heißt Gebot, und die Formel desselben *Imperativ,* welcher sich durch *Sollen* ausdrückt.

Diese Imperative nun, obzwar nicht von dem Begriffe des vernünftigen Wesens, sondern »dieses oder jenes vernünftigen Wesens, z. B. des menschlichen Willens« abgezogen, können doch nicht die praktische Notwendigkeit eines *Mittels* ausdrücken, sondern müssen einen Zweck an sich selbst aufgeben. Der moralische Imperativ darf nicht hypothetisch, sondern muß *kategorisch* gelten. Aus dem kategorischen Imperativ ergibt sich nun die Formel für die Form des Wollens. Und so weit geht alles streng nach transzendentaler Methode vonstatten, daß aus dem »bloßen Begriff« eines kategorischen Imperativ diese Formel abgeleitet wird; daß zwischen dieser *analytischen* Entwicklung und dem *synthetischen* Gebrauche klar unterschieden wird[11]: Der Imperativ enthält »außer dem Gesetze nur die Notwendigkeit der Maxime«, diesem Gesetze gemäß zu sein. Hier kann man eine Ähnlichkeit mit dem zwiefachen Inhalt finden, den wir oben an der Form des Wollens unterschieden haben. Aber es ist nur Ähnlichkeit. Die hiesige Unterscheidung besagt folgendes.

Das Gesetz selbst ist der Inhalt, zu dem verpflichtet wird; Bedingungen, auf die es eingeschränkt würde, gibt es nicht; nur *den* Inhalt hat der Imperativ noch, daß er der *Maxime* selbst die Notwendigkeit auferlegt, jenem Gesetze gemäß zu sein. Es wird mithin der Maxime nicht ein fremdes Gesetz gegenübergestellt; sie selbst soll die Notwendigkeit des Gesetzes bekennen. Wäre diese Bedingung nicht zugleich in dem Imperativ enthalten, so könnte man meinen, die Formel werde lauten: Handle nur nach derjenigen Maxime, die zugleich als allgemeines Gesetz gelten kann. Woran aber soll ich dieses »gelten kann« prüfen? Die Kritik würde sagen: an dem Begriff eines Gesetzes. Daher lautet auch der Imperativ in der Kritik unter dem veränderten Namen als »Grundgesetz der reinen praktischen Vernunft« in diesem Sinne. »Handle so, daß die Maxime Deines Willens jederzeit zugleich *als Prinzip* einer allgemeinen Gesetzgebung gelten könne«[12]. Und als »Folgerung« aus diesem Grundgesetze wird der Satz formuliert: daß reine Vernunft für sich allein praktisch sei, das Sittengesetz *dem Menschen* gebe. Jetzt erst wird auf den Menschen besondere Rücksicht genommen, dem gegenüber das Sittengesetz als Imperativ lautbar werde, und unter der psychologischen Vorstellung der *Pflicht* sich vollziehe.

Die Grundlegung aber leitet den, obzwar als analytischen Begriff gedachten Imperativ, von dem Wollen, von der *Rücksicht wenigstens* auf das menschliche Wollen ab; und indem sie das egoistische Wollen *ad absurdum* führt, illustriert sie den Begriff des guten Willens. »*Man muß wollen können*, daß eine Maxime unserer Handlung ein allgemeines Gesetz werde:

Dies ist der Kanon der moralischen Beurteilung derselben überhaupt«[13]. Diese Probe kann keine unsittliche Maxime bestehen. Ich muß meiner Maxime, wenn sie in ihren selbstischen Motiven sich nicht selbst aufheben will, die Nötigung geben, sich als allgemeines Gesetz zu denken, ein solches zu werden. Diesen Gedanken, daß das selbstische Wollen, nur klar in seiner Allgemeinheit gedacht, sich selbst vereitelt, macht Kant an den vielen Beispielen deutlich, die man, aus diesem Zusammenhange nicht erwogen, *als Begründungen der Moral aus dem Egoismus* mißverstanden hat. Vielmehr aber ist der Gang der Grundlegung der, daß sie *ad hominem* argumentiert für das Gesetz, von dessen analytischem Begriffe sie ausgeht; dessen Formel sie aber doch nicht streng in transzendentaler Bescheidung aufsucht. Darin nämlich besteht *drittens* der Unterschied zwischen beiden Darstellungen: daß die Formel der Grundlegung dem *metaphysischen a priori* nähersteht.

So begründet sich die *erste Formel:* »Handle nur nach derjenigen Maxime, *durch* die Du zugleich *wollen* kannst, daß sie ein allgemeines Gesetz werde«. Der Maxime selbst wird die Notwendigkeit gesetzt, dem Gesetze gemäß zu sein. Die Maxime selbst kann sich dem Gesetze, sobald dasselbe nur vorgestellt ist, nicht entziehen. Warum heißt es denn aber nicht: *von* der Du zugleich wollen kannst? Die Nötigung liegt ja doch nicht in der Maxime selbst; sondern nur in dem Gesetze, sofern als solches die Maxime vorgestellt wird. In der Tat kommt dieser Ausdruck an einer anderen Stelle vor: »ist es ein notwendiges Gesetz für alle vernünftigen Wesen, ihre Handlungen jederzeit nach solchen *Maximen* zu beurteilen, *von* denen sie selbst *wollen* können, daß sie zu allgemeinen Gesetzen dienen sollen«[14]. Der Zusammenhang der Erörterungen legt die Ansicht nahe, daß Kant das Wort »durch« gebraucht hat, um nach einer anderen Seite hin die *Spontaneität* der Maxime darzutun, und ihre Fähigkeit, zum Gesetze auszuwachsen. Indem nämlich *durch* die Maxime zugleich das Gesetz gewollt werden soll, wird damit der Gedanke vorbereitet: daß das Gesetz selbst keinen fremden *Gesetzgeber* habe; da der sittliche Wille *autonom* sei.

Bevor jedoch dieses wichtige Ergebnis erzielt ist, zeigt sich ein anderer Unterschied, der *vierte*, zwischen Grundlegung und Kritik. Während nämlich, wie wir gesehen haben, in der Kritik das praktische Prinzip von dem *Naturgesetz* unterschieden wird, so verändert die Grundlegung die erste Formel des Imperativs in die folgende, welche jedoch *nicht* als zweite bezeichnet ist: »Handle so, als ob die Maxime Deiner Handlung durch Deinen Willen zum *allgemeinen Naturgesetze* werden sollte.« Dagegen sagt die Kritik: »Die Vergleichung der Maxime seiner Handlungen mit einem allgemeinen Naturgesetze«[15] sei nicht der Bestimmungsgrund des Willens. Indessen läßt die Kritik diesen Gedanken keineswegs fallen; sondern gestaltet ihn vielmehr, wie wir am Schlusse des nächsten Abschnitts sehen werden, auf eine höchst charakteristische und klärende Weise in der »*Typik*« um.

Diese *beiden* Formulierungen des kategorischen Imperativs sind sonach als Erläuterungen des Begriffs der *Pflicht* zu betrachten. Ob nun aber ein Imperativ mit solchem Inhalt, ob eine solche Art von Gesetzgebung wirklich stattfinde? Das ist eine ganz andere Frage, welche die *synthetische Geltung* betrifft, und somit in die »Metaphysik der Sitten« gehört. Es ist das die Frage: ob ein solches »Verhältnis eines Willens *zu sich selbst*« zur Anwendung unter Menschen kommt, so daß die Vernunft allein ihr Verhalten zu bestimmen vermag? Und nun wiederholt sich dieselbe Betrachtung an dem Willen überhaupt, doch mehr mit psychologischer Rücksicht, die vorher beim Beginne der Untersuchung in bezug auf den *guten* Willen angestellt worden war.

Der Wille wird, im Unterschiede von der Begehrung, hier als Vermögen bezeichnet, »*der Vorstellung gewisser Gesetze gemäß* sich selbst zum Handeln zu bestimmen«. Der subjektive Grund des Begehrens heißt *Triebfeder;* der objektive des Wollens *Bewegungsgrund.* Die Wirkung einer Handlung ist der *Zweck* derselben; und der Grund der Möglichkeit derselben das *Mittel.* Wenn daher ein Wille gedacht wird, welchen keine subjektive Triebfeder bestimmt, sondern ein formales Gesetz bewegt; ein Wille, der nur zu sich selbst ein Verhältnis setzt, dem nicht ein zu bewirkender Gegenstand Zweck ist, so sind die Zwecke eines solchen Willens nicht *relativ;* sie sind nicht auf Mittel gerichtet. Das Gesetz, welches solchen Willen bestimmt, ist daher auch kein hypothetischer Imperativ, wie der gewollte Zweck nicht relativ ist. Der Bewegungsgrund eines solchen Willens muß ein absoluter Zweck sein: der kategorische Imperativ fordert einen gleichsam substantiellen Zweck, ein Etwas, das *Zweck an sich selbst* ist.

Und so ist denn die weitere Folgerung, welche das »formale« Sittengesetz ergibt, der inhaltschwere Gedanke: *»Die vernünftige Natur existiert als Zweck an sich selbst«.*

Weiß ich das etwa aus Erfahrung? Oder kann ich es hinterher aus derselben beweisen? In dem Mechanismus derselben gibt es nur *Sachen*, deren eine das *Mittel* der andern ist. Wenn ich dagegen von einer allgemeinen Gesetzgebung rede, deren *Vorstellung* schon zureichend sei, einen Willen zu bestimmen, so kann der Beweggrund dieses Wollens nicht als Mittel gedacht werden, nicht als relativer Zweck. Somit fordert das formale Sittengesetz die Realität eines Etwas, dessen Dasein als Zweck an sich selbst gedacht werden kann: das ist, *im Unterschiede von der Natur der Erfahrung,* die »vernünftige Natur«. Jene umfaßt Sachen; diese erzeugt die *Person.* Denn die vernünftige Natur, das ist nun auch der Mensch. Jetzt auf dem Grunde der vernünftigen Natur kann auch der Mensch auftreten. »Der Mensch *und überhaupt* jedes vernünftige Wesen«, so führt Kant den Menschen ein. Oder: »So stellt sich der Mensch notwendig sein eigenes Dasein vor«. Es entspringt somit aus dem *»formalen«* Sittengesetze die *Idee der Menschheit*, als gegeben durch die vernünftige Natur, und diese vertretend; als dasjenige Dasein, welches von dem allgemeinen Gesetze als Zweck an sich selbst gewollt wird. Und alle *vier* kasuistische Fragen, die Kant gestellt hatte, beantwortet er nun aus diesem neuen Begriffe, *wie denn die Idee der Menschheit auch in allen Fragen der Rechtslehre, der Religion nebst der Pädagogik und so alles zusammenfassend, auch der Geschichte das entscheidende Prinzip ist.*

Diese Idee der Menschheit ergibt daher ihrerseits eine neue Formulierung des Imperativs, nach Kantischer Zählung, die zweite: *»handle so, daß Du die Menschheit, sowohl in Deiner Person, als in der Person eines jeden Andern,* jederzeit zugleich *als Zweck, niemals* bloß *als Mittel brauchst«. Der Bestimmungsgrund des formalen Gesetzes ist nunmehr die Idee der Menschheit als eines Zweckes an sich selbst.*

Aber der Inhalt des »formalen« Sittengesetzes ist auch mit dieser Bestimmung, von welcher wir erkennen werden, daß sie einen *unerbittlichen Realismus in der Geschichte der Mensch-heit vollzieht,* noch nicht erschöpft. Diese Menschheit nämlich ist nicht etwa nur eine nominalistische Verallgemeinerung der Menschenindividuen und der respektiven Zwecke, die sich diese Einzelnen samt und sonders vorzusetzen belieben oder genötigt werden mögen. Nicht in solchem kollektiven oder additiven Begriffe von den Menschen und ihren Zwecken wird die Mensch*heit* als Zweck an sich selbst bestimmt. Es wird vielmehr diese Menschheit gedacht als »die *oberste ein-schränkende Bedingung* aller subjektiven Zwecke«. Daraus ergibt sich nun aber ein ferneres Merkmal des »formalen« Gesetzes.

Die Menschheit selber, als Zweck an sich, wird somit auch, da der Zweck an sich der alleinige Bestimmungsgrund des moralischen Gesetzes ist, als dieser Bestimmungsgrund bezeichnet werden können. Die Menschheit, das heißt, die vernünftige Natur, sofern sie als »oberste einschränkende Bedingung aller subjektiven Zwecke« waltet, ist somit der *Grund des Gesetzes selbst.* Ihr Wille ist es daher, welcher jenes Verhältnis zu sich selbst setzt; der Menschheit Wille ist es, welcher in sich selbst den einzig möglichen Zweck an sich vollzieht; bei welchem Maxime und Gesetz zusammenfallen; welcher *in Form einer allgemeinen Gesetzgebung* sich zur Anwendung bringt.

Die *dritte* Formulierung des kategorischen Imperativs wird daher gegeben in der »*Idee des Willens jedes vernünftigen Wesens, als eines allgemein gesetzgebenden Willens*«. Die Form des *Imperativs* hat nun keinen Sinn mehr. Die allgemeine Gesetzgebung ist, unter der Idee der vernünftigen Natur, eine derselben »*eigene*«. Der Wille ist nicht mehr lediglich unterworfen, sondern zugleich »selbst gesetzgebend«; des Gesetzes, dem er unterworfen ist, eigener *Urheber.*

So entsteht nunmehr als weitere Folgerung aus dem »formalen« Sittengesetze, vermittelst der Idee der Menschheit, als der vernünftigen Natur, im Unterschiede von den Menschen als sinnlichen Individuen, *der Begriff der Autonomie.*

Die *Autonomie* aber schließt alles *Interesse* aus dem Pflicht-wollen aus; die reine praktische Vernunft darf nicht »fremdes Interesse bloß administrieren«; und so besteht in dieser »Los-sagung von allem Interesse« der *Fortschritt,* den diese *dritte*

Formel bezeichnet, die als das *echte Prinzip der Sittlichkeit* gilt: das *Prinzip der Autonomie*, gegenüber der *Heteronomie*, welche letztere »*alle* bisherige Bemühungen, die *jemals* unternommen worden, um das Prinzip der Sittlichkeit ausfindig zu machen«, kennzeichnet. Denn nirgend war die Pflicht, als *eigene* Gesetzgebung, die *allgemeine*.

Mit dieser Bestimmung nähert sich denn auch wieder die Grundlegung an die Kritik, welche das Prinzip der Autonomie in dem »Lehrsatz IV« formuliert, – und weiterführt. Denn hier wird die Unabhängigkeit von aller Materie des Gesetzes, von allem begehrten Objekte als *Freiheit* im negativen Verstande bezeichnet; die *eigene* Gesetzgebung aber, als welche sich die »*bloße* allgemeine gesetz*gebende Form*« nunmehr entdeckt hat, diese sei Freiheit im *positiven* Verstande. *Somit führt der Begriff der Autonomie hier erst auf die Idee der Freiheit.* Aus dem Begriffe des Zweckes an sich entstand der Begriff der Autonomie, und dieser also wird mit der Freiheit in positiver Bedeutung identifiziert.

Es eröffnet sich somit der Ausblick auf den Zusammenhang, auf welchen wir von Anfang an hingewiesen waren; denn der *problematische Grenzbegriff des Freiheitsnoumenon* hatte uns den Weg gewiesen, auf dem eine *neue Art von Gesetzmäßigkeit*, eine andere als die der Erfahrung entdeckt werden könne. Nachdem wir bisher nun lediglich den analytischen Begriff des reinen Willens entfaltet hatten, blickt endlich der Zusammenhang hervor von diesem analytisch ausgedachten Wollen mit jener Art von Gesetzmäßigkeit, die, als eine problematische zwar, aber als eine *noumenale*, als eine alles Wissen begrenzende, vor dem Abgrunde der intelligiblen Zufälligkeit emportaucht. *Die Realität der Noumena besteht jedoch in der Regulative der Ideen.*

Wenn wir daher nach allen diesen analytischen Entwicklungen ungeduldig werden und fragen: Gibt es denn aber auch einen *synthetischen* Gebrauch von diesem so sorgfältig formulierten Sittengesetze? oder ist und bleibt das alles in jenem analytischen Sinne formal? Dann weist der *vierte* Lehrsatz auf den *Zusammenhang der Autonomie mit der Freiheitsidee hin; und damit ist für die synthetische Geltung des Sittengesetzes auf die regulative Bedeutung der Freiheitsidee verwiesen.* In dieser werden demnach, wenn anders der Zusammenhang sich bestätigt, alle jene in der analytischen Entwicklung erkannten Merkmale zu derjenigen positiven oder realen, zu derjenigen Art von Erkenntnisgeltung kommen, welche der regulative Gebrauch derjenigen Idee verstattet, mit welcher, laut jener analytischen Entwicklung, das Sittengesetz in seinem höchsten Ausdruck zusammenhängt und identisch wird. Die Erörterung dieser Frage bildet die Aufgabe des folgenden Abschnitts, in welchem wir daher die weiteren Bestimmungen der Grundlegung, wie der Kritik nach ihrem Verhältnis zu einander zu untersuchen haben werden.

In dem Verfolg dieser Entwicklungen wird der »bloßen Form« einer allgemeinen Gesetzgebung auf Grund der Autonomie eine weitere reale Bedeutung zuwachsen: in dem *Reich der Zwecke,* in welchem das Sein des Sollens die »systematische Verbindung«, wie aller Vernunftwesen unter gemeinschaftlichen Gesetzen, so aller moralischen Erkenntnisse und auch aller Objekte des Willens finden wird. *Der letzte Schein eines bloßen Formalismus des Sittengesetzes wird alsdann schwinden.* Die Analogie mit der Realität der Erfahrung wird in jener Idee eines Reichs der Zwecke sich erfüllen, als einer *Gemeinschaft* der Vernunftwesen, als absoluter Zwecke; als *Selbstzwecke* und als *Endzwecke.* Die Form einer allgemeinen Gesetzgebung, als alleiniger Bestimmungsgrund der *daher reinen* praktischen Vernunft gedacht, ist die *Gemeinschaft autonomer Wesen,* die »jederzeit *zugleich* als Zweck, niemals *bloß* als Mittel« gedacht und gebraucht werden dürfen. Die bloße Form der Gesetzgebung bedeutet daher zugleich, der allgemeinen Bedeutung *der Form als Gesetz* gemäß: *die Autonomie der Zwecke.*

Nicht also, als ob der Begriff der Gemeinschaft sittlicher Wesen zu dem *a priori* des praktischen Vernunftgebrauchs, welches an sich nur *Verbindlichkeit* bedeute, als Ergänzung, als »Sicherung« hinzukäme; nicht in dieser Abfolge darf man sich das Verhältnis dieser beiden Begriffe denken; sondern das *gesuchte a priori ist selbst als jene Gemeinschaft gefunden.* Verbindlichkeit ist nur die psychologische Vorstellung, unter welcher von dem zugleich mit subjektiven Triebfedern behafteten Menschen jene Gemeinschaft gedacht wird, jene Gesetzgebung Bestimmungsgrund wird. Aber der zutreffende Ausdruck jener allgemeinen Gesetzgebung ist: *Gemeinschaft autonomer Zwecke. In dieser Gemeinschaft besteht der Inhalt des a priori, der Inhalt der ethischen Realität.*

So führt das »formale« *a priori* auf eine Realität von so umfassender Gediegenheit, daß die sittliche Natur des Individuums selbst abgeleitet erscheint aus der *Gemeinschaft* moralischer Wesen; denn in dem Begriffe einer solchen besteht in letzter Instanz das Sittengesetz. Und es bewährt sich zugleich auch jene in der Abweisung der materialen Prinzipien ausgesprochene Verwerfung des *Individualismus* und des Egoismus. Das *sittliche Selbstbewußtsein geht erst hervor aus dem Gedanken einer Gemeinschaft von Gesetzen.* Wie das Sittliche nicht in dem *Gefühl* des Subjekts wurzelt, sondern in einem objektiven Gesetze gegründet sein muß, so zeigt sich nunmehr, daß dieses Gesetz in der Tat auf dem Gedanken der Gemeinschaft beruht, in demselben allein Sinn hat. Diese Gemeinschaft der Gesetze wird zur Gemeinschaft der *Gesetzgebung* und dadurch auch der *Gesetzgeber.* Und diese führt zur Gemeinschaft der *absoluten Zwecke. Die Gemeinschaft autonomer Wesen also ist der Inhalt des formalen Sittengesetzes.*

Indessen ist das Gesetz, von dem doch alles ausgeht, selbst nur ein analytischer Begriff. Es bleibt daher noch immer die Eine Frage: hat diese Deutung des analytischen Begriffs der Sittlichkeit als einer nach Art der Realität zu denkenden *Gemeinschaft* auch synthetische Bedeutung? Mit dieser Frage geht die Betrachtung von der *Autonomie* nach ihrer formalen Bedeutung auf die *Freiheit* zurück, welcher in der immanenten Beziehung auf das Subjekt die synthetische Bedeutung beiwohnt. Da nun aber diese synthetische Bedeutung, als Begrenzung, nur in der Regulative bestehen kann, so muß die Frage lauten: welche, den Bedingungen der Erfahrung entsprechende, regulative Bedeutung kann der *Freiheitsidee* eingeräumt werden?

1 Historische Beiträge zur Philosophie Bd. III, S. 191 f. [Vgl. die in diesem Band oben S. 404 ff. abgedruckte Abhandlung Trendelenburgs.]

2 Kritik der reinen Vernunft S. 259. D. 331. [A 316, B 373. Cohen zitiert die Kritik der reinen Vernunft nach der Separatausgabe von Gustav Hartenstein, Immanuel Kant's Kritik der reinen Vernunft, Leipzig 1838. Dieser Seitenzahl ist hier die Originalpaginierung der 1. Auflage (A) und der 2. Auflage (B) beigegeben.]

3 Grundlegung zur Metaphysik der Sitten, Bd. VIII, S. 45 D 42 f. [Cohen zitiert die ›Grundlegung‹ und die ›Kritik der praktischen Vernunft‹ nach Band VIII der von Karl Rosenkranz und Friedrich Wilhelm Schubert besorgten Ausgabe von Immanuel Kants Sämtlichen Werken (Leipzig 1838). Den Seitenzahlen ist die Originalpaginierung der ›Grundlegung‹ (AB) und der ›Kritik der praktischen Vernunft‹ (A) beigegeben. AB S. 49.]

4 WW. VIII, S. 111. D 9. [A S. 14, Anm.].

5 Id. S. 162. D 60 f. [A S. 80].

6 Kritik der prakt. Vernunft WW, VIII, S. 146, D. 11. [A S. 60].

7 Ib. Bd. VIII, S. 136. D 34. [A S. 48].

8 [A S. 48 f.]

9 Vgl. dagegen *Schleiermachers* Grundlinien einer Kritik aller bisherigen Sittenlehre, WW. Abt. III, Bd. I, S. 52, 58, 62. Kants ethischer Grundsatz sei, schon insofern er formal sei, *beschränkend*, nicht ein *bildendes* ethisches Prinzip.

10 WW. VIII, S. 16. D 14. [AB S. 8].

11 Grundlegung z. Metaph. d. Sitten Bd. VIII, S. 46; vgl. besonders S. 77; D 43 und 75. [AB S. 50; AB S. 103 f.].

12 Kritik d. prakt. Vernunft Bd. VIII, S. 141-144. D 39-43 [A 54].

13 Grundleg. z. Metaph. d. Sitten Bd. VIII, S. 50. D 47 [AB S. 57].

14 Ib. S. 54. D 51 [AB S. 62].

15 Kritik d. prakt. Vernunft Bd. VIII, S. 192. D 90. [A 123].

Anhang

Bibliographie

A. Textausgaben

Grundlegung zur Metaphysik der Sitten von Immanuel Kant, Riga, bei Johann Friedrich Hartknoch, 1785 (Auflage A).

Dasselbe, Zweite Auflage 1786 (Auflage B. Sie bietet von den vier zu Kants Lebzeiten erschienenen Auflagen den korrektesten, gegenüber A verbesserten Text).

Dasselbe, Dritte Auflage 1792 (Auflage C, Abdruck von B).

Dasselbe, Vierte Auflage 1797 (Auflage D, Abdruck von B).

Grundlegung zur Metaphysik der Sitten, herausgegeben von Karl Vorländer, Leipzig 1906, seitdem mehrfach unverändert nachgedruckt (mit Einleitung des Hrsg. zu Entstehungsgeschichte, erster Wirkung und Gedankengang der Schrift; Sachregister). Philosophische Bibliothek Band 41.

Grundlegung zur Metaphysik der Sitten, herausgegeben von Paul Menzer, in: *Kants Gesammelte Schriften,* herausgegeben von der Königlich Preußischen Akademie der Wissenschaften. Erste Abteilung: Werke, Band IV, Berlin 1911, S. 385-463, Einleitung und Anmerkungen S. 623-634.

Dasselbe, in: *Kants Werke. Akademie-Textausgabe,* Band IV, Berlin 1968 (ohne die Einleitung und die Anmerkungen).

Grundlegung zur Metaphysik der Sitten, herausgegeben von A. Buchenau und E. Cassirer, in: *Immanuel Kants Werke,* herausgegeben von Ernst Cassirer, Band IV, Berlin 1914.

Grundlegung zur Metaphysik der Sitten, in: *Immanuel Kant. Werke in sechs Bänden,* herausgegeben von Wilhelm Weischedel, Band IV, Wiesbaden 1956.

Dasselbe, in: *Kant-Studienausgabe,* Band IV, Wissenschaftliche Buchgesellschaft Darmstadt 1970.

Dasselbe, in: *Kant. Werke in zwölf Bänden. Theorie-Werkausgabe,* Band VII, Frankfurt 1968.

Dasselbe, in: suhrkamp taschenbuch wissenschaft, Band 56, Frankfurt 1974 (zusammen mit der *Kritik der praktischen Vernunft*).

Critik der praktischen Vernunft von Immanuel Kant, Riga, bei Johann Friedrich Hartknoch, 1788 (Auflage A).

Dasselbe, Zweite Auflage 1792 (Auflage B. Mit unwesentlichen Textverbesserungen und auch -verschlechterungen, nicht von Kants Hand).

Dasselbe, Vierte Auflage 1797 (Auflage C, Abdruck von A). Eine dritte Auflage ist nicht nachgewiesen.

Dasselbe, Fünfte Auflage 1808 (Auflage D, Abdruck von C).

Dasselbe, Sechste Auflage 1827 (Auflage E, Abdruck von C).

Kritik der praktischen Vernunft, herausgegeben von Karl Vorländer, Leipzig 1906, seitdem mehrfach unverändert nachgedruckt (mit Einleitung des Hrsg. zu Entstehungsgeschichte, erster Wirkung und Gedankengang der Schrift; Seitenkonkordanz und Sachregister). Philosophische Bibliothek Band 38.

Kritik der praktischen Vernunft, herausgegeben von Paul Natorp, in: *Kant's gesammelte Schriften,* herausgegeben von der Königlich Preußischen Akademie der Wissenschaften. Erste Abteilung: Werke, Band V, Berlin 1913, S. 1-163, Einleitung und Anmerkungen S. 489-511.

Dasselbe, in: *Kants Werke, Akademie-Textausgabe,* Band V, Berlin 1968 (ohne die Einleitung und die Anmerkungen).

Kritik der praktischen Vernunft, herausgegeben von B. Kellermann, in: *Immanuel Kants Werke,* herausgegeben von Ernst Cassirer, Band V, Berlin 1914.

Kritik der praktischen Vernunft, in: *Immanuel Kant, Werke in sechs Bänden,* herausgegeben von Wilhelm Weischedel, Band IV, Wiesbaden 1957.

Dasselbe, in: *Kant-Studienausgabe,* Band IV, Wissenschaftliche Buchgesellschaft Darmstadt 1970.

Dasselbe, in: *Kant, Werke in zwölf Bänden. Theorie-Werkausgabe,* Band VI, Frankfurt 1968.

Dasselbe, in: suhrkamp taschenbuch wissenschaft, Band 56, Frankfurt 1974 (zusammen mit der *Grundlegung zur Metaphysik der Sitten*).

B. Schriften Kants zur Moralphilosophie

a. Von Kant veröffentlichte und zur Veröffentlichung bestimmte Schriften, die ganz oder in signifikanten Teilen Fragen der Moralphilosophie behandeln.

Principiorum primorum cognitionis metaphysicae nova dilucidatio, 1754 (Sectio II, Propositio IX).

Versuch, den Begriff der negativen Größen in die Weltweisheit einzuführen, 1763 (Zweiter Abschnitt).

Beobachtungen über das Gefühl des Schönen und Erhabenen, 1764.

Untersuchung über die Deutlichkeit der Grundsätze der natürlichen Theologie und der Moral, 1764 (verfaßt 1762) (Vierte Betrachtung).

Nachricht von der Einrichtung seiner Vorlesungen in dem Winter-
halbjahre von 1765-1766, 1765 (unter 3. Ethik).

Träume eines Geistersehers, erläutert durch Träume der Metaphysik,
1766 (2. Teil, 3. Hauptstück).

De mundi sensibilis atque intelligibilis forma et principiis, 1770 (§ 7,
§ 9).

Aufsätze, das Philanthropin betreffend, 1776-1777.

Kritik der reinen Vernunft, 1. Auflage (= A) 1781, 2. Auflage (= B)
1787, (A 480, 532-558, 804-820; B 508, 560-586, 832-848.

Rezension von Schulz's Versuch einer Anleitung zur Sittenlehre,
1783.

Idee zu einer allgemeinen Geschichte in weltbürgerlicher Absicht,
1784.

Beantwortung der Frage: Was ist Aufklärung?, 1784.

Grundlegung zur Metaphysik der Sitten, 1785.

Rezension von Gottlieb Hufeland's Versuch über den Grundsatz des
Naturrechts, 1786.

Was heißt: Sich im Denken orientieren?, 1786.

Kritik der praktischen Vernunft, 1788.

Über den Gebrauch teleologischer Prinzipien in der Philosophie, 1788
(Schluß).

Über das Mißlingen aller philosophischen Versuche in der Theodizee,
1791.

Über das radikale Böse in der menschlichen Natur, 1792. (Als Erstes
Stück enthalten in:)

Die Religion innerhalb der Grenzen der bloßen Vernunft, [1]1793,
[2]1794.

Über den Gemeinspruch: Das mag in der Theorie richtig sein, taugt
aber nicht für die Parxis, 1793.

Das Ende aller Dinge, 1794.

Zum ewigen Frieden, 1795.

Verkündigung des nahen Abschlusses eines Traktats zum ewigen Frieden in der Philosophie, 1796.

Metaphysische Anfangsgründe der Rechtslehre, 1797.

Metaphysische Anfangsgründe der Tugendlehre, 1797.

(diese beiden vereint unter dem Titel:)

Die Metaphysik der Sitten, 1797.

Über ein vermeintliches Recht, aus Menschenliebe zu lügen, 1797.

Der Streit der Fakultäten, 1798 (1. Abschnitt, II. Anhang; 2.
Abschnitt).

Anthropologie in pragmatischer Hinsicht, 1798.

Welches sind die wirklichen Fortschritte, die die Metaphysik seit Leib-
nizens und Wolff's Zeiten in Deutschland gemacht hat?, herausgegeben von F. Th. Rink, 1804 (posthum) (Zweiter Entwurf, Der Meta-

physik drittes Stadium; Auflösung der akademischen Aufgabe, AA Band XX, S. 293-308).

b. Aus Kants handschriftlichem Nachlaß

Reflexionen und Kollegentwürfe zur Anthropologie, Akademie-Ausgabe, Band XV, 1, 2 (passim).

Reflexionen zur Metaphysik, Akademie-Ausgabe, Bände XVII und XVIII (passim).

Reflexionen zur Moralphilosophie, Rechtsphilosophie und Religionsphilosophie, Akademie-Ausgabe Band XIX.

Bemerkungen zu den Beobachtungen über das Gefühl des Schönen und Erhabenen, Akademie-Ausgabe Band XX (insbesondere die in lateinischer Sprache verfaßten).

Erste Einleitung in die Kritik der Urteilskraft (vor allem Abschnitte I-III, VIII Anm., XI); Lose Blätter zu den Fortschritten der Metaphysik; Vorredeentwürfe zur Religionsphilosophie; Bemerkungen zur Rechtslehre, Akademie-Ausgabe Band XX.

Opus Postumum. Akademie-Ausgabe Bände XXI und XXII (mit ausführlichem Sachverzeichnis in Band XXII).

Vorarbeiten zu: Kritik der praktischen Vernunft; Über den Gebrauch teleologischer Prinzipien in der Philosophie; Ulrich-Rezension; Über das Mißlingen aller philosophischen Versuche in der Theodizee; Religion innerhalb der Grenzen der bloßen Vernunft; Über den Gemeinspruch ...; Das Ende aller Dinge; Zum ewigen Frieden; Metaphysik der Sitten, Akademie-Ausgabe Band XXIII.

c. Vorlesungen

Eine Vorlesung Kants über Ethik, hrsg. von Paul Menzer, Berlin 1924.

d. Briefe von und an Kant

Angabe nach der Numerierung der Akademie-Ausgabe (Zweite Abteilung: Briefwechsel. Bände I-III Briefe; Band IV Anmerkungen und Register; Bände X-XIII der Gesamtausgabe). Dieser Numerierung folgt auch die von O. Schöndörffer besorgte Auswahl aus Kants Briefwechsel in der Philosophischen Bibliothek (Zweite erweiterte Auflage, mit Nachtrag seither veröffentlichten Materials und mit neuer Einleitung von R. Malter und J. Kopper, Hamburg 1972). Briefe von Kant sind durch Kursivdruck hervorgehoben.

An Lambert *34*, An Mendelssohn *39*, An Herder *40*, An Lambert *57*, An Herz *67*, Von Herz 68, An Herz *70*, An Herz *79*, An Lavater

99, An Lavater *100*, An Wolke *109*, An Mendelssohn *206*, Von Schütz 244, 253, An Bering *266*, Von Biester 275, Von Jacob 276, Von Jenisch 297, An Schütz *300*, An Jacob *303*, Von Reinhold 305, An Reinhold *313*, Von Reinhold 318, An Reinhold *322*, Von Schütz 330, Von Schmid 343, Von Jung-Stilling 346, An Jung-Stilling *347*, Von Abicht 355, Von Klein 356, An Reinhold *359*, An Herz *362*, Von Kosegarten 364, Von Klein 367, 395, Von Kiesewetter 409, An Kiesewetter *419*, Von Zöllner 421, Von Hülshoff 472, Von v. Herbert 478, Von Fichte 483, Von Beck 489, Von Erhard 497, Von Fichte 501, An Fichte *504*, Von Fichte 506, An v. Herbert *510*, Von Beck 514, Von Maimon 548, An Erhard *552*, Von v. Herbert 554, Von Reinhold 558, Von Creuzer 568, An Stäudlin *574*, An Reuß *575*, Von Kiesewetter 580, Von Biester 596, Von Flatt 600, Von Biester 618, An Biester *621*, Von Schiller 628, An König Friedrich Wilhelm II. *642*, Von Ammon *661*, Von Jachmann *663*, Von Plücker 691, An Plücker *692*, Von Plücker 697, Von Jenisch 703, Von Dominici 711, Von Beck 756, An Schütz *761*, Von Möller 769, Von Jacob 774, 806, Von Klein 852, Von Juncker 865.

C. Literatur

I. Allgemeines

a. Bibliographische Hilfsmittel

E. Adickes: *German Kantian Bibliography*, New York 1896 (Neu-druck Würzburg o. J.) verzeichnet neben sämtlichen Schriften Kants in bisher größter Vollständigkeit Schriften über Kant und im Umkreis der kantischen Philosophie bis 1804 (über 2800 Titel). Von allen wichtigeren gibt Adickes eine knappe Inhaltsangabe und Beurteilung.

F. Überweg: *Grundriß der Geschichte der Philosophie*, 3. Teil: Die Philosophie der Neuzeit bis zum Ende des 18. Jahrhunderts, [12]Berlin 1924, gibt ausführliche Hinweise zur Kant-Literatur, insbesondere des 19. Jahrhunderts.

M. Scheler: Ethik. In: *Jahrbücher der Philosophie*, hrsg. von M. Frischeisen-Köhler, 2. Jahrgang, Berlin 1914, gibt einen Überlick über den damaligen Diskussionsstand der Ethik.

Die Zeitschrift *Kant-Studien* führt seit Bd. 60, 1969 eine fortlaufende Bibliographie von Arbeiten über Kant (von 1957 an nachgeholt).

b. Kommentare

G. U. Brastberger: *Untersuchungen über Kants Kritik der praktischen Vernunft*, Tübingen 1792 (Nachgedruckt in der Reihe *Aetas Kantiana*, Brüssel 1968).

J. Ch. Zwanziger: *Commentar über Herrn Professor Kants Kritik der praktischen Vernunft;* nebst einem Sendschreiben an den gelehrten Herrn Censor, Leipzig 1794 (nachgedruckt in der Reihe *Aetas Kantiana*, Brüssel 1968).

L. Bendavid: *Vorlesungen über die Kritik der praktischen Vernunft*, Wien 1796 (nachgedruckt in der Reihe *Aetas Kantiana*, Brüssel 1968).

Ch. F. Michaelis: *Über die sittliche Natur und Bestimmung des Menschen. Ein Versuch zur Erläuterung über Im. Kants Kritik der praktischen Vernunft.* 2 Bände, Leipzig 1796/97.

A. Messer: *Kommentar zu Kants ethischen und religionsphilosophischen Hauptschriften.* Leipzig 1929.

H. J. Paton: *The Categorical Imperative. A Study in Kant's Moral Philosophy.* London 1947 u. ö.

deutsch: *Der kategorische Imperativ.* Berlin 1962. (Der empfehlenswerteste Kommentar zur Grundlegung der Metaphysik der Sitten.)

Sir D. Ross: *Kant's Ethical Theory. A Commentary on the »Groundwork of the Metaphysics of Morals«.* Oxford 1954.

L. W. Beck: *A Commentary on Kant's Critique of Practical Reason.* Chicago & London 1960.

deutsch: *Kants »Kritik der praktischen Vernunft«. Ein Kommentar.* München 1974. (Der empfehlenswerteste Kommentar zur Kritik der praktischen Vernunft).

c. Gesamtdarstellung

H. Cohen: *Kants Begründung der Ethik.* Berlin [1]1877, [2]1910. ✓

A. Haegerström: *Kants Ethik im Verhältnis zu seinen erkenntnistheoretischen Grundgedanken systematisch dargestellt.* Uppsala und Leipzig 1902.

A. Messer: *Kants Ethik. Eine Einführung in ihre Hauptprobleme und Beiträge zu deren Lösungen.* Leipzig 1904.

C. Stange: *Die Ethik Kants. Zur Einführung in die Kritik der praktischen Vernunft.* Leipzig 1920.

V. Delbos: *La philosophie pratique de Kant.* Paris [1]1926, [3]1969.

W. T. Jones: *Morality and Feedom in the Philosophy of Kant.* Oxford 1940.

A. E. Teale: *Kantian Ethics*. Oxford & London 1951.

J. Vialatoux: *La morale de Kant*. Paris ¹1956, ³1963.

A. R. C. Duncan: *Practical Reason and Morality*. London 1957.

dazu: H. J. Paton: The Aim and Structure of Kant's »Grundlegung«. *Philosophical Quarterly* 8, 1958.

J. R. Silber: The Copernican Revolution in Ethics: The Good reexamined. *Kantstudien* 51, 1959/60.

J. Plat: Ethiek van Kant in de kritische werken. *Tijdschrift voor Philosophie* 22, 1960.

H. B. Acton: *Kant's Moral Philosophy*. London 1970.

J. G. Murphy: *Kant: The Philosophy of Right*. London 1970.

R. K. Gupta: Kant's Groundwork of Morality. *Studi Internazionali di Filosofia* 3, 1971.

d. Entwicklungsgeschichte
1. Theorien

Ch. Wolff: *Vernünftige Gedanken von Gott, der Welt und der Seele des Menschen, auch allen Dingen überhaupt*. Halle ¹1719, ⁵1732 (= deutsche Metaphysik).

Ch. Wolff: *Vernünftige Gedanken von der Menschen Tun und Lassen zur Beförderung ihrer Glückseligkeit*. Halle 1720 (= deutsche Moral).

Ch. Wolff: *Philosophia Prima sive Ontologia*. Frankfurt und Leipzig ¹1728, ³1740.

Ch. Wolff: *Psychologia Empirica*. Frankfurt und Leipzig 1732 (Nachdruck Hildesheim 1968).

Ch. Wolff: *Psychologia Rationalis*. Frankfurt und Leipzig 1734.

Ch. Wolff: *Philosophia Practica Universalis*. 2 Bände Frankfurt und Leipzig 1738/39.

A. Baumgarten: *Metaphysica*. Halle ¹1739, ⁴1757 (Abgedruckt in Band XVII der Akademie-Ausgabe von Kants Gesammelten Schriften). Deutsche Übersetzung von G. F. Meier. Halle. ²1783 besorgt von J. A. Eberhard.

A. Baumgarten: *Ethica Philosophica*. Halle ¹1740, ³1763 (Nachdruck Hildesheim 1969).

A. Baumgarten: *Initia Philosophiae Practicae Primae*. Halle 1760 (Abgedruckt in Band XIX der Akademie-Ausgabe von Kants Gesammelten Schriften).

Ch. A. Crusius: *Anweisung vernünftig zu leben*. Leipzig 1744 (Nachdruck Hildesheim 1969).

Ch. A. Crusius: *Weg zur Gewißheit und Zuverlässigkeit der menschlichen Erkenntnis*. Leipzig 1744 (Nachdruck Hildesheim 1965).

Ch. A. Crusius: *Entwurf der notwendigen Vernunftwahrheiten, wie-*

fern sie den zufälligen entgegengesetzet werden. Leipzig [1]1745, [3]1766 (Nachdruck Hildesheim 1964).

A. Shaftesbury: *An Inquiry concerning Virtue.* London 1699.

A. Shaftesbury: *Characteristics of Men, Manners, Opinions and Times.* 3 vol. London 1711. Deutsche Übersetzung von Teil III Magdeburg 1738 (von Vensky), von Teil V Berlin 1745 (von Spalding), von Teil IV Berlin 1747 (von Spalding). Deutsche Übersetzung des Gesamtwerks Leipzig 1768 (von Wichmann).

F. Hutcheson: *Inquiry into the Original of our Ideas of Beauty and Virtue.* London [1]1725, [2]1726 u. ö. Deutsche Übersetzung: *Untersuchung unserer Begriffe von Schönheit und Tugend.* Frankfurt und Leipzig 1762 (von J. H. Merck).

F. Hutcheson: *Essay on the Nature and Conduct of the Passions and Affections.* London [1]1728, [4]1756. Deutsche Übersetzung: *Abhandlung über die Natur und die Beherrschung der Leidenschaften.* Leipzig 1760.

F. Hutcheson: *A System of Moral Philosophy.* Glasgow 1755. Deutsche Übersetzung: *Sittenlehre der Vernunft.* 2 Bände Leipzig 1756 (von Lessing).

D. Hume: *Philosophical Essays concerning Human Understanding.* London [1]1748 (anonym), [2]1751.

D. Hume: *An Enquiry concerning the Principles of Morals.* London 1751.

D. Hume: *Essays and Treatises on Several Subjects* in four volumes. London & Edinburgh 1753/54 ([7]1777). Deutsche Übersetzung: *Vermischte Schriften.* Hamburg und Leipzig 1754 (von Sulzer?). Darin: *Philosophische Versuche über die menschliche Erkenntnis* (= An Enquiry concerning Human Understanding) und *Sittenlehre der Gesellschaft* (= An Enquiry concerning the Principles of Morals).

J.-J. Rousseau: *Discours sur l'origine et les fondements de l'inégalité parmi les hommes.* Amsterdam 1755 u. ö.

J.-J. Rousseau: *Julie ou la nouvelle Héloise.* Amsterdam 1761.

J.-J. Rousseau: *Emile ou sur l'éducation.* Amsterdam 1762.

J.-J. Rousseau: *Du contrat social ou principes du droit politique.* Amsterdam 1762.

2. Literatur

F. W. Foerster: *Der Entwicklungsgang der Kantischen Ethik bis zur Kritik der reinen Vernunft.* Berlin 1893.

H. Höffding: Rousseaus Einfluß auf die definitive Form der Kantischen Ethik. *Kantstudien* 2, 1889.

P. Menzer: *Der Entwicklungsgang der Kantischen Ethik bis zum*

Erscheinen der Grundlegung der Metaphysik der Sitten. Berlin 1897.

P. Menzer: Der Entwicklungsgang der kantischen Ethik in den Jahren 1760 bis 1785. *Kantstudien* 2, 3, 1898, 1899.

K. Schmidt: *Beiträge zur Entwicklung der Kantischen Ethik.* Marburg 1900.

W. Schink: *Kant und die stoische Ethik. Kantstudien* 18, 1913.

G. Anderson: Kants Metaphysik der Sitten, ihre Idee und ihr Verhältnis zur Wolff'schen Schule. *Kantstudien* 28, 1923.

M. Küenburg: *Der Begriff der Pflicht in Kants vorkritischen Schriften.* Innsbruck 1927.

K. Reich: *Kant und die Ethik der Griechen.* Tübingen 1935.

K. Reich: *Rousseau und Kant.* Tübingen 1936.

P. A. Schilpp: *Kant's Pre-Critical Ethics.* Evanston and Chicago [1]1938, [2]Evanston 1960.

D. Henrich: Hutcheson und Kant. *Kantstudien* 49, 1957/58. ✔

J. Schmucker: *Die Ursprünge der Ethik Kants in seinen vorkritischen Schriften und Reflexionen.* Meisenheim 1961.

D. Henrich: Über Kants früheste Ethik. *Kantstudien* 54, 1963. ✔

M. Guéroult: Vom Kanon der Kritik der reinen Vernunft zur Kritik der praktischen Vernunft. *Kantstudien* 54, 1963.

K. Ward: *The Development of Kant's View of Ethics.* Oxford 1972.

S. Travaglia: *Metafisica ed etica in Kant. Dagli scritti precritici alla Critica della ragione pura.* Padova 1972.

e. Sammlungen

K. G. Hausius: *Materialien zur Geschichte der critischen Philosophie in drey Sammlungen.* Leipzig 1793. Dritte Sammlung praktischen Inhalts.

R. P. Wolff (ed.): *Kant. A Collection of Critical Essays.* New York 1967, London 1968.

L. W. Beck (ed.): *Proceedings of the Third International Kant Congress held at the University of Rochester 1970.* Dordrecht 1972.

G. Prauss (Hrsg.): *Kant. Zur Deutung seiner Theorie von Erkennen und Handeln.* Köln 1973 (Neue Wissenschaftliche Bibliothek 63).

G. Funke (Hrsg.): *Akten des 4. Internationalen Kant-Kongresses Mainz 1974.* Teil II, 2. Berlin und New York 1974.

II. Besonderes

a. Freiheit

J. A. H. Ulrich: *Eleutheriologie oder über Freiheit und Notwendigkeit.* Jena 1788.

Ch. A. Kraus: Rezension von Ulrichs Eleutheriologie. *A.L.Z.* 1788. (Unter Benutzung eines Textes von Kant. Vgl. Akademie-Ausgabe Band X, S. 500 und 504 f.)

L. H. Jakob: *Über die Freiheit.* In: J. G. K. Kiesewetter: *Über den ersten Grundsatz der Moralphilosophie, nebst einer Abhandlung über die Freiheit von Prof. Jakob.* Leipzig, Eisleben und Halle 1788.

Ch. W. Snell: *Über Determinismus und moralische Freiheit.* Offenbach 1789.

K. H. Heydenreich: *Betrachtungen über die Philosophie der natürlichen Religion.* 2 Bände. Leipzig 1790/91 (Nachgedruckt in der Reihe *Aetas Kantiana,* Brüssel 1968).

J. H. Abicht: *Über die Freiheit des Willens. Neues philosophisches Magazin,* hrsg. von J. H. Abicht und F. G. Born. 1. Band Leipzig 1790, 1. Stück. (Nachgedruckt in der Reihe *Aetas Kantiana,* Brüssel 1968.)

C. Ch. E. Schmid: *Versuch einer Moralphilosophie.* Jena [1]1790, [2]1792, [3]1795, [4]1802. (Nachgedruckt in der Reihe *Aetas Kantiana,* Brüssel 1968.)

C. L. Reinhold: *Briefe über die Kantische Philosophie.* 2. Band Leipzig 1792.

J. C. Schwab: *Über die zweierlei Ich und den Begriff der Freiheit in der Kantischen Moral. Philosophisches Archiv,* hrsg. von J. A. Eberhard. 1. Band 1. Stück Berlin 1792. (Nachgedruckt in der Reihe *Aetas Kantiana,* Brüssel 1968.)

C. L. Reinhold: *Brief an Schmid. Über den Unterschied zwischen dem unwillkürlichen, aber durch Denkkraft modifizierten Begehren und dem eigentlichen Wollen. Philosophisches Journal für Moralität, Religion und Menschenwohl,* hrsg. von C. Ch. E. Schmid. 1. Band 3. Stück Jena 1793.

C. L. A. Creuzer: *Skeptische Betrachtungen über die Freiheit des Willens, mit Rücksicht auf die neuesten Theorien über dieselbe.* Gießen 1793.

J. G. Fichte: Rezension von Creuzers Skeptischen Betrachtungen. *A.L.Z.* 1793.

J. G. K. Werdermann: *Versuch einer Geschichte der Meynungen über Schicksal und menschliche Freiheit.* Leipzig 1793.

J. H. Abicht: *Kritische Briefe über die Möglichkeit einer wahren wissenschaftlichen Moral, Theologie, Rechtslehre, empirischen Psy-*

chologie und Geschmackslehre, mit prüfender Hinsicht auf die Kantische Begründung dieser Lehre. Nürnberg 1793. (Siehe bes. den Brief über die Freiheit.)

A. L. Ch. Heydenreich: Über Freiheit und Determinismus und ihre Vereinigung. Erlangen 1793.

Ch. F. Michaelis: Über die Freiheit des menschlichen Willens. Leipzig 1794.

F. C. Forberg: Über die Gründe und Gesetze freier Handlungen. Jena und Leipzig 1795.

C. G. Bardili: Ursprung des Begriffs von der Willensfreiheit. Der dabei unvermeidliche Schein wird aufgedeckt und die Forbergsche Schrift über die Gründe und Gesetze freier Handlungen geprüft. Stuttgart 1796.

C. L. Reinhold: Einige Bemerkungen über die in der Einleitung zu den metaphysischen Anfangsgründen der Rechtslehre von I. Kant aufgestellten Begriffe von der Freiheit des Willens. In: Auswahl vermischter Schriften Teil 2. Jena 1797.

F. H. Jacobi: Über die Unzertrennlichkeit des Begriffs der Freiheit und Vorsehung von dem Begriffe der Vernunft. 1799. In: F. H. Jacobis Werke. 2. Band 1815.

C. Daub: Darstellung und Beurteilung der Hypothese in Betreff der Willensfreiheit. Altona 1834.

E. Callot: Au cœur de la moralité: La liberté chez Kant. In: Questions de doctrine et d'histoire de la philosophie. Annecy 1959.

M. Stockhammer: Kants Zurechnungsidee und Freiheitsantinomie. Köln 1961.

N. Bobbio: Deux notions de la liberté dans la pensée politique de Kant. E. Weil (ed.): La philosophie politique de Kant. Annales de philosophie politique IV. Paris 1962.

P. Di Iorio: La libertá nella Critica della ragione pura e nella Critica della ragione practica di Kant. Napoli 1963.

G. M. Sciacca: L'idea della libertá fondamento della coscienza etico-politica in Kant. Palermo 1963.

H. Heimsoeth: Freiheit und Charakter. Nach den Kant-Reflexionen Nr. 5611 bis 5620. Tradition und Kritik. Festschrift für R. Zocher, hrsg. von W. Arnold und H. Zeltner. Stuttgart-Bad Cannstatt 1967. (Wiederabgedruckt bei Prauss. Siehe ›Sammlungen‹.)

St. Körner: Kant's Conception of Freedom. Proceedings of the British Academy 53, 1967.

H. Marcuse: Kant über Autorität und Freiheit. In: Ideen zu einer kritischen Theorie der Gesellschaft. Frankfurt 1969. (Wiederabgedruckt bei Prauss. Siehe ›Sammlungen‹.)

Chin-Tai Kim: Some Critical Reflections on Kant's Theory of Freedom. The Philosophical Forum 2, 1971.

B. Carnois: *La cohérence de la doctrine kantienne de la liberté*, Paris 1973.

b. Maximen

E. Gellner: Maxims. *Mind* 60, 1951.
R. Bittner: Maximen. *Akten des 4. Internationalen Kant-Kongresses Mainz 1974*, hrsg. von G. Funke Teil II. 2. Berlin und New York 1974.

c. Hypothetische Imperative und kategorischer Imperativ

C. Stange: Der Begriff der »hypothetischen Imperative« in der Ethik Kants. *Kantstudien* 4, 1900.
L. W. Beck: Apodictic Imperatives. *Kantstudien* 49, 1957/58.
M. Moritz: *Kants Einteilung der Imperative.* Lund 1960.
G. Patzig: Die logischen Formen praktischer Sätze in Kants Ethik. *Kantstudien* 56, 1965. (Wiederabdruck in G. Patzig: *Ethik ohne Metaphysik.* Göttingen 1971, sowie bei Prauss.)
U. Saarnio: Die logischen Grundlagen der formalen Ethik Immanuel Kants. *Kantstudien* 57, 1966.
C. W. Churchman: Kant, a Decision Theorist? *Theory and Decision* 1, 1970/71.
K. Cramer: Hypothetische Imperative? In: M. Riedel (Hrsg.): *Rehabilitierung der Praktischen Philosophie* I. Freiburg 1972.
Th. E. Hill: The Hypothetical Imperative. *The Philosophical Review* 82, 1973.
Ph. Foot: Morality as a System of Hypothetical Imperatives. *The Philosophical Review* 81, 1972.
R. Holmes: Is Morality a System of Hypothetical Imperatives? *Analysis* 34, 1974.

d. Der Begriff des kategorischen Imperativs

A. Buchenau: *Kants Lehre vom kategorischen Imperativ.* Leipzig 1913.
E. Marcus: *Der kategorische Imperativ.* München 1921.
G. C. Field: Kant's First Moral Principle. *Mind* 41, 1932.
E. W. Hirst: The Categorical Imperative and the Golden Rule. *Philosophy* 9, 1934.
J. Ebbinghaus: Interpretation und Mißinterpretation des kategorischen Imperativs. *Studium Generale* 1, 1948. Englische Übersetzung in *Philosophical Quarterly* 4, 1954. (Wiederabgedruckt in: *Gesammelte Aufsätze, Vorträge und Reden*, Darmstadt 1968, sowie

bei Prauss. Siehe ›Sammlungen‹.)

K. Kolenda: Professor Ebbinghaus' Interpretation of the Categorical Imperative. *Philosophical Quarterly* 5, 1955.

M. G. Singer: The Categorical Imperative. *The Philosophical Review* 63, 1954.

G. Patzig: Der Gedanke eines kategorischen Imperativs. *Archiv für Philosophie* 6.

H. Delius: Kategorischer Imperativ und individuelles Gesetz. Bemerkungen zu G. Simmels Kritik der Kantischen Ethik. *Argumentationen. Festschrift für J. König,* hrsg. von H. Delius und G. Patzig. Göttingen 1964.

Chin-Tai Kim: Kant's »Supreme Principle of Morality«. *Kantstudien* 59, 1968.

dazu: R. L. Holmes: Kim on Kant's Supreme Principle of Morality. *Kantstudien* 61, 1970.

P. Krausser: Über eine unvermerkte Doppelrolle des kategorischen Imprativs in Kants Grundlegung zur Metaphysik der Sitten. *Kantstudien* 59, 1968.

T. C. Williams: *The Concept of the Categorical Imperative.* Oxford 1968.

C. D. Gruender: The Categorical Imperative as an A Priori Principle. *The Philosophical Forum* 2, 1971.

N. Hoerster: Kants kategorischer Imperativ als Test unserer sittlichen Pflichten. *Rehabilitierung der praktischen Philosophie* II, hrsg. von M. Riedel. Freiburg 1974.

e. Die Formulierung des kategorischen Imperativs

M. Fleischer: Die Formeln des Kategorischen Imperativs in Kants »Grundlegung zur Metaphysik der Sitten«. *Archiv für Geschichte der Philosophie* 46, 1964.

W. Bartuschat: Das Problem einer Formulierung des kategorischen Imperativs bei Kant. *Das Problem der Sprache,* hrsg. von H. G. Gadamer. München 1967.

f. Die Begründung des kategorischen Imperativs

A. Fouillée: Kant a-t-il établi l'existence du devoir? *Revue de Métaphysique et de Morale* 12, 1904.

M. Fleischer: Das Problem der Begründung des kategorischen Imperativs bei Kant. *Sein und Ethos,* hrsg. von P. Engelhardt. Mainz 1963.

K.-H. Ilting: Der naturalistische Fehlschluß bei Kant. *Rehabilitierung der praktischen Philosophie* I, hrsg. von M. Riedel. Freiburg 1972.

M. E. Levin: Kant's Derivation of the Formula of Universal Law as an Ontological Argument. *Kantstudien* 65, 1974.

O. Schwemmer: Vernunft und Moral. Versuch einer kritischen Rekonstruktion des Kategorischen Imperativs. *Kant. Zur Deutung seiner Theorie von Erkennen und Handeln,* hrsg. von G. Prauss. Köln 1973.

g. Zum Pflichtbegriff und zu der Unterscheidung Pflichtmäßig – aus Pflicht

R. Soloweiczik: Kants Bestimmung der Moralität. *Kantstudien* 5, 1901.

F. Behrend: Der Begriff des reinen Wollens bei Kant. *Kantstudien* 11, 1906.

M. Kuenburg: *Der Begriff der Pflicht bei Kant.* Gießen 1921.

M. Decorte: Le concept de bonne volonté dans la morale Kantienne. *Revue de Philosophie* 2, 1931.

M. Moritz: *Studien zum Pflichtbegriff in Kants kritischer Ethik.* Lund 1951.

H. Reiner: *Pflicht und Neigung. Die Grundlagen der Sittlichkeit erörtert und neu bestimmt mit besonderem Bezug auf Kant und Schiller.* Meisenheim 1951. 2. Aufl. unter dem Titel: *Die Grundlagen der Sittlichkeit.* Meisenheim 1974.

P. Dietrichson: What does Kant mean by »Acting from Duty«? *Kantstudien* 53, 1961/62. (Wiederabgedruckt bei Wolff.)

M. Moritz: Pflicht und Neigung; eine Antinomie in Kants Ethik. *Kantstudien* 56, 1965.

P. D. Eisenberg: Duties to oneself: a new Defense sketched. *Review of Metaphysics* 20, 1966/67.

P. Reboul: Préscription ou proscription? Essai sur le sens du devoir chez Kant. *Revue de Metaphysique et de Morale* 72, 1967.

J. G. Murphy: Kant's Concept of a Right Action. *The Monist* 51, 1967.

P. Laska: Kant on Moral Worth. A Reply to Murphy. *Kantstudien* 59, 1968.

S. O. Welding: Über den Begriff der Pflicht bei Kant. *Ratio* 13, 1971.

Th. E. Hill: Kant on Imperfect Duties and Superrogation. *Kantstudien* 62, 1971.

J. Beversluis: Kant on Moral Striving. *Kantstudien* 65, 1974.

h. Faktum der Vernunft

D. Henrich: Der Begriff der sittlichen Einsicht und Kants Lehre vom Faktum der Vernunft. *Die Gegenwart der Griechen im neueren*

Denken. Festschrift für H.-G. Gadamer, hrsg. von D. Henrich, W. Schulz und K.-H. Volkmann-Schluck. Tübingen 1960 (wiederabgedruckt bei Prauss. Siehe ›Sammlungen‹).

L. W. Beck: Das Faktum der Vernunft: Zur Rechtfertigungsproblematik in der Ethik. *Kantstudien* 52, 1960/61.

T. Kadowaki: Das Faktum der reinen praktischen Vernunft. *Kantstudien* 56, 1965.

i. Gesetz der Freiheit und Autonomie

F. E. D. Schleiermacher: Über den Unterschied zwischen Naturgesetz und Sittengesetz. *Sämtliche Werke*, 3. Abt. Zur Philosophie. Band 2. Berlin 1838.

G. A. Schrader: Autonomy, Heteronomy and the Moral Imperatives. *The Journal of Philosophy* 60, 1963.

H. W. Zwingelberg: *Kants Ethik und das Problem der Einheit von Freiheit und Gesetz.* Bonn 1969.

j. Verallgemeinerbarkeit

B. Beau: Le principe de l'universalisation des maximes. *Revue de Philosophie* 35, 1928.

E. A. Gellner: Ethics and Logic. *Proceedings of the Aristotelian Society* 55, 1954/55.

R. M. Hare: Universalisability. *Proceedings of the Aristotelian Society* 55, 1954/55.

A. Duncan-Jones: Kant and Universalisation. *Analysis* 15/16, 1954/56.

M. G. Singer: *Generalization in Ethics.* New York 1961.

P. Dietrichson: When is a Maxim Fully Universalizable? *Kantstudien* 55, 1964.

J. Cargile: The Universalisability of Lying. *Australian Journal of Philosophy* 43, 1965.

C. H. Whitely: Universalisability. *Analysis* 27, 1966/67.

M. S. Gram: Kant and Universalizability once more and again. *Kantstudien* 58, 1967.

D. Locke: The Trivializability of Universalizability. *The Philosophical Review* 77, 1968.

H. M. Curtler: What Kant Might Say to Hare. *Mind* 80, 1971.

k. Die Typik der praktischen Vernunft

Fr. Marty: La Typique du jugement pratique pur: La morale kantienne et son application aux cas particuliers. *Archives de Philosophie* 1, 1935.

J. R. Silber: Der Schematismus der praktischen Vernunft. *Kantstudien* 56, 1965.

I. Heidemann: Prinzip und Wirklichkeit in der Kantischen Ethik. *Kantstudien* 57, 1966.

J. Heinrichs: Das Problem der Zeit in der Praktischen Philosophie Kants. *Kantstudien Erg. Heft* 95. Köln 1968.

l. Die Anwendung des kategorischen Imperativs

J. Ebbinghaus: Die Formeln des kategorischen Imperativs und die Ableitung inhaltlich bestimmter Pflichten. *Studie e Ricerche di Storia della Filosofia* 32, 1959. (Wiederabgedruckt in: *Gesammelte Aufsätze, Vorträge und Reden*, Darmstadt 1968, sowie bei Prauss. Siehe ›Sammlungen‹.)

W. I. Matson: Kant as Casuist. *The Journal of Philosophy* 51, 1954.

J. Harrison: Kant's Examples of the First Formulation of the Categorical Imperative. *Philosophical Quarterly* 7, 1957.

J. Kemp; Kant's Examples of the Categorical Imperative. *Philosophical Quarterly* 8, 1958.

J. Harrison: The Categorical Imperative. *Philosophical Quarterly* 8, 1958.

(Die letzten vier Aufsätze wiederabgedruckt bei Wolff. Siehe ›Sammlungen‹.)

H. J. de Vleeschauwer: La doctrine du suicide dans l'éthique de Kant. *Kantstudien* 57, 1966.

J. D. Wallace: The Duty to Help People in Distress. *Analysis* 29, 1968/69.

N. Potter: Paton on the Application of the Categorical Imperative. *Kantstudien* 64, 1973.

m. Lügeverbot

J. D. Michaelis: *Moral,* hrsg. von Fr. Stäudlin, 1792. 2. Teil S. 160, 163.

L. H. Jacob: Über die Notlüge und was derselben ähnlich ist. *Philosophisches Journal für Moralität, Religion und Menschenwohl,* hrsg. von C. Ch. E. Schmid. 4. Band 2. Teil Jena 1794.

Jh. C. Greiling: Deduktion der Rechtmäßigkeit der Notlüge. *Annalen der Philosophie.* Philosophischer Anzeiger zu dem vorigen Werk, hrsg. von L. H. Jakob. 1795.

B. Constant: Von den politischen Gegenwirkungen. (Original: Des réactions politiques, 1796). *Frankreich im Jahr 1797. Aus den Briefen deutscher Männer in Paris,* hrsg. von K. Fr. Cramer, 2. Band Altona 1796. 6. Stück. (Dagegen Kant in seinem Aufsatz:

Über ein vermeintes Recht aus Menschenliebe zu lügen. *Berliner Blätter,* hrsg. von Biester. September 1797. Vgl. Akademie-Ausgabe Band VIII.)

Anonymus: Über Wahrheit und Wahrhaftigkeit. Ein Gespräch in bezug auf Herrn Prof. Kants Aufsatz, Sept. Blatt 10, Nr. 2. *Berlinische Blätter,* hrsg. von Biester. Band 2, 1797.

J. G. Fichte: *Das System der Sittenlehre nach den Prinzipien der Wissenschaftslehre.* Jena und Leipzig 1798. Drittes Hauptstück § 23 II.

J. J. Mounier: Lettre sur la philosophie de Kant. *Magazin encyclopédique* 1798.

H. J. Paton: An alleged right to lie. *Kantstudien* 45, 1953/54.

J. Ebbinghaus: Kants Ableitung des Verbotes der Lüge aus dem Rechte der Menschheit. *Revue internationale de philosophie* 30, 1954.

W. Schwarz: Kant's Refutation of Charitable Lies. *Ethics* 81, 1970.

H. E. M. Hofmeister: The Ethical Problem of the Lie in Kant. *Kantstudien* 63, 1972.

H. E. M. Hofmeister: Truth and Truthfulness: A Reply to Dr. Schwarz. *Ethics* 82, 1972.

W. Schwarz: Truth and Truthfulness: A Rejoinder. *Ethics* 83, 1972.

N. Gillespie: Exceptions to the Categorical Imperative. *Akten des 4. Internationalen Kant-Kongresses,* Mainz 1974, hrsg. von G. Funke. Teil II, 2. Berlin und New York 1974.

n. Rigorismus

K. Vorländer: Ethischer Rigorismus und sittliche Schönheit; mit besonderer Berücksichtigung von Kant und Schiller. *Philosophische Monatshefte* 30, 1894.

H. Schwarz: Der Rationalismus und der Rigorismus in Kants Ethik. *Kantstudien* 2, 1898.

Th. A. Wassmer: Responsibility and Pleasure in Kantian Morality. *Kantstudien* 52, 1960/61.

o. Formalismus und materiale Prinzipien

K. Vorländer: *Der Formalismus der Kantischen Ethik in seiner Notwendigkeit und Fruchtbarkeit.* Marburg 1893.

M. Bollert: Materie in Kants Ethik. *Archiv für Geschichte der Philosophie* 13, 1900.

H. L. J. Alt: *Die materialen Imperative bei Kant.* Gießen 1919.

G. Anderson: Die »Materie« in Kants Tugendlehre und der Formalismus der kritischen Ethik. *Kantstudien* 26, 1921.

M. Laupichler: *Die Grundzüge der materialen Ethik Kants.* Berlin 1931.

O. C. Jensen: Kant's Ethical Formalism. *Philosophy* 9, 1934.

P. Haezrahi: The Avowed and Unavowed Sources of Kant's Theory of Ethics. *Ethics* 61, 1952.

A. Diemer: Zum Problem des Materialen in der Ethik Kants. *Kantstudien* 45, 1953/54.

D. Meiklejohn: Kantian Formalism and Civil Liberty. *The Journal of Philosophy* 51, 1954.

J. Schmucker: Der Formalismus und die materialen Zweckprinzipien in der Ethik Kants. *Kant und die Scholastik heute,* hrsg. von J. B. Lotz, Pullach 1955.

R. Hall: Kant and Ethical Formalism. *Kantstudien* 52, 1960/61.

H.-D. Klein: Formale und materiale Prinzipien in Kants Ethik. *Kantstudien* 60, 1969.

H.-J. Heß: *Die obersten Grundsätze Kantischer Ethik und ihre Konkretisierbarkeit.* Kantstudien Erg. Heft 102, Bonn 1971.

J. R. Silber: Procedural Formalism in Kant's Ethics. *The Review of Metaphysics* 28, 1974.

p. Triebfederlehre und moralisches Gefühl

L. H. Jakob: *Über das moralische Gefühl, an Kanzler von Hoffmann,* Halle 1788.

B. Käubler: *Der Begriff der Triebfeder in Kants Ethik.* Leipzig 1917.

A. M. MacBeath: Kant on Moral Feeling. *Kantstudien* 64, 1973.

G. Funke: »Achtung fürs moralische Gesetz« und Rigorismus/Impersonalismus-Problem. *Akten des 4. Internationalen Kant-Kongresses Mainz 1974,* hrsg. von G. Funke. *Kantstudien* (Sonderheft) 65, 1974.

q. Tugend und Glückseligkeit

Anonymus: Über Herrn Kants Grundlegung zur Metaphysik der Sitten. *Braunschweigisches Journal* 5/6, 1789.

Ch. W. Snell: Erinnerung gegen den Aufsatz: Über Herrn Kants Grundlegung zur Metaphysik der Sitten. *Braunschweigisches Journal* 9, 1789.

Anonymus: Antwort auf den Herrn Prorektor Snell auf seine Erinnerung gegen den Aufsatz: Über Herrn Kants Grundlegung zur Metaphysik der Sitten. *Braunschweigisches Journal* 12, 1789.

Ch. W. Snell: An den Herrn Verfasser der Antwort auf meine Erinnerungen gegen den Aufsatz: Über Herrn Kants Grundlegung zur Metaphysik der Sitten. *Braunschweigisches Journal* 5, 1790.

(diese vier Aufsätze sind wiederabgedruckt bei Hausius. Siehe ›Sammlungen‹.)

G. C. Rapp: *Über die Untauglichkeit des Prinzips der allgemeinen und eigenen Glückseligkeit zum Grundgesetze der Sittlichkeit.* Jena 1791.

F. H. Gebhard: *Über die sittliche Güte aus uninteressiertem Wohlwollen.* Gotha 1792.

J. G. Fichte: Rezension von Gebhard: Über die sittliche Güte . . . *A. L. Z.* 304, 31. Okt. 1793.

F. H. Gebhard: Antikritik zur Fichteschen Rezension. *Gothaische Gelehrte Zeitungen* 103, 1793.

Anonymus: Von der Proportion zwischen der Moralität und der Glückseeligkeit. *Philosophisches Archiv,* hrsg. von J. A. Eberhard. 1. Band Berlin 1792 (Nachgedruckt in der Reihe *Aetas Kantiana,* Brüssel 1968).

B. Bauch: *Glückseligkeit und Persönlichkeit in der Kritischen Ethik.* Stuttgart 1902.

H. Reiner: Kants Beweis zur Widerlegung des Eudämonismus und das Apriori der Sittlichkeit. *Kantstudien* 54, 1963.

H. Lübbe: Dezisionismus in der Moraltheorie Kants. *Epirrhosis. Festgabe für Carl Schmitt.* Berlin 1968 (Nachgedruckt in: H. Lübbe: *Theorie und Entscheidung.* Freiburg 1971.)

r. Das höchste Gut

E. Arnold: *Über Kants Idee vom höchsten Gut.* Königsberg 1874.

A. Döring: Kants Lehre vom höchsten Gut. *Kantstudien* 4, 1900.

J. R. Silber: Kant's Conception of the Highest Good as Immanent and Transcendent. *Philosophical Review* 68, 1959 (deutsch in: *Zeitschrift für Philosophische Forschung* 18, 1964).

J. R. Silber: The Importance of the Highest Good in Kant's Ethics. *Ethics* 73, 1962.

W. Brugger: Kant und das höchste Gut. *Zeitschrift für Philosophische Forschung* 18, 1964.

J. G. Murphy: The Highest Good as Content for Kant's Ethical Formalism; Beck versus Silber. *Kantstudien* 56, 1965.

L. C. Bonaccorso: Considerazioni critichi intorno alla teoria del »Sommo Bene« nella »Critica della Ragione Pratica«. *Sophia* 36, 1968.

J. R. Silber: Die methphysische Bedeutung des Höchsten Gutes als Kanon der reinen Vernunft in Kants Philosophie. *Zeitschrift für Philosophische Forschung* 23, 1969.

K. Düsing: Das Problem des Höchsten Gutes in Kants praktischer Philosophie. *Kantstudien* 62, 1971.

dazu: M. Albrecht: »Glückseligkeit aus Freiheit« und »empirische Glückseligkeit«. Eine Stellungnahme. *Akten des 4. Internationalen Kant-Kongresses Mainz 1974,* hrsg. von G. Funke. Teil II, 2. Berlin und New York 1974.

M. Zeldin: The Summum Bonum, the Moral Law, and the Existence of God. *Kantstudien* 62, 1971.

G. W. Barnes: In Defense of Kant's Doctrine of the Highest Good. *Philosophical Forum* 2, 1971.

Y. Yovel: The Highest Good and History in Kant's Thought. *Archiv für Geschichte der Philosophie* 54, 1972.

s. Der Mensch als Zweck an sich

R. F. A. Hoernle: Kant's Concept of the »Intrinsic Worth« of Every »Rational Being«. *The Personalist* 24/2, 1943.

P. Haezrahi: The Concept of Man as End-in-Himself. *Kantstudien* 53, 1961/62 (wiederabgedruckt bei Wolff. Siehe ›Sammlungen‹).

H. Zeltner: Kants Begriff der Person. *Tradition und Kritik. Festschrift für Rudolf Zocher,* hrsg. von W. Arnold und H. Zeltner. Stuttgart-Bad Cannstadt 1968.

J. Schwartländer: *Der Mensch ist Person. Kants Lehre vom Menschen.* Stuttgart 1968.

H. E. Jones: *Kant's Principle of Personality.* Wisconsin University Press 1971.

J. G. Murphy: Moral Death: A Kantian Essay on Psychopathy. *Ethics* 82, 1972.

F. D. Miller: Kant: Two Concepts of Moral Ends. *The Personalist* 54, 1973.

t. Die Stellung der »Metaphysik der Sitten«

J. S. Beck: *Commentar über Kants Metaphysik der Sitten.* Halle 1798 (Nachgedruckt in der Reihe *Aetas Kantiana,* Brüssel 1968).

M. J. Gregor: Kant's Conception of a »Metaphysics of Morals«. *Philosophical Quarterly* 10, 1960.

M. J. Grabau: Kant's Conception of a »Metaphysics of Morals«. *Review of Metaphysics* 15, 1962.

M. J. Gregor: *Laws of Freedom. A Study of Kant's Method od Applying the Categorical Imperative in the »Metaphysik der Sitten«.* Oxford 1963.

u. Recht und Moral

F. Delekat: Das Verhältnis von Sitte und Recht in Kants großer »Metaphysik der Sitten« (1797). *Zeitschrift für Philosophische Forschung* 12, 1958.

J. Ebbinghaus: Das Kantische System der Rechte des Menschen und Bürgers in seiner geschichtlichen und aktuellen Bedeutung. *Archiv für Rechts- und Sozialphilosophie* 50, 1964.

F. Kaulbach: Moral und Recht in der Philosophie Kants. *Recht und Ethik,* hrsg. von J. Blühdorn und J. Ritter. Frankfurt 1970.

St. M. Brown: Has Kant a Philosophy of Law? *Philosophical Review* 71, 1962.

v. Religionsphilosophie

J. Bohatec: *Die Religionsphilosophie Kants in der »Religion innerhalb der Grenzen der bloßen Vernunft«.* Hamburg 1938 (Nachdruck Hildesheim 1966).

J. R. Silber: The Ethical Significance of Kant's Religion. *Religion within the Limits of reason alone.* Tr. by Th. M. Greene and H. H. Hudson. New York 1960.

W. H. Walsh: Kant's Moral Theology. *Proceedings of the British Academy* 49, 1963.

A. W. Wood: *Kant's Moral Religion.* Ithaca N. Y. 1970.

A. Reboul: *Kant et le probleme du Mal.* Montreal 1971.

w. Sozialphilosophische Fortführung der kantischen Ethik

H. Cohen: *Einleitung mit kritischem Nachtrag* zu: F. A. Lange: *Geschichte des Materialismus und Kritik seiner Bedeutung in der Gegenwart.* Leipzig ⁵1896.

R. Stammler: *Wirtschaft und Recht nach der materialistischen Geschichtsauffassung.* Leipzig 1896.

dazu: K. Vorländer: Eine Sozialphilosophie auf Kantischer Grundlage. *Kantstudien* 1, 1897.

F. Staudinger: Über einige Grundfragen der Kantischen Philosophie. *Archiv für systematische Philosophie* 2, 1896.

P. Natorp: Ist das Sittengesetz ein Naturgesetz? Bemerkungen zum vorstehenden Aufsatz F. Staudingers. *Archiv für systematische Philosophie* 2, 1896.

P. Natorp: *Sozialpädagogik. Theorie der Willenserziehung auf der Grundlage der Gemeinschaft.* Stuttgart 1899.

K. Vorländer: Kant und der Sozialismus. *Kantstudien* 4, 1900.

Sadi Gunter (= F. Staudinger): Sozialismus und Ethik. *Socialistische Monatshefte* 5, 1901 (wiederabgedruckt in: *Marxismus und Ethik. Texte zum Neukantianischen Sozialismus,* hrsg. von H.-J. Sandkühler und R. de la Vega. Frankfurt 1970. Vgl. auch die Bibliographie am Ende dieses Bandes).

K. Vorländer: *Kant und Marx.* Tübingen 1911.

A. Görland: *Ethik als Weltgeschichte.* Leipzig und Berlin 1914.

III. Diskussion über die Grundlagen
der Kantischen Moralphilosophie

G. A. Tittel: *Über Herrn Kants Moralreform.* Frankfurt und Leipzig 1786.

A. W. Rehberg: *Über das Verhältnis der Metaphysik zu der Religion.* Berlin 1787.

J. H. Abicht: Über die falschen Moralprinzipien. *Neues Philosophisches Magazin,* hrsg. von J. H. Abicht und F. G. Born. Band I 1789 (Nachgedruckt in der Reihe *Aetas Kantiana,* Brüssel 1968).

Ch. G. Tilling: Gedanken zur Prüfung von Kants Grundlegung zur Metaphysik der Sitten. Leipzig 1789 (Nachgedruckt in der Reihe *Aetas Kantiana,* Brüssel 1968).

J. G. L. Kiesewetter: *Über den ersten Grundsatz der Moralphilosophie.* 2 Theile. Berlin 1789/90.

J. A. Eberhard: Über den höchsten Grundsatz in der Moral. *Philosophisches Magazin,* hrsg. von J. A. Eberhard. Band IV. Halle 1791.

J. Ch. Schwab: Über das höchste Princip der Sittlichkeit. *Berlinische Monatsschrift,* hrsg. von Biester. 1791 (wieder abgedruckt bei Hausius. Siehe ›Sammlungen‹).

F. Breyer: *Ein Wort zur Ehrenrettung des Grundsatzes der eigenen Vollkommenheit, als ersten Moralischen Gesetzes.* Erlangen 1791.

Fr. I. Niethammer: Versuch einer Ableitung des moralischen Gesetzes aus der Form der reinen Vernunft. *Philosophisches Journal für Moralität, Religion und Menschenwohl,* hrsg. v. C. Ch. E. Schmid. Band II, 2. Jena 1793.

Ch. Garve: Darstellung und Kritik der Kantischen Sittenlehre. In: Einleitung zu: *Die Ethik des Aristoteles* übersetzt und erläutert. Breslau 1798. Band I.

J. Ch. Schwab: *Vergleichung des Kantischen Moralprincips mit dem Leibnizisch-Wolffischen.* Berlin und Stettin 1800.

F. E. D. Schleiermacher: *Grundlinien einer Kritik der bisherigen Sittenlehre.* 1803. *Sämtliche Werke.* 3. Abteilung. Zur Philosophie. Band 1. Berlin 1846.

F. Überweg: Über das Aristotelische, Kantische und Herbartsche Moralprinzip. *Zeitschrift für Philosophie und philosophische Kritik.* Neue Folge. Band 24, 1854.

Ch. A. Thilo: Die Grundirrtümer des Idealismus in ihrer Entwicklung von Kant bis Hegel und Schleiermacher. *Zeitschrift für exacte Philosophie,* hrsg. von F. H. Allihn und T. Ziller, 1 Leipzig 1861.

F. A. Trendelenburg: Der Widerstreit zwischen Kant und Aristoteles in der Ethik. *Historische Beiträge zur Philosophie.* 3. Band Berlin 1867.

E. Zeller: Über das Kantische Moralprinzip und den Gegensatz formaler und materialer Moralprinzipien. 1879. *Vorträge und Abhandlungen.* Dritte Sammlung. Leipzig 1884.

J. P. Becker: E. Zellers Angriff auf das Moralprinzip Kants. *Philosophische Monatshefte* 24, 1888.

H. Spencer: Kant's Ethik. *Zeitschrift für Philosophie und philosophische Kritik* 95, 1889.

A. Gallinger: Zum Streit über das Grundproblem der Ethik in der neueren philosophischen Literatur. *Kantstudien* 6, 1901.

G. Simmel: *Kant.* Leipzig 1903.

E. Boutroux: La morale de Kant et le temps moderne. *Revue de métaphysique et de morale* 12, 1904.

L. Nelson: *Die kritische Ethik bei Kant, Schiller und Fries.* Göttingen 1914.

G. Krüger: *Philosophie und Moral in der Kantischen Kritik.* Tübingen 1931.

S. Klausen: *Kants Ethik und ihre Kritiker.* Oslo 1954.

D. Henrich: Das Problem der Grundlegung der Ethik bei Kant und im spekulativen Idealismus. *Sein und Ethos. Walberger Studien I,* hrsg. von P. Engelhardt. Mainz 1963.

G. Ellscheid: *Das Problem von Sein und Sollen in der Philosophie Immanuel Kants.* Köln, Berlin, Bonn, München 1968.

IV. Alternative Systeme mit wesentlichem Bezug auf Kant

S. Maimon: Versuch einer neuen Darstellung des Moralprinzips und Deduktion seiner Realität. *Berlinische Monatsschrift,* hrsg. von Biester, 1794.

C. G. Bardili: Allgemeine Praktische Philosophie. Stuttgart 1795.

S. Maimon: *Kritische Untersuchungen über den menschlichen Geist.* Leipzig 1797.

S. Maimon: Über die ersten Gründe der Moral. *Philosophisches Journal einer Gesellschaft Teutscher Gelehrten,* hrsg. von J. G. Fichte und Fr. I. Niethammer, Band 8, 1798, Heft 3.

J. G. Fichte: *Das System der Sittenlehre nach den Prinzipien der Wissenschaftslehre.* Jena und Leipzig 1798.

G. W. Block: *Neue Grundlegung zur Philosophie der Sitten mit beständiger Rücksicht auf die Kantische.* Braunschweig 1802.

J. F. Fries: *System der Philosophie als evidenter Wissenschaft.* Leipzig 1804.

J. F. Herbart: *Allgemeine praktische Philosophie.* Göttingen 1808.

J. G. Fichte: *Das System der Sittenlehre,* vorgetragen 1812.

A. Schopenhauer: *Die Welt als Wille und Vorstellung.* Leipzig 1819. 4. Buch.

F. E. Beneke: *Grundlegung zur Physik der Sitten.* Berlin 1822.

F. E. D. Schleiermacher: *Entwurf eines Systems der Sittenlehre. Sämtliche Werke.* 3. Abt. Zur Philosophie. Band 5, hrsg. von A. Schweizer. Berlin 1835.

F. E. Beneke: *Grundlinien des natürlichen Systems der praktischen Philosophie.* Band I: *Allgemeine Sittenlehre.* Berlin, Posen und Bromberg 1837.

A. Schopenhauer: *Die beiden Grundprobleme der Ethik.* Frankfurt 1841.

I. H. Fichte: *System der Ethik.* Zwei Bände. Leipzig 1850/53.

J. St. Mill: *Utilitarianism.* London 1863.

H. Sidgwick: *The Methods of Ethics.* London 1874.

G. Simmel: *Einleitung in die Moralwissenschaft. Eine Kritik der ethischen Grundbegriffe.* 2 Bände. Berlin 1892/93.

G. E. Moore: *Principia* Ethica. Cambridge 1903 (deutsche Übersetzung: Stuttgart 1970).

H. Cohen: *Ethik des reinen Willens.* Berlin 1904.

G. Simmel: Das individuelle Gesetz. *Logos,* 1913. Ebenfalls in: *Lebensanschauung. Vier metaphysische Kapitel.* München und Leipzig 1918.

M. Scheler: Der Formalismus in der Ethik und die materiale Wertethik mit besonderer Berücksichtigung der Ethik Immanuel Kants. *Jahrbuch für Phänomenologie und phänomenologische Forschung* 1, 1913 und 2, 1916. Beide Teile als Sonderdruck unter dem gleichen Titel. Halle [1]1916.

D. v. Hildebrand: Die Idee der sittlichen Handlung. *Jahrbuch für Philosophie und phänomenologische Forschung.* Dritter Band 1916.

D. v. Hildebrand: Sittlichkeit und ethische Werterkenntnis. Eine Untersuchung über ethische Strukturprobleme. *Jahrbuch für Philosophie und phänomenologische Forschung.* Fünfter Band 1922. (beides nachgedruckt Wissenschaftliche Buchgesellschaft Darmstadt 1969.)

L. Nelson: *Vorlesungen über die Grundlagen der Ethik.* Erster Band: *Kritik der praktischen Vernunft.* Leipzig 1917.

P. Natorp: *Vorlesungen über praktische Philosophie.* Erlangen 1925.

J. Rehmke: *Grundlegung der Ethik als Wissenschaft.* Leipzig 1925.

N. Hartmann: *Ethik.* Berlin und Leipzig 1926.

E. v. Aster: Zur Kritik der materialen Wertethik. *Kantstudien* 33, 1928.

R. M. Hare: *The Language of Morals.* Oxford 1952 (deutsche Übersetzung: *Die Sprache der Moral.* Frankfurt 1972).

R. M. Hare: *Freedom and Reason.* Oxford 1963 (deutsche Übersetzung: *Freiheit und Vernunft.* Düsseldorf 1973).

O. Schwemmer: *Philosophie der Praxis. Versuch zur Grundlegung einer Lehre vom moralischen Argumentieren in Verbindung mit einer Interpretation der praktischen Philosophie Kants.* Frankfurt 1971.

Quellennachweis

Texte zur Moralphilosophie aus Kants handschriftlichem Nachlaß

Reflexionen aus: *Kant's handschriftlicher Nachlaß*, Band XV und Band XIX der Akademie-Ausgabe der Werke Kants. Die erste Ziffer in den eckigen Klammern am Schluß der unter einem Stichwort abgedruckten Reflexionen gibt die Nummer der Reflexion in den genannten Bänden an, die zweite das Jahr (bzw. den Zeitraum), in dem die Reflexion vermutlich niedergeschrieben wurde.

Frühe Rezeption

Anonym: Rezension der »Grundlegung zur Metaphysik der Sitten« (1785). Aus: *Göttingische Anzeigen von gelehrten Sachen 1785*, 172. Stück, 29. Okt. 1785, S. 1739-1744. Ungekürzt.

Hermann Andreas Pistorius: Rezension der »Grundlegung zur Metaphysik der Sitten« (1786). Aus: *Allgemeine deutsche Bibliothek*, Band 66, 1786, S. 447-463. Die Rezension ist Sg. gezeichnet. Die Autorschaft von Pistorius ergibt sich aus der Angabe eines Briefes von Jenisch an Kant vom 14. Mai 1787 (Vgl. AA, X, S. 463). Ungekürzt. Auf diese Rezension von Pistorius nimmt Kant in der Kritik der praktischen Vernunft, A 15 f., Bezug.

Hermann Andreas Pistorius: Rezension der »Kritik der praktischen Vernunft« (1794). Aus: H. A. Pistorius, Rezension der »Kritik der praktischen Vernunft«. In: *Allgemeine deutsche Bibliothek*, Band 117, 1794. S. 78-105. Gekürzt um den referierenden Teil, S. 78-89. Aus einem Redaktionsvermerk der A. d. B. geht hervor, daß der Aufsatz »schon vor verschiedenen Jahren« eingereicht worden war: »allein er wurde verlegt und konnte nicht aufgefunden werden. Da man ihn endlich wieder bekommen, hat man ihn lieber so ungewöhnlich spät mitteilen, als zugeben wollen, daß ein so wichtiges Produkt des deutschen philosophischen Geistes in der Allgemeinen deutschen Bibliothek unangezeigt bliebe.« Die Rezension ist mit der Abkürzung »Wo.« gezeichnet; ihr Tenor sowie insbesondere die Bezugnahme auf die frühere Rezension der Grundlegungsschrift sprechen für die Verfasserschaft von Pistorius.

August Wilhelm Rehberg: Rezension der »Kritik der praktischen Vernunft« (1788). Aus: *Allgemeine Literaturzeitung*, Jena, 6. August 1788, Nummer 188 a und b, Spalten 345-360, leicht gekürzt.

Christian Wilhelm Snell: Die Sittlichkeit in Verbindung mit der Glückseligkeit (1790). Aus: Ch. W. Snell: *Die Sittlichkeit in Verbindung mit der Glückseligkeit*, Frankfurt 1790. S. 446-451. Ungekürzt.

Gottlob August Tittel: Über einige Sätze der Kantischen Moral
(1791). Aus: G. A. Tittel: *Erläuterungen der theoretischen und praktischen Philosophie nach Herrn Feders Ordnung. Moral.* 2. Auflage.
Frankfurt 1791. S. 524-530. Leicht gekürzt.

Johann Günter Karl Werdermann: Versuch zur Aufhellung einiger
streitigen Punkte in den Gründen der Moralphilosophie (1794). Aus:
J. G. K. Werdermann: »Feder und Kant. Versuch zur Aufhellung
einiger streitiger Punkte in den Gründen der Moralphilosophie«. In:
Berlinische Monatsschrift, Band 23, April 1794. S. 309-339. Stark
gekürzt.

Friedrich Schiller: Aus der Abhandlung über Anmut und Würde
(1793). Aus: Schillers Werke. Vollständige, historisch-kritische Ausgabe in zwanzig Teilen herausgegeben von Otto Güntter und Georg
Wittkowski. Leipzig o. J. Siebzehnter Teil. S. 212-222. Ungekürzt.
Zuerst erschienen im dritten Teil der Thalia von 1793.

Immanuel Kant: Aus der Religionsschrift: Zu Schillers Abhandlung
über Anmut und Würde (1794). Aus: *Die Religion innerhalb der
Grenzen der bloßen Vernunft,* 2. vermehrte Auflage, Königsberg
1794. Zusatz zum 1. Stück, AA Bd. 6, S. 23 f. Ungekürzt.

Immanuel Kant: Aus den Vorarbeiten zur Religionsschrift: Zu Schillers Abhandlung über Anmut und Würde. Aus: *Kant's gesammelte
Schriften,* herausgegeben von der Königlich Preußischen Akademie
der Wissenschaften, Band 23, S. 98-101.

Freiheit

Johann Heinrich Abicht: Über die Freiheit des Willens (1789). Aus:
Neues philosophisches Magazin, hrsg. von J. H. Abicht und F. G.
Born, 1. Bd. Leipzig 1790, Stück 1 (III), S. 64-85. (Das Einzelheft,
in dem Abichts Aufsatz zuerst abgedruckt war, ist 1789 erschienen.)
Um drei Anmerkungen gekürzt.

Carl Christian Ehrhard Schmid: Determinismus und Freiheit (1790).
Aus: *Versuch einer Moralphilosophie,* 1. Auflage Jena 1790, 1. Teil,
Critik der praktischen Vernunft, §§ 223-230, 232-245, 254-257,
259. Geringfügig gekürzt. Die Überschrift des hier abgedruckten
Textes ist von den Herausgebern.

Carl Leonhard Reinhold: Erörterung des Begriffes von der Freiheit
des Willens (1792). Aus: *Briefe über die Kantische Philosophie,* 2.
Band, Leipzig 1792. 8. Brief, S. 262-308. Gekürzt.

Leonhard Creuzer: Skeptische Betrachtungen über die Freiheit des
Willens (1793). Aus: Creuzer, *Skeptische Betrachtungen über die
Freiheit des Willens mit Hinsicht auf die neuesten Theorien über
dieselbe,* Giessen 1793, S. 124-201. Stark, insbesondere um die
Zusätze gekürzt.

Johann Gottlieb Fichte: Rezension von Creuzers »Skeptische Betrachtungen über die Freiheit des Willens« (1793). Anonym erschienen in
Nr. 303 der *Allgemeinen Literatur-Zeitung* (Jena) vom Mittwoch,
dem 30. Oktober 1793 unter dem Titel: Giessen, bei Heyer: *Skeptische Betrachtungen über die Freiheit des Willens mit Hinsicht auf die
neuesten Theorien über dieselbe von Leonhard Creuzer.* 1793. XVI.
Vorrede (von Hrn. Prof. Schmid) 252. 8. Der Text ist Band VIII der
von Immanuel Hermann Fichte besorgten Ausgabe von Fichtes
Gesammelten Werken entnommen. Ungekürzt. Die maßgebliche kritische Ausgabe von Fichtes Creuzer-Rezension bietet: J. G. Fichte-
Gesamtausgabe der Bayerischen Akademie der Wissenschaften, hrsg.
von Reinhard Lauth und Hans Jacob, Werke, Band 2, Stuttgart-Bad
Cannstatt 1965, S. 7-14.

Immanuel Kant: Aus der Einleitung in die »Mataphysik der Sitten«
(1797). Aus: Immanuel Kant, *Die Metaphysik der Sitten*, Königsberg 1797. Der hier abgedruckte Text ist der von K. Vorländer in der
Philosophischen Bibliothek Meiner, Bd. 42, Leipzig 1922 (Hamburg
1954) besorgten Ausgabe entnommen. Er bringt den ersten Abschnitt
und eine Passage aus dem vierten ungekürzt.

Immanuel Kant: Aus den Vorarbeiten zur Einleitung in die Meta-
physik der Sitten (vor 1797). Aus: *Immanuel Kant's gesammelte
Schriften*, hrsg. v. der Deutschen Akademie der Wissenschaften zu
Berlin, Bd. 23 (Bd. 10 des handschriftlichen Nachlasses), S. 248 f.

Carl Leonhard Reinhold: Einige Bemerkungen über die in der Einleitung zu den metaphysischen Anfangsgründen der Rechtslehre von I.
Kant aufgestellten Begriffe von der Freiheit des Willens (1797). Aus:
Reinhold, *Auswahl vermischter Schriften*, 2. Teil, Jena 1797, S. 364-
400. Leicht gekürzt.

Nachkantische Diskussion und Kritik der Kantischen Ethik

Georg Wilhelm Friedrich Hegel: Aus dem Naturrechtsaufsatz: Kritik
an Kants Moralprinzip (1802). Aus: »Über die wissenschaftlichen
Behandlungsarten des Naturrechts, seine Stelle in der praktischen
Philosophie, und sein Verhältnis zu den positiven Rechtswissen-
schaften«. In: *Kritisches Journal für Philosophie*, hrsg. v. F. W. J.
Schelling und G. W. F. Hegel, 2. Band, 2. und 3. Stück, Tübingen
1802, S. 1-88 und 1-34. Der hier abgedruckte Text (S. 35-43 Mitte,
des 2. Stücks) ist ungekürzt. Die maßgebliche Kritische Ausgabe von
Hegels Naturrechtsaufsatz bietet der von H. Buchner und O.
Pöggeler herausgegebene Band IV von Hegels Gesammelten Werken,
hrsg. im Auftrag der deutschen Forschungsgemeinschaft, Hamburg
1968, S. 417-485.

Friedrich Eduard Beneke: Physik der Sitten (1822). Aus: Friedrich
  Eduard Beneke, *Grundlegung zur Physik der Sitten, ein Gegenstück
  zu Kants Grundlegung zur Metaphysik der Sitten,* Berlin und Posen,
  1822, S. 27-63. Stark gekürzt. Um einige Stellennachweise
  ergänzt.

Arthur Schopenhauer: Kritik des von Kant der Ethik gegebenen
  Fundaments (1841, [1860]). Aus: Preisschrift über die Grundlage
  der Moral, *nicht* gekrönt von der Königlichen Dänischen Societät der
  Wissenschaften zu Kopenhagen, am 30. Januar 1840, in: *Die beiden
  Grundprobleme der Ethik, behandelt in zwei akademischen Preis-
  schriften,* 1. Auflage Frankfurt a. M. 1841, 2. verbesserte und
  vermehrte Auflage Leipzig 1860. Der Text ist Band III der von Paul
  Deussen herausgegebenen Ausgabe von Arthur Schopenhauers
  Sämtlichen Werken, München 1912, entnommen. Er folgt, stark
  gekürzt, der 2. Auflage von 1860. Über den Unterschied in der Text-
  gestalt der Auflagen von 1841 und 1860 unterrichtet die von
  Deussen besorgte Kollation im 5. Anhang des Bandes III, S. 795-833.

Christfried Albert Thilo: Die Grundirrtümer des Idealismus in ihrer
  Entwicklung von Kant bis Hegel und Schleiermacher auf dem
  Gebiete der praktischen Philosophie (1861). Aus: *Zeitschrift für
  exakte Philosophie im Sinne des neuern Philosophischen Realismus,*
  hrsg. von F. H. Allihn und T. Ziller, 1. Band, Leipzig 1861, S. 298-
  320. Am Ende geringfügig gekürzt.

Friedrich Adolf Trendelenburg: Der Widerstreit zwischen Kant und
  Aristoteles in der Ethik (1867). Aus: F. A. Trendelenburg, *Historische Beiträge zur Philosophie,* Band III, Berlin 1867, S. 171-192. Bis
  auf eine kleine Passage ungekürzt.

Hermann Cohen: Kants Begründung der Ethik. Aus: Hermann
  Cohen, *Kants Begründung der Ethik nebst ihren Anwendungen auf
  Recht, Religion und Geschichte,* 2. vermehrte und erweiterte Auflage
  Berlin 1910 (1. Auflage Berlin 1877), 2. Teil, Die Darlegung des
  Sittengesetzes, 1. und 2. Kapitel, S. 137-227. Stark gekürzt.

Seitenkonkordanz zur
Grundlegung der Metaphysik der Sitten

In der ersten Spalte erscheinen die Seitenzahlen der ersten Auflage der *Grundlegung zur Metaphysik der Sitten*, Riga 1785 (die mit den Seitenzahlen der zweiten Auflage, Riga 1786, fast durchweg übereinstimmen), in der zweiten Spalte die Seitenzahlen des Abdrucks im vierten Band der Akademie-Ausgabe, S. 385-463, Berlin 1903.

I	II	I	II	I	II
I	385	11	398/399	36	412
III	387	12	399	37	412/413
IV	387/388	13	399/400	38	413
V	388	14	400	39	414
VI	388	15	400/401	40	414/415
VII	388/389	16	401	41	415
VIII	389	17	402	42	415/416
IX	389/390	18	402	43	416
X	390	19	402/403	44	416/417
XI	390	20	403/404	45	417
XII	390/391	21	404	46	417/418
XIII	391	22	404/405	47	418/419
XIV	391/392	23	405	48	419
XV	392	24	405	49	419/420
XVI	392	25	406	50	420
1	393	26	406/407	51	420/421
2	393/394	27	407	52	421
3	394	28	408	53	421/422
4	394/395	29	408/409	54	422
5	395	30	409	55	422/423
6	395/396	31	409/410	56	423
7	396	32	410	57	423/424
8	396/397	33	410/411	58	424
9	397/398	34	411	59	424/425
10	398	35	411/412	60	425/426

stw 1 Jürgen Habermas
Erkenntnis und Interesse
Mit einem neuen Nachwort
420 Seiten
Einzig als Gesellschaftstheorie ist radikale Erkenntniskritik
möglich, heißt die Grundthese von Habermas. Damit greift
er nicht nur in die an Methodenfragen orientierte Positivis-
mus-Diskussion ein, sondern auch in die auf Praxis gerich-
tete politische Diskussion.

stw 11 Siegfried Kracauer
Geschichte – Vor den letzten Dingen
Aus dem Englischen von Karsten Witte
309 Seiten
»Kracauer prüft mit skeptischem Blick geschichtsphilosophi-
sche Mythen und historiographische Methoden in der Absicht, das Interesse der Menschen an der Geschichte zu erhellen. Die Schlußfolgerungen: Geschichte tritt als eine
Folge irreduzibler, einmaliger Wesenheiten in Erscheinung,
die der Historiker letztlich als ›stories‹, also in ihrer ›epi-
schen Qualität‹ zu begreifen hat.« Viktor Zmegač

stw 12 Niklas Luhmann
Zweckbegriff und Systemrationalität
Über die Funktion von Zwecken in sozialen Systemen
390 Seiten
Mit seinem Entwurf einer Systemtheorie erneuert Luhmann
den von der gegenwärtigen Soziologie vernachlässigten
Versuch, Gesellschaft im ganzen zu begreifen. Er untersucht
die Funktion der Zweckorientierung in sozialen Systemen
und bestimmt sie als Reduktion von Komplexität, als Ver-
einfachung, die das System handlungsfähig macht.

stw 22 *Seminar: Politische Ökonomie*
Zur Kritik der herrschenden Nationalökonomie
Herausgegeben von Winfried Vogt
334 Seiten
Dieser Band repräsentiert die Breite der Kritik an der
herrschenden bürgerlichen Nationalökonomie. Die vertretenen Positionen reichen von der Keynesschen Theorie
über eine pragmatische Richtung bis hin zur marxistischen
Kritik. Von hier aus wird man sehen müssen, inwieweit
eine übergreifende theoretische Konzeption möglich ist.

stw 28 George Herbert Mead
Geist, Identität und Gesellschaft
Mit einer Einleitung von Charles W. Morris
Aus dem Amerikanischen von Ulf Pacher
456 Seiten

Mind, Self and Society ist *der* Klassiker der Sozialpsychologie. Das postum aus Vorlesungsnachschriften veröffentlichte Werk verschmilzt »einen von einem moralischen Ethos idealistischer Vernunft beseelten Pragmatismus mit Evolutionismus und einem sozial interpretierten Behaviorismus«. *Helmut Kuhn*

stw 30 *Seminar: Die Entstehung von Klassengesellschaften*
Herausgegeben von Klaus Eder
384 Seiten

Mit der Entwicklung von der »menschlichen Naturgeschichte« zur »menschlichen Vorgeschichte« befassen sich so renommierte Autoren wie Sahlins, Moscovici u. a. Ihre Beiträge sind Ansätze zu einer Theorie der Genese und Struktur von Klassengesellschaften.

stw 36 Reinhart Koselleck
Kritik und Krise
Ein Beitrag zur Pathogenese der bürgerlichen Welt
248 Seiten

Die Frage nach dem Zusammenhang von Kritik und Krise ist geschichtlich und aktuell zugleich. Die Untersuchung umspannt den Zeitraum von den religiösen Bürgerkriegen bis zur Französischen Revolution. Die hypokritischen Züge der Aufklärung werden begriffsgeschichtlich und ideologiekritisch herausgearbeitet. Dabei stoßen wir auf die politischen Grenzen der Aufklärung, die ihr Ziel verfehlt, sobald sie zur reinen Utopie gerinnt.

stw 38 Constans Seyfarth/Walter M. Sprondel (Hrsg.)
Seminar: Religion und gesellschaftliche Entwicklung
Studien zur Protestantismus-Kapitalismus-These Max Webers
380 Seiten

Die Aktualität der These Webers ist heute nicht in der Entscheidung zu sehen, ob sie richtig oder falsch ist, sondern in der Klärung der in ihr enthaltenen Probleme, die in die Richtung einer historischen Theorie sozialen Wandels weisen.

stw 39 Michel Foucault
Wahnsinn und Gesellschaft
Eine Geschichte des Wahns im Zeitalter der Vernunft
Aus dem Französischen von Ulrich Köppen
562 Seiten
Michel Foucault erzählt die Geschichte des Wahnsinns vom
16. bis zum 18. Jahrhundert. Er erzählt zugleich die Geschichte seines Gegenspielers, der Vernunft, denn er sieht
die beiden als Paar, das sich nicht trennen läßt. Der Wahn
ist für ihn weniger eine Krankheit als eine andere Art
von Erkenntnis, eine Gegenvernunft, die ihre eigene Sprache
hat oder besser: ihr eigenes Schweigen.

stw 41 C. B. Macpherson
Die politische Theorie des Besitzindividualismus
Von Hobbes bis Locke
Aus dem Englischen von Arno Wittekind
348 Seiten
Macphersons Untersuchung gilt dem Problem einer gesicherten theoretischen Grundlage für den liberal-demokra-
tischen Staat. Als gemeinsame Voraussetzung der englischen
politischen Theorie von Hobbes bis Locke erkennt er einen
auf Besitz gegründeten und am Besitz orientierten Individualismus.

stw 49 *Materialien zu Habermas' ›Erkenntnis und Interesse‹*
Herausgegeben von Winfried Dallmayr
434 Seiten
Die intensive und breite Diskussion, die *Erkenntnis und
Interesse* entfacht hat, läßt es sinnvoll erscheinen, Kommentar und Kritik in einem Band zu vereinen. Die hier
abgedruckten Aufsätze repräsentieren das weite Spektrum
der Auseinandersetzung mit Jürgen Habermas, die von
den verschiedensten Positionen her erfolgt und sich innerhalb von *Erkenntnis und Interesse* verschiedenen Komple-
xen widmet: der Deutung einzelner Autoren bei Habermas, der konstitutionstheoretischen Abgrenzung verschiedener Objektbereiche und entsprechender Wissensformen, dem
revidierten Begriff des Transzendentalen und dem zwei-
deutigen Status der Erkenntnisinteressen.

stw 66 Helmuth Plessner
Die verspätete Nation
Über die politische Verführbarkeit bürgerlichen Geistes
196 Seiten
Das Buch will die Wurzeln der Ideologie des Dritten Reiches aufdecken und die Gründe, aus denen sie ihre demagogische Wirkung entfalten konnte.

stw 70 Friedrich Albert Lange
Geschichte des Materialismus und Kritik seiner Bedeutung in der Gegenwart
Herausgegeben und eingeleitet von Alfred Schmidt
2 Bände. 1018 Seiten
Langes Buch ist entstanden im Gegenzug zu einem sich ausbreitenden krude mechanistischen, vulgären Materialismus (»Der Mensch ist, was er ißt«).
Es ist neben allem ein Kompendium, das in seiner Gelehrsamkeit heute nur noch von einem Forscherteam erstellt werden könnte.

stw 83 James O'Connor
Die Finanzkrise des Staates
Aus dem Amerikanischen von Johannes Buchrucker
395 Seiten
Die Arbeit des amerikanischen Wissenschaftlers ist eine Analyse des »amerikanischen Staatskapitalismus«, der Struktur der US-Wirtschaft sowie der damit zusammenhängenden ökonomischen und politischen Fragestellungen. O'Connor konzentriert sich vor allem auf die ökonomische Lage der verschiedenen Bevölkerungsschichten und -gruppen und auf aktuelle Probleme der amerikanischen Wirtschaftspolitik. Er untersucht die Beziehungen zwischen den großen Monopolindustrien und der staatlichen Politik und gelangt zu der These vom amerikanischen Rüstungs- und Wohlfahrtsstaat.

stw 92 Alfred Schütz
Der sinnhafte Aufbau der sozialen Welt
Eine Einleitung in die verstehende Soziologie
353 Seiten
Alfred Schütz vollzieht in seinen Arbeiten die Wende von der Rekonstruktion des »subjektiven Sinns« (*Max Weber*) zur Rekonstruktion des objektiven Sinns in der Analyse alltäglicher Interaktionen. Hierbei sieht er die besondere

Bedeutung der Arbeiten Edmund Husserls für die Soziologie, ohne dessen transzendental-idealistische Voraussetzungen zu übernehmen. Der *sinnhafte Aufbau der sozialen Welt* soll »explizit eine phänomenologische Fundierung für die verstehende Soziologie« sein (*Luckmann*). Die geistige Herkunft (*Weber, Husserls*) macht Schütz zum Antipoden einer rein neopositivistisch eingestellten Soziologie und rückt ihn in die Nähe der amerikanischen Pragmatisten James, Dewey, Mead.

stw 106 Talcott Parsons
Gesellschaften
Evolutionäre und komparative Perspektiven
Aus dem Amerikanischen von Nils Thomas Lindquist
200 Seiten
Parsons Analyse verschiedener historischer Gesellschaften zeigt, daß die fundamentalen Gesellschaftstypen multiple und variable Ursprünge in den frühen Phasen der Evolution haben.

stw 107 Pierre Bourdieu
Zur Soziologie der symbolischen Formen
Aus dem Französischen von Wolfgang Fietkau
201 Seiten
Die in diesem Band zusammengestellten Aufsätze diskutieren die erkenntnistheoretischen Implikationen und Voraussetzungen der strukturalen Methode auf dem Gebiet der Soziologie, indem sie im konkreten Fall die Relevanz dieser Methode für soziologische Probleme aufzeigen.

stw 112 Ralph Miliband
Der Staat in der kapitalistischen Gesellschaft
Eine Analyse des westlichen Machtsystems
Aus dem Englischen von Nele Einsele
376 Seiten
Miliband versucht, eine Staatstheorie – und das heißt zugleich: eine Theorie der Gesellschaft und der Machtverteilung in ihr – zu entwickeln, die der Wirklichkeit der westlichen Gesellschaften gerechter wird als die heute noch herrschende Staatstheorie des bürgerlichen Liberalismus. Seine Analysen weisen einen starken Trend der »bürgerlichen Demokratie« in Richtung auf einen staatlichen Autoritarismus nach, einen Trend, dem auch der »sozialdemokratische« Reformkurs (den Miliband am Beispiel Frankreichs, Englands und der Bundesrepublik untersucht) sich nicht entziehen kann.